Beck'sche Reihe
BsR 1

Für Albert Schweitzer

»Der Mensch hat die Fähigkeit, vorauszublicken und vorzusorgen, verloren. Er wird am Ende die Erde zerstören.« Schweitzer

»Im Frühjahr 1962 erschien ›Der stumme Frühling‹ – die Bibel der damals noch zaghaften Ökologie-Bewegung. Der Titel bezieht sich auf das eingangs erwähnte Märchen von der bezaubernden Stadt, in der sich eine schleichende Seuche ausbreitet ... Schuld an dieser ›derzeit noch erfundenen Heimsuchung‹ sind die Pflanzenschutzmittel, die Chemikalien zur Unkrautvernichtung und Insektenbekämpfung, allen voran das damals noch uneingeschränkt versprühte DDT. Wie sich diese Gifte in die Nahrungsketten einschleichen, die roten Fäden, die sich von Mikroben, Gräsern, Algen durch die gesamte Tierwelt bis hin zum Menschen ziehen – langweilige Abhandlungen könnten dies beschreiben; bei Rachel Carson ist es spannende Lektüre ... Inzwischen sind viele anklagende Bücher über die Veruntreuung der Umwelt erschienen, düstere Prophezeiungen, enthüllende Schriften über Praktiken allzu gewinnsüchtiger Unternehmen. In diesem dröhnenden Konzert geht die eher zarte Stimme der Rachel Carson keineswegs unter. Sie brauchte keine ideologische Verbrämung ihres Kampfes gegen die Feinde der Natur, sie überzeugt mit der soliden Kenntnis ihrer Wissenschaft und ihrem Erzähltalent. Bewirkt hat sie damit nicht nur den Auftakt der neuen Bewegung in den sechziger Jahren, bewirkt hatte sie immerhin, daß der Gebrauch von Chemikalien zum Pflanzenschutz fast in aller Welt drastisch eingeschränkt wurde. Wer nun glaubt, damit sei ›Der stumme Frühling‹ passé, nehme einmal wieder das Buch zur Hand. Ein Augenöffner ist es, ein Sachbuch wie es sein soll, relevant, anregend und immer noch so aufrührend wie vor zwanzig Jahren.« *Thomas v. Randow in der ZEIT*

Die Amerikanerin *Rachel Carson* erlangte als Biologin und Schriftstellerin weltweiten Ruf durch ihre Bücher »Geheimnis des Meeres«, »Am Saum der Gezeiten« und vor allem durch »Der stumme Frühling«.

RACHEL CARSON

Der stumme Frühling

VERLAG C.H.BECK MÜNCHEN

Titel der Originalausgabe: Silent Spring
Houghton Mifflin Company, Boston. 1962.
Aus dem Amerikanischen übertragen von Margaret Auer

CIP-Titelaufnahme der Deutschen Bibliothek

Carson, Rachel L.:
Der stumme Frühling / Rachel Carson. [Aus d. Amerikan. übertr. von Margaret Auer]. – 118.–122. Tsd. d. dt. Gesamtaufl. – München : Beck, 1990
(Beck'sche Reihe; Bd. 144)
Einheitssacht.: Silent spring <dt.>
ISBN 3 406 04944 3
NE: GT

ISBN 3 406 32902 0

Lizenzausgabe des Biederstein Verlags, München. 1963
118. bis 122. Tausend der deutschen Gesamtauflage. 1990
Umschlagentwurf: Uwe Göbel, München
Umschlagbild (Bund Naturschutz, München)

Gesamtherstellung: C. H. Beck'sche Buchdruckerei, Nördlingen
Printed in Germany

Inhalt

Ich wollte den Text nicht mit Fußnoten belasten, aber ich weiß, daß sich viele meiner Leser sicherlich näher mit den erörterten Themen befassen möchten. Daher habe ich eine Liste meiner wichtigsten Quellen, nach Kapiteln und Seitenzahl geordnet, in einem Anhang am Schluß dieses Buches angeführt.

R. C.

Vorwort zur Ausgabe 1976

Vierzehn Jahre nach der Veröffentlichung in Deutschland hat Rachel Carsons Buch nichts von seiner Aktualität verloren. Im Gegenteil, die Voraussagen und Warnungen der so früh verstorbenen amerikanischen Biologin haben sich auf bedrükkende, ja erschreckende Weise bewahrheitet. Nahezu alle Gefahren, auf die sie damals hingewiesen hat, haben sich nicht nur bestätigt, sondern mittlerweile sind durch den übertriebenen Einsatz von Schädlingsgiften in der Natur, durch Profitgier und kurzsichtiges Verhalten des Menschen Schäden entstanden, die teilweise nie wieder gutzumachen sind. Eine ausgerottete Tierart zaubert kein Chemiker zurück, und eine Pflanze, deren irdische Existenz einmal vernichtet ist, kann ihre Aufgabe in der Natur nie wieder erfüllen.

Zwar singen die Vögel noch; der Frühling des Jahres 1977 wird noch nicht stumm sein. Aber es ist schon stiller geworden ringsherum. Das wissen alle, die noch ein Ohr haben für die Stimmen der Vögel und die den Lärm der Technik noch von den Geräuschen der Natur zu trennen wissen. Unsere Vogelbestände gehen zurück,die Individuenzahlen schrumpfen, manche Art ist schon ausgestorben oder unmittelbar vom Aussterben bedroht. Man nehme jene ›Rote Liste‹ des Internationalen Rates für Vogelschutz zur Hand, um dieses beschämende Treiben des Menschen beschrieben zu finden. Da sind die Opfer aufgezählt: die Steppenweihe, der Fischadler, die Rosenseeschwalbe, der Steinrötel, der Wanderfalke, das Blaukehlchen, die Brandseeschwalbe, die Sumpfohreule und wie sie alle heißen. Sie sind ausgestorben oder sterben aus zugunsten von Allerweltsarten, weil ihnen ihr Lebensraum vom Menschen genommen wird, weil wildwachsende Hecken und Sträucher und damit Nistgelegenheiten niedergebrannt oder gerodet werden, weil ihre Nahrung durch sogenannte Pflanzenschutzmittel vergiftet wird.

Wenn es einen Makel für das höchstentwickelte Lebewesen auf der Erde gibt, das sich weise nennt und human, so dieser: daß wir die wehrlose Kreatur ausrotten, deren einzige Schuld darin bestanden hat, sich ihres Lebens zu freuen und uns Menschen mit ihrer Anwesenheit zu zeigen, welche Schönheit jenseits der Düsenklipper und PS-starken Autos auf dieser Welt möglich war.

Eine in ihrem Ausmaß noch gar nicht abzuschätzende Bedrohung liegt darin, daß zahlreiche Insekten, die sich als Folge moderner Anbauverfahren übermäßig vermehrt haben, außerdem blutsaugende Mücken und Stechfliegen gegen die Bekämpfungsmaßnahmen widerstandsfähig – resistent – geworden sind. So erleben wir gerade in diesen Jahren allsommerlich katastrophale Mückenplagen am oberen Rheingebiet und am Bodensee.

Wie es dazu kommen konnte, ist kein Geheimnis. Nicht nur spielt hier der Rückgang der insektenfressenden Vögel eine Rolle. Es liegt auch daran, daß mit der ›Holzhammermethode‹ breitwirkender Insektengifte zahlreiche natürliche Feinde der Mücken aus der Insektenwelt mitvernichtet werden, Arten, die meist einen viel langsameren Generationswechsel haben und die ein begiftetes Gebiet daher erst viel später wieder neu besiedeln können als die rasch sich fortpflanzenden Mücken – darum vermehren sich die Plagegeister zu Myriaden. Obendrein werden sie gegen die chemischen Gifte resistent, weil einzelne, erbbiologisch gegen die Mittel widerstandsfähige Individuen sich selektiv vermehren und so zu Stammeltern gifthartér Rassen werden können. Auch hier hat sich der Eingriff des Menschen in den Haushalt der Natur als Bumerang erwiesen.

Solche Beispiele lassen sich beliebig vermehren. Man könnte auf die DDT-verseuchten Nahrungstiere mancher Vogelarten hinweisen – zum Beispiel des Weißkopf-Seeadlers –, deren Eierschalen als Folge des gestörten Kalkstoffwechsels so dünn wurden, daß sie unter dem Gewicht der brütenden Tiere zerbrachen. Man könnte jene alarmierende Liste von Industrie-Chemikalien aus dem Jahre 1973 erwähnen, die der Niederschlag erster Untersuchungen des Freiburger Labors für Mutagenitätsprüfung gewesen ist: 14 Substanzen – fast ausschließlich Pflanzenschutzmittel – wurden da als ›mutagen‹ angeprangert, das heißt, als schädlich für die Erbanlagen. Oder man könnte auf den Rückgang zahlreicher Pflanzen in unserer Natur verweisen, die uns einmal beglückt haben: Rittersporn und Kornblumen sind selten geworden. Akelei, Erdrauch, Türkenbund, Knabenkräuter und viele andere sieht man kaum noch. Wo sind sie geblieben? Hat die ›chemische Sense‹ sie vernichtet oder hat das uferlose ›Erschließen‹ auch der letzten Quadratmeter irgendwie noch ›verwertbarer‹ Natur ihr Aussterben eingeleitet? Wird der befürchtete ›stumme Frühling‹ am Ende auch ein ›grauer Frühling‹ sein?

Dies alles sind Mosaiksteinchen eines Bildes, das den Menschen unserer Zeit ein beklagenswertes Zeugnis ausstellt. Unter dem Vorwand, einer zügellos wachsenden Erdbevölkerung Nahrungsmittel bereitstellen zu müssen (statt das Bevölkerungswachstum zu bremsen), wird ein bedenkenloser Raubbau an Naturschätzen getrieben, werden Tier- und Pflanzenarten hingeopfert und werden die Reste der noch erhaltenen Naturlandschaft zerstört – ein Schicksal, dem in den nächsten Jahrzehnten auch der Amazonas-Urwald entgegenzusehen scheint.

Das Albert-Schweitzer-Wort von der Menschheit, die die Erde noch zerstören werde, erweist sich als erschreckend wahr. Und die Frage erhebt sich, wieviel Zeit überhaupt noch für den Menschen bleibt, auf dem unheilvollen Weg umzukehren, den er mit der Vernichtung seiner Lebensgrundlagen auf der Erde beschritten hat.

Was Rachel Carsons Alarmruf vor 14 Jahren nicht vermochte – wird es ihr Buch jetzt bewirken? Nach allem, was wir um uns sehen, fällt es schwer, daran zu glauben.

T. L.

Vorwort zur deutschen Ausgabe 1963

Unsere Zivilisation droht zum Opfer ihrer eigenen Errungenschaften zu werden: Wir verpesten unsere Atemluft mit Abgasen, Rauch und Industriestaub; wir vergiften die Gewässer, wir verseuchen die Erde mit radioaktiven Strahlen. Und mit all dem benehmen wir uns unvernünftiger als jeder Vogel, dem es schwerlich einfiele, sein eigenes Nest zu beschmutzen.

Zu den Techniken des Menschen, das Gefüge der Natur zu stören, zählen auch die Pflanzenschutzmaßnahmen mit giftigen Chemikalien. Sie zählen dazu, obschon es heißt, diese Maßnahmen seien aus dem Obst- und Gemüsebau, der Land- und Forstwirtschaft heute nicht mehr wegzudenken. Damit sind wir beim Thema des vorliegenden Buches der amerikanischen Biologin Rachel Carson, die wir auch in Deutschland als die Verfasserin des berühmten Buches ›The Sea around us‹ – ›Geheimnisse des Meeres‹ kennen.

Ihr neues Buch ›Silent Spring‹ hat in den Vereinigten Staaten heftigste Kritik ausgelöst. Man hat Rachel Carson vorgeworfen, sie betrachte die Gefahren der chemischen Schädlingsbekämpfung zu einseitig und übersehe ganz deren Nutzen. Sicher ist, daß Frau Carson mit ihrem Buch ein »heißes Eisen« anrührt, nämlich die Frage, ob chemische Gifte im Pflanzenschutz überhaupt geduldet werden sollten – und wenn ja, in welchem Maße. Um dieses Problem geht der Streit der Meinungen in den USA genauso wie in Europa, und darum ist das Buch auch für uns hochaktuell.

Einen schwachen Anhaltspunkt für das Ausmaß des Problems mag die jährliche Welterzeugung von Pflanzenschutzmitteln bieten. Sie wurde schon Anfang der fünfziger Jahre auf rund eine Million Tonnen veranschlagt und dürfte heute noch beträchtlich höher liegen. Die bedenklichsten dieser Mittel sind Insektengifte zweier großer Gruppen: die chlorierten Kohlenwasserstoffe (DDT, Chlordan, Dieldrin, Heptachlor, Endrin usw.), und die organischen Phosphor-Insektizide, unter ihnen das gefürchtete »E 605«. Bei der leichtfertigen Verwendung dieser Präparate sind Gesundheitsschäden bei Menschen und Tieren nicht ausgeblieben, und wer es unternimmt, diesen Schäden nachzugehen, dem bietet sich ein bestürzendes Bild.

Man mag zur chemischen Schädlingsbekämpfung stehen wie man will, um die Tatsache, daß die Wirkungen der Mittel vielerorts schwerwiegende Eingriffe in den Haushalt der Natur bedeuten, kommt niemand herum. Wo eine natürliche Lebensgemeinschaft mit ihren komplizierten Wechselbeziehungen gestört wird, da mag es zwar gelingen, den einen oder anderen »Schädling« zu vernichten; oft werden aber die natürlichen Feinde dieses Schädlings mitvernichtet, und sein späteres, erneutes Auftreten wirkt sich dann um so katastrophaler aus, weil er jetzt nicht nur die Wirtspflanze in Reinkultur vorfindet, sondern auch ungestört von natürlichen Feinden leben und sich vermehren kann. Das zwingt zur Anwendung immer größerer Giftmengen oder neuer, noch giftigerer Mittel, die zugleich die Saat für neue Schädlingskalamitäten legen. In anderen Fällen werden die Schädlinge resistent. Das heißt, das Insektizid wirkt bei ihnen wie ein Filter: Es tötet die empfindlichen Individuen und läßt die widerstandsfähigen weiterleben. Diese werden dann zu den Stammeltern einer neuen, giftharten Rasse, gegen die – bis zum nächsten Resistentwerden – stärkere oder andere giftige Substanzen herhalten müssen.

Wie steht es nun mit der Wirkung der verwendeten Mittel auf den Menschen? Gewiß sind solche Wirkungen nicht einfach zu leugnen. Man hat »Toleranzdosen« ermittelt und diese sehr niedrig angesetzt, zum Beispiel zu einem Hundertstel der toxischen Menge, aber da die Werte zwangsläufig aus Tierversuchen stammen, lassen sie sich nicht mit letzter Sicherheit auf den Menschen übertragen. Auch sind die für zulässig erklärten Rückstandsmengen am und im Obst, Gemüse und so weiter jeweils für das einzelne Mittel festgesetzt worden und sagen wenig über die Gefährlichkeit einer Summe von mehreren.

Hinzu kommt die Frage der »Wartezeiten«: Für jeden Giftstoff, der im Pflanzenschutz verwendet wird, gelten Sicherheitsperioden, die zwischen der letzten Anwendung des Stoffes und der Ernte verstreichen müssen, damit kein Unheil entsteht. Werden aber diese Zeiten immer gewissenhaft eingehalten? Beherzigen die Erzeuger sie in jedem Fall? Wer wollte behaupten, daß hier wirklich jedes Versehen, jede leichtfertige Nichtbeachtung entdeckt und verhindert werden kann? In der Schweiz ist die Kontrolle stellenweise so scharf, daß die Namen der Bauern, deren Ware übermäßige Rückstandsmengen aufweist, in der Lokalpresse genannt werden – ein empfindlicher Denkzettel. Wie notwendig eine wirksame Kontrolle ist, zeigt Rachel Carson an dem Fall eines Farmers, der Salatpflanzen kurz vor der Ernte mit acht verschiedenen Insektiziden behandelte. Und was nützen die Angaben der Hersteller, daß ihre Mittel bei den auf den Packzetteln angegebenen Dosiermengen für Warmblüter unschädlich sind, wenn der Praktiker nach dem Motto »Doppelt genäht hält besser« die Mittel in höheren Konzentrationen bzw. größeren Mengen anwendet, wo sie dann doch gefährlich werden?

Redlicherweise muß man nun einräumen, daß die Bauern und Obstzüchter nicht gerade zum Spaß mit dem Spritzgerät umgehen. Von ihrem Standpunkt ist der chemische Pflanzenschutz durchaus notwendig und berechtigt. Sie weisen zum Beispiel darauf hin, daß die Ansprüche der Verbraucher an die Qualität der Früchte ständig steigen und ohne chemische Maßnahmen einfach keine konkurrenzfähigen Ernten mehr zu erzielen sind.

Das läßt uns fragen: War es früher anders? Wie konnte der chemische Pflanzenschutz überhaupt zu seiner heutigen Verbreitung gelangen?

Pflanzenschädlinge gab es schon immer, doch wurden sie als solche erst richtig empfunden, als der Mensch zu intensiven Anbaumethoden überging. Diese wieder waren eine Existenzfrage, und sie sind es heute mehr denn je. Bei der gegenwärtigen Vermehrungsrate der Erdbevölkerung von 1,8 Prozent (das sind rund 150000 neue Erdenbürger jeden Tag) müssen uns alle Mittel zur Produktionssteigerung willkommen sein, solange sie sich nicht als Bumerang erweisen. Eins dieser Mittel aber war – auch aus Gründen der Rationalisierung – der Reinanbau, der das Schädlingsproblem heraufbeschwor. Wo auf einem Stück Land nur eine Pflanze angebaut wird, da bieten sich allen Tieren, Pilzen und so weiter, die von ihr leben, die besten Existenzbedingungen konzentriert auf kleinem Raum. Solange dezimierende Feinde fehlen oder in der Minderheit sind, vermehrt sich der Schädling massenhaft. Für den Ausgleich muß daher der Mensch sorgen, indem er den Störenfried durch künstliche oder besser durch möglichst natürliche Maßnahmen niederhält.

Ein weiteres Argument für intensive Pflanzenschutzmaßnahmen ist der Existenzkampf der Bauern und Gärtner, deren in- und ausländische Konkurrenz so wenig schläft wie in jedem anderen Beruf. Gerade die ländliche Bevölkerung weiß, wie schwer es heute ist, geeignete Arbeitskräfte zu bekommen. Wer wollte es ihr verübeln, wenn sie möglichst rationelle Methoden anwendet, um Ernten einzubringen, die der Qualitäts- und Preiskonkurrenz gewachsen sind? Wer wollte es ihr verargen, wenn sie – statt das Wochenende mit der Hacke auf dem Feld zu verbringen – die »chemische Sense« eines Unkrautvertilgungsmittels die Arbeit tun läßt? »Viele Bauern und Gärtner«, schreibt der Stuttgarter Pflanzenschutzforscher Professor B. Rademacher, »hätten nichts dagegen, wenn sämtliche Pflanzenschutzmittel mit einem Schlage abgeschafft würden, *wenn* die Verbraucherschaft bereit wäre, die natürliche Konsequenz daraus zu ziehen, nämlich höhere Preise zu zahlen.« Und der Klagenfurter Professor E. Reisinger faßt die Lage zusammen: »Unsere Kulturlandschaft ist nichts ›Naturgewolltes‹, sie ist eine künstliche, durch ständige Menschenarbeit stabilisierte Biozönose, für die nun einmal, will man sie weiterhin dem Menschen dienstbar erhalten, andere Regeln als für die unberührte Natur gelten!«

Alle diese Gesichtspunkte sind natürlich unbestritten. Wenn irgendwo, so keinesfalls hier läßt sich das Kind mit dem Bade ausschütten. Das weiß auch die Biologin Carson, und darum liegt ihr gar nichts daran, den chemischen Pflanzenschutz völlig aus der Welt zu schaffen. Die eigentliche Frage, um die es geht, ist vielmehr die nach dem beängstigenden Ausmaß und dem rapiden Umsichgreifen der Giftspritzungen, die vielfach von krassestem Profitdenken bestimmt sind. Daß es auch ohne sie geht, beweisen auch heute noch die nicht gerade wenigen Landwirte und Obstbauern, die chemische Maßnahmen weitgehend ablehnen und sich der Methoden des biologischen Pflanzenschutzes bedienen.

Rachel Carsons Buch bezweckt zweierlei: Es will aufmerksam machen auf die Gefährlichkeit der Mittel, die in der Hand des Laien nicht wiedergutzumachende Verheerungen anrichten, und es will erreichen, daß der Mißbrauch mit ihnen aufhört. Wie berechtigt, ja notwendig die Alarmierung der Öffentlichkeit durch Carsons Buch war, beweist die am 15. Mai 1963 von der USA-Regierung im Auftrag Präsident Kennedys herausgegebene Schrift über den Gebrauch von Pflanzenschutzmitteln. J. B. Wiesner, der wissenschaftliche Berater Präsident Kennedys, erklärte, daß die unkontrollierte Verwendung giftiger Chemikalien einschließlich der Pestizide eine potentiell größere Gefahr darstelle als der radioaktive »fallout«. Wiesner forderte eingehende Untersuchungen über die Wirkung der Mittel und verlangte, ihren Gebrauch einzuschränken, solange niemand genau wisse, was sie anrichteten.

Auch in Deutschland ist die Unwissenheit darüber leider groß, nicht zuletzt bei den Bauern, Gärtnern und Obstzüchtern selbst. Die Werbemaßnahmen der Industrie, »Pflanzenschutz-Tips« auf Postkarten mit überzeugenden Farbfotos, hübsche Verpackungen und eindringliche Plakatzeilen (»Jetzt fällt die Entscheidung! Nicht mit Spritzbrühe sparen!«), all das leistet einer großzügigen Anwendung der Mittel noch Vorschub. Man halte sich nur einmal vor Augen, daß bei uns die Apfel- und Birnbäume bis zum Herbst rund zwölfmal gespritzt werden sollen, und daß in italienischen Obstkulturen bis zu dreißigmaliges Spritzen in einer einzigen Vegetationsperiode durchaus kein Sonderfall ist.

Rachel Carson schildert zahlreiche Fälle, in denen der Mensch die Natur mit seinem tödlichen Nebel vergewaltigt hat. Sie alle zeigen, mit welch gefährlichen Mitteln wir hier umgehen. Wir sind wie Kinder, die mit groben Werkzeugen an einem komplizierten Uhrwerk basteln, dessen Geheimnis zu begreifen sie noch weit entfernt sind. Die angeblich dem Fortschritt dienenden Präparate, die wir anwenden, suchen ihre Rechtfertigung letzten Endes in der Massenvermehrung des Menschen auf der Erde. Es sind aber Mittel, deren übertriebene Anwendung den Fortschritt am Ende selber fragwürdig macht, denn erkrankte Menschen in einer vergifteten Umwelt werden sich schwerlich noch über die Errungenschaften dieses »Fortschritts« freuen.

Wenn Rachel Carsons Buch nun auch bei uns erscheint, so möchte man ihm nichts sehnlicher wünschen, als daß es alle verantwortlichen Stellen wachrufe, künftig mehr für die schonenden biologischen Methoden des Pflanzenschutzes einzutreten, damit diese die chemischen allmählich zurückdrängen. Mehr denn je verdienen heute die einschlägigen Forschungsarbeiten eine Förderung: Bekämpfung der Schädlinge durch gezielte Infektion, Sterilisierung der Männchen, Vernichtung durch artspezifische Lockstoffe, die mit Insektiziden kombiniert sind, Geräuschfallen usw. Auch die Forderungen weitsichtiger Biologen nach standortgerechtem Anbau, sinnvoller Fruchtfolge und einer natürlichen Bodenbearbeitung, die gesunde und damit wenig anfällige Pflanzen garantiert, verdienen gehört und nicht einfach in den Wind geschlagen zu werden. Wo einem einst gesunden Boden nach jahrelangen Anbaufehlern immer wieder »chemische Korsettstangen« eingezogen werden müssen, da darf man sich nicht wundern, wenn die Natur die Rechnung eines Tages in Gestalt widerstandsarmer Pflanzen präsentiert. Auch staatlicherseits sollte weit mehr als bisher für die Erforschung biologischer Pflanzenschutzmethoden getan werden.

Es wäre überdies zu wünschen, daß die chemischen Pflanzenschutzmaßnahmen mehr auf genossenschaftlicher Basis durchgeführt und die Kontrollen über die Einhaltung der Wartezeiten schärfer würden. Ganz allgemein sollten all jene, die heute im Pflanzenschutz tätig sind, mit den chemischen Todbringern mehr maßhalten – wenn schon ein Einhalten beim gegenwärtigen Stand der Forschung nicht zumutbar erscheint.

Theo Löbsack

1. Kapitel
Ein Zukunftsmärchen

Es war einmal eine Stadt im Herzen Amerikas, in der alle Geschöpfe in Harmonie mit ihrer Umwelt zu leben schienen. Die Stadt lag inmitten blühender Farmen mit Kornfeldern, deren Gevierte an ein Schachbrett erinnerten, und mit Obstgärten an den Hängen der Hügel, wo im Frühling Wolken weißer Blüten über die grünen Felder trieben. Im Herbst entfalteten Eiche, Ahorn und Birke eine glühende Farbenpracht, die vor dem Hintergrund aus Nadelbäumen wie flackerndes Feuer leuchtete. Damals kläfften Füchse im Hügelland, und lautlos, halb verhüllt von den Nebeln der Herbstmorgen, zog Rotwild über die Äcker.

Den Großteil des Jahres entzückten entlang den Straßen Schneeballsträucher, Lorbeerrosen und Erlen, hohe Farne und wilde Blumen das Auge des Reisenden. Selbst im Winter waren die Plätze am Wegesrand von eigenartiger Schönheit. Zahllose Vögel kamen dorthin, um sich Beeren als Futter zu holen und aus den vertrockneten Blütenköpfchen der Kräuter, die aus dem Schnee ragten, die Samen zu picken. Die Gegend war geradezu berühmt wegen ihrer an Zahl und Arten so reichen Vogelwelt, und wenn im Frühling und Herbst Schwärme von Zugvögeln auf der Durchreise einfielen, kamen die Leute von weither, um sie zu beobachten. Andere kamen, um in den Bächen und Flüssen zu fischen, die klar und kühl aus dem Hügelland strömten und da und dort schattige Tümpel bildeten, in denen Forellen standen. So war es gewesen, seit vor vielen Jahren die ersten Siedler ihre Häuser bauten, Brunnen gruben und Scheunen errichteten.

Dann tauchte überall in der Gegend eine seltsame schleichende Seuche auf, und unter ihrem Pesthauch begann sich alles zu verwandeln. Irgendein böser Zauberbann war über die Siedlung verhängt worden: Rätselhafte Krankheiten rafften die Kükenscharen dahin; Rinder und Schafe wurden siech und verendeten. Über allem lag der Schatten des Todes. Die Farmer erzählten von vielen Krankheitsfällen in ihren Familien. In der Stadt standen die Ärzte immer ratloser den neuartigen Leiden gegenüber, die unter ihren Patienten auftraten. Einige Menschen waren plötzlich und unerklärlicherweise gestorben, nicht nur Erwachsene, sondern sogar Kinder, die mitten im Spiel jäh von Übelkeit befallen wurden und binnen weniger Stunden starben.

Es herrschte eine ungewöhnliche Stille. Wohin waren die Vögel verschwunden? Viele Menschen fragten es sich, sie sprachen darüber und waren beunruhigt. Die Futterstellen im Garten hinter dem Haus blieben leer. Die wenigen Vögel, die sich noch irgendwo blicken ließen, waren dem Tode nah; sie zitterten heftig und konnten nicht mehr fliegen. Es war ein Frühling ohne Stimmen. Einst hatte in der frühen Morgendämmerung die Luft widergehallt vom Chor der Wander- und Katzendrosseln, der Tauben, Häher, Zaunkönige und unzähliger anderer Vogelstimmen, jetzt hörte man keinen Laut mehr; Schweigen lag über Feldern, Sumpf und Wald.

Auf den Farmen brüteten die Hennen, aber keine Küken schlüpften aus. Die Farmer klagten, sie seien nicht mehr imstande, Schweine aufzuziehen. Jeder Wurf umfaßte nur wenige Junge, und sie lebten höchstens ein paar Tage. Die Apfelbäume entfalteten ihre Blüten, aber keine Bienen summten zwischen ihnen umher, und da sie nicht bestäubt wurden, konnten sich keine Früchte entwickeln.

Die einst so anziehenden Landstraßen waren nun von braun und welk gewordenen Pflanzen eingesäumt, als wäre ein Feuer über sie hinweggegangen. Auch hier war alles totenstill, von Lebewesen verlassen. Selbst in den Flüssen regte sich kein Leben mehr. Keine Angler suchten sie auf, denn alle Fische waren zugrunde gegangen.

In den Rinnsteinen, unter den Traufen und zwischen den Schindeln der Dächer zeigten sich noch ein paar Fleckchen eines weißen körnigen Pulvers; es war vor einigen Wochen wie Schnee auf die Dächer und Rasen, auf die Felder und Flüsse gerieselt.

Kein böser Zauber, kein feindlicher Überfall hatte in dieser verwüsteten Welt die Wiedergeburt neuen Lebens im Keim erstickt. Das hatten die Menschen selbst getan.

Diese Stadt gibt es in Wirklichkeit nicht, aber ihr Ebenbild könnte sich an tausend Orten in Amerika oder anderswo in der Welt finden. Ich kenne keine Gemeinde, der all das Mißgeschick, das ich beschrieben habe, widerfahren ist. Doch jedes einzelne dieser unheilvollen Geschehnisse hat sich tatsächlich irgendwo zugetragen, und viele wirklich bestehende Gemeinden haben bereits eine Reihe solcher Unglücksfälle erlitten. Fast unbemerkt ist ein Schreckgespenst unter uns aufgetaucht und diese Tragödie, vorerst nur ein Phantasiegebilde, könnte leicht rauhe Wirklichkeit werden, die wir alle erleben.

Was geht hier vor, was hat bereits in zahllosen Städten Amerikas die Stimmen des Frühlings zum Schweigen gebracht? Dieses Buch will versuchen, es zu erklären.

2. Kapitel
Die Pflicht zu erdulden

Die Geschichte des Lebens auf der Erde ist stets eine Geschichte der Wechselwirkung zwischen den Geschöpfen und ihrer Umgebung gewesen. Gestalt und Lebensweise der Pflanzen wie der Tiere der Erde wurden von der Umwelt geprägt. Berücksichtigt man das Gesamtalter der Erde, so war die entgegengesetzte Wirkung, kraft der lebende Organismen ihre Umwelt tatsächlich umformten, von verhältnismäßig geringer Bedeutung. Nur innerhalb des kurzen Augenblicks, den das jetzige Jahrhundert darstellt, hat eine Spezies – der Mensch – erhebliche Macht erlangt, die Natur ihrer Welt zu verändern.

Während des vergangenen Vierteljahrhunderts ist diese Macht nicht nur gewachsen und hat ein beängstigend großes Ausmaß erreicht, sie hat auch andere Formen angenommen. Der unheimlichste aller Angriffe des Menschen auf die Umwelt ist die Verunreinigung von Luft, Erde, Flüssen und Meer mit gefährlichen, ja sogar tödlichen Stoffen. Dieser Schaden läßt sich größtenteils nicht wiedergutmachen. Nicht nur in der Welt, die alle Lebewesen ernähren muß, sondern auch im lebenden Gewebe löst die Verunreinigung eine Kette schlimmer Reaktionen aus, die nicht mehr umkehrbar sind. In dieser alles umfassenden Verunreinigung der Umwelt sind Chemikalien die unheimlichen und kaum erkannten Helfershelfer der Strahlung; auch sie tragen unmittelbar dazu bei, die ursprüngliche Natur der Welt – die ursprüngliche Natur ihrer Geschöpfe zu verändern. Strontium 90, das durch Kernexplosionen in die Luft abgegeben wird, fällt mit dem Regen zur Erde oder schwebt als radioaktiver Niederschlag herab, setzt sich im Boden fest, gelangt in das Gras, den Mais oder den Weizen, die dort angepflanzt werden, und lagert sich mit der Zeit in den Knochen eines menschlichen Wesens ab, um dort bis zu dessen Tode zu verbleiben. In ähnlicher Weise liegen chemische Mittel, die über Ackerland, Wälder oder Gärten gesprüht werden, lange im Boden und werden in lebende Organismen aufgenommen; von Vergiftung und Tod begleitet, gehen sie in der Nahrungskette von einem zum anderen über. Oder sie wandern geheimnisvoll in unterirdischen Wasserläufen, bis sie wieder zutage treten und durch die Alchemie von Luft und Sonnenlicht neue Verbindungen bilden, die den Pflanzenwuchs vernichten, das Vieh krank machen und unbekannten Schaden bei denen anrichten, die aus den einst reinen Quellen trinken. Wie Albert Schweitzer sagt: »Der Mensch kann die Teufel, die er selbst geschaffen hat, nicht einmal mehr wiedererkennen.«

Es dauerte Hunderte von Millionen Jahren, die Lebewesen hervorzubringen, die jetzt die Erde bewohnen – Äonen, in denen dieses Leben sich entfaltete, weiterentwickelte und die verschiedensten Formen annahm, bis es einen Zustand erreichte, in dem es der Umgebung angepaßt und mit ihr im Gleichgewicht war. Die Umwelt, die das Leben, das sie unterhielt, unerbittlich gestaltete und beeinflußte, barg feindliche wie fördernde Elemente. Von bestimmten Gesteinen ging eine gefährliche Strahlung aus; sogar das Sonnenlicht enthielt kurzwellige Strahlen, die schädigend wirken konnten. Gewährt man dem Leben Zeit – nicht Jahre, sondern Jahrtausende –, paßt es sich an, und so hat sich schließlich ein Gleichgewicht eingestellt. Denn dazu braucht es vor allem Zeit; an Zeit jedoch fehlt es in der heutigen Welt.

Der schnelle Wandel und die Geschwindigkeit, mit der immer neue Situationen geschaffen werden, richten sich mehr nach dem ungestümen und achtlosen Hasten des Menschen als nach dem bedächtigen Gang der Natur. Bei der Strahlung handelt es sich nicht mehr allein um die Strahlung, die im Hintergrund wirkt und aus dem Gestein stammt, um den Beschuß durch kosmische Strahlen oder um das ultraviolette Licht der Sonne; sie waren vorhanden, ehe es Leben auf der Erde gab. Jetzt ist Strahlung die unnatürliche Schöpfung des Menschen, der tolpatschig mit dem Atom experimentiert. Und bei den Chemikalien, an die Lebewesen ihren Stoffwechsel anzupassen haben, handelt es sich nicht mehr nur um Kalzium, Kieselerde, Kupfer und all die übrigen Minerale, die aus dem Gestein ausgewaschen und von Flüssen ins Meer befördert werden; jetzt geht es um synthetische Erzeugnisse des erfinderischen Menschengeists, die in Laboratorien zusammengebraut werden und kein Gegenstück in der Natur haben.

Sich an diese Chemikalien anzupassen, würde Zeit in einem Maßstab erfordern, wie er der Natur eigen ist; dafür wären nicht nur die Jahre eines Menschenlebens, sondern die von Generationen nötig. Doch selbst wenn dies durch ein Wunder möglich würde, wäre damit nichts geholfen, denn die neuen Chemikalien kommen in einem endlosen Strom aus unseren Laboratorien; nahezu fünfhundert finden allein in den Vereinigten Staaten jährlich den Weg zum Verbraucher. Die Zahl ist niederschmetternd, und die Folgerungen, die sich daraus ergeben, lassen sich schwer ermessen – fünfhundert neue chemische Verbindungen, an die sich der Körper des Menschen und der Tiere jedes Jahr irgendwie anpassen soll, alles Substanzen, die völlig außerhalb des biologischen Erfahrungsbereichs liegen.

Darunter befinden sich viele, die im Kampf des Menschen gegen die Natur verwendet werden. Ungefähr seit dem Jahre 1945 sind über zweihundert neue chemische Ausgangsstoffe hergestellt worden; sie dienen dazu, Insekten, Unkraut, Nagetiere und andere Organismen zu vernichten, die in der modernen Sprache als »Schädlinge« bezeichnet werden; und diese Chemikalien werden unter ein paar tausend verschiedenen Handelsbezeichnungen verkauft.

Diese Spritz- und Sprühmittel, Pulver und sogenannten Aerosole – feinst verteilte Schwebstoffe als Rauch oder flüssig als Nebel – werden jetzt fast allgemein für Farmen, Gärten, Wälder und Wohnungen gebraucht. Es sind Chemikalien, die ohne Unterschied oder, wie man sagt, nicht selektiv wirken. Ihre Macht ist groß: Sie töten jedes Insekt, die »guten« wie die »schlechten«, sie lassen den Gesang der Vögel verstummen und lähmen die munteren Sprünge der Fische in den Flüssen. Sie überziehen die Blätter mit einem tödlichen Belag und halten sich lange im Erdreich – all dies, obwohl das Ziel, das sie treffen sollen, vielleicht nur in ein wenig Unkraut oder ein paar Insekten besteht. Kann irgend jemand wirklich glauben, es wäre möglich, die Oberfläche der Erde einem solchen Sperrfeuer von Giften auszusetzen, ohne sie für alles Leben unbrauchbar zu machen? Man sollte die Stoffe nicht Insektizide, Insektenvertilgungsmittel, sondern »Biozide«, Töter allen Lebens, nennen.

Das ganze Spritzverfahren scheint in einer endlosen Spirale gefangen zu sein. Seit DDT für den zivilen Gebrauch freigegeben wurde, mußten in einer stufenweisen Weiterentwicklung immer noch tödlichere Stoffe gefunden werden. Dies geschah, weil Insekten – in einer glänzenden Bestätigung des Darwinschen Satzes vom Überleben der Tauglichsten – Super-Rassen entwickelten, die gegen das in ihrem Fall angewandte Insektizid immun waren. Man mußte daher ein tödlicher wirkendes – und dann ein noch stärkeres entwickeln. Dazu kam es aber auch, weil aus Gründen, die später geschildert werden sollen, schädliche Insekten nach dem Spritzen oft plötzlich in größerer Zahl als vorher wieder auftauchten oder sich ausbreiteten. So ist der chemische Krieg niemals gewonnen, und in seinem heftigen Kreuzfeuer bleibt alles Leben auf der Strecke.

Neben der Möglichkeit, die Menschheit in einem Atomkrieg auszurotten, ist das Kernproblem unseres Zeitalters daher die Verunreinigung der gesamten Umwelt des Menschen geworden; sie erfolgt mit Substanzen, denen eine unglaubliche und heimtückische Macht innewohnt, Schaden anzurichten: Diese Stoffe reichern sich in den Geweben von Pflanzen und Tieren an, sie dringen selbst in die Keimzellen ein und zerstören oder verändern das Erbgut, von dem die Gestaltung der Zukunft abhängt.

Einige Leute, die sich gerne als Baumeister unserer Zukunft ausgeben, sehnen eine Zeit herbei, in der es möglich sein wird, das menschliche Keimplasma planmäßig zu verändern. Dabei kann es durchaus sein, daß wir dies durch Unachtsamkeit jetzt bereits vollbringen, denn viele chemische Stoffe führen, ebenso wie Strahlung, Genmutationen herbei. Es ist eine Ironie, wenn man bedenkt, daß der Mensch durch etwas anscheinend so Alltägliches wie die Wahl eines Spritzmittels gegen Insekten vielleicht seine eigene Zukunft bestimmt.

Auf all diese Wagnisse hat man sich eingelassen – und wofür? Künftige Historiker dürften sich mit Recht über unsere verschrobenen Vorstellungen von richtigen Größenverhältnissen höchlich wundern. Wie nur konnte ein intelligentes Wesen ein paar unerwünschte Arten von Geschöpfen mit einer Methode zu bekämpfen suchen, die auch die gesamte Umwelt vergiftete und selbst die eigenen Artgenossen mit Krankheit und Tod bedrohte?

Doch genau das haben wir getan. Wir haben es überdies aus Gründen getan, die hinfällig werden, sobald wir sie genau überprüfen. Man macht uns weis, daß der gewaltige und immer ausgedehntere Gebrauch von Schädlingsbekämpfungsmitteln nötig sei, um die Produktion der Landwirtschaft zu heben. Doch ist unser eigentliches Problem nicht die *Überproduktion?* Man hat zu der Maßnahme gegriffen, Ackerland brachliegen zu lassen und die Farmer zu bezahlen, damit sie es nicht bebauten, und trotzdem haben unsere Farmer einen so schwindelerregenden Ernteüberschuß, daß der amerikanische Steuerzahler im Jahre 1962 über eine Milliarde Dollar an jährlichen Gesamtverwaltungskosten für das Programm der Einlagerung überschüssiger

Nahrungsmittel ausgab. Wird die Lage vielleicht gebessert, wenn eine Abteilung des Landwirtschaftsministeriums sich bemüht, die Produktion zu drosseln, während eine andere Abteilung, wie es im Jahre 1958 geschah, feststellt: »Man nimmt allgemein an, daß die Verkleinerung der Anbaufläche für Feldfrüchte gemäß den Bestimmungen der Bodenkreditbank das Interesse an der Verwendung chemischer Mittel wecken wird, um auf dem weiterhin bebauten Land ein Höchstmaß an Erträgen zu erzielen.«

All das soll nicht heißen, daß es kein Insektenproblem gibt und es nicht notwendig ist, Schädlinge unter Kontrolle zu halten. Ich will vielmehr damit sagen, daß diese Kontrolle genau auf gegebene Tatsachen, nicht aber auf erdichtete Situationen abgestimmt sein muß und nur solche Bekämpfungsmethoden angewandt werden dürfen, die nicht zugleich mit den Insekten uns selbst vernichten.

Das Problem, um dessen Lösung man sich unter so vielen unheilvollen Folgen bemüht, ist eine Begleiterscheinung unserer modernen Lebensweise. Lange vor dem Zeitalter des Menschen haben die Insekten als eine Gruppe außerordentlich mannigfaltiger und anpassungsfähiger Geschöpfe die Erde bewohnt. Seit dem Auftreten des Menschen hat ein kleiner Prozentsatz der über eine halbe Million Insektenarten sein Wohlergehen beeinträchtigt; das geschah hauptsächlich auf zweierlei Weise: Als Nebenbuhler im Kampf um die Nahrung und als Überträger menschlicher Krankheiten.

Von Bedeutung sind Insekten, die Krankheiten übertragen, überall dort, wo menschliche Wesen sich in Massen zusammendrängen, besonders unter hygienisch ungünstigen Verhältnissen, wie sie in Kriegszeiten, bei Naturkatastrophen oder bei äußerster Armut herrschen. Dann wird eine Bekämpfung notwendig. Wie wir gleich sehen werden, ist es jedoch eine ernüchternde Tatsache, daß die Methode, chemische Mittel in großen Mengen einzusetzen, nur beschränkten Erfolg hatte und zudem gerade die Zustände, die sie beheben soll, nur zu verschlimmern droht.

Als der Farmer den Acker noch unter primitiven Bedingungen bestellte, hatte er mit Insekten wenig Schwierigkeiten. Probleme tauchten erst auf, als die Landwirtschaft intensiver betrieben wurde und man unendlich große Ländereien dem Anbau einer einzelnen Feldfrucht widmete. Ein solches System bildete den richtigen Rahmen für eine ungestüme, geradezu explosionsartige Zunahme der Populationen bestimmter Insekten (unter einer Population versteht man den gesamten Bestand einer Tierart in einem Gebiet). Wird nur eine einzelne Getreidesorte angepflanzt, macht sich der Farmer nicht die Grundregeln zunutze, nach denen die Natur arbeitet; es ist eine Landwirtschaft, die sich ein Ingenieur ausgedacht haben könnte. Die Natur hat für große Mannigfaltigkeit der Landschaft gesorgt, der Mensch jedoch hatte immer eine besondere Leidenschaft dafür, sie einheitlich zu gestalten. Auf diese Weise hebt er die hemmenden, das Gleichgewicht regulierenden Kräfte auf, durch die in der Natur die Arten in Schranken gehalten werden. Ein wichtiges natürliches Hindernis für eine bestimmte Art ist eine Begrenzung des geeigneten Lebensraumes. Ernährt sich ein Insekt von Weizen, kann es, wie einleuchtet, auf einer Farm, wo ausschließlich Weizen wächst, seinen Bestand weit stärker vermehren als auf Land, wo Weizen mit Feldfrüchten abwechselt, an die das Insekt nicht angepaßt ist.

Das gleiche ereignet sich bei anderen Gelegenheiten. Vor einer Generation oder noch früher wurden in den Städten ausgedehnter Gebiete der Vereinigten Staaten die Straßen mit der stattlichen Ulme eingesäumt. Jetzt ist diese schöne Zierde, die man damit zu schaffen hoffte, von völliger Vernichtung bedroht, weil unter den Ulmen eine Krankheit wütet. Sie wird von einem Käfer übertragen, der nur begrenzte Möglichkeit hätte, sich in großen Populationen anzusammeln und sich von Baum zu Baum weiterzuverbreiten, wenn die Ulmen nur vereinzelt in einem abwechslungsreichen Pflanzenbestand aufträten.

Noch ein anderer wesentlicher Umstand spielt beim heutigen Insektenproblem eine Rolle, und man muß bei ihm die geologische und menschliche Geschichte berücksichtigen, die den Hintergrund bildet: Tausende von verschiedenartigen Organismen haben sich ausgebreitet und sind von ihrer ursprünglichen Heimat in neue Landstriche vorgedrungen. Diese weltweite Wanderung ist von dem Ökologen Charles Elton studiert und in seinem jüngst erschienenen Buch ›The Ecology of Invasions‹ anschaulich geschildert worden. Vor einigen hundert Millionen Jahren, in der Kreidezeit, wurden viele Landbrücken zwischen Kontinenten vom Meer überflutet, und Lebewesen fanden sich nun in Räumen eingeschlossen, die Elton als »riesige getrennte Naturreservate« bezeichnet. Dort entwickelten sie, von anderen Vertretern ihrer Gattung abgeschnitten, viele neue Arten. Als manche der Landmassen sich vor ungefähr fünfzehn Millionen

Jahren wieder vereinten, begannen diese Arten in neue Gegenden umzusiedeln – eine Wanderung, die nicht nur noch im Gange ist, sondern jetzt auch vom Menschen weitgehend gefördert wird.

An der heutigen Verbreitung der Arten ist vor allem die Einfuhr von Pflanzen wesentlich beteiligt; denn fast stets sind mit den Pflanzen auch Tiere eingeschleppt worden, zumal man eine Quarantäne erst vor verhältnismäßig kurzer Zeit zu verhängen begann und sie keine radikale Wirkung hat. Die Einfuhrbehörde für Pflanzen in den Vereinigten Staaten hat allein zweihunderttausend Arten und Spielarten von Gewächsen aus aller Welt ins Land gebracht. Nahezu die Hälfte der rund hundertachtzig bedeutenderen Pflanzenfeinde unter den Insekten sind zufällig vom Ausland in die Vereinigten Staaten importiert worden, meist als »Mitreisende« auf Pflanzen.

In einer neuen Umwelt, dem Zugriff der natürlichen Feinde entzogen, die in ihrem Heimatland ihre Zahl niedrig hielten, können eine Pflanze oder ein Tier, die in ein Gebiet einfallen, ungeheuer überhandnehmen. Es ist daher kein Zufall, daß unsere lästigsten Insekten eingeschleppte Arten sind.

Wahrscheinlich werden diese unerwünschten Gäste, ob sie nun auf natürlichem Wege oder mit Beistand des Menschen kamen, unbegrenzt weiter einwandern. Quarantäne und Feldzüge mit einem Masseneinsatz von Chemikalien sind nur äußerst kostspielige Möglichkeiten, Zeit zu gewinnen. Nach Dr. Elton ist es für uns eine Existenzfrage, mit der wir uns auseinandersetzen müssen; es ist notwendig, nicht nur neue technische Mittel zu finden, um diese Pflanze oder jenes Tier niederzuhalten; wir müssen vielmehr grundlegend Bescheid wissen über Tierpopulationen und ihre Beziehungen zur Umwelt, »um ein stetiges Gleichgewicht begünstigen und die explosive Gewalt dämpfen zu können, mit der Schädlinge zur Landplage werden und neue Gebiete überfallen«.

Viele dieser Kenntnisse stehen jetzt zur Verfügung, aber wir wenden sie nicht an. Wir bilden auf unseren Universitäten Ökologen aus und stellen sie sogar in unseren Regierungsbehörden an, aber wir folgen selten ihrem Rat. So lassen wir zu, daß der chemische Todesregen niedergeht, als gäbe es keine andere Wahl, während in Wirklichkeit sehr viele Möglichkeiten bestehen und der erfinderische Geist des Menschen bald noch weit mehr entdecken könnte, wenn man ihm Gelegenheit dazu verschaffte.

Sind wir in einen hypnotischen Zustand verfallen, der uns das Minderwertige und Schädliche als unausweichlich hinnehmen läßt, so als hätten wir den Willen oder den Blick dafür verloren, das Gute zu fordern? Wenn wir so denken, erheben wir, um es mit den Worten des Ökologen Paul Shepard auszudrücken, »ein Leben zum Ideal, das gerade noch den Kopf über Wasser hält, nur zollbreit über der Grenze des Erträglichen, bis zu der die eigene Umwelt verdorben ist ... Warum sollten wir alles geduldig ertragen: schwache Gifte als tägliche Nahrung, ein Heim in farbloser Umgebung, einen Kreis von Bekannten, die nicht unsere ausgesprochenen Feinde sind, den Lärm von Motoren, den wir eben noch so weit mildern, daß wir nicht wahnsinnig werden? Wer wollte in einer Welt leben, die just noch nicht *ganz* tödlich ist?«

Dennoch wird uns eine solche Welt aufgedrängt. Der Kreuzzug mit dem Ziel, eine chemisch entseuchte, von Insekten freie Welt zu schaffen, scheint bei vielen Spezialisten und den meisten sogenannten Bekämpfungsstellen einen fanatischen Eifer ausgelöst zu haben. Überall sind Beweise dafür zur Hand, daß Leute, die sich mit den Sprühmaßnahmen beschäftigen, rücksichtslos durchgreifen. »Die Entomologen, die diese Arbeiten beaufsichtigen ..., übernehmen die Funktion des Anklägers, Richters und der Geschworenen, sie benehmen sich, als könnten sie Steuern auferlegen und einkassieren und als Sheriff ihre eigenen Anordnungen mit Gewalt durchsetzen«, sagte der Entomologe Neely Turner aus Connecticut. Bei Bekämpfungsstellen der Staaten wie des Bundes wird selbst dem empörendsten Mißbrauch nicht Einhalt geboten.

Ich trete nicht etwa dafür ein, daß chemische Insektizide niemals verwendet werden dürfen. Ich behaupte aber, daß wir giftige und biologisch stark wirksame Chemikalien wahllos in die Hände von Personen geben, die weitgehend oder völlig ahnungslos sind, welches Unheil sie anrichten können. Wir haben eine ungemein große Anzahl von Menschen ohne ihre Zustimmung und oft ohne ihr Wissen in enge Berührung mit diesen Giften gebracht. Wenn die Bill of Rights keine Garantie dafür enthält, daß ein Bürger gegen todbringende Gifte, die von Privatleuten oder öffentlichen Beamten verbreitet werden, geschützt sein soll, so kommt das sicherlich nur daher, daß unsere Vorväter trotz ihrer beachtlichen Weisheit und Voraussicht sich ein solches Problem nicht vorstellen konnten.

Ich behaupte ferner, daß wir den Gebrauch dieser chemischen Stoffe gestattet haben, obwohl vorher nur wenig oder überhaupt nicht untersucht worden ist, wie sie auf den Boden und das Wasser, auf die Geschöpfe der Wildnis und den Menschen selbst wirken. Künftige Generationen werden uns den Mangel an kluger Sorge um die Unversehrtheit der natürlichen Welt, die alles Leben unterhält, wahrscheinlich nicht verzeihen.

Immer noch erkennt man nur in sehr beschränktem Maße die wahre Natur der Bedrohung. Wir leben in einem Zeitalter von Spezialisten, von denen jeder nur sein eigenes Problem sieht und den größeren Rahmen, in den es sich einfügt, entweder nicht erkennt oder nicht wahrhaben will. Es ist aber auch ein Zeitalter, das von der Industrie beherrscht wird, in dem das Recht, um jeden Preis Geld zu verdienen, selten angefochten wird. Wenn die Öffentlichkeit protestiert, weil sie auf irgendeinen offenkundigen Beweis für die gefährlichen Folgen der Anwendung von Schädlingsbekämpfungsmitteln stößt, speist man sie mit kleinen Beruhigungspillen, mit Halbwahrheiten ab. Wir haben es dringend nötig, Schluß zu machen mit diesen falschen Versicherungen, die uns bittere Pillen durch einen Zuckerguß schmackhaft machen wollen. Schließlich verlangt man ja von der Allgemeinheit, daß sie die Risiken auf sich nimmt, die von den Leuten, die Insekten bekämpfen, berechnet werden. Das Volk muß entscheiden, ob es auf dem eingeschlagenen Wege weiterzugehen wünscht, und das kann es nur, wenn es alle Fakten genau kennt. Mit den Worten von Jean Rostand ausgedrückt: »Die Pflicht zu erdulden gibt uns das Recht zu wissen.«

3. Kapitel
Elixiere des Todes

Zum ersten Mal in der Weltgeschichte ist nun jedes menschliche Wesen vom Augenblick der Empfängnis bis zum Tode der Berührung mit gefährlichen Stoffen ausgesetzt. In den nicht ganz zwei Jahrzehnten, in denen die synthetischen Mittel zur Schädlingsbekämpfung in Gebrauch sind, haben sie sich so gründlich über die ganze belebte und unbelebte Welt verteilt, daß sie eigentlich überall vorkommen. Man hat sie in den meisten großen Flußsystemen wiederentdeckt, ja selbst in den Grundwasseradern, die unsichtbar unter der Erde fließen. Rückstände dieser Chemikalien bleiben im Boden liegen, der vielleicht vor einem Dutzend Jahren damit behandelt worden ist. Sie sind so allgemein von Fischen, Vögeln, Reptilien, Haus- und Wildtieren aufgenommen worden und haben sich in deren Körper eingelagert, daß es Naturwissenschaftlern, die Tierversuche durchführen, fast unmöglich wird, Geschöpfe aufzutreiben, die frei von derartigen Verunreinigungen sind. Man hat diese chemischen Stoffe in Fischen weltabgeschiedener Bergseen gefunden, in Regenwürmern, die im Boden wühlen, in Vogeleiern und – im Menschen selbst. Denn sie werden jetzt von der überwiegenden Mehrheit der Menschen, gleichgültig welcher Altersstufe, im Körper gespeichert. Sie sind bereits in der Muttermilch und wahrscheinlich auch in den Geweben des ungeborenen Kindes vorhanden.

Zu alledem ist es gekommen, weil plötzlich eine neue Industrie entstanden ist, sich mächtig entwickelt hat und die vom Menschen neu geschaffenen oder synthetischen chemischen Verbindungen mit insektenvernichtenden Eigenschaften in Massen herstellt. Diese Industrie ist ein Kind des Zweiten Weltkrieges. Als man Mittel für chemische Kriegführung entwickelte, stellte sich heraus, daß einige der im Laboratorium erzeugten Stoffe für Insekten tödlich waren. Die Entdeckung erfolgte nicht zufällig: Man benützte weitgehend Insekten, um chemische Verbindungen auf ihre tödliche Wirkung für den Menschen zu überprüfen.

Das Ergebnis war ein anscheinend endloser Strom synthetischer Insektizide. Sie sind ein Werk des Menschen: Man hat die Moleküle mit ausgeklügelten Methoden im Laboratorium behandelt, Atome durch andere ersetzt und ihre Anordnung geändert; sie unterscheiden sich daher scharf von den einfacheren anorganischen Vertilgungsmitteln für Insekten aus der Vorkriegszeit. Diese wurden aus natürlich vorkommenden Mineralen und Pflanzenprodukten gewonnen; es waren Verbindungen von Arsen, Kupfer, Blei, Mangan, Zink und anderen Mineralen, ferner Pyrethrum, ein Mittel aus den getrockneten Blüten von Wucherblumenarten, Nikotinsulfat aus Tabak und verwandten Arten, Rotenon, vorwiegend aus ostindischen Hülsenfrüchten.

Was den neuen synthetischen Insektiziden ihre Sonderstellung gibt, ist ihre ungemein starke biologische Wirksamkeit. Sie besitzen eine ungeheure Macht, sie können nicht nur vergiften, sondern schalten sich in die lebenswichtigen Vorgänge im Körper ein und ändern sie auf eine unheimliche und oft todbringende Weise. So zerstören sie, wie wir sehen werden, gerade die Enzyme, deren Aufgabe es ist, den Körper vor Schaden zu bewahren, sie blockieren die Oxydationsprozesse, aus denen der Körper seine Energie gewinnt, und sie verhindern die normale Funktion verschiedener Organe; vielleicht leiten sie auch in bestimmten Zellen die langsame und nicht mehr rückgängig zu machende Umwandlung ein, die zu bösartigen Wucherungen, zu Krebs führt.

Doch jedes Jahr werden der Liste neue und noch tödlichere chemische Stoffe hinzugefügt und neue Anwendungsmöglichkeiten ersonnen, so daß die Menschen praktisch auf der ganzen Welt mit diesen Stoffen in Berührung gekommen sind. Die Produktion synthetischer Mittel zur Schädlingsbekämpfung stieg von rund 56363000 Kilo im Jahr 1947 auf 289240000 Kilo im Jahre 1960. Das war eine Zunahme um mehr als das Fünffache. Der Verkaufswert dieser Erzeugnisse im Großhandel betrug gut über eine Viertelmilliarde Dollar. Aber nach den Plänen und Erwartungen der Industrie ist diese enorme Produktion erst ein Anfang.

Eine Kurzbiographie der Schädlingsbekämpfungsmittel ist daher eine Angelegenheit, die uns alle angeht. Wenn wir auf so vertrautem Fuße mit diesen chemischen Stoffen zu leben gedenken – sie essen, trinken und selbst ins Mark unserer Knochen aufnehmen –, sollten wir wohl etwas von ihrer Natur und ihrer Wirkungsweise wissen.

Obzwar der Zweite Weltkrieg ein Wendepunkt war und man sich damals von anorganischen chemischen Insektiziden abwandte und in die Wunderwelt des Kohlenstoffmoleküls vorstieß, haben sich ein paar der alten Substanzen weiter behauptet. Am wichtigsten unter ihnen ist das Arsen, das immer noch den Grundbestandteil in einer Anzahl verschiedenartiger Vernichtungsmittel für Unkraut und Insekten bildet. Arsen ist ein Element, das in den meisten Verbindungen hoch giftig und zusammen mit den Erzen verschiedener Metalle weit verbreitet ist; es kommt in sehr geringen Mengen in Vulkanen, im Meer und im Quellwasser vor. Dem Menschen hat es zu mannigfaltigen und geschichtlich bekannten Zwecken gedient. Da viele Arsenverbindungen geschmacklos sind, ist es lange vor der Zeit der Borgias und bis in die Gegenwart hinein ein beliebtes und wirksames Mittel zum Giftmord gewesen. Arsen war der erste Grundstoff, den man als krebserzeugende oder karzinogene Substanz erkannte; schon vor fast zweihundert Jahren hat ein englischer Arzt im Schornsteinruß Arsen festgestellt und es mit Krebs in Zusammenhang gebracht. Es gibt verbürgte Aufzeichnungen über Epidemien chronischer Arsenvergiftung, von der lange Zeit hindurch ganze Bevölkerungsgruppen betroffen worden sind. Eine Umwelt, die mit Arsen verseucht ist, verursacht auch bei Pferden, Kühen, Ziegen, Schweinen, Hochwild, Fischen und Bienen Krankheit und Tod; trotz dieser authentischen Berichte werden Arsenverbindungen als Spritz- und Stäubmittel allgemein angewandt. Im Baumwollgebiet der südlichen Vereinigten Staaten ist Bienenzucht als Erwerbszweig fast ausgestorben. Farmer, die derlei Pulver längere Zeit gebrauchten, litten an chronischer Arsenvergiftung; Haustiere sind durch arsenhaltige Mittel zum Sprühen von Getreide oder zur Ausrottung von Unkraut vergiftet worden. Als man über Blaubeerkulturen Arsenmittel stäubte, trieben die Schwaden weiter, sie breiteten sich über benachbarte Farmen aus, verunreinigten Wasserläufe, vergifteten Bienen und Kühe tödlich und machten die Menschen krank. »Es ist kaum möglich... beim Umgang mit Arsenverbindungen die völlige Mißachtung der Volksgesundheit noch weiter zu treiben, als es in den letzten Jahren in unserem Land geschehen ist«, erklärte D. W. C. Hueper vom Nationalen Krebsinstitut, eine Autorität für umweltbedingte Krebserkrankungen. »Jeder, der die Leute beobachtet hat, die mit arsenhaltigen Insektiziden stäuben oder spritzen, muß tief beeindruckt sein von der fast nicht mehr zu überbietenden Fahrlässigkeit, mit der die giftigen Substanzen verstreut werden.«

Neuzeitliche Insektizide sind noch lebensgefährlicher. Die weitaus überwiegende Mehrheit gehört einer von zwei großen

Gruppen chemischer Stoffe an. Die eine davon, deren Vertreter das DDT ist, kennt man unter dem Namen »chlorierte Kohlenwasserstoffe«. Die andere Gruppe besteht aus organischen Phosphor-Insektiziden, und zu ihr zählen – beide ziemlich bekannt – das Malathion sowie das Parathion. Alle haben eines miteinander gemein: die Grundlage ihres Moleküls bilden die Kohlenstoffatome, die auch die unentbehrlichen Bausteine der lebenden Welt sind; man rechnet daher diese Insektizide zu den »organischen« Verbindungen. Um sie kennenzulernen, müssen wir erfahren, woraus sie bestehen und wie sie sich so abändern lassen, daß sie zu Werkzeugen des Todes werden, obwohl sie mit den Stoffen verwandt sind, die allen Lebensprozessen zugrunde liegen.

Das Grundelement, der Kohlenstoff, ist eine Substanz, deren Atome eine nahezu unbegrenzte Fähigkeit besitzen, sich miteinander zu Ketten, Ringen und verschiedenartigen anderen Gebilden zu vereinen und mit Atomen anderer Elemente zu verbinden. In der Tat ist die unglaubliche Mannigfaltigkeit lebender Geschöpfe, von den Bakterien bis zum mächtigen Blauwal, auf diese Fähigkeit des Kohlenstoffes zurückzuführen. Das verwickelt gebaute Eiweißmolekül hat genauso das Kohlenstoffatom als Grundlage wie die Moleküle von Fetten, Kohlenhydraten, Enzymen und Vitaminen. Das gleiche gilt für eine riesige Anzahl von Substanzen, die nicht in Lebewesen vorkommen, denn Kohlenstoff ist nicht unbedingt ein Symbol des Lebens.

Manche organischen Verbindungen setzen sich nur aus Kohlenstoff und Wasserstoff zusammen. Die einfachste davon ist Methan oder Sumpfgas, das sich in der Natur bei der bakteriellen Zersetzung organischer Stoffe unter Wasser bildet. Mit Luft im richtigen Verhältnis gemischt, wird Methan zu dem gefürchteten Grubengas der Kohlenminen. Seine Struktur ist ganz einfach, es besteht aus einem Kohlenstoffatom, an das vier Wasserstoffatome gebunden sind:

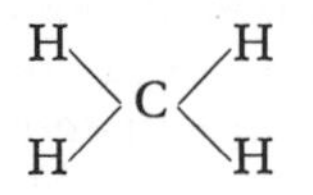

(C ist das chemische Zeichen für Kohlenstoff; H für Wasserstoff.)

Die Chemiker haben entdeckt, daß es möglich ist, eines oder alle Wasserstoffatome zu entfernen und durch andere Elemente zu ersetzen, zu substituieren, wie man sagt. Wenn wir zum Beispiel ein Atom Wasserstoff durch ein Atom Chlor substituieren, stellen wir Monochlormethan, auch Methylchlorid genannt, her:

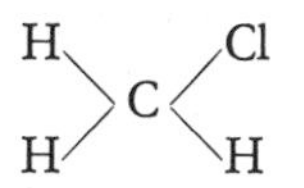

(Cl ist das chemische Zeichen für Chlor.) Man entferne drei Wasserstoffatome und substituiere Chlor, dann erhält man das betäubende Chloroform:

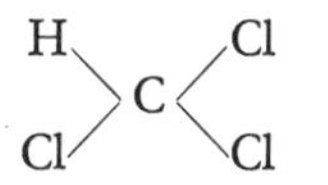

Werden alle vier Wasserstoffatome durch Chlor ersetzt, entsteht der Tetrachlorkohlenstoff, das bekannte flüssige Reinigungsmittel:

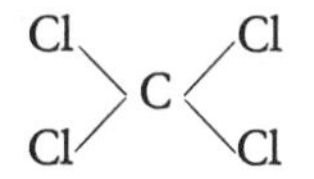

Diese Veränderungen, die sich am Ausgangsmolekül des Methans vollziehen, veranschaulichen in möglichst einfacher Form, was ein chlorierter Kohlenwasserstoff ist. Aber diese Erläuterung verrät uns nur wenig davon, wie kompliziert in Wahrheit die chemische Welt der Kohlenwasserstoffe ist oder mit welchen Kunstgriffen der organische Chemiker seine unendlich mannigfaltigen Substanzen herstellt. Denn statt mit dem einfachen Methanmolekül, das nur ein einziges Kohlenstoffatom besitzt, arbeitet er vielleicht mit Molekülen von Kohlenwasserstoffen, die aus vielen Kohlenstoffatomen bestehen; sie können in Ketten oder Ringen, mit Seiten- oder Nebenketten angeordnet sein und durch chemische Bindungen nicht nur einzelne Wasserstoff- oder Chloratome an sich fesseln, sondern auch eine große Vielfalt chemischer Gruppen. Durch anscheinend geringfügige Veränderungen werden die kennzeichnenden Merkmale der gesamten Substanz gewandelt; so ist es zum Beispiel nicht nur höchst wichtig, was an den Kohlenstoff gebunden ist, sondern an welcher Stelle die Bindung erfolgt. Mit solch scharfsinnig überlegten Kniffen hat man eine Batterie von Giften von wahrlich außerordentlicher Wirksamkeit erzeugt.

DDT (die Abkürzung für Dichlor-Diphenyl-Trichloräthan) wurde das erste Mal im Jahre 1874 von einem deutschen Chemiker synthetisch hergestellt, aber erst im Jahre 1939 entdeckte man seine Eigenschaften als Insektizid. Fast im Handumdrehen wurde DDT als Mittel gepriesen, um über Nacht Krankheiten, die von Insekten übertragen werden, auszumerzen und den Krieg der Farmer gegen Schädlinge, die ihre Feldfrüchte vernichten, zu gewinnen. Der Entdecker, Paul Müller aus der Schweiz, erhielt den Nobelpreis.

DDT wird nun so allgemein angewendet, daß den meisten Menschen dieses Mittel – wie alles, was ihnen vertraut geworden ist – ganz harmlos erscheint. Vielleicht beruht die Fabel von der Unschädlichkeit des DDT auf der Erfahrung, die man zuerst im Krieg damit gemacht hat, als man viele Tausende von Soldaten, Flüchtlingen und Gefangenen damit einstäubte, um Läuse zu bekämpfen. Da so viele Menschen in äußerst enge Berührung mit DDT kamen und unter keinen unmittelbaren üblen Folgen zu leiden hatten, glaubte man allgemein, dieser chemische Stoff habe bestimmt keine nachteilige Wirkung. Dieses begreifliche Mißverständnis rührt daher, daß im Gegensatz zu anderen chlorierten Kohlenwasserstoffen DDT *in Pulverform* nicht so leicht durch die Haut aufgenommen wird. In Öl aufgelöst, wie es meist gebraucht wird, ist DDT entschieden giftig. Wenn man es schluckt, wird es langsam durch den Verdauungstrakt absorbiert; es kann aber auch durch die Lungen Eingang finden. Ist es einmal in den Körper gedrungen, wird es, da es fettlöslich ist, größtenteils in Organen gespeichert, die reich an Fettsubstanzen sind wie in den Nebennieren, den Hoden oder in der Schilddrüse. Verhältnismäßig große Mengen werden in der Leber, den Nieren und dem Fett des ausgedehnten, schützenden Gekröses eingelagert, das die Därme einhüllt.

Diese Speicherung von DDT beginnt mit der Aufnahme denkbar geringer Mengen dieses Stoffes – dessen Rückstände auf den meisten Nahrungsmitteln zu finden sind – und setzt sich fort, bis eine ziemlich hohe Konzentration erreicht ist. Die Fettgewebe, die als Sammelstelle dienen, wirken als biologische Verstärker, so daß nur die kleine Menge von $^1/_{10}$ eines Teils pro Million mit der Kost aufgenommen zu werden braucht, damit am Ende ungefähr 10–15 Teile pro Million gespeichert werden; das bedeutet eine mehr als hundertfache Zunahme. Diese Maßangaben, dem Chemiker oder Pharmakologen ganz geläufig, sind den meisten von uns nicht vertraut. Ein Teil auf eine Million Teile, das klingt, als wäre es sehr wenig, und das ist es auch. Aber solche Substanzen sind so wirksam, daß schon eine winzige Menge ungemein weitgehende Veränderungen im Körper hervorrufen kann. Bei Tierversuchen hat man gefunden, daß 3 Teile pro Million ein lebensnotwendiges Enzym im Herzmuskel hemmen; nur 5 Teile pro Million haben Nekrose, das heißt: Zersetzung von Leberzellen, verursacht; von den naheverwandten chemischen Stoffen Dieldrin und Chlordan haben schon 2,5 Teile pro Million die gleiche Wirkung.

Das ist tatsächlich nicht erstaunlich. Bei den normalen chemischen Vorgängen im menschlichen Körper besteht ein ebenso großes Mißverhältnis zwischen Ursache und Wirkung. So entscheidet zum Beispiel die Kleinigkeit von 0,0002 Gramm Jod über Gesundheit und Krankheit. Weil die genannten geringen Mengen von Schädlingsbekämpfungsmitteln eingelagert und zugleich angereichert, aber nur langsam wieder ausgeschieden werden, sind die Leber und andere Organe tatsächlich sehr stark von chronischer Vergiftung und degenerativen Veränderungen bedroht.

Die Gelehrten sind sich nicht einig darüber, wieviel DDT im menschlichen Körper gespeichert werden kann. Dr. Arnold Lehmann, der leitende Pharmakologe der Nahrungs- und Arzneimittelprüfstelle, erklärt, es gebe weder eine untere noch eine obere Grenze für die Adsorption und Speicherung von DDT. Andererseits behauptet Dr. Wayland Hayes vom Staatlichen Gesundheitsdienst der Vereinigten Staaten, daß in jedem einzelnen Menschen ein Gleichgewichtszustand erreicht wird und DDT, das diesen Wert übersteigt, ausgeschieden wird. Für praktische Zwecke ist es nicht wichtig, wer von diesen beiden Männern recht hat. Die Speicherung von DDT im menschlichen Organismus ist gut erforscht worden, und wir wissen, daß ein durchschnittlicher Mensch Mengen speichert, die schädlich wirken können. Verschiedenen Untersuchungen zufolge speichern Personen, von denen man – abgesehen von der unvermeidlichen Aufnahme in der Kost – nicht weiß, wie weit sie der Berührung mit DDT ausgesetzt sind, durchschnittlich 5,3–7,4 Teile pro Million; landwirtschaftliche Arbeiter speichern 17,1 Teile pro Million und Arbeiter von Insektizid-Fabriken sogar bis zu 648 Teilen pro Million! So ist der Bereich, in dem Speicherung nachgewiesen worden ist, recht weitgespannt, und was für unsere Betrachtung vielleicht noch wesentlicher ist: Die Mindestwerte übersteigen die Konzentration, bei der Schädigungen der Leber und anderer Organe oder Gewebe auftreten können.

Eine der unheimlichsten Eigentümlichkeiten des DDT und verwandter chemischer Stoffe ist die Art und Weise, in der sie über alle Glieder der Nahrungsketten von einem Organismus zum anderen weitergegeben werden. Zum Beispiel werden Felder von Alfalfa, einer Luzernenart, mit DDT-Staub behandelt; aus dem Alfalfa wird später ein Mehl bereitet und an Hennen verfüttert; die Hennen legen Eier, die DDT enthalten. Oder das Heu, das Rückstände von 7–8 Teilen pro Million enthält, wird vielleicht von Kühen gefressen. Das DDT wird in Mengen von ungefähr 3 Teilen pro Million in der Milch auftreten, doch in Butter, die aus dieser Milch hergestellt wird, kann die Konzentration bis auf 65 Teile pro Million ansteigen. Wird DDT durch einen solchen Vorgang weitergegeben, kann sich eine anfänglich sehr geringe Konzentration am Ende bis zu hohen Werten steigern. Farmern fällt es heutzutage schwer, für ihre Milchkühe Trockenfutter zu erhalten, das nicht verunreinigt ist, obwohl die Nahrungs- und Arzneimittelprüfstelle verbietet, daß die Milch, die im zwischenstaatlichen Handel verfrachtet wird, Insektizidrückstände aufweist.

Das Gift kann auch von der Mutter auf das Kind übertragen werden. Man hat in Proben menschlicher Milch, die von der Nahrungs- und Arzneimittelprüfstelle untersucht worden sind, Reste von Insektiziden gefunden. Dies bedeutet, daß der mit Muttermilch ernährte Säugling zu der Last toxischer chemischer Stoffe, die sich in seinem Körper bilden, zwar wenig, aber regelmäßig etwas dazubekommt. Er ist dieser Gefahr aber keineswegs das erste Mal ausgesetzt; wir haben guten Grund anzunehmen, daß dies bereits der Fall ist, während er sich noch im Mutterleib befindet. Bei Versuchstieren dringen Insektizide, die chlorierte Kohlenwasserstoffe sind, ungehindert durch die Sperre der Plazenta, die üblicherweise wie ein schützender Schild schädliche Substanzen des mütterlichen Körpers vom Embryo fernhält. Obwohl die Mengen, die so vom Säugling aufgenommen werden, normalerweise winzig bleiben, sind sie nicht unwesentlich, weil Kinder gegen Vergiftungen empfindlicher als Erwachsene sind. Diese Sachlage bedeutet aber auch, daß der heutige Durchschnittsmensch mit ziemlicher Sicherheit sein Leben bereits mit der ersten Bürde jener wachsenden Last an chemischen Mitteln beginnt, die sein Körper von da an mitschleppen muß.

DDT wird also selbst bei niedriger Konzentration gespeichert, es häuft sich dann an, und schon bei einem Gehalt, der leicht in einer normalen Kost vorkommen kann, stellen sich Leberschäden ein. All diese Tatsachen veranlaßten schon im Jahre 1950 die Wissenschaftler der Nahrungs- und Arzneimittelprüfstelle zu erklären, »daß die Gefahr, die das DDT unter Umständen mit sich bringt, höchstwahrscheinlich unterschätzt worden ist«. In der Geschichte der Medizin hat noch keine ähnliche Lage bestanden. Noch weiß niemand, welche Konsequenzen sich am Ende daraus ergeben.

Chlordan, ein Gemisch aus anderen mit Chlor substituierten Kohlenwasserstoffen, besitzt all die unangenehmen Eigenschaften von DDT und dazu noch ein paar, die nur ihm eigen sind. Seine Rückstände halten sich lange im Boden und auf Nahrungsmitteln, sie bleiben an Oberflächen haften, auf die man es anwendet, doch ist es ziemlich flüchtig und bringt bestimmt jeden, der damit umgeht oder ihm ausgesetzt ist, in die Gefahr, es einzuatmen und sich dadurch zu vergiften. Chlordan benützt alle möglichen Eingangspforten, um in den Körper zu gelangen. Es dringt leicht durch die Haut, es wird als Dampf eingeatmet und wird selbstverständlich vom Darmtrakt absorbiert, wenn man Reste davon schluckt. Wie bei allen anderen chlorierten Kohlenwasserstoffen häufen sich seine Ablagerungen im Körper in steigendem Maße an. Eine Kost, die nur die geringe Menge Chlordan von 2,5 Teilen pro Million enthält, kann schließlich im Fett von Versuchstieren zu einer Speicherung von 75 Teilen pro Million führen.

Ein so erfahrener Pharmakologe wie Dr. Lehmann beschreibt Chlordan »als eines der giftigsten Insektizide – jeder, der es anwendet, kann sich vergiften«. Nach der unbekümmerten Großzügigkeit zu urteilen, mit der Stäubemittel – die von Vorstadtbewohnern für die Rasenbehandlung benützt werden – mit Chlordan vermischt worden sind, hat man sich diese Warnung nicht zu Herzen genommen. Es hat dabei wenig zu bedeuten, daß der Vorstädter nicht sogleich die Folgen zu spüren bekommt, denn die Giftstoffe können lange in seinem Körper schlummern und sich erst Monate oder Jahre später in unerklärlichen Beschwerden äußern, deren eigentlicher Ursprung sich kaum feststellen läßt. Andererseits kann der Tod auch schnell zuschlagen. Bei einem Opfer, das sich versehentlich eine 29prozentige Lösung über die Haut schüttete, traten binnen

40 Minuten Vergiftungserscheinungen auf, und der Betreffende starb, ehe er ärztliche Hilfe erhalten konnte. Man darf sich also nicht darauf verlassen, daß warnende Vorzeichen auftreten, die eine rechtzeitige Behandlung ermöglichen.

Heptachlor, einer der Stoffe, aus denen Chlordan besteht, wird auch getrennt davon als Mittel verkauft. Es läßt sich in besonders hohem Maße in Fett speichern. Wenn das Essen auch nur $^1/_{10}$ eines Teiles pro Million enthält, finden sich meßbare Mengen von Heptachlor im Körper. Ebenso besitzt es die merkwürdige Fähigkeit, sich in eine von ihm verschiedene chemische Substanz umzuwandeln, die unter dem Namen Heptachlor-Epoxyd bekannt ist. Dies geschieht im Boden und in den Geweben von Pflanzen wie von Tieren. Teste an Vögeln deuten darauf hin, daß das Epoxyd, das aus dieser Umwandlung hervorgeht, ungefähr viermal so toxisch ist wie der ursprüngliche chemische Stoff, der seinerseits wiederum viermal so toxisch wirkt wie Chlordan.

Schon vor längerer Zeit – Mitte der dreißiger Jahre – entdeckte man, daß eine Sondergruppe von Kohlenwasserstoffen, die Chlornaphthaline, bei Personen, die beruflich damit zu tun hatten, Hepatitis und noch eine weitere, seltene und fast immer tödliche Leberkrankheit verursachten. Arbeiter in Werken der elektrischen Industrie sind infolge dieser Stoffe erkrankt und gestorben. In neuerer Zeit hat man die Mittel in der Landwirtschaft als Ursache einer rätselhaften und gewöhnlich tödlichen Erkrankung von Rindern betrachtet. Angesichts dieser Vorfälle überrascht es nicht, daß drei der Insektizide aus dieser Gruppe zu den allergiftigsten Kohlenwasserstoffen gehören. Es sind dies Dieldrin, Aldrin und Endrin.

Dieldrin, nach dem deutschen Chemiker Diels so genannt, ist etwa fünfmal so giftig wie DDT, wenn es in den Magen gelangt, aber vierzigmal so giftig, sobald es in einer Lösung durch die Haut absorbiert wird. Es ist dafür berüchtigt, schnell und mit furchtbarer Wirkung das Nervensystem anzugreifen und bei den Opfern Konvulsionen auszulösen. Personen mit einer solchen Vergiftung erholen sich so langsam, daß man auf chronische Nachwirkungen schließen kann. Wie bei den anderen chlorierten Kohlenwasserstoffen ist eine dieser Dauerwirkungen eine schwere Schädigung der Leber. Da Rückstände von Dieldrin sich lange halten und es Insekten wirksam vernichtet, ist es heute zu einem der meistgebrauchten Insektizide geworden – trotz der entsetzlichen Verluste an wildlebenden Tieren, die nach seiner Anwendung zu verzeichnen sind. Als man es an Zahnwachteln und Jagdfasanen testete, erwies es sich als vierzig- bis fünfzigmal so giftig wie DDT.

In der Frage, wie Dieldrin im Körper gespeichert oder verteilt und wie es ausgeschieden wird, weist unser Wissen noch ungemein große Lücken auf; denn der erfinderische Geist, mit dem der Chemiker neue Insektizide ersinnt, hat längst die biologischen Kenntnisse überflügelt, und man weiß oft nicht, in welcher Weise diese Gifte den lebenden Organismus angreifen. Jedoch deuten alle Anzeichen auf eine langdauernde Speicherung im Körper hin, wo sogenannte Depots nur gleich einem schlummernden Vulkan ruhen, um sich in Zeiten einer physischen Überbeanspruchung, wenn der Körper von seinen Fettreserven zehrt, jäh bemerkbar zu machen. Vieles von dem, was wir tatsächlich wissen, haben wir aus bitterer Erfahrung in den Feldzügen gegen die Malaria gelernt, die von der Weltgesundheitsorganisation durchgeführt worden sind. Sobald man für die Bekämpfung der Malaria statt DDT Dieldrin einsetzte, weil die Moskitos, die den Malariaparasiten übertragen, gegen DDT resistent geworden waren, traten unter Leuten, die das Mittel versprühten, Vergiftungen auf. Die plötzlich einsetzenden Anfälle waren äußerst schwer, die Anzahl der Betroffenen schwankte bei den verschiedenen Vorhaben von der Hälfte bis zu allen Beschäftigten; sie wanden sich in Krämpfen und etliche starben. Einige litten bis zu vier Monaten nach der letzten Berührung mit Dieldrin noch unter diesen Krämpfen.

Aldrin ist eine ziemlich geheimnisvolle Substanz, denn obwohl es als eigener chemischer Stoff vorkommen kann, verbindet es eine Art Wahlverwandtschaft mit dem Dieldrin, in das es leicht übergehen kann. Wenn man Möhren aus einem Beet nimmt, das mit Aldrin behandelt worden ist, findet man in ihnen Rückstände von Dieldrin. Diese Umwandlung erfolgt in lebendem Gewebe wie im Erdreich. Solche alchemistischen Transformationen haben zu vielen Falschmeldungen geführt. Denn weiß ein Chemiker, daß Aldrin angewandt worden ist, und macht nun die Probe darauf, wird er sich dadurch irreführen lassen und glauben, alle Rückstände hätten sich verflüchtigt. Die Rückstände sind jedoch vorhanden, sie bestehen aber nun aus Dieldrin, und dafür benötigt man eine andere Prüfmethode.

Gleich dem Dieldrin ist das Aldrin äußerst giftig. Es ruft in der Leber und in den Nieren Entartungserscheinungen hervor. Eine Menge, die der Größe einer Aspirintablette entspricht, genügt, über 400 Zahnwachteln zu töten. Beim Menschen sind viele Vergiftungsfälle nachgewiesen, die Mehrzahl bei Personen, die gewerbsmäßig damit zu tun hatten.

Auch in die Zukunft wirft Aldrin – wie die meisten Insektizide dieser Gruppe – einen drohenden Schatten: es beschwört Unfruchtbarkeit herauf; Jagdfasane, die man mit so kleinen Mengen fütterte, daß sie nicht daran eingingen, legten dennoch nur wenige Eier, und die Jungen, die ausschlüpften, verendeten bald. Diese Wirkung beschränkt sich nicht auf Vögel. Ratten bekamen unter dem Einfluß von Aldrin weniger oft Nachwuchs, und ihre Jungen waren kränklich und lebten nicht lange. Junge Hunde, die von Muttertieren stammten, die man mit den Mitteln behandelt hatte, starben binnen drei Tagen. Auf die eine oder andere Art leiden die neuen Generationen unter der Vergiftung ihrer Eltern. Niemand weiß, ob sich die gleichen Folgen bei menschlichen Wesen einstellen werden, aber trotzdem hat man diese Chemikalie von Flugzeugen aus über Vorstadtgebiete und Ackerland gesprüht.

Endrin ist der giftigste chlorierte Kohlenwasserstoff. Obwohl es chemisch ziemlich eng mit dem Dieldrin verwandt ist, macht eine geringfügige Abweichung in der Molekülstruktur es fünfmal so giftig. Es läßt das DDT – den »Ahnen« dieser gesamten Gruppe von Insektiziden – im Vergleich dazu fast harmlos erscheinen. Für Säugetiere ist es fünfzehnmal, für Fische dreißigmal und für manche Vögel ungefähr dreihundertmal so giftig wie DDT.

Endrin hat in den zehn Jahren seiner Anwendung Unmengen von Fischen getötet, es hat Vieh, das in gespritzte Obstgärten wanderte, so schwer vergiftet, daß es verendete, es hat Brunnen verseucht und das Gesundheitsministerium wenigstens eines amerikanischen Staates veranlaßt, davor zu warnen, daß seine unvorsichtige Anwendung Menschenleben gefährdet.

Bei einem der tragischsten Fälle von Endrinvergiftung lag offenkundig keine Unachtsamkeit vor; man hatte sich bemüht, Vorsichtsmaßnahmen zu treffen, die man anscheinend für ausreichend hielt. Amerikanische Eltern hatten ihr einjähriges Kind nach Venezuela mitgenommen. In dem Haus, in das sie dort einzogen, gab es Küchenschaben, und nach ein paar Tagen wandte man ein Sprühmittel dagegen an, das Endrin enthielt. Das Kind und der kleine Hund der Familie wurden eines Morgens vor neun Uhr, ehe man das Mittel versprühte, außer Haus gebracht; nach dem Sprühen wusch man die Böden. Am Nachmittag holte man das Kleinkind und den Hund wieder ins Haus. Ungefähr eine Stunde später erbrach sich der Hund, verfiel in krampfartige Zuckungen und verendete. Um zehn Uhr abends am gleichen Tag erbrach sich auch das Kind, bekam Krämpfe und verlor das Bewußtsein. Nach dieser verhängnisvollen Berührung mit Endrin führte dieses normale, gesunde Kind ein Dasein, das kaum mehr als ein kümmerliches Vegetieren war. Es konnte nicht mehr sehen oder hören, es neigte zu häufigen Muskelkrämpfen und war offenbar völlig von jeder Verbindung mit der Umwelt abgeschnitten. Man behandelte es einige Monate lang in einem Krankenhaus in New York, aber auch dadurch ließ sich sein Zustand nicht bessern oder Hoffnung schöpfen, daß dies jemals gelingen werde. »Es ist äußerst zweifelhaft, ob das Kind je bis zu einem annehmbaren Grad wiederhergestellt werden kann«‘ lautete der Befund des behandelnden Arztes.

Die zweite große Gruppe von Insektiziden, die Alkylphosphate oder organischen Phosphate zählen zu den giftigsten chemischen Stoffen der Welt. Die wesentlichste und augenfälligste Gefahr, die mit ihrem Gebrauch verbunden ist, liegt in der akuten Vergiftung von Menschen, die sie als Stäube- oder Spritzmittel anwenden oder unabsichtlich damit in Berührung kommen, wenn sie fein verteilt durch die Luft treiben, sich auf Gemüse niederschlagen oder in weggeworfenen Behältern zurückbleiben. In Florida fanden zwei Kinder einen leeren Sack und benützten ihn, um eine Schaukel auszubessern. Kurz darauf starben beide, und drei ihrer Spielgefährten erkrankten. Der Sack hatte einmal das Insektizid Parathion enthalten, eines dieser organischen Phosphate. Untersuchungen stellten eindeutig fest, daß der Tod infolge Vergiftung mit Parathion eingetreten war. In einem anderen Fall starben im Staate Wisconsin zwei kleine Jungen, die Vettern waren, in der gleichen Nacht. Einer hatte gerade im Hof gespielt, als vom angrenzenden Feld, wo sein Vater Kartoffeln mit Parathion behandelte, der Sprühnebel hereintrieb; der andere Junge war seinem Vater übermütig in die Scheune nachgelaufen und hatte die Hand auf die Düse des Sprühgeräts gelegt.

Es liegt eine gewisse Ironie in der Entstehungsgeschichte dieser Insektizide. Zwar waren manche der Stoffe selbst – es handelt sich chemisch um Phosphorsäureester – schon seit vielen Jahren bekannt, aber ihre Eigenschaften, Insekten zu vernichten, wurden erst Ende der dreißiger Jahre von Gerhard Schrader, einem deutschen Chemiker, entdeckt. Sehr bald erkannte die deutsche Regierung den Wert dieser chemischen Stoffe als neue und verheerende Waffen im Krieg des Menschen gegen seine eigenen Artgenossen, und die Arbeit daran wurde für geheim erklärt. Einige wurden zu tödlichen, auf die Nerven wirkenden Gasen. Andere, von nahe verwandter Struktur, wurden zu Insektiziden.

Organische Phosphorverbindungen als Insektizide wirken in besonderer Weise auf den lebenden Organismus ein. Sie besitzen die Fähigkeit, Enzyme zu zerstören, die notwendige Aufgaben im Körper erfüllen. Ihr Angriffspunkt ist das Nervensystem, ob das Opfer nun ein Insekt oder ein warmblütiges Tier ist. Unter normalen Bedingungen wird in bestimmten Teilen des Nervensystems ein Impuls von Nerv zu Nerv mit Hilfe einer Überträgersubstanz weitergegeben. Es handelt sich dabei um das sogenannte Acetylcholin, einen Stoff, der diese lebenswichtige Funktion übernimmt und dann verschwindet. Ja, er hat nur so flüchtigen Bestand, daß medizinische Forscher nicht imstande sind, ohne besondere Verfahren Proben davon zu entnehmen, ehe der Körper ihn zerstört hat. Die chemische Verbindung, die den Impuls überträgt, muß so vergänglicher Natur sein, damit der Körper normal arbeiten kann. Wird das Acetylcholin nicht zerstört, sobald ein Nervenimpuls weitergegeben worden ist, huschen dauernd Impulse über die Brücke von Nerv zu Nerv weiter, da diese Substanz in ständig verstärktem Maße ihre Wirkung ausübt. Die Bewegungen des ganzen Körpers werden unkoordiniert: Die Glieder beben und zucken, Muskeln ziehen sich im Krampf zusammen, und bald tritt der Tod ein.

Der Körper hat gegen diese Möglichkeit vorgesorgt. Ein schützendes Enzym, Cholinesterase genannt, ist zur Hand, um die Überträgersubstanz zu zerstören, wenn sie nicht mehr benötigt wird. Mit dieser Methode wird ein genau eingestelltes Gleichgewicht erzielt, und der Körper sammelt niemals eine gefährliche Menge Acetylcholin an. Doch durch Berührung mit den insektiziden organischen Phosphorverbindungen wird das schützende Enzym vernichtet; da die Menge des Enzyms abnimmt, vermehrt sich die Überträgersubstanz und reichert sich an. In ihrer Wirkung ähnelt die organische Phosphorverbindung dem giftigen Alkaloid Muscarin, das sich im Fliegenpilz findet.

Ist jemand wiederholt der Einwirkung dieser Mittel ausgesetzt, kann der Cholinesterase-Spiegel so weit gesenkt werden, bis ein Mensch hart am Rande einer akuten Vergiftung steht, und eine ganz geringe Menge genügt, ihn ins Verderben zu stürzen. Aus diesem Grunde hält man es für wichtig, bei den Leuten, von denen die Sprühgeräte bedient werden, und bei anderen, die regelmäßig den Insektiziden ausgesetzt sind, in bestimmten Zeitabständen Blutuntersuchungen vorzunehmen.

Parathion ist eines der meist verwendeten und verbreiteten organischen Phosphate. Es ist auch eines der wirksamsten und gefährlichsten. Honigbienen werden »wild erregt und kriegslustig«, wenn sie damit in Berührung kommen, sie putzen sich mit rasend schnellen Bewegungen und sind binnen einer halben Stunde dem Tode nahe. Ein Chemiker wollte auf dem unmittelbarsten Wege ergründen, welche Dosis eine akute Giftwirkung für menschliche Wesen hat, und schluckte eine winzige Menge von ungefähr 0,1194 Gramm. Die Lähmung erfolgte so schnell, daß er nicht mehr zu den Gegenmitteln greifen konnte, die er bereitgestellt hatte, und er mußte sterben. In Finnland soll Parathion ein beliebtes Mittel für Selbstmord sein. In den letzten Jahren wurden aus dem Staate Kalifornien durchschnittlich im Jahr über 200 Fälle von unbeabsichtigten Vergiftungen mit Parathion gemeldet. In vielen Gegenden der Erde ist die Zahl der durch Parathion verursachten Todesfälle erschreckend hoch; im Jahre 1958 wurden 100 Todesfälle in Indien und 67 in Syrien verzeichnet, während es in Japan durchschnittlich 336 im Jahr sind.

Dennoch werden jetzt rund 3175000 Kilo Parathion auf Feldern und Obstgärten der Vereinigten Staaten verteilt, mit Hand-Sprühgeräten, mit motorisierten Nebel- und Stäubegeräten sowie vom Flugzeug aus. Die Menge, die allein auf kalifornischen Farmen verbraucht worden ist, könnte nach einer medizinischen Autorität »eine tödliche Dosis für das Fünf- bis Zehnfache der gesamten Bevölkerung der Welt liefern«.

Einer der wenigen Umstände, die uns davor bewahren, durch dieses Mittel ausgerottet zu werden, ist die Tatsache, daß Parathion und andere Chemikalien dieser Gruppe sich ziemlich schnell zersetzen. Ihre Überreste auf den Feldfrüchten, die mit ihnen behandelt wurden, sind daher, verglichen mit den chlorierten Kohlenwasserstoffen, verhältnismäßig kurzlebig. Sie halten sich jedoch immerhin so lange, daß sie eine Gefahrenquelle bilden und Wirkungen hervorrufen können, die von schweren bis zu tödlichen Erkrankungen reichen. In Riverside in Kalifornien wurden elf von dreißig Orangenpflückern von heftiger Übelkeit befallen, und bis auf einen mußten alle ins Krankenhaus gebracht werden. Sie zeigten typische Symptome einer Vergiftung mit Parathion. Der Orangenhain war ungefähr zweieinhalb Wochen zuvor mit Parathion besprüht worden; sechzehn bis neunzehn Tage waren also die Überreste alt, durch die diese Leute zu halbblinden, von Erbrechen geplagten, fast bewußtlosen Jammergestalten wurden; und das ist keineswegs ein Rekord an Beständigkeit. Ähnliche Unglücksfälle sind in Obsthainen vorgekommen, die schon vor einem Monat besprüht worden waren, und in Orangenschalen hat man sechs Monate nach der Behandlung mit normalen Dosierungen noch Reste von Parathion gefunden.

Alle Arbeiter, die mit der Verteilung insektizider organischer Phosphorverbindungen auf Feldern sowie in Obst- und Weingärten beschäftigt sind, schweben in so großer Gefahr, daß manche Staaten, in denen diese Mittel gebraucht werden, Laboratorien eingerichtet haben, wo sich Ärzte bei der Diagnose und Behandlung Rat holen können. Sogar die Ärzte selbst können gefährdet sein, wenn sie nicht bei der Versorgung von Opfern einer Vergiftung Gummihandschuhe tragen. Das gleiche gilt für eine Wäscherin, wenn sie Kleidungsstücke solcher Opfer reinigt, an denen vielleicht noch so viel Parathion haftet, daß es auch ihr schaden kann.

Malathion, ein anderes der organischen Phosphate, ist den Leuten in den Vereinigten Staaten fast so vertraut wie DDT, da es allgemein von Gärtnern verwendet wird, in Haushalt-Insektiziden enthalten ist und zum Sprühen gegen Moskitos dient. Man bekämpft damit auch im Großflächeneinsatz Insekten wie die Mittelmeerfruchtfliege, gegen die man in Florida über 4000 Quadratkilometer Siedlungsland besprüht hat. Malathion wird als das am wenigsten giftige Mittel dieser Gruppe betrachtet, und viele Menschen nehmen an, sie könnten es uneingeschränkt und ohne Furcht vor Schaden anwenden. Geschäftsreklame bestärkt sie noch in dieser bequemen Haltung.

Die angebliche »Sicherheit« des Gebrauchs von Malathion ruht auf ziemlich schwankendem Grund, was man allerdings – wie es so oft geschieht – erst entdeckte, als die chemische Substanz schon etliche Jahre hindurch in Gebrauch war. Malathion ist nur »sicher« zu handhaben, weil die Säugetierleber in außergewöhnlichem Maße die Fähigkeit besitzt, den Organismus zu schützen und auch dieses Mittel verhältnismäßig unschädlich macht. Die Entgiftung wird durch eines der Enzyme der Leber bewerkstelligt. Wenn jedoch irgend etwas dieses Enzym zerstört, es in seiner Wirksamkeit beeinträchtigt, bekommt der Mensch, der dem Malathion ausgesetzt ist, das Gift in seiner ganzen Stärke zu spüren.

Zum Unglück für uns alle gibt es unendlich viele Gelegenheiten, bei denen dieser Fall eintreten kann. Vor wenigen Jahren entdeckte ein Team von Wissenschaftlern der Nahrungs- und Arzneimittelprüfstelle, daß durch Malathion, sobald man es gleichzeitig mit bestimmten anderen organischen Phosphaten verwertete, eine schwere Vergiftung hervorgerufen wird. Die Giftwirkung summiert sich nicht einfach, wie man erwarten würde, sondern steigt auf das Fünfzigfache dieses Werts an. Mit anderen Worten ausgedrückt, kann ein Hundertstel der tödlichen Dosis von jeder der beiden Verbindungen bereits das Leben kosten, wenn sie vereint angreifen.

Diese Entdeckung führte dazu, daß man noch andere Kombinationen prüfte. Man weiß jetzt, daß viele insektizide organische Phosphate, wenn sie paarweise auftreten, höchst gefährlich sind, da durch die kombinierte Wirkung die Giftigkeit gesteigert wird oder erst voll zur Geltung kommt. Dies scheint der Fall zu sein, wenn die eine Verbindung das Leberenzym vernichtet, das für die Entgiftung des anderen Stoffes verantwortlich ist. Die beiden brauchen nicht gleichzeitig verabreicht zu werden. Die Gefahr besteht nicht nur für den Menschen, der diese Woche vielleicht mit dem einen Insektizid und nächste Woche mit dem anderen sprüht; sie besteht auch für den Verbraucher besprühter Erzeugnisse. In einer gewöhnlichen Schüssel mit Salat könnte sich leicht eine solche Mischung insektizider organischer Phosphate finden. Rückstände, die durchaus innerhalb der gesetzlich erlaubten Grenzen liegen, würden sich dann wechselseitig beeinflussen.

Man weiß noch immer recht wenig Bescheid über den vollen Umfang der gefährlichen Wechselwirkung chemischer Stoffe, aber aus wissenschaftlichen Laboratorien erfährt man jetzt regelmäßig beunruhigende Forschungsergebnisse. So hat man unter anderem entdeckt, daß die Giftigkeit eines organischen Phosphats durch einen zweiten Wirkstoff erhöht werden kann, der nicht unbedingt ein Insektizid sein muß. Zum Beispiel kann einer der sogenannten Weichmacher für Kunststoffe sogar in noch stärkerem Maße als ein anderes Insektizid die Gefährlichkeit des Malathions erhöhen. Wiederum geschieht dies, weil der Weichmacher das Leberenzym hemmt, das normalerweise dem Insektizid »die Giftzähne ziehen« würde.

Wie steht es mit anderen Chemikalien in der normalen menschlichen Umwelt, insbesondere mit Arzneimitteln? Man hat kaum erst begonnen, sich mit dieser Frage zu beschäftigen, doch weiß man bereits, daß einige organische Phosphate – wie Parathion und Malathion – die Giftigkeit mancher Drogen erhöhen, die zur Entspannung von Muskeln dienen, und daß verschiedene andere, darunter ebenfalls das Malathion, die Dauer des Schlafs verlängern, den man mit Barbitursäurepräparaten herbeiführt.

Nach der griechischen Mythologie war die Zauberin Medea wütend darüber, daß ihr die Liebe ihres Gemahls Jason von einer Nebenbuhlerin abspenstig gemacht wurde, und sie schenkte der neu erkorenen Braut ein Gewand mit magischen Eigenschaften. Wer dieses Gewand trug, starb auf der Stelle eines gewaltsamen Todes. Er nahte dem Opfer also auf einem Umweg, und heute finden wir das Gegenstück dazu in den sogenannten »systemischen« oder »innertherapeutischen« Insektiziden. Diese Insektizide sind chemische Stoffe mit ungewöhnlichen Eigenschaften; man benützt sie dazu, Pflanzen oder Tiere in eine Art Medea-Gewand zu verwandeln, indem man sie tatsächlich giftig macht. Dies geschieht in der Absicht, Insekten zu töten, die mit ihnen in Berührung kommen, und dabei besonders ihre Säfte oder ihr Blut saugen.

Das Reich der systemischen Insektizide ist eine unheimliche Welt, die selbst die gruselige Märchenwelt der Brüder Grimm übertrifft und vielleicht den Karikaturen von Charles Addams verwandt ist. Es ist eine Welt, wo der Zauberwald der Märchen zu einem Giftdschungel geworden ist, in dem ein Insekt, das ein Blatt zerkaut oder den Saft einer Pflanze saugt, zum Tode verurteilt ist. Es ist eine Welt, wo ein Floh einen Hund sticht und verendet, weil das Blut des Hundes giftig gemacht worden ist, wo ein Insekt schon durch die Ausdünstung einer Pflanze, die es nie berührt hat, zugrunde gehen kann, und eine Biene vielleicht giftigen Nektar in ihren Stock heimträgt und daraus giftigen Honig bereitet.

Das einem Organismus einverleibte Insektizid wurde erst zum Wunschtraum der Entomologen, als Wissenschaftler bei ihrer Arbeit auf dem Gebiet der angewandten Entomologie erkannten, daß ihnen die Natur einen Wink gegeben hatte, der sich verwerten ließ. Sie entdeckten, daß Weizen auf einem Boden, der Natriumselenat enthielt, gegen Angriffe von Blattläusen oder Spinnmilben gefeit war. Selen, ein natürlich vorkommendes Element, das man in spärlichen Mengen im Gestein und im Boden in vielen Gegenden der Welt findet, wurde so das erste systemische Insektizid.

Ein solches Insektizid muß die Fähigkeit haben, in alle Gewebe einer Pflanze oder eines Tieres einzudringen und sie giftig zu machen. Diese Eigenschaft besitzen manche Verbindungen aus der Gruppe der chlorierten Kohlenwasserstoffe sowie andere aus der Gruppe organischer Phosphorverbindungen – die alle synthetisch erzeugt werden – aber auch bestimmte, natürlich vorkommende Substanzen. In der Praxis werden aber die meisten dieser Insektizide der Gruppe der organischen Phosphorverbindungen entnommen, weil bei ihnen das Problem von Rückständen nicht ganz so akut ist.

Derlei systemische Pflanzenschutzmittel zeigen auch sonst ein abweichendes Verhalten. Wendet man sie auf Samen an – die man damit durchtränkt oder mit einem Gemenge aus Kohlenstoff und dem Mittel überzieht –, erstrecken sich ihre Wirkungen bis in die folgende Pflanzengeneration; sie bringt Sämlinge hervor, die für Blattläuse und andere saugende Insekten giftig sind. Gemüse wie Erbsen, Bohnen und Zuckerrüben werden manchmal so geschützt. Baumwollsamen, die in ein systemisches Insektizid eingehüllt waren, hat man in Kalifornien eine Zeitlang verwendet; dort wurden im Jahre 1959 fünfundzwanzig Landarbeiter, die im San Joaquin-Tal Baumwolle pflanzten, plötzlich von Übelkeit befallen, weil sie die Säcke mit behandeltem Samen angefaßt hatten.

In England hat sich einmal jemand Gedanken darüber gemacht, was geschieht, wenn Bienen Nektar von Pflanzen verarbeiten, die man mit Insektiziden giftig gemacht hatte. Man untersuchte dies in Gebieten, die mit einem chemischen Stoff namens Schradan behandelt worden waren. Obwohl man die Pflanzen besprüht hatte, ehe sich die Blüten bildeten, enthielt der später erzeugte Nektar das Gift. Wie sich unschwer hätte voraussagen lassen, war die Folge davon, daß der von den Bienen bereitete Honig ebenfalls mit Schradan verunreinigt war.

Die Verwendung von systemischen Insektiziden im Tierkörper beschränkte sich hauptsächlich auf die Bekämpfung der Maden der Rinderdasselfliege, eines Parasiten, der unter dem

Vieh großen Schaden anrichtet. Äußerste Vorsicht ist erforderlich, damit in Blut und Gewebe des Wirts eine insektizide Wirkung erzielt wird, ohne ihn selbst tödlich zu vergiften. Es herrscht ein sehr empfindliches Gleichgewicht, und Amtstierärzte haben herausgefunden, daß eine wiederholte kleine Dosis den Vorrat eines Tiers an dem schützenden Enzym Cholinesterase allmählich erschöpfen kann; eine winzige zusätzliche Menge genügt, ohne Vorwarnung eine Vergiftung zu verursachen.

Es sind sichere Anzeichen dafür vorhanden, daß man nun daran geht, Anwendungsgebiete zu erschließen, die unserem Alltagsleben noch näher liegen. Man kann jetzt seinem Hund eine Pille geben, die ihn – so wird behauptet – von Flöhen befreit, weil sie sein Blut für sie giftig macht. Die Gefahren, die man bei der Behandlung von Vieh entdeckt hat, würden vermutlich auch bei dem Hund auftreten. Noch scheint niemand vorgeschlagen zu haben, auch dem menschlichen Körper ein solches Mittel zuzuführen, das uns für Moskitos tödlich macht. Vielleicht ist das der nächste Schritt.

Bis jetzt haben wir in diesem Kapitel die lebensgefährlichen Chemikalien erörtert, die uns zur Bekämpfung von Insekten dienen. Wie steht es mit unserem gleichzeitigen Feldzug gegen das Unkraut?

Der dringende Wunsch nach einer schnellen und bequemen Methode unliebsame Pflanzen auszurotten, war der Anlaß, eine stattliche und ständig wachsende Reihe von chemischen Stoffen zu schaffen, die man als Herbizide oder weniger gelehrt als Unkrautvertilgungsmittel bezeichnet. Wie diese chemischen Stoffe gebraucht – und mißbraucht – werden, soll im sechsten Kapitel berichtet werden; hier beschäftigt uns nur die Frage, ob die Mittel zur Unkrautbekämpfung Gifte sind und ob ihr Gebrauch dazu beiträgt, auch die Umwelt zu vergiften.

Man hat eifrig überall das Märchen verbreitet, daß die Herbizide nur für Pflanzen toxisch seien und daher das Leben der Tiere nicht bedrohten, aber leider stimmt das nicht. Zu den Stoffen, die Pflanzen vernichten, gehören auch vielerlei chemische Substanzen, die genauso auf tierische wie auf pflanzliche Gewebe wirken. Ihre Wirkung auf den Organismus schwankt weitgehend. Einige sind allgemein schädliche Gifte, einige regen den Stoffwechsel so kräftig an, daß die Körpertemperatur auf einen tödlichen Grad ansteigt, manche verursachen bösartige Tumore, entweder allein oder gemeinsam mit anderen chemischen Stoffen, wieder andere greifen das arteigene Erbgut an, da sie Genmutationen herbeiführen. Unter den Herbiziden finden sich ebenso wie unter den Insektiziden einige sehr gefährliche Substanzen, und wenn man sie in dem Glauben, sie seien sicher unschädlich, fahrlässig gebraucht, kann das unheilvolle Folgen haben.

Dauernd macht ein Strom neuer chemischer Stoffe aus den Laboratorien den Arsenverbindungen das Feld streitig; doch werden sie, wie erwähnt, immer noch reichlich als Insektizide, aber ebenso und meist in der chemischen Form des Natriumarsenits als Mittel zur Unkrautbekämpfung verwendet. Die Geschichte ihrer Anwendung ist nicht gerade beruhigend. Hat man die Straßenränder damit besprüht, haben sie manch einen Farmer die Kuh gekostet und unzählige wildlebende Geschöpfe getötet. Als Mittel zur Ausrottung von Unkraut im Wasser, in Seen und Speicherbecken haben sie öffentliche Gewässer so verunreinigt, daß diese sich nicht mehr für Trinkwasser eigneten und man nicht einmal mehr in ihnen schwimmen konnte. Auch als Sprühmittel, mit denen man Kartoffeläcker behandelte, um das Kraut zu zerstören, haben sie ihren Tribut an Menschen- und Tierleben gefordert.

In England hatte man ungefähr im Jahre 1951 zu dieser Methode gegriffen, da Schwefelsäure, die man früher zum Abbrennen des Kartoffelkrautes verwendet hatte, knapp geworden war. Das Landwirtschaftsministerium hielt es für nötig, die Leute vor dem Betreten der mit Arsenverbindungen besprühten Felder zu warnen, aber das Vieh verstand diese Warnung nicht – ebensowenig, wie wir wohl annehmen dürfen, die wilden Tiere und Vögel –, und mit geradezu eintöniger Regelmäßigkeit trafen Berichte von vergiftetem Vieh ein. Als der Tod auch eine Farmersfrau ereilte, da das Trinkwasser mit Arsen verunreinigt war, stellte eines der größeren englischen Chemiewerke im Jahre 1959 die Produktion arsenhaltiger Sprühmittel ein und forderte Vorräte, die sich bereits in Händen der Kaufleute befanden, wieder zurück. Kurz darauf gab das Landwirtschaftsministerium bekannt, daß wegen der großen Gefahren für Menschen und Vieh die Anwendung von Arseniten gesetzlich eingeschränkt werden müsse. Im Jahre 1961 verkündete die australische Regierung ein ähnliches Verbot. Doch in den Vereinigten Staaten behindern keine derartigen Maßnahmen den Gebrauch dieser Gifte.

Manche der »Dinitro«-Verbindungen werden auch als Herbizide verwendet. Man rechnet sie zu den gefährlichsten Stoffen dieser Art, die in den Vereinigten Staaten im Handel sind. Dinitrophenol wirkt stark anregend auf den Stoffwechsel. Aus diesem Grunde wurde es auch einmal als Abmagerungsmittel genommen, aber der Spielraum zwischen der schlank machenden Dosis und der Menge, die für eine leichte bis tödliche Vergiftung erforderlich war, erwies sich als sehr gering – er war so unbedeutend, daß einige Patienten starben und viele einen Dauerschaden davontrugen, ehe man der Verwendung Einhalt gebot.

Ein verwandter chemischer Stoff, das Pentachlorphenol, manchmal kurz »Penta« genannt, wird zur Bekämpfung von Unkraut wie von Insekten eingesetzt, man versprüht es oft entlang von Eisenbahngleisen und auf Schuttplätzen. Penta ist für die mannigfaltigsten Organismen von Bakterien bis zum Menschen giftig. Wie die Dinitroverbindungen stört es die Vorgänge, aus denen der Körper seine Energie bezieht, so tiefgreifend, daß oft der Tod eintritt; man könnte fast sagen, der betroffene Organismus verbrenne sich buchstäblich selbst. Die furchtbare Macht dieser Chemikalie beweist uns anschaulich ein tödlicher Unfall, von dem kürzlich das Gesundheitsministerium von Kalifornien berichtete: Der Fahrer eines Tankwagens bereitete gerade eine Mischung von Dieselöl mit Pentachlorphenol, um damit die Baumwollstauden zu entblättern. Als er die konzentrierte Lösung der Chemikalie aus einem Behälter abfüllte, fiel zufällig der Zapfhahn in ihn zurück. Er griff mit der bloßen Hand hinein, um den Hahn herauszuholen. Obwohl er sich sogleich wusch, erkrankte er schwer und starb am nächsten Tag.

Während die Folgen von Mitteln wie Natriumarsenit oder Phenolen zur Unkrautbekämpfung deutlich ins Auge springen, sind einige andere Herbizide in ihren Wirkungen heimtückischer. So hält man zum Beispiel das Aminotriazol, das derzeit berühmte Mittel zur Bekämpfung des Unkrauts in Feldern mit Großfrüchtigen Moosbeeren, für verhältnismäßig wenig giftig. Aber auf lange Sicht könnte seine Eigenschaft, oft bösartige Tumore der Schilddrüse zu verursachen, für wildlebende Tiere und vielleicht auch für den Menschen von weit größerer Bedeutung als eine unmittelbare Giftwirkung sein.

Unter den Herbiziden gibt es einige, die man zur Gruppe der »Mutagene« zählt, zu Stoffen, die imstande sind, die Gene, das Material der Vererbung abzuändern. Wir sind mit Recht entsetzt über die genetischen Wirkungen von radioaktiver Strahlung; wie könnten wir dann gleichgültig bleiben gegenüber den gleichen Wirkungen von Chemikalien, die wir so weitgehend in unserer Umwelt verbreiten?!

4. Kapitel
Oberflächengewässer und unterirdische Fluten

Von all unseren natürlichen Versorgungsquellen ist Wasser am kostbarsten geworden. Der bei weitem größere Teil der Erdoberfläche ist von Meeren bedeckt, die das Festland umschließen, doch inmitten dieses Überflusses leiden wir Mangel. Es liegt ein seltsames Paradox darin, daß die Hauptmasse des reichlich vorhandenen Wassers auf der Erde für Landwirtschaft, Industrie oder menschlichen Verbrauch wegen ihres hohen Gehalts an Meersalzen nicht verwendbar ist. Die überwiegende Mehrheit der Weltbevölkerung erlebt daher bereits oder sieht sich davon bedroht, daß das Wasser knapp wird. In einem Zeitalter, in dem der Mensch den Ursprung seines Daseins vergessen hat und nicht einmal mehr erkennt, was er unbedingt braucht, wenn er sich am Leben erhalten will, ist das Wasser zugleich mit anderen Versorgungsquellen ein Opfer seiner Gleichgültigkeit geworden.

Das Problem der Verunreinigung des Wassers durch Schädlingsbekämpfungsmittel kann nur in einem größeren Zusammenhang verstanden werden, als Teil des Ganzen, zu dem es gehört – der Verunreinigung der gesamten Umwelt des Menschen. Die Schmutzstoffe, die in unsere Gewässer eindringen, stammen aus vielen Quellen, es sind: Radioaktive Abfallprodukte aus Reaktoren, Laboratorien und Krankenhäusern; radioaktive Niederschläge, sogenannter »fallout« von Kernexplosionen; Haushaltabfälle aus großen und kleinen Städten; chemische Rückstände aus Fabriken. Zu diesen kommt noch eine neue Art »Niederschlag« hinzu: die chemischen Spritz- und Stäubmittel, die man auf Ackerland und Gärten, auf Wälder und Felder regnen läßt. Viele der chemisch wirksamen Stoffe in diesem erschreckenden Gemisch üben eine sehr ähnliche Wirkung aus wie die radioaktive Strahlung und verstärken sie noch; und auch innerhalb der Gruppen chemischer Stoffe selbst beeinflussen sich die einzelnen Verbindungen wechselseitig auf unheimliche und wenig erforschte Weise, sie wandeln sich um, und ihre Wirkungen summieren sich.

Seit die Chemiker Substanzen herzustellen begannen, die von der Natur nie erfunden worden sind, haben sich für die Wasserreinigung immer schwierigere Probleme ergeben, und die Gefahr für die Verbraucher ist gestiegen.

Wie wir schon sahen, begann nach 1940 die Massenproduktion synthetischer Chemikalien. Sie hat jetzt solche Ausmaße erreicht, daß sich täglich eine beängstigende Flut chemischer Verunreinigung in die Gewässer der Vereinigten Staaten ergießt. Haben sich diese Chemikalien untrennbar mit den Abfallstoffen aus Wohnhäusern und Fabriken vermengt, die in das gleiche Wasser entleert werden, ist es manchmal unmöglich, sie mit den üblichen Methoden der Reinigungsanlagen zu entdecken. Die meisten von ihnen sind so stabil, daß sie sich mit den gebräuchlichen Verfahren nicht zerstören lassen. Oft können sie nicht einmal einwandfrei nachgewiesen werden. In den Flüssen vereinigen sich tatsächlich so mannigfaltige Schmutzstoffe zu Ablagerungen, daß die Hygiene-Ingenieure voll Verzweiflung von einer »Brühe« sprechen können. Professor Rolf Eliassen vom Institut für Technologie in Massachusetts bezeugte vor einem Kongreßausschuß, daß man außerstande sei, die Gesamtwirkung dieser Chemikalien vorauszusagen oder die organischen Substanzen, die aus dieser Mischung hervorgehen, eindeutig zu bestimmen. »Wir haben noch keine Ahnung, um welche Stoffe es sich handelt«, erklärte Professor Eliassen. »Wie sie auf den Menschen wirken? Wir wissen es nicht!«

Mittel, mit denen man Insekten, Nagetiere oder unliebsamen Pflanzenwuchs bekämpft, tragen in ständig wachsender Menge zu diesen organischen Schmutzstoffen bei. Manche werden absichtlich in Gewässer gebracht, um Pflanzen, Insektenlarven und unerwünschte Fische zu vernichten. Einige stammen vielleicht von einer Großflächenbehandlung der Wälder, bei der in einem einzelnen Staat gegen ein einzelnes schädliches Insekt vielleicht 8000 Quadratkilometer mit Chemikalien besprüht werden. Sie fallen unmittelbar in Bäche und Ströme oder tropfen durch das Laubdach auf den Waldboden, wo sie wie die übrige Feuchtigkeit einsickern und mit ihr gemeinsam die weite Reise zum Meer antreten. Die Hauptmasse solcher Verunreinigungen bilden wahrscheinlich die vom Wasser mitgeführten Rückstände der Millionen Kilo von Chemikalien, mit denen Ackerland behandelt worden ist, um Insekten oder Nagetiere zu vertilgen. Von Regenfällen wurden sie dann aus dem Boden ausgelaugt und nahmen an der allgemeinen, dem Meer zustrebenden Bewegung des Wassers teil.

Hier und da erhalten wir eindrucksvolle Beweise dafür, daß diese chemischen Stoffe in unseren Strömen, ja sogar in den öffentlichen Wasserleitungen anwesend sind. Als man zum Beispiel eine Probe Trinkwasser aus einem Obstbaugebiet in Pennsylvanien an Fischen im Laboratorium prüfte, enthielt es eine Insektizidmenge, die ausreichte, in nur vier Stunden alle Versuchsfische zu töten. Wasser aus einem Bach, der besprühte Baumwollfelder entwässerte, blieb selbst nachdem es eine Reinigungsanlage durchlaufen hatte für Fische noch tödlich, und in fünfzehn Nebenflüssen des Tennessee River in Alabama vernichtete das Abwasser von Feldern, die mit Toxaphen – einem chlorierten Kohlenwasserstoff – behandelt worden waren, alle Fische, die in diesen Nebenflüssen lebten. Aus zweien dieser Flüsse wurden Wasserleitungen von Städten gespeist! Doch war eine Woche nach der Anwendung des Insektizids das Wasser immer noch giftig. Das bezeugten die täglich verendenden Goldfische, die man stromabwärts in Käfigen in den Fluß gehängt hatte.

Meistenteils bemerkt man diese Verunreinigung nicht, sie ist unsichtbar und verrät sich erst, wenn Hunderte oder Tausende von Fischen zugrunde gehen, aber noch öfter wird sie überhaupt nicht entdeckt. Der Chemiker, der über die Reinheit des Wassers wacht, verfügt über keine technischen Kontrollmethoden, es auf organische Schmutzstoffe zu untersuchen und sie zu entfernen. Doch ob die Schädlingsbekämpfungsmittel aufgespürt werden oder nicht, sie sind da, und wie man bei jedem Material erwarten darf, das in so riesigem Maßstab auf Landflächen verbreitet wird, haben sie jetzt den Weg in viele und vielleicht in alle größeren Flußsysteme der Vereinigten Staaten gefunden.

Wenn jemand noch daran zweifelt, daß unsere Gewässer fast ausnahmslos durch Insektizide verunreinigt sind, sollte er einen kurzen Bericht studieren, der im Jahre 1960 von der Betreuungsstelle für Fische und Wildtiere herausgegeben wurde. Diese Naturschutzbehörde hat Untersuchungen durchgeführt, um festzustellen, ob Fische gleich den warmblütigen Tieren in ihren Geweben Insektizide speichern. Die ersten Fische, die man überprüfte, holte man aus Waldgebieten im Westen, wo man DDT in großen Mengen gesprüht hatte, um den Fichtentriebwickler zu bekämpfen. Wie zu erwarten war, enthielten alle diese Fische DDT. Die wirklich bedeutsamen Ergebnisse wurden aber erzielt, als man sich zum Vergleich mit einem Bach in einem abgelegenen Gebiet befaßte, das ungefähr 48 Kilometer vom nächsten besprühten Gelände entfernt war. Dieser Bach lag stromaufwärts von dem zuerst überprüften und war von ihm durch einen hohen Wasserfall getrennt. Es war nichts davon bekannt, daß man hier DDT angewandt hatte. Dennoch enthielten auch diese Fische DDT. Hatte der chemische Stoff diesen abgelegenen Bach über verborgene unterirdische Wasserläufe erreicht? Oder war das DDT von einer Luftströmung erfaßt worden und als Niederschlag auf die Oberfläche des Baches gefallen? Bei einer weiteren Vergleichsprobe fand man DDT in den Geweben von Fischen aus einer Brutanstalt, die aus einem tiefen Brunnen mit Wasser versorgt wurde. Auch aus dieser Gegend war nichts von Sprühmaßnahmen gemeldet worden. Es schien nur eine Möglichkeit zu geben: Das DDT war auf dem Wege über das Grundwasser hierhergelangt.

Wahrscheinlich ist an dem ganzen Problem unsauberen Wassers nichts so beängstigend wie die Gefahr einer ausgedehnten Verunreinigung des Grundwassers. Man kann unmöglich an einer Stelle dem Wasser Schädlingsbekämpfungsmittel zusetzen, ohne dadurch die Reinheit des Wassers überall zu gefährden. Selten, wenn überhaupt, beschränkt sich die Natur in ihrem Wirken auf abgeschlossene und gesonderte Räume, und auch bei der Verteilung der Wasservorräte auf der Erde hat sie das nicht getan. Regen, der auf Festland fällt, sinkt durch Poren und Spalten in Erdreich und Fels, er dringt immer tiefer ein, bis er schließlich eine Zone erreicht, wo alle kleinen Hohlräume im Gestein mit Wasser gefüllt sind, mit einer dunklen unterirdischen Flut, die unter Hügeln höher steigt und unter Tälern absinkt. Dieses Grundwasser ist stets in Bewegung, manchmal so langsam, daß es im Jahr nicht mehr als 15 Meter vorankommt, dann wieder im Vergleich dazu sehr schnell, so daß es fast 160 Meter täglich zurücklegt. Es fließt in unsichtbaren Wasseradern weiter, bis es hier und dort als Quelle an die Oberfläche kommt oder vielleicht angezapft wird, um einen Brunnen zu speisen. Doch hauptsächlich trägt es zur Entstehung von Bächen und damit auch von Flüssen bei. Abgesehen von dem Wasser, das unmittelbar als Regen in die Bäche gelangt oder von der Oberfläche in sie abfließt, ist das ganze strömende Wasser der Erdoberfläche irgendwann einmal Grundwasser gewesen.

Daher ist Verunreinigung des Grundwassers in einem sehr realen und erschreckenden Sinn gleichbedeutend mit einem überall verunreinigten Wasser.

Es muß eine solche dunkle, unterirdische Flut gewesen sein, mit der giftige Chemikalien von einer Fabrik in Colorado – wo sie hergestellt wurden – bis zu einem Ackerbaubezirk wanderten, der einige Kilometer entfernt lag. Dort vergifteten sie Brunnen, machten Menschen und Haustiere krank und ließen die Feldfrüchte verderben. Es war ein außergewöhnliches Ereignis, das wieder vorüberging, aber es könnte leicht nur das erste von vielen ähnlichen sein. Seine Geschichte soll hier kurz erzählt werden. Im Jahre 1943 begann das Rocky Mountain Arsenal der Heeresabteilung für chemische Kampfstoffe, das in der Nähe von Denver lag, Kriegsmaterial herzustellen. Acht Jahre später wurden die Anlagen des Arsenals an eine private Erdölgesellschaft verpachtet, die dort Insektizide zu erzeugen beabsichtigte. Doch schon ehe der Betrieb darauf umgestellt war, liefen Berichte über rätselhafte Vorfälle ein. Farmer, die einige Kilometer von der Fabrik entfernt wohnten, meldeten, daß unerklärliche Krankheiten unter den Haustieren auftraten; sie beklagten sich über ausgedehnten Flurschaden. Laub wurde gelb, die Pflanzen wuchsen nicht mehr, und viele der angebauten Feldfrüchte wurden vernichtet. Man hörte auch bei Menschen von Erkrankungen, die, wie man glaubte, damit zusammenhingen.

Die Bewässerung auf diesen Farmen stammte aus seichten Brunnen. Als man das Brunnenwasser untersuchte – das geschah im Jahre 1959, und mehrere Staats- und Bundesbehörden waren daran beteiligt –, fand man, daß es eine Auswahl verschiedenster chemischer Stoffe enthielt. Vom Rocky Mountain Arsenal waren während der Jahre, in denen es in Betrieb war, Chloride, Chlorate, Salze der Phosphorsäure, Fluoride und Arsenik in Wasserbecken geschüttet worden. Offensichtlich war das Grundwasser zwischen dem Arsenal und den Farmen verunreinigt worden, und es hatte sieben bis acht Jahre gedauert, bis die Abfallstoffe unterirdisch eine Entfernung von ungefähr 5 Kilometern von diesen Wasserbecken bis zur nächsten Farm zurückgelegt hatten. Diese durchgesickerten Stoffe hatten sich ständig weiter ausgebreitet und ein Gebiet von noch unbekannter Ausdehnung verunreinigt. Die Leute, die den Fall untersuchten, wußten nicht, auf welche Weise man die Verunreinigung begrenzen oder daran hindern könnte, noch weiter vorzudringen.

All dies war schlimm genug, aber der rätselhafteste und auf lange Sicht wahrscheinlich bedeutsamste Umstand bei der ganzen Episode war, daß man in einigen der Brunnen und in den Abfallbecken das Unkrautbekämpfungsmittel 2,4-D entdeckte. Aus seinem Vorhandensein ließ sich der Schaden an den Feldfrüchten, die mit diesem Wasser berieselt worden waren, zur Genüge erklären. Das Rätselhafte lag darin, daß im Arsenal in keinem Stadium der Arbeiten 2,4-D hergestellt worden war.

Nach langem und sorgfältigem Forschen kamen die Chemiker in der Fabrik zu dem Schluß, daß sich das 2,4-D in den offenen Becken von selbst gebildet hatte. Es war aus anderen Substanzen hervorgegangen, die das Arsenal dort abgeladen hatte; in Gegenwart von Luft, Wasser und Sonnenlicht und ohne jedes Zutun von Chemikern waren die Abfallbecken zu Laboratorien geworden; sie erzeugten einen chemischen Stoff – ein schädliches und für die meisten Pflanzen, mit denen es in Berührung kommt, vernichtendes Mittel.

So erhält die Geschichte von den Farmen in Colorado und ihrer verdorbenen Ernte ein Gewicht, das weit über die örtliche Bedeutung hinausgeht. Welche Parallelerscheinungen mag es geben, nicht nur in Colorado, sondern überall, wo chemische Verunreinigungen ihren Weg in die Gewässer finden? Welche gefährlichen Verbindungen mögen sich aus Muttersubstanzen, die als »unschädlich« gelten, allerorten in Seen und Strömen bilden, sobald Luft und Sonnenlicht als Katalysatoren hinzukommen?

In der Tat ist es eine der alarmierenden Erscheinungen der chemischen Verschmutzung des Wassers, daß hier – im Fluß, See oder Speicherbecken und damit auch vielleicht in dem Glas Wasser, das zum Mittagessen gereicht wird – chemische Stoffe vermengt sind, die im Laboratorium zu vereinen, sich kein verantwortungsvoller Chemiker einfallen lassen würde. Die möglichen Wechselwirkungen zwischen diesen freizügig vermischten Chemikalien beunruhigen die Beamten des Öffentlichen Gesundheitsdienstes der Vereinigten Staaten sehr. Sie haben ihre Besorgnis darüber geäußert, daß aus verhältnismäßig ungefährlichen Chemikalien vielleicht in ziemlich großem Maßstab schädliche erzeugt werden könnten. Die Reaktionen könnten zwischen zwei oder mehreren chemischen Stoffen stattfinden oder zwischen Chemikalien und den radioaktiven Abfällen, die sich in ständig wachsender Menge in unsere Flüsse ergießen. Von ionisierender Strahlung getroffen, könnten sich die Atome eines chemischen Stoffes leicht neu gruppieren und dadurch seine Natur auf eine Weise verändern, die sich nicht nur nicht voraussagen, sondern auch nicht kontrollieren läßt.

Verunreinigt wird selbstverständlich nicht nur das Grundwasser, auch Wasserläufe an der Oberfläche wie Bäche, Flüsse und Bewässerungsanlagen sind davon betroffen. Zu einem beängstigenden Beispiel dafür scheinen sich die Vorfälle in den nationalen Naturschutzgebieten am Tule Lake und am Unteren Klamath Lake zu entwickeln. Diese Zufluchtsstätten für wilde Tiere bilden eine Kette von Schutzgebieten, von denen eines am Oberen Klamath Lake unmittelbar jenseits der Grenze in Oregon liegt. Alle sind durch eine gemeinsame Wasserversorgung – vielleicht zu ihrem Unglück – miteinander verbunden und alle leiden darunter, daß sie wie kleine Inseln inmitten eines Meers von Ackerland liegen, das ursprünglich mit seinen Sümpfen und offenen Wasserflächen ein Paradies für Schwimmvögel gewesen war; man hatte es trockengelegt, Bäche umgeleitet und so Neuland gewonnen.

Diese Äcker rings um die Schutzgebiete werden nun mit Wasser aus dem Oberen Klamath Lake versorgt. Das Wasser, mit dem die Felder berieselt worden sind, wird gesammelt, nachdem es seinen Zweck erfüllt hat, dann in den Tule Lake und von dort in den Unteren Klamath Lake gepumpt. Das gesamte Wasser der Naturschutzgebiete um diese beiden Seen stammt also aus dem bebauten Land. Es ist wichtig, das im Hinblick auf die jüngsten Ereignisse im Gedächtnis zu behalten.

Im Sommer des Jahres 1960 holte das Personal der Schutzgebiete Hunderte von toten und sterbenden Vögeln aus dem Tule Lake und dem Unteren Klamath Lake. Die meisten von ihnen waren Arten, die Fische fraßen – wie Reiher, Pelikane, Lappentaucher und Möwen. Als man sie genau untersuchte, entdeckte man, daß sie Insektizidreste enthielten, die man als Toxaphen DDD und DDE bestimmte. Man fand, daß auch Fische der Seen Insektizide enthielten; an Proben von Plankton, wie man die winzigen, im Wasser frei schwebenden Lebewesen nennt, stellte man sie ebenfalls fest. Der Verwalter der Schutzgebiete ist überzeugt, daß sich in deren Gewässern jetzt Rückstände von Schädlingsbekämpfungsmitteln anreichern; sie gelangen mit dem abfließenden Wasser aus den berieselten Feldern und Äckern, die ausgiebig mit Insektiziden besprüht wurden, in die Seen.

Eine derartige Vergiftung von Gewässern, die im Naturzustand erhalten bleiben sollen, könnte schlimme Folgen haben;

das empfindet jeder Entenjäger im Westen und jeder, dem der Anblick der Schwimmvögel teuer ist, wenn sie gleich wehenden Bändern im rauschenden Flug über den Abendhimmel ziehen. Gerade diese Schutzgebiete sind entscheidend für die Erhaltung der Schwimmvögel. Sie liegen an einer Stelle, die dem schmalen Hals eines Trichters gleicht, in dem sich all die Wanderwege der Zugvögel zum sogenannten pazifischen Flugweg vereinen. Während der Herbstwanderung nehmen die Schutzgebiete viele Millionen Enten und Gänse auf. Sie kommen von Nistplätzen, die sich von den Küsten des Bering-Meers nach Osten bis zur Hudsonbai erstrecken, und es sind rund drei Viertel all der Wasservögel, die im Herbst südwärts in die Staaten an der pazifischen Küste ziehen. Im Sommer bieten die Seen Nistgelegenheit für Schwimmvögel, besonders für zwei gefährdete Arten: für den Rotkopf, der zu den Tauchenten zählt, und für die Nordamerikanische Ruderente. Wenn die Seen und Tümpel dieser Zufluchtsstätten ernstlich verunreinigt werden, könnte der Schaden, der den Populationen der Wasservögel des »fernen Westens« zugefügt wird, nicht mehr wiedergutzumachen sein.

Wenn man an das Wasser denkt, muß man sich auch die ganze Kette von Lebewesen vergegenwärtigen, die es unterhält: von den grünen Zellen des darin treibenden pflanzlichen Planktons, die so klein wie ein Staubkorn sind, über die winzigen Wasserflöhe bis zu den Fischen, die Plankton aus dem Wasser seihen und ihrerseits wieder von anderen Fischen oder von Vögeln, amerikanischen Nerzen, auch Mink genannt, und Waschbären gefressen werden; es ist ein endloser Kreislauf, in dem Stoffe von einem Geschöpf zum anderen weitergereicht werden. Wir wissen, daß die notwendigen anorganischen Stoffe im Wasser auf diese Weise von einem Glied der Futterkette zum anderen übergehen. Können wir annehmen, daß Gifte, die wir dem Wasser zuführen, nicht ebenfalls in diesen Kreislauf einbezogen werden?

Die Antwort darauf kann man in der höchst erstaunlichen Geschichte des Clear Lake in Kalifornien finden. Dieser See liegt im Bergland ungefähr 145 Kilometer nördlich von San Franzisko und ist seit langem bei Anglern beliebt. Der Name »Klarer See« paßt eigentlich nicht für ihn, denn in Wirklichkeit ist er wegen des weichen schwarzen Schlamms auf seinem seichten Grund ziemlich trübe. Zum Leidwesen der Fischer und der erholungssuchenden Bewohner seiner Ufergebiete bot sein

Wasser die denkbar günstigsten Lebensbedingungen für die kleine Mücke *Chaoborus astictopus*. Obwohl eng mit den Moskitos verwandt, ist diese Mücke kein Blutsauger und frißt wahrscheinlich als erwachsenes Tier überhaupt nichts. Die menschlichen Wesen jedoch, die den Lebensraum mit ihr teilten, fanden sie schon wegen ihrer großen Zahl lästig. Man bemühte sich, doch größtenteils fruchtlos, sie in Schranken zu halten, bis Ende der vierziger Jahre die insektiziden chlorierten Kohlenwasserstoffe neue Waffen lieferten. Der chemische Stoff, der für eine erneute Bekämpfung ausgewählt wurde, war DDD, das nahe verwandt mit dem DDT ist, aber anscheinend für die Fische weniger Gefahren barg.

Die neuen Bekämpfungsmaßnahmen, die man im Jahre 1949 unternahm, wurden sorgfältig geplant, und wenige Menschen hätten vermutet, daß irgendein Schaden daraus entstehen könnte. Der See wurde vermessen, sein Volumen bestimmt und das Insektizid in so starker Verdünnung angewandt, daß auf jeden Teil der Chemikalie 70 Millionen Teile Wasser kamen. Die Mücken ließen sich zuerst gut in Zaum halten, aber im Jahre 1954 mußte man das Verfahren wiederholen. Diesmal war das Verhältnis ein Teil Insektizid in 50 Millionen Teilen Wasser. Man meinte, damit die Mücken praktisch völlig ausgerottet zu haben.

Die nachfolgenden Wintermonate brachten den ersten Hinweis darauf, daß auch andere Lebewesen in Mitleidenschaft gezogen worden waren: Die Westtaucher aus der Familie der Lappentaucher begannen einzugehen, und bald wurde gemeldet, daß über hundert von ihnen verendet waren. Der Westtaucher brütet am Clear Lake, und angelockt von der Fülle der Fische des Sees, stellt er sich auch als Wintergast dort ein. Er ist prächtig anzusehen und hat bezaubernde Lebensgewohnheiten. Seine schwimmenden Nester baut er in seichten Seen im Westen der Vereinigten Staaten und Kanadas. Er wird mit Recht im Volksmund auch »Schwantaucher« genannt, denn kaum eine Welle kräuselt den Spiegel des Sees, wenn er darüber gleitet, den Körper tief im Wasser, den weißen Hals und den schimmernden schwarzen Kopf hoch erhoben. Das frisch geschlüpfte Junge ist in weiche graue Daunen gehüllt; nach wenigen Stunden schon wagt es sich ins Wasser und läßt sich von den Alten, unter deren Flügel geschmiegt, auf dem Rücken mittragen.

Nach einem dritten, im Jahre 1957 unternommenen Angriff auf die Mückenpopulation, deren Zahl immer wieder in die

Höhe schnellte, gingen weitere Westtaucher zugrunde. Genauso wie im Jahre 1954 konnte bei der Untersuchung der toten Vögel keinerlei Beweis für eine Infektionskrankheit entdeckt werden. Doch als jemand auf den Gedanken kam, die Fettgewebe der Westtaucher zu analysieren, stellte sich heraus, daß sie mit DDD in einer außerordentlich hohen Konzentration von 1600 Teilen pro Million vollgepackt waren.

Die Höchstkonzentration, die man im Wasser angewandt hatte, war $^1/_{50}$ Teil auf eine Million. Wie konnte sich in den Westtauchern der chemische Stoff bis zu so erstaunlich hohen Werten angehäuft haben? Diese Vögel ernähren sich natürlich von Fischen. Als man auch die Fische des Clear Lake untersuchte, begann das Bild Gestalt zu gewinnen. Das Gift war von den kleinsten Organismen aufgenommen, konzentriert und an die größeren Räuber weitergegeben worden. Man fand, daß Plankton-Organismen ungefähr 5 Teile pro Million des Insektizids enthielten, also das Fünfundzwanzigfache der Höchstkonzentration, die jemals im Wasser selbst erreicht worden war; pflanzenfressende Fische hatten das Gift weiter angereichert und Mengen angesammelt, die von 40 bis zu 300 Teilen pro Million schwankten; fleischfressende Arten hatten das allermeiste gespeichert. Ein Fisch, ein Brauner Katzenwels, wies die verblüffende Konzentration von 2500 Teilen pro Million auf. Einer hatte immer den anderen gefressen: die großen Fleischfresser die kleinen, diese wieder die Pflanzenfresser und diese das Plankton, das aus dem Wasser das Gift absorbiert hatte.

Später machte man noch merkwürdigere Entdeckungen. Kurz nach der letzten Behandlung mit DDD konnte im Wasser keine Spur dieses chemischen Stoffes mehr gefunden werden. Aber das Gift war nicht wirklich aus dem See verschwunden; es war lediglich in die Gemeinschaft der Lebewesen übergegangen, die der See ernährt. Dreiundzwanzig Monate, nachdem man mit der chemischen Behandlung aufgehört hatte, enthielt das Plankton immer noch 5,3 Teile pro Million. In dieser Zwischenzeit von fast zwei Jahren waren aufeinanderfolgende Bestände pflanzlichen Planktons aufgetaucht und wieder verschwunden, und obwohl sich das Gift nicht mehr im Wasser fand, war es von Generation zu Generation weitergereicht worden und lebte auch in der Tierwelt des Sees weiter. Alle Fische, Vögel und Frösche, die ein Jahr, nachdem man die Chemikalie angewandt hatte, untersucht wurden, enthielten immer noch DDD. Die Menge, die man im Fleisch feststellte, übertraf die ursprüngliche Konzentration im Wasser stets um ein Vielfaches. Unter diesen lebenden Überträgern waren Fische, die neun Monate nach der letzten DDD-Anwendung ausgeschlüpft waren, Westtaucher und Kalifornische Möwen, die DDD-Konzentrationen von über 2000 Teilen pro Million aufwiesen. Mittlerweile waren die Brutkolonien der Westtaucher zusammen geschmolzen – von über tausend Paaren vor der ersten Behandlung des Sees mit dem Insektizid bis zu ungefähr dreißig Paaren im Jahre 1960. Und selbst diese dreißig scheinen ihr Nest umsonst gebaut zu haben, denn seit der letzten Anwendung von DDD konnte man keine jungen Westtaucher mehr auf dem See beobachten.

Diese ganze Kette von Vergiftungen scheint also ihren Ausgangspunkt in den winzigen Pflanzen zu haben, die als erste Organismen das DDD konzentrierten. Aber wie steht es mit dem Geschöpf, bei dem die Nahrungskette endet – mit dem Menschen? Wahrscheinlich wußte er nichts von diesem ganzen Ablauf der Geschehnisse, wenn er seine Angelgeräte aufstellte, eine Reihe von Fischen aus dem Wasser des Clear Lake fing und sie heimnahm, um sie zum Abendbrot zu braten. Welche Folgen könnten eine starke Dosis DDD oder vielleicht wiederholt aufgenommene geringe Mengen für ihn haben?

Obwohl das Staatliche Gesundheitsamt von Kalifornien zuerst öffentlich erklärt hatte, es sehe keine Gefahr, verlangte es im Jahre 1959, daß dem See kein DDD mehr zugesetzt werden dürfe. Angesichts des wissenschaftlichen Beweismaterials für die ungemein starke biologische Wirksamkeit dieses chemischen Stoffes erscheint dieses Vorgehen nur als das Mindeste, was man an Sicherheitsmaßnahmen treffen konnte. In seiner physiologischen Wirkung steht DDD unter den Insektiziden wahrscheinlich einzig da, denn es zerstört einen Teil der Nebenniere, und zwar die Zellen der äußeren Schicht, die als Rinde oder lateinisch als Cortex bezeichnet wird. Diese erzeugt mehrere wichtige Hormone, die man unter dem Namen Cortin oder Corticoide zusammenfaßt. Man glaubte zuerst, daß diese zerstörende Wirkung, die seit dem Jahre 1948 bekannt ist, sich auf Hunde beschränke, da sie sich bei anderen Versuchstieren, wie Affen, Ratten und Kaninchen, nicht zeigte. Es schien jedoch vieles darauf hinzuweisen, daß DDD bei Hunden einen sehr ähnlichen Zustand hervorrief wie die Addisonsche Krankheit beim Menschen. Neuere medizinische Forschungen haben gezeigt, daß DDD die Funktion der menschlichen Nebennierenrinde weitgehend hemmt. Seine Fähigkeit, Zellen zu zerstören, wird nun klinisch nutzbar gemacht bei der Behandlung einer seltenen Form des Krebses, der sich in der Nebenniere entwikkelt.

Die Lage am Clear Lake wirft eine Frage auf, der die Öffentlichkeit nicht ausweichen darf: Ist es klug oder wünschenswert, für die Bekämpfung von Insekten Substanzen mit so starker Wirkung auf physiologische Vorgänge zu verwenden, vor allem, wenn die Bekämpfungsmaßnahmen erfordern, daß der chemische Stoff unmittelbar in ein Gewässer gebracht wird? Es hat nichts zu bedeuten, daß das Insektizid in sehr niedriger Konzentration angewandt worden ist, wie die unheimliche Zunahme auf dem Weg durch die natürliche Nahrungskette anschaulich beweist. Doch was am Clear Lake geschah, ist bezeichnend für eine große und wachsende Zahl von Fällen: Man löst ein augenfälliges, doch oft ganz unwesentliches Problem, schafft aber ein weit ernsteres, das nur den Vorteil hat, weniger greifbar zu sein. Hier befreite man die Leute von der Mückenplage, doch dafür mußten alle, die sich Wasser oder Nahrung aus dem See holten, eine Gefahr in Kauf nehmen, die man nicht eindeutig feststellte und wahrscheinlich nicht einmal klar begriff.

Recht weitgehend hat sich seltsamerweise der Brauch eingebürgert, einem Speichersee absichtlich Gifte zuzusetzen. Meist hat das den Zweck, ihn für Erholungssuchende anziehender zu machen, selbst wenn das Wasser später mit ziemlichem Kostenaufwand gereinigt werden muß, damit es, wie ursprünglich vorgesehen, als Trinkwasser zu gebrauchen ist. Wenn Sportsleute eines Gebietes »bessere« Fische in einem Speichersee zu angeln wünschen, bestürmen sie die maßgebenden Behörden, Unmengen von Gift hineinzuschütten, um die unerwünschten Fische zu töten; man holt sich dann als Ersatz aus Fischzuchtanstalten andere Arten, die mehr nach dem Geschmack der Angelsportler sind. Das Verfahren mutet wie eine Episode aus ›Alice im Wunderland‹ an. Der Speichersee wurde für die allgemeine Wasserversorgung geschaffen, doch die Bevölkerung, die man wahrscheinlich nicht um ihre Meinung über das Vorhaben der Sportler gefragt hat, ist gezwungen, entweder Wasser zu trinken, das giftige Rückstände enthält, oder Steuergelder auszugeben, um die Giftstoffe zu entfernen – mit Behandlungsmethoden, die keineswegs einfach und narrensicher sind.

Wenn das Wasser in der Tiefe wie an der Oberfläche der Erde durch Schädlingsbekämpfungsmittel und andere chemische Stoffe verunreinigt wird, besteht Gefahr, daß nicht nur giftige, sondern auch krebserzeugende Substanzen in die öffentlichen Wasserleitungen gelangen. Dr. W. C. Hueper vom Nationalen Krebsinstitut hat warnend erklärt: »Die Gefahr, daß der Genuß von verunreinigtem Trinkwasser Krebsfälle zur Folge hat, wird in absehbarer Zeit erheblich zunehmen.« In der Tat wird die Ansicht, verschmutzte Gewässer könnten Krebserkrankungen fördern, durch eine Untersuchung gestützt, die in den Jahren nach 1950 in Holland durchgeführt wurde. Städte, die ihr Trinkwasser aus Flüssen erhielten, hatten mehr Todesfälle infolge Krebs zu verzeichnen als andere, deren Wasser aus Quellen stammte, in die – wie in Brunnen – nicht so viele Schmutzstoffe dringen konnten. Bei zwei historischen Fällen, in denen verunreinigte Wasserzufuhr an weitverbreiteten Krebserkrankungen schuld war, handelte es sich um Arsen, um jenes Element in unserer Umwelt, von dem man am eindeutigsten nachgewiesen hat, daß es beim Menschen Krebs verursacht. In einem Fall stammte das Arsen aus Schlackenhalden eines Bergwerks, im anderen aus Gestein mit einem hohen natürlichen Arsengehalt. Die gleichen Bedingungen könnten sich leicht beim Masseneinsatz arsenhaltiger Insektizide wiederholen. Der Boden in solchen Gebieten wird vergiftet. Regenfälle befördern dann einen Teil des Arsens in Bäche, Flüsse und Speicherseen sowie in die riesigen unterirdischen Fluten des Grundwassers.

Auch hier werden wir wiederum daran erinnert, daß in der Natur nichts für sich allein bestehen kann. Um besser zu begreifen, wie es dazu kommt, daß unsere Welt so verunreinigt wird, müssen wir uns nun den Boden, eine weitere lebensnotwendige Rohstoffquelle der Erde, betrachten.

5. Kapitel
Das Erdreich

Die dünne Erdschicht, die eine ungleichmäßige Decke über den Kontinenten bildet, ist bestimmend für unser eigenes Dasein und das jedes anderen Landlebewesens. Ohne den Erdboden könnten Landpflanzen, wie wir sie kennen, nicht wachsen, und ohne Pflanzen könnten sich keine Tiere am Leben erhalten.

Wenn nun unser Dasein, dessen Grundlage die Landwirtschaft bildet, vom Boden abhängt, ist es umgekehrt ebenso wahr, daß es ohne Lebewesen kein Erdreich gäbe. Lebende Pflanzen und Tiere sind aufs engste mit den Vorgängen verknüpft, durch die dieses Erdreich überhaupt erst entstanden ist und seine natürliche Beschaffenheit bewahrt hat. Denn der Boden ist zum Teil eine Schöpfung des Lebens, er ist vor Äonen infolge einer wunderbaren Wechselwirkung zwischen lebenden Wesen und anorganischen Substanzen entstanden. Die Ausgangsmaterialien wurden von allen Seiten beigesteuert: Vulkane schleuderten sie in feurigen Strömen aus, Wasser, die über die nackten Felsen der Kontinente flossen, trugen selbst den härtesten Granit ab; gleich einem Meißel spalteten und zertrümmerten Frost und Eis das Gestein. Dann begannen die Lebewesen ihr schöpferisches Zauberwerk, und allmählich wurde dieses träge Material zu Erde. Flechten bildeten das erste Kleid der Felsen, sie unterstützten durch Säuren, die sie absonderten, die Verwitterungsprozesse und schufen eine Heimstätte für andere Geschöpfe. Moose siedelten sich in den kleinen Vertiefungen voll einfacher Erde an – einer Erde, die sich aus Krümeln zerfallener Flechten gebildet hatte, aus den vertrockneten Hüllen winziger Insekten, aus den Überresten einer Fauna, die gerade aus dem Meer aufzutauchen begann.

Lebewesen haben nicht nur das Erdreich geschaffen, in ihm hausen jetzt auch andere Geschöpfe in unglaublicher Fülle und Mannigfaltigkeit; wäre dies nicht so, bliebe der Boden tot und unfruchtbar. Durch die Anwesenheit und das geschäftige Treiben der Myriaden von Organismen wird der Boden erst fähig, das grüne Kleid unserer Erde zu unterhalten.

In seiner Zusammensetzung ist der Boden einem ständigen Wandel unterworfen, da er an Kreislaufprozessen teilhat, die ohne Anfang und Ende sind. Dauernd kommt neues Material dazu, wenn Felsen verwittern, organische Stoffe verwesen und

Stickstoff sowie andere Gase im Regen vom Himmel herabfallen. Gleichzeitig werden ihm andere Stoffe entzogen, die sich lebende Organismen zum vorübergehenden Gebrauch »ausborgen«. Unentwegt vollziehen sich fein geregelte und ungemein wichtige chemische Veränderungen; durch sie werden Elemente, die aus der Luft und dem Wasser stammen, in Verbindungen umgewandelt, die von Pflanzen genutzt werden können. Bei all diesen Umsetzungen wirken lebende Organismen tatkräftig mit.

Es gibt wenig Forschungsarbeiten, die fesselnder sind und die man zugleich mehr vernachlässigt hat, als die Untersuchung der wimmelnden Vielfalt von Geschöpfen, die in den dunklen Gefilden des Erdreichs leben. Wir wissen zu wenig von den Fäden, durch die Bodenorganismen untereinander, mit ihrer eigenen und der Welt über ihnen verbunden sind.

Am unentbehrlichsten sind vielleicht die kleinsten Organismen im Boden – die unsichtbaren Scharen von Bakterien und fadenförmigen Pilzen. Statistische Angaben über ihre Unmengen liefern uns sogleich astronomische Zahlen. Ein Teelöffel Erde aus der obersten Schicht kann Milliarden von Bakterien enthalten. Trotz ihrer winzigen Größe kann das Gesamtgewicht dieses Heers von Bakterien in einer 30 Zentimeter tiefen Schicht eines rund 4000 Quadratmeter großen Stücks fruchtbaren Bodens bis zu 450 Kilogramm betragen. Strahlenpilze, die in langen fadenförmigen Fasern wachsen, sind etwas weniger zahlreich als die Bakterien, doch weil sie größer sind, kann in einer gegebenen Menge Erde ihr Gesamtgewicht ungefähr gleich hoch sein. Aus diesen Formen und kleinen grünen Zellen, die man Algen nennt, setzt sich das mikroskopische Pflanzenleben des Bodens zusammen.

Bakterien, Pilze und Algen sind die Hauptwerkzeuge der Verwesung, sie führen Überreste von Pflanzen und Tieren wieder auf ihre anorganischen Bestandteile zurück. Die gewaltigen Kreislaufbewegungen chemischer Elemente wie des Kohlenstoffs und Stickstoffs durch Erde, Luft und lebendes Gewebe könnten ohne diese pflanzlichen Mikroorganismen nicht weitergehen. Zum Beispiel müßten ohne die Bakterien, die den Stickstoff verarbeiten, die Pflanzen aus Mangel daran verhungern, obwohl sie von einem stickstoffhaltigen Luftmeer umgeben sind. Andere Organismen bilden Kohlendioxyd, das als Kohlensäure mithilft, Gesteine aufzulösen. Wieder andere Bodenmikroben führen verschiedene Oxydationen und Reduktionen aus, durch die Minerale wie Eisen, Mangan und Schwefel in Verbindungen übergehen, die für Pflanzen verwertbar sind.

Ebenso sind mikroskopisch kleine Milben und primitive flügellose Insekten, die sogenannten Springschwänze, in erstaunlich hoher Zahl vorhanden. Trotz ihrer geringen Größe spielen sie eine wichtige Rolle beim Abbau von Pflanzenresten, sie wirken mit bei der langsamen Umwandlung der Laub- und Nadelstreu des Waldbodens in Erde. Die Spezialisierung mancher dieser winzigen Geschöpfe für ihre Aufgabe ist fast unglaublich. Einige Milbenarten können ihr Leben nur innerhalb der abgefallenen Nadeln einer Fichte beginnen. Dort sind sie wohlgeborgen und ernähren sich von den inneren Geweben der Nadel. Sobald die Milben ihre Entwicklung vollendet haben, ist nur mehr die äußere Zellschicht der Nadel übrig. Die wahrhaft überwältigende Aufgabe, mit der ungeheuren Menge von Pflanzenmaterial beim jährlichen Laubfall fertig zu werden, fällt einigen der kleinen Insekten des Erdreichs und des Waldbodens zu. Sie lösen die Blätter auf und verdauen sie, sie tragen dazu bei, daß sich das zersetzte Material mit der Erde an der Oberfläche vermischt.

Außer dieser ganzen Horde winziger, aber sich unablässig plagender Geschöpfe gibt es natürlich viele größere Formen, denn das Leben im Boden umfaßt die ganze Stufenleiter von Bakterien bis zu Säugetieren. Einige sind Dauerbewohner der dunklen Oberflächenschichten; andere überwintern oder verbringen bestimmte Abschnitte ihres Lebenslaufs in unterirdischen Kammern; manche wandern frei zwischen ihrem Bau und der Oberwelt hin und her. Alle diese Tiere im Boden bewirken gemeinsam, daß er durchlüftet wird und das Wasser besser abläuft, aber auch leichter durch alle Schichten dringt, in denen die Pflanzen wurzeln.

Von all den größeren Erdbewohnern ist wahrscheinlich keiner so wichtig wie der Regenwurm. Schon im Jahre 1882, vor nicht ganz einem Jahrhundert, schrieb Charles Darwin ein Buch mit dem Titel ›Die Bildung von Gartenerde durch die Tätigkeit von Würmern, mit Beobachtungen ihrer Lebensgewohnheiten‹. Darin machte er der Welt das erste Mal die grundlegende geologische Rolle begreiflich, die Regenwürmer beim Transport von Erde spielen. Darwin schilderte, wie sich die Oberflächengesteine allmählich mit feiner Erde bedecken, die von den Würmern aus der Tiefe heraufgebracht worden ist

– in besonders günstigen Gebieten sind es viele Tonnen für jeden Morgen Land. Gleichzeitig werden große Mengen organischer Stoffe, die in Blättern und Gräsern enthalten sind, in die Gänge hinuntergezogen und der Erde einverleibt – in sechs Monaten bis zu neun Kilogramm auf 0,8 Quadratmeter. Darwins Berechnungen zeigten, daß die mühselige Arbeit von Regenwürmern in einem Zeitraum von zehn Jahren vielleicht eine 2,5 bis 3,8 Zentimeter dicke zusätzliche Erdschichte schaffen kann. Das ist aber noch keineswegs alles, was diese Tiere leisten: Ihre Gänge durchlüften den Boden, sie sorgen dafür, daß er stets gut entwässert wird, und erleichtern es den Pflanzenwurzeln, in ihn einzudringen. Wenn Regenwürmer anwesend sind, vermögen die Bakterien den Stickstoff besser zu verarbeiten, und die Fäulnis im Boden wird geringer. Organisches Material wird abgebaut, wenn es durch den Verdauungstrakt der Würmer wandert, und durch die Ausscheidungsprodukte wird die Erde fruchtbarer.

Diese Gemeinschaft im Boden besteht also aus Geschöpfen, deren Leben zu einem unentwirrbaren Geflecht verwoben ist; jedes steht in irgendeiner Weise mit den übrigen in Beziehung. Die Lebewesen hängen vom Boden ab, doch der Boden selbst bleibt nur so lange ein lebenspendendes Element unserer Erde, als diese Gemeinschaft in ihm gedeiht.

Mit dem Problem, das uns hier Sorge bereitet, hat man sich noch wenig befaßt: Was geschieht mit diesen unglaublich zahlreichen und lebensnotwendigen Bewohnern des Erdreichs, wenn giftige Chemikalien in ihre Welt dringen? Diese Mittel könnten ihr unmittelbar zugeführt werden, um den Boden zu »entseuchen«, wie man so schön sagt; oder der Regen, der eine tödliche Menge davon aufgenommen hat, als er durch das Blätterdach von Wäldern, Obstgärten und Äckern sickerte, könnte sie mitbringen. Ist es vernünftig, anzunehmen, wir könnten ein Insektizid mit großem Wirkungsbereich anwenden, ohne damit auch die »guten« Insekten auszurotten? Könnten wir zum Beispiel die Larvenstadien eines Insekts, das Nutzpflanzen zerstört, in ihren unterirdischen Kammern töten, ohne auch jene Insekten zu treffen, die vielleicht die wesentliche Aufgabe haben, organisches Material abzubauen? Oder könnten wir ein unspezifisches Fungizid gebrauchen, ohne zugleich Pilze zu vernichten, die in vorteilhafter Gemeinschaft an den Wurzeln vieler Bäume leben und ihnen behilflich sind, sich Nährstoffe aus dem Boden zu holen?

Die schlichte Wahrheit ist, daß dieses so entscheidend wichtige Fachgebiet der Ökologie des Bodens sogar von Naturwissenschaftlern stark vernachlässigt worden ist und daß die Leute, die Bekämpfungsmaßnahmen durchführen, so gut wie gar keine Ahnung davon haben. Man scheint die Bekämpfung von Insekten mit chemischen Mitteln in der Annahme fortgesetzt zu haben, der Boden werde jede noch so große Unbill, die man ihm mit der Zufuhr von Giften antut, ertragen, ohne sich dafür zu rächen. Gerade um die naturgegebene Eigenart der Welt im Boden hat man sich kaum gekümmert.

Auf Grund der wenigen bereits geleisteten Forschungsarbeiten entsteht langsam ein Bild von der erschütternden Wirkung der Schädlingsbekämpfungsmittel auf den Boden. Es ist nicht verwunderlich, daß die Ergebnisse nicht immer übereinstimmen, denn die Böden sind so verschiedenartig, daß ein Mittel, das in dem einen Schaden verursacht, in einem anderen harmlos ist. Leichte Sandböden leiden weit schwerer als Humusböden. Gemeinsam angewandt, scheinen chemische Stoffe schädlicher zu sein als einzeln. Trotz der abweichenden Ergebnisse häuft sich so viel stichhaltiges Beweismaterial für die Gefährlichkeit dieser Mittel an, daß zahlreiche Naturwissenschaftler ernstlich besorgt sind.

Unter gewissen Bedingungen werden gerade jene chemischen Reaktionen und Umwandlungen ungünstig beeinflußt, die den Wesenskern aller Lebensprozesse bilden. Ein Beispiel dafür ist Assimilation des Luftstickstoffs sowie die ebenfalls von Bakterien bewerkstelligte sogenannte Nitrifikation, bei der das im Boden entstandene Ammoniak in Stickstoffverbindungen übergeführt wird, die für Pflanzen verwertbar sind. Das Herbizid 2,4-D unterbricht diese Vorgänge vorübergehend. Bei kürzlich durchgeführten Experimenten in Florida hemmten Lindan, Heptachlor und Hexachlorcyclohexan – in Amerika unter der Abkürzung BHC (benzene hexachloride) bekannt – schon nach zwei Wochen die Nitrifikation im Boden. Bei BHC und DDT zeigten sich noch ein Jahr nach der Anwendung ausgesprochen nachteilige Folgen. Bei anderen Versuchen hinderten BHC, Aldrin, Lindan, Heptachlor und DDD allesamt die Stickstoff verarbeitenden Bakterien daran, bei Hülsenfrüchtlern die notwendigen Wurzelknöllchen zu bilden. Ebenso wird eine merkwürdige, aber vorteilhafte Beziehung, eine Symbiose, zwischen Pilzen und den Wurzeln höherer Pflanzen ernstlich unterbrochen.

Manchmal liegt das Problem darin, daß das empfindliche

Gleichgewicht zwischen Populationen gestört wird, durch das die Natur weitreichende Wirkungen erzielt. Manche Arten von Bodenorganismen haben sich jäh ins Ungemessene vermehrt, sobald andere durch Insektizide vermindert wurden, und damit stimmte das Verhältnis von Raubtier zu Beute nicht mehr. Solche Veränderungen könnten leicht auch den sogenannten Stoffwechsel im Boden wandeln und sich ungünstig auf seine Ertragsfähigkeit auswirken. Sie könnten auch zur Folge haben, daß ihrer Anlage nach schädliche Organismen, die früher in Schach gehalten worden sind, nun die ihnen von der Natur gesetzten Schranken durchbrechen und zur Landplage werden.

Eines der wichtigsten Dinge, das man bei Insektiziden bedenken muß, ist ihre lange Haltbarkeit – nicht in Monaten, sondern in Jahren gemessen. Aldrin ist noch nach vier Jahren, in Spuren und – etwas reichlicher – in Dieldrin umgewandelt, im Boden gefunden worden. In sandiger Erde bleibt zehn Jahre nach der Anwendung noch genügend Toxaphen zurück, um Termiten zu töten. Hexachlorcyclohexan hält sich mindestens elf Jahre, Heptachlor oder eine noch giftigere Verbindung, die sich von ihm ableitet, mindestens neun Jahre. Von Chlordan waren nach zwölf Jahren noch 15 Prozent der ursprünglichen Menge vorhanden.

Bei scheinbar mäßigem Gebrauch von Insektiziden über einen Zeitraum von Jahren können sich im Boden phantastische Mengen ansammeln. Da chlorierte Kohlenwasserstoffe sehr beständig und langlebig sind, wird bei jeder neuen Anwendung nur etwas zu der Menge hinzugefügt, die vom letzten Mal zurückgeblieben ist. Das alte Märchen, daß rund 454 Gramm (ein englisches Pfund) DDT auf 4047 Quadratmeter (ein acre) unschädlich sind, ist hinfällig, wenn das Sprühen wiederholt wird. Man hat festgestellt, daß Erde von Kartoffeläckern bis zu 6,8 Kilo auf 4047 Quadratmeter enthielt, der Boden von Maisfeldern bis zu 8,6 Kilo. Sumpfgelände mit angepflanzten Großfrüchtigen Moosbeeren, das unter Beobachtung stand, wies 15,65 Kilo in der gleichen Bodenfläche auf. Erde aus Obstgärten mit Apfelbäumen scheint den höchsten Grad an Verunreinigung zu erreichen, da DDT sich dort in einem Maße anhäuft, das beinahe mit der jährlichen Anwendungsrate Schritt hält. Selbst innerhalb eines einzigen Sommers, in dem die Obstgärten viermal oder öfter besprüht werden, können sich DDT-Rückstände bis zu Höchstmengen von 13,6–22,7 Kilo ansammeln. Bei wiederholtem Besprühen im Laufe der Jahre schwankt der Betrag von rund 12–27 Kilo auf 4047 Quadratmeter, während er unter den Bäumen bis zu 51,26 Kilo ansteigt.

Den klassischen Fall einer tatsächlichen Dauervergiftung des Bodens liefern uns die Arsenverbindungen. Obwohl an die Stelle arsenhaltiger Sprühmittel für heranwachsende Tabakpflanzen seit etwa 1945 synthetische organische Insektizide getreten sind, *erhöhte sich der Arsengehalt von Zigaretten, die aus amerikanischen Tabakarten hergestellt wurden, zwischen den Jahren 1932 und 1952 um über 300 Prozent.* Spätere Untersuchungen haben Erhöhungen von sogar 600 Prozent offenbart. Dr. Henry S. Satterlee, ein anerkannter Fachmann für die Toxikologie von Arsenverbindungen, stellt fest, daß zwar organische Insektizide die Arsenmittel weitgehend abgelöst haben, die Tabakpflanzen jedoch noch weiterhin das alte Gift aufnehmen; denn die Böden der Tabakpflanzungen sind nun gründlich mit den Resten des schweren und verhältnismäßig unlöslichen Giftes Bleiarsenat durchsetzt. Diese Verbindung wird auch in Zukunft ständig Arsen in löslicher Form abgeben. Die Erde eines großen Anteils der Ländereien, die mit Tabak bepflanzt wurden, sind nach Dr. Satterlee »einer sich steigernden und fast permanenten Vergiftung unterworfen worden«. Tabak, der in den Ländern des östlichen Mittelmeers gezogen worden ist, wo man keine arsenhaltigen Insektizide verwendete, wies keine derartige Zunahme des Arsengehaltes auf.

Wir stehen daher vor einem zweiten Problem: Wir müssen uns nicht nur Sorgen darüber machen, was mit dem Boden geschieht; wir müssen uns auch die bange Frage stellen, bis zu welchem Ausmaß Insektizide aus den verunreinigten Böden von den Pflanzen aufgenommen und in die Gewebe eingelagert werden. Das hängt weitgehend von der Bodenbeschaffenheit ab, von der Art der Feldfrucht und von der Natur und Konzentration des Insektizids. Erde mit hohem Gehalt an organischen Substanzen gibt kleinere Mengen von Giften ab als andere Böden. Möhren absorbieren mehr Insektizid als jede andere Feldfrucht, die man untersucht hat; ist das chemische Mittel, das man verwendete, zufällig Lindan, reichern die Möhren tatsächlich das Mittel in höherer Konzentration an, als jeweils im Boden vorhanden ist. In Zukunft wird es vielleicht notwendig sein, durch Bodenanalysen den Insektizidgehalt festzustellen, ehe man bestimmte Nutzpflanzen anbaut. Sonst könnten sogar nicht besprühte Feldfrüchte allein aus der Erde so viel Insektizid aufnehmen, daß sie für den Verkauf ungeeignet werden.

Gerade diese Form der Verunreinigung hat zumindest für einen der führenden Hersteller von Säuglingsnahrung endlose Schwierigkeiten heraufbeschworen. Der Mann war nicht gewillt, irgendwelche Früchte oder Gemüse zu kaufen, die mit giftigen Insektiziden behandelt worden waren. Die Chemikalie, die ihm den meisten Ärger verursachte, war Hexachlorcyclohexan (BHC), das von den Wurzeln und Knollen von Pflanzen aufgenommen wird und seine Anwesenheit durch einen modrigen Geschmack und Geruch verrät. Süße Kartoffeln – auch Bataten genannt –, die auf Feldern in Kalifornien angebaut worden waren, wo man zwei Jahre zuvor BHC angewandt hatte, enthielten Rückstände davon und mußten zurückgewiesen werden. In einem Jahr, in dem die Firma in South Carolina für ihren gesamten Bedarf an Süßen Kartoffeln einen Liefervertrag abgeschlossen hatte, war, wie sich herausstellte, ein so großer Anteil der Anbaufläche mit Insektiziden verunreinigt, daß man sich gezwungen sah, unter erheblichen finanziellen Verlusten auf dem freien Markt einzukaufen. Im Laufe der Jahre mußten eine ganze Reihe von Früchten und Gemüsen, die aus verschiedenen Staaten stammten, als unbrauchbar abgelehnt werden. Die hartnäckigsten Schwierigkeiten ergaben sich bei Erdnüssen. In den südlichen Staaten werden Erdnüsse gewöhnlich abwechselnd mit Baumwolle angepflanzt, die man ausgiebig mit BHC behandelt. Erdnüsse, die später in dieser Erde wachsen, nehmen beträchtliche Mengen des Insektizids auf. Schon eine Spur davon genügt, den verräterischen modrigen Geruch und Geschmack zu erzeugen. Das Mittel dringt in die Nüsse ein und läßt sich nicht mehr entfernen. Chemische Verfahren können den Modergeruch keineswegs bannen, manchmal verstärken sie ihn sogar noch. Dem Hersteller, der entschlossen ist, keine Reste von BHC zu dulden, bleibt nur ein Weg offen: Er muß auf alle Produkte verzichten, die mit der Chemikalie behandelt worden sind oder auf einem Boden gezogen wurden, der damit verunreinigt war.

Manchmal ist die Nutzpflanze selbst bedroht. Das ist so lange der Fall, als sich Insektizid im Boden befindet. Manche Insektizide greifen empfindliche Pflanzen wie Bohnen, Weizen, Gerste oder Roggen an, sie verzögern die Entwicklung der Wurzeln oder hemmen das Wachstum der Sämlinge. Ein Beispiel dafür sind die Erfahrungen der Hopfenpflanzer in Washington und Idaho. Im Jahre 1955 gingen viele Pflanzer daran, den Erdbeerwurzelrüßler, dessen Larven sich in Mengen an den Wurzeln des Hopfens eingefunden hatten, in großem Maßstab zu bekämpfen. Auf den Rat von landwirtschaftlichen Fachleuten und Fabrikanten von Insektiziden wählten sie als Bekämpfungsmittel Heptachlor. Binnen eines Jahres nach der Anwendung von Heptachlor welkten die Hopfenranken in den behandelten Feldern und starben ab. In den unbehandelten Pflanzungen gab es keine Schwierigkeiten; das Verderben machte genau an der Grenze zwischen behandelten und unbehandelten Feldern halt. Die Hügel wurden unter großem Kostenaufwand neu bepflanzt, aber im nächsten Jahr entdeckte man, daß die Wurzeln wiederum abgestorben waren. Vier Jahre später enthielt der Boden noch immer Heptachlor, und die Wissenschaftler waren nicht imstande, vorauszusagen, wie lange er noch giftig bleiben werde; sie konnten auch kein Verfahren empfehlen, das den Zustand beseitigt hätte. Das Bundesministerium für Landwirtschaft hatte noch im März 1959 einen ungewöhnlichen Standpunkt eingenommen und erklärt, Heptachlor sei in Form einer Bodenbehandlung bei Hopfen durchaus zu empfehlen; als es bereits zu spät war, zog es seine amtliche Genehmigung für eine derartige Verwendung wieder zurück. Die Hopfenpflanzer aber brachten mittlerweile den Fall vor Gericht und suchten so viel Schadenersatz wie nur möglich zu erhalten.

Da man dauernd weiter Schädlingsbekämpfungsmittel anwendet und die praktisch unzerstörbaren Rückstände sich ebenfalls laufend im Boden anhäufen, gehen wir mit ziemlicher Sicherheit schwierigen Zeiten entgegen. Das war die übereinstimmende Ansicht einer Gruppe von Spezialisten, die sich im Jahr 1960 in der Universität von Syracuse trafen, um über die Ökologie des Bodens zu diskutieren. Diese Männer bildeten sich ein umfassendes Urteil über die Gefahren des Gebrauchs »so stark wirkender und wenig verstandener Mittel« wie Chemikalien und Strahlung: »Ein paar falsche Maßnahmen von seiten des Menschen könnten damit enden, daß der Boden nie mehr Früchte trägt und die Gliederfüßler die Herrschaft übernehmen.«

6. Kapitel
Das grüne Kleid der Erde

Aus Wasser, fruchtbarem Boden und dem grünen Pflanzenkleid der Erde setzt sich die Welt zusammen, die das Tierleben unseres Planeten erhält. Obwohl der moderne Mensch sich dieser Tatsache selten erinnert, könnte er ohne die Pflanzen nicht existieren; sie machen sich die Sonnenenergie zunutze und erzeugen die grundlegenden Nahrungsstoffe, die der Mensch zum Leben braucht. Unsere Einstellung zu Pflanzen ist höchst engherzig. Wenn uns eine Pflanze von irgendeinem unmittelbaren Nutzen erscheint, hegen und pflegen wir sie. Ist uns aus irgendeinem Grunde ihre Anwesenheit unerwünscht oder auch nur gleichgültig, verurteilen wir sie vielleicht sofort zur Ausrottung. Neben den Pflanzen, die für den Menschen oder seine Haustiere giftig sind oder Nutzpflanzen den Platz wegnehmen, werden viele nur zur Vernichtung ausersehen, weil sie nach unserer beschränkten Ansicht zur unrechten Zeit am unrechten Platz auftreten. Viele andere werden nur ausgemerzt, weil sie zufällig in Gesellschaft unliebsamer Pflanzen vorkommen.

Die Vegetation der Erde ist Teil eines Lebensgefüges, in dem enge und wesentliche Beziehungen zwischen Pflanzen und der Erde, zwischen den Pflanzen untereinander sowie zwischen Pflanzen und Tieren bestehen. Manchmal bleibt uns keine andere Wahl, als störend in diese Beziehungen einzugreifen, doch sollten wir das wohlüberlegt tun und in voller Erkenntnis, daß unsere Handlungen zeitlich wie räumlich Fernwirkungen auslösen können. Von solch demütiger Bescheidenheit ist allerdings bei dem zur Zeit blühenden Geschäft mit Unkrautbekämpfungsmitteln nichts zu merken; hochschnellende Verkaufsziffern und immer ausgedehntere Anwendung kennzeichnen vielmehr die Produktion chemischer Stoffe zur Ausrottung von Pflanzen.

Eines der tragischsten Beispiele dafür, wie gedankenlos in den Vereinigten Staaten die Landschaft vergewaltigt wird, bietet die sogenannte Wermutsteppe des Westens, wo ein riesiger Feldzug im Gange ist, um den »sagebrush« – Bestände verschiedener Wermut- oder Beifußarten – zu vernichten und durch Grasland zu ersetzen. Wenn sich die Menschen je bei einem Unternehmen von einem Sinn für die Geschichte und die Bedeutung der Landschaft leiten lassen mußten, dann bei diesem Vorhaben. Denn hier gibt die Naturlandschaft beredtes Zeugnis von den Kräften, die sie geschaffen haben. Sie liegt wie die Seiten eines aufgeschlagenen Buches vor uns, in dem wir lesen können, warum das Land zu dem wurde, was es ist, und warum wir ihm seine Eigenart unversehrt bewahren sollten. Aber das offene Buch bleibt ungelesen.

Die Steppe des Wermutgesträuchs ist das Land der westlichen Hochebenen und der niedrigeren Hänge der Berge, die über ihnen aufragen, ein Land, das vor vielen Millionen Jahren infolge der mächtigen Erhebung des Gebirgssystems der Rocky Mountains entstand. Es ist ein Gebiet mit schroffen klimatischen Gegensätzen: Während der langen Winter brausen schwere Schneestürme von den Bergen herab und auf den Ebenen liegt tiefer Schnee, im Sommer wird die Hitze nur durch spärliche Regenfälle gemildert, die Trockenheit frißt sich tief in den Boden ein und dörrende Winde rauben Blatt und Stengel die Feuchtigkeit.

Als sich die Landschaft entwickelte, müssen sich Pflanzen eine lange Zeitspanne in wiederholten Versuchen und Fehlschlägen bemüht haben, dieses sturmumtoste Hochland zu besiedeln. Doch einer nach der anderen muß das mißlungen sein. Schließlich erstand eine Gruppe von Pflanzen, die all die Eigenschaften, die zum Überleben notwendig waren, in sich vereinte. Wermutarten vermochten als Gesträuch von niedrigem Wuchs auf den Berghängen und Ebenen ihren Platz zu behaupten und konnten im Innern ihrer kleinen grauen Blätter genügend Feuchtigkeit speichern, um den diebischen Winden zu trotzen. Es war kein Zufall, sondern vielmehr das Ergebnis jahrhundertelangen Experimentierens der Natur, daß die großen Ebenen des Westens allmählich zur Wermutsteppe wurden.

Gemeinsam mit den Pflanzen entwickelte sich auch die Tierwelt im Einklang mit den hohen Anforderungen dieses Landstrichs. Im Laufe der Zeit hatten sich zwei Tiere ihrem Standort ebensogut angepaßt wie die Wermutformen. Eines war ein Säugetier, die schnellfüßige und anmutige Gabelantilope. Das andere war ein Vogel, das Wermuthuhn.

Der Wermut und das Wermuthuhn scheinen füreinander geschaffen zu sein. Das ursprüngliche Vorkommen des Vogels fiel mit der Ausbreitung der Wermutsteppe zusammen, und als man diese Steppe zurückdrängte, nahmen auch die Populationen des Wermuthuhns ab. Für diese Vögel der trockenen Ebenen bedeutet der Wermut alles. Die niedrigen Arten in den

Vorbergen bieten den Nestern und den Jungen Obdach; in den Gebieten mit dichteren Pflanzenbeständen können sie umherwandern und aufbaumen; zu allen Zeiten liefert der Wermut die Hauptnahrung für das stattliche Huhn. Doch ist die Beziehung zu gegenseitigem Vorteil. Die prächtigen Balztänze der Hähne tragen dazu bei, die Erde unter den Sträuchern und rings um sie zu lockern, sie fördern dadurch das Eindringen von Gräsern, die im Schutze des Wermuts wachsen.

Auch die Gabelantilopen haben sich in ihrer Lebensweise dem Wermut angepaßt. Sie sind hauptsächlich Bewohner der Strauchsteppen und Prärien, und wenn im Winter der erste Schnee fällt, kommen die Tiere, die den Sommer in den Bergen verbracht haben, in die niedriger gelegenen Gebiete herab. Dort liefert ihnen der Wermut Futter, das ihnen über den Winter hinweghilft. Wenn alle anderen Pflanzen ihre Blätter abgeworfen haben, bleiben die Sträucher und Stauden der Wermutarten immergrün; die filzigen, graugrünen Blätter sind bitter, würzig, reich an Eiweiß, Fetten und den nötigen anorganischen Stoffen, sie schmiegen sich eng an die Stengel der dichten und meist strauchigen Pflanzen. Auch wenn sich der Schnee anhäuft, ragen ihre Spitzen heraus oder sie können von den scharfen, scharrenden Hufen der Gabelantilope erreicht werden. Dann fressen auch die Wermuthühner davon, sie finden die Büsche auf kahlen, vom Wind blankgefegten Felssimsen oder folgen den Antilopen, um sich Nahrung zu suchen, wo jene den Schnee weggescharrt haben.

Auch andere Lebewesen halten Ausschau nach dem Wermut. Maultierhirsche knabbern oft daran. Haustieren, die sich auch im Winter im Freien bewegen, kann der Wermut das Leben erhalten. Schafe bleiben oft auf Winterweiden, wo der große Dreizähnige Wermut fast reine Bestände bildet. Das halbe Jahr über ist er ihr Hauptfutter, und diese Pflanze hat einen höheren Energiewert als selbst das Heu der Luzerne, die in Amerika Alfalfa genannt wird.

Die rauhen Hochebenen, die purpurn schimmernden Wermut-Einöden, die wilde, flinke Gabelantilope und das Wermuthuhn vereinen sich zu einer natürlichen Gemeinschaft, die vollkommen im Gleichgewicht ist. Ist? Das Zeitwort muß geändert werden, zumindest in jenen bereits riesigen und sich noch weiter ausdehnenden Gebieten, wo der Mensch versucht, die Methoden der Natur zu »verbessern«. Im Namen des Fortschritts haben sich die amtlichen Stellen für Bodenkultur entschlossen, die unersättlichen Forderungen der Viehzüchter nach mehr Weideland zu befriedigen. Sie meinen damit Grasland – Wiesen ohne Wermutsträucher. In einem Land, in dem es die Natur für angemessen hielt, Gras mit Wermut vermischt und unter dessen Schutz wachsen zu lassen, beabsichtigt man nun den Wermut auszurotten und eine ununterbrochene Grasfläche zu schaffen. Wenige scheinen sich dabei gefragt zu haben, ob Grasland in dieser Region ein wünschenswertes und dauerhaftes Ziel bedeutet. Die Natur selbst hat unzweifelhaft eine anderslautende Antwort gegeben. Der jährliche Niederschlag in dieser Gegend, wo nur selten Regen fällt, reicht nicht aus, gutes, rasenbildendes Gras zu erhalten; er begünstigt vielmehr das winterharte perennierende »Büschelgras«, das unter dem Schutz des Wermutgestrüpps gedeiht.

Dennoch ist schon seit einer Reihe von Jahren die planmäßige Ausrottung des Wermutgesträuchs im Gange. Verschiedene Regierungsbehörden nehmen tatkräftig daran teil; die Industrie hat sich ihnen mit Begeisterung angeschlossen, um ein Unternehmen zu fördern und zu unterstützen, das einen neuen Absatzmarkt nicht nur für Grassamen, sondern ebenso für eine große Auswahl von Maschinen zum Mähen, Pflügen und Säen bietet. Zu den Vernichtungswaffen hat sich als neueste noch die Anwendung von chemischen Sprühmitteln gesellt. Nun werden jedes Jahr Millionen Morgen Land in den Wermutsteppen gesprüht.

Was sind die Resultate? Was sich am Ende ergibt, wenn man den Wermut ausrottet und Gras auf dem Boden sät, kann man größtenteils nur vermuten. Erfahrene Männer, die seit langem mit den Eigenheiten des Landes vertraut sind, behaupten, daß in dieser Gegend mehr Gras zwischen und unter dem Wermutgesträuch wächst, als bei reinen Grasbeständen gedeihen könnte, sobald der Wermut, der die Feuchtigkeit bewahrt, einmal verschwunden ist.

Doch selbst wenn das Programm mit seinem unmittelbaren Vorhaben Erfolg haben sollte, leuchtet ein, daß die ganze festgefügte Gemeinschaft von Lebewesen zerrissen wird. Mit dem Wermut werden bald die Gabelantilopen und das Wermuthuhn verschwinden. Auch die Hirsche werden darunter leiden, und das Land wird ärmer werden durch die Vernichtung der wildlebenden Geschöpfe, die zu ihm gehören. Selbst Nutzvieh, das den Vorteil davon haben soll, wird betroffen sein; keine noch so große Menge üppigen grünen Grases im Sommer kann den

Schafen helfen, die in den Winterstürmen verhungern, weil der Wermut und der »Bitterbusch« sowie andere wildwachsende Pflanzen der Hochebenen fehlen.

Dies sind die ersten und augenfälligen Auswirkungen. Die zweite Folge gehört zu jenen Erscheinungen, die stets mit gewaltsamen Eingriffen des Menschen in die Natur verbunden sind: Das Sprühen rottet auch sehr viele Pflanzen aus, die man nicht damit treffen wollte. Richter William O. Douglas hat in einem kürzlich erschienenen Buch ›My Wilderness: East to Katahdin‹ von einem entsetzlichen Beispiel der Zerstörung eines Lebensraumes erzählt, die der Forstdienst der Vereinigten Staaten im Staatswald des Bridger Peak in Wyoming verschuldet hat. Ungefähr 400 Quadratkilometer Wermutsteppe wurden vom Forstdienst besprüht, der dem Drängen der Viehzüchter, die mehr Grasland wünschten, nachgegeben hatte. Der Wermut wurde ausgetilgt, wie man beabsichtigt hatte. Doch ebenso schlimm erging es den lebenspendenden Weiden, die gleich einem grünen Band den Lauf gewundener Bäche quer über diese Ebene begleiteten. Elche hatten in diesen Weidendickichten gelebt, denn Weiden sind für den Elch, was Wermutgesträuch für die Gabelantilope ist. Biber hatten hier ebenfalls ihre Heimat, sie ernährten sich von den Weiden, fällten sie und bauten starke Dämme quer über den winzigen Bach. Infolge der mühevollen Arbeit der Biber staute sich ein See auf. Forellen in den Bergbächen wurden sonst selten über 15 Zentimeter lang; im See gediehen sie so wunderbar, daß viele bis zu zweieinviertel Kilo schwer wurden. Auch Schwimmvögel lockte der See an. Nur weil es hier Weiden gab und Biber, die auf sie angewiesen waren, bildete das Gebiet einen Anziehungspunkt für Erholungsuchende, die dort vortrefflich angeln und auf die Jagd gehen konnten.

Aber bei der »Verbesserung«, die der Forstdienst vornahm, gingen die Weiden den gleichen Weg wie das Wermutgestrüpp, sie wurden durch das gleiche Mittel, das keine Unterschiede machte, vernichtet. Als Richter Douglas im Jahre 1959 – dem Jahr der Sprühmaßnahmen – das Gebiet besuchte, war er entsetzt, als er die verschrumpelten sterbenden Weiden und den »unermeßlichen und unglaublichen Schaden« sah. Was sollte aus dem Elch werden? Was aus den Bibern und der kleinen Welt, die sie aufgebaut hatten? Ein Jahr später kehrte Richter Douglas wieder und las die Antwort darauf in der verwüsteten Landschaft. Keine Elche und keine Biber waren mehr da. Deren Hauptdamm war zerfallen, weil seine geschickten Erbauer ihn nicht mehr sachkundig betreuten, und der See war ausgelaufen. Keine der großen Forellen war mehr übrig. Keine konnte mehr in dem winzigen, noch verbliebenen Bach leben, der sich durch ein kahles heißes Land schlängelte, wo kein Baum Schatten spendete. Die Welt dieser Geschöpfe war zerschlagen worden.

Außer den über 16200 Quadratkilometern Weideland, die jedes Jahr gesprüht werden, gibt es auch riesige Ländereien anderer Art, die für eine Unkrautbekämpfung mit chemischen Stoffen in Frage kommen oder tatsächlich damit behandelt werden. So wird zum Beispiel ein Gebiet, das größer als ganz New England ist und rund 202000 Quadratkilometer umfaßt, von städtischen Behörden verwaltet, und ein Großteil davon wird regelmäßig mit chemischen Mitteln behandelt, um das »Strauchwerk zu bekämpfen«. Im Südwesten müssen schätzungsweise 285000 Quadratkilometer Mesquiteland auf irgendeine Weise unter Kontrolle gehalten werden, weil die Mesquite, ein schnellwüchsiger und zäher Baum, in Graslandgebiete einzuwandern droht. Besprühen mit Chemikalien ist dort die Methode, die sich am meisten durchgesetzt hat. Auch ein Forst, der Nutzholz liefert und ein nicht genau bekanntes, aber sehr großes Ausmaß hat, wird nun von der Luft aus besprüht, um zwischen den Nadelhölzern, die gegen Sprühmittel widerstandsfähiger sind, die Laubbäume zu »jäten«. Die Behandlung von Ackerland mit Herbiziden verdoppelte sich in den zehn Jahren nach 1949 und erstreckte sich im Jahre 1959 auf rund 215000 Quadratkilometer. Rechnet man noch die Flächen von Rasen, Parks und Golfplätzen im Privatbesitz zusammen, die derzeit behandelt werden, muß sich eine astronomische Zahl ergeben.

Die chemischen Unkrautbekämpfungsmittel sind ein prächtiges neues Spielzeug. Sie wirken in einer höchst eindrucksvollen Weise; sie verleihen denen, die sie handhaben, ein schwindelerregendes Gefühl der Macht über die Natur, und die weittragenden, aber weniger augenfälligen Wirkungen werden leichthin als grundlose Phantasien von Pessimisten abgetan. Die »landwirtschaftlichen Ingenieure« sprechen munter vom »chemischen Pflügen« in einer Welt, der man eindringlich empfiehlt, ihre Pflugscharen in Spritz- und Stäubegeräte umzuschmieden. Die Stadtväter von Tausenden von Gemeinden leihen dem Verkäufer chemischer Mittel und den diensteifrigen

Leuten, die sie anwenden, ein williges Ohr, wenn diese sich erbötig machen, ihnen die Randstreifen der Landstraßen – natürlich gegen Bezahlung – von »Gestrüpp« zu säubern. Es ist billiger als Mähen, lautet das Schlagwort. Und in den gefälligen Zahlenreihen der amtlichen Rechnungsbücher mag es sich auch so spiegeln; würde man aber die wahren Kosten eintragen, den Preis nicht nur in Dollar, sondern in Form vieler ebenso gewichtiger Verlustposten, die wir sogleich näher betrachten werden, würde sich folgendes herausstellen: Die Verbreitung dieser chemischen Stoffe in derartigen Massen kommt auch in Dollar gerechnet weit teurer und fügt zugleich der gesunden Entwicklung einer Landschaft sowie all den verschiedenen Vorteilen, die sie den Menschen bietet, auf lange Zeit hinaus unendlichen Schaden zu.

Nehmen wir zum Beispiel jene Verdienstquelle, die von jeder Handelskammer im ganzen Land hochgeschätzt wird – das Geld, das die Touristen ausgeben, die ihren Urlaub in einer Gegend verbringen. Der Chor empörter Proteste über die Verunstaltung einst so schöner Plätze am Straßenrand durch chemische Mittel schwillt stetig an; denn sie setzen an die Stelle der prächtigen Farne und wilden Blumen, der einheimischen Sträucher, die mit Blüten oder Beeren geschmückt sind, eine dürre Fläche brauner, verwelkter Vegetation. Empört schrieb eine Frau aus New England an ihre Zeitung: »Aus den hübschen Grünstreifen entlang unserer Straßen machen wir schmutzige braune Abfallhaufen, in denen alles Leben erstorben scheint. Das ist nicht der Anblick, den die Touristen erwarten, wenn wir Unsummen ausgeben, um die herrliche Gegend anzupreisen.«

Im Sommer des Jahres 1960 strömten Anhänger des Naturschutzgedankens aus vielen Staaten auf einer friedlichen Insel in Maine zusammen. Sie wollten dabei sein, wenn der Eigentümer dieser Insel, Millicent Todd Bingham, seinen Besitz der Nationalen Audubon Gesellschaft übergab. Im Brennpunkt stand an jenem Tag die Erhaltung der natürlichen Landschaft und des Netzwerkes lebendiger Beziehungen, dessen verschlungene Fäden von Mikroben bis zum Menschen führen. Aber in allen Gesprächen der Besucher der Insel kam auch die Empörung darüber zum Ausdruck, daß man die Straßen, auf denen sie hierhergereist waren, so übel zugerichtet hatte.

Einst war es eine Freude gewesen, diesen Straßen durch die immergrünen Wälder zu folgen – Straßen, die von Wachsmyrte und Farnblättrigem Gagelstrauch, von Erlen und verschiedenen einheimischen Heidelbeeren eingesäumt waren. Jetzt war alles braun und verwüstet. Einer der Teilnehmer berichtete von dieser Pilgerfahrt zu der Insel in Maine: »Ich kehrte zurück..., erzürnt darüber, wie man an den Wegrainen in Maine die Natur mißhandelt hatte. Wo in früheren Jahren die Autostraßen von wilden Blumen und hübschen Sträuchern eingefaßt waren, erblickte man jetzt nur Meile um Meile das Schandmal abgestorbener Vegetation... Wie steht es mit der wirtschaftlichen Seite der Angelegenheit, kann der Staat Maine es sich leisten, sich durch einen solchen Anblick die Gunst der Touristen zu verscherzen?«

Die Gebiete an den Straßenrändern in Maine sind nur ein Beispiel – wenn auch für jeden, der diesen Staat um seiner Schönheit willen liebt, ein besonders trauriges – für die sinnlose Zerstörung, die unter dem Losungswort »Bekämpfung des Strauchwerks an den Straßen« im ganzen Land angerichtet wird.

Die Botaniker am Arboretum, dem botanischen Garten und Institut für Holzgewächse in Connecticut, erklären, daß die Ausrottung von schönen einheimischen Sträuchern und wilden Blumen die Ausmaße einer »Straßenrand-Krise« angenommen hat. Rhododendrenbüsche, Breitblättrige Kalmien – im Volksmund »Berglorbeer« genannt –, Heidelbeersträucher mit roten und blauen Früchten, Schneeballarten, Hornsträucher, Wachsmyrten und Farnblättrige Gagelsträucher, niedrige Felsenmispeln, Hülssträucher, Virginische Traubenkirschen und wilde Amerikanische Pflaumen, sie alle sterben unter dem Sperrfeuer chemischer Mittel. Zu ihnen gesellen sich Weiße Wucherblumen, Rauhhaarige Sonnenhüte, wilde Möhren, Goldruten und herbstliche Astern, die der Landschaft Anmut und Schönheit verleihen.

Das Sprühen wird nicht nur unzulänglich geplant, sondern es kommen dabei auch unzählige Mißgriffe vor. In einer Stadt in New England hatte ein Mann, der gewerbsmäßig sprühte, seine Arbeit zwar beendet, doch war noch etwas von dem Mittel in seinem Tank übriggeblieben. Er entleerte den Rest am Rand einer Straße, die durch Waldland führte, obwohl er keine Erlaubnis hatte, dort zu sprühen. Die Gemeinde hatte den Schaden zu tragen; es war vorbei mit der blauen und goldenen Pracht der herbstlichen Straßen, an denen sonst Astern und Goldruten eine Schönheit entfaltet hätten, deren Anblick eine weite Reise wert gewesen wäre. In einer anderen Gemeinde von New England hielt sich ein Unternehmer nicht an die Sondervorschriften des Staates für Spritzverfahren in Städten, er besprühte ohne Wissen der Straßenverwaltung die Vegetation am Straßensaum bis zu einer Höhe von 2,44 Metern statt der vorgeschriebenen 1,22 Meter und hinterließ einen breiten häßlichen Schwaden niedergemähter brauner Pflanzen. In Massachusetts erstand eine Stadtverwaltung von einem übereifrigen Verkäufer ein Unkrautbekämpfungsmittel, ohne zu ahnen, daß es Arsen enthielt. Als man damit die Wegraine besprühte, gingen infolgedessen unter anderem ein Dutzend Kühe an Arsenvergiftung ein.

Als im Jahre 1957 die Stadt Waterford die Straßenränder mit chemischen Unkrautbekämpfungsmitteln spritzte, wurden auch Bäume im Naturpark des Arboretums in Connecticut schwer geschädigt. Selbst große Bäume, die nicht unmittelbar gespritzt worden waren, litten Schaden. Die Blätter der Eichen begannen sich einzurollen und wurden braun, obwohl es gerade die Zeit des Frühlingswachstums war. Dann fingen neue Schößlinge zu sprießen an und wuchsen abnormal schnell, so daß die Bäume wie Trauerweiden aussahen. Im Herbst waren dann große Zweige an diesen Bäumen abgestorben, andere besaßen keine Blätter, und die Bäume selbst hatten die Wuchsform mit den schlaff herabhängenden Zweigen beibehalten.

Mir selbst ist ein Straßenabschnitt wohlbekannt, wo die Natur bei der Gestaltung der Landschaft für einen Saum aus Erlen, Schneeballsträuchern, Farnblättrigen Gagelsträuchern und Wacholder gesorgt hatte, während leuchtende Blumen, die mit den Jahreszeiten wechselten, im Herbst auch Früchte, deren herabhängende Trauben einem Geschmeide glichen, dem Bild stets eine besondere Note gaben. Die Straße war nicht mit Verkehr überlastet, sie besaß nur wenige scharfe Kurven oder Kreuzungen, wo Unterholz dem Fahrer die Sicht behindern konnte. Doch die Sprüher übernahmen das Kommando, und damit wurden die Kilometer, die man auf dieser Straße zurücklegte, zu einer Strecke, die man möglichst schnell hinter sich brachte; den Anblick, den die Gegend bot, konnte man nur ertragen, wenn man sich zwang, nicht daran zu denken, daß diese unfruchtbare und scheußliche Welt das Werk unserer Techniker ist, denen wir freie Hand lassen. Doch manches Mal hatten die verantwortlichen Leute ein wenig gezaudert, und infolge eines unerklärlichen Versehens fanden sich inmitten der mit harten und straff organisierten Maßnahmen bekämpften Pflanzenwelt noch Oasen der Schönheit – sie machten freilich die heillose Zerstörung der Natur auf dem weitaus größten Teil der Strecke nur um so unerträglicher. An solchen Stellen hob sich meine Stimmung wieder beim Anblick der wogenden Flächen des Weißklees oder der Wolken purpurner Wicken, zwischen denen hier und da der flammende Kelch einer »Waldlilie« stand.

Solche Pflanzen sind nur für jene Menschen »Unkraut«, die aus dem Verkauf und der Anwendung chemischer Mittel ein Geschäft machen. In einem Band der ›Sitzungsberichte‹ einer der Konferenzen über Unkrautbekämpfung, die jetzt zu regelmäßigen Einrichtungen geworden sind, las ich einmal eine Behauptung, die außergewöhnlich aufschlußreich für die Weltanschauung eines »Unkrautbekämpfers« war. Er verteidigte die Vernichtung guter Pflanzen »einfach, weil sie in schlechter Gesellschaft stehen«. Wer sich darüber beklage, daß entlang von Straßenrändern wilde Blumen ausgerottet würden, erinnere ihn, wie er sagte, an die Gegner der Vivisektion, »denen – nach ihren Taten zu urteilen – das Leben eines herumstreunenden Hundes heiliger ist als das Leben von Kindern«.

Für den Verfasser dieses Artikels wären zweifellos viele von uns höchst verdächtig und als völlig verschrobene Menschen anzuprangern; denn der Anblick von Wicke, Klee und »Waldlilie« in all ihrer zarten und vergänglichen Schönheit ist uns sehr viel lieber als der von Wegrainen, die wie von Feuer versengt aussehen, mit braunen und dürren Sträuchern, mit Farnkraut, das einst sein prächtiges Fiederwerk hochaufgerichtet trug, jetzt aber verwelkt ist und die Blätter hängen läßt. Wir müssen diesem Mann als erbärmliche Schwächlinge erscheinen, weil wir den Anblick solchen »Unkrauts« ertragen und uns keineswegs freuen, wenn es ausgerottet wird, weil wir nicht darüber frohlocken, daß der Mensch wieder einmal über die »mißratene« Natur triumphiert hat.

Richter Douglas erzählt von einer Tagung, auf der Vertreter der Bundesbehörde sich mit solchen Maßnahmen befaßten. Man diskutierte über Proteste von Bürgern gegen die früher in diesem Kapitel erwähnten Pläne, Spritzmittel gegen das Wermutgesträuch einzusetzen. Bei diesen Leuten erregte es stürmische Heiterkeit, daß eine alte Dame den Plan anfocht, weil die wilden Blumen vernichtet würden. »Doch war es nicht genauso ihr unveräußerliches Recht, nach einer Silphie oder einer

Tigerlilie zu fahnden wie Viehhalter nach Gras oder ein Holzfäller nach einem Baum, den er schlagen kann?« fragt dieser menschenfreundliche, einsichtige Jurist. »Die ästhetischen Werte der Wildnis gehören ebenso sehr zu unserem Erbe wie die Kupfer- und Goldadern im Hügelland und die Wälder in den Bergen.«

Hinter dem Wunsch, die Vegetation an unseren Straßen zu erhalten, steckt natürlich weit mehr als solche durchaus berechtigten ästhetischen Erwägungen. Im Haushalt der Natur hat die natürliche Vegetation ihren lebenswichtigen Platz. Hecken, die sich an den Landstraßen entlangziehen und Felder einfassen, bieten Vögeln Nahrung, Schutz und Nistgelegenheit, aber auch vielen kleinen Tieren einen Unterschlupf. Von den ungefähr siebzig Arten der Sträucher und Rankengewächse, die allein in den östlichen Staaten zu den typischen Formen am Wegesrand gehören, sind fünfundsechzig als Nahrung für wildlebende Geschöpfe wichtig.

Eine solche Vegetation ist auch die Heimat wilder Bienen und anderer Insekten, die Blüten bestäuben. Der Mensch ist von dieser Bestäubung abhängiger, als er es sich gewöhnlich klarmacht. Selbst der Farmer begreift selten den Wert wilder Bienen und beteiligt sich oft an den Maßnahmen, durch die er sich ihrer Dienste beraubt. Manche Ackerfrüchte und viele wilde Pflanzen sind teilweise oder ganz auf die Mitarbeit einheimischer Insekten bei der Befruchtung angewiesen. Mehrere hundert Arten wilder Bienen spielen bei der Bestäubung von Kulturpflanzen eine Rolle – allein hundert Arten besuchen die Blüten der Luzerne. Ohne Bestäubung durch Insekten würden auch die meisten jener Pflanzen aussterben, die in den nicht bebauten Gebieten das Erdreich zusammenhalten und den Boden fruchtbar machen; dies aber hätte weitreichende Folgen für die Ökologie der gesamten Region. Viele Kräuter, Sträucher und Bäume von Wald und Weide können sich nur mit Hilfe der einheimischen Insekten vermehren; ohne diese Pflanzen würde ein großer Teil der wildlebenden Tiere und des Weideviehs wenig Futter finden. Nun will man das Land durchweg kultivieren, man zerstört Hecken und vertilgt das Unkraut mit chemischen Mitteln. So entfernt man die letzten Zufluchtsstätten für diese bestäubenden Insekten und zerreißt die Fäden, die ein Lebewesen mit dem anderen verbinden.

Diese Insekten, die so lebensnotwendig für den Ackerbau und wahrlich auch für die uns so vertraute Landschaft sind, verdienen von uns etwas Besseres als die sinnlose Zerstörung ihrer Heimat. Honigbienen und wilde Bienen brauchen dringend den Blütenstaub von »Unkraut«, von Goldrute, Ackersenf und verwandten Arten, auch von Löwenzahn als Futter für ihre Brut. Wicken liefern wichtige Frühlingsnahrung für Bienen, bevor die Luzerne in Blüte steht, sie helfen ihnen über diese Jahreszeit hinweg, so daß die Bienen dann bereit sind, die Luzernen zu bestäuben. Im Herbst, wenn keine andere Nahrung mehr zur Verfügung steht, müssen sie sich an die Goldruten halten, um sich für den Winter einzudecken. Durch die genaue und fein abgestimmte Zeiteinteilung, die der Natur eigen ist, taucht eine bestimmte Art wilder Bienen an eben dem Tag auf, an dem die Weidenkätzchen zu blühen beginnen. Es gibt genug Menschen, die diese Zusammenhänge begreifen, doch sie sind es ja nicht, die anordnen, daß die Landschaft mit Unmengen chemischer Mittel überschwemmt wird.

Und wo stecken die Menschen, die angeblich einsehen, wie wertvoll die richtige Umwelt für die Erhaltung wildlebender Tiere ist? Allzu viele unter ihnen verteidigen die Herbizide als »unschädlich« für die Tiere, weil man diese Mittel für weniger giftig als Insektizide hält. Daher könne, so heißt es, kein Schaden angerichtet werden. Doch sobald Herbizide auf Wald und Feld, auf Sumpf- und Weideland herabregnen, wird der Lebensraum wildlebender Geschöpfe tiefgreifend verändert, ja er kann sogar für immer zerstört werden. Auf lange Sicht ist es vielleicht schlimmer, Obdach und Nahrung für die Tiere der Wildnis zu vernichten, als sie unmittelbar zu töten.

Dieser chemische Großangriff auf die Randgebiete der Landstraßen und der öffentlichen Verkehrswege der Städte ist in doppelter Hinsicht eine Ironie. Er verewigt das Problem, das er zu beheben sucht; denn wie die Erfahrung deutlich gezeigt hat, läßt sich mit der Anwendung von Herbiziden auf große Flächen das »Gestrüpp« am Straßenrand nicht nachhaltig bekämpfen, und das Sprühen muß Jahr für Jahr wiederholt werden. Es ist ferner eine Ironie, daß wir hartnäckig an diesem Verfahren festhalten, obwohl man eine durchaus vernünftige Methode des *selektiven* Sprühens kennt, mit der man auf lange Zeit den Pflanzenwuchs unter Kontrolle halten und bei den meisten Vegetationsformen auf wiederholtes Sprühen verzichten kann.

Wenn man das Strauchdickicht an Straßen jeder Art bekämpft, will man damit ja nicht erreichen, daß die Gegend von allem außer von Gras gesäubert wird; man will vielmehr Pflanzen ausmerzen, die am Ende so groß werden, daß sie dem Fahrer die Sicht behindern oder Drahtleitungen an öffentlichen Verkehrswegen stören. Im allgemeinen wird es sich dabei um Bäume handeln. Die meisten Sträucher sind so niedrig, daß sie keine Gefahr bedeuten; für Farne und wilde Blumen versteht sich das von selbst.

Das Verfahren des selektiven Sprühens wurde im Laufe mehrerer Jahre von Dr. Frank Egler am Amerikanischen Museum für Naturgeschichte entwickelt, als er Leiter des Ausschusses für empfehlenswerte Maßnahmen zur Bekämpfung von Strauchdickicht an öffentlichen Verkehrswegen war. Man machte sich dabei die der Natur eigene Beständigkeit zunutze und verließ sich darauf, daß die meisten Strauchgemeinschaften nachweislich dem Vordringen von Bäumen kräftig Widerstand leisten. Im Vergleich dazu siedeln sich Baumsämlinge im Grasland leicht an. Das selektive Sprühen an den Straßenrändern und öffentlichen Verkehrswegen soll nicht etwa Grasflächen schaffen, sondern man trachtet, die großen Holzgewächse unmittelbar anzugreifen und zu beseitigen, die gesamte andere Vegetation aber zu schonen. Eine einzige Behandlung kann schon genügen, und bei besonders hartnäckigen Arten muß vielleicht noch eine zweite folgen; nachher übernehmen die Sträucher selbst die Abwehr, und die Bäume kehren nicht wieder. Das beste und billigste Bekämpfungsmittel für bestimmte Pflanzen sind nicht Chemikalien, sondern andere Pflanzen.

Die Methode ist auf den verschiedensten Versuchsgeländen überall in den östlichen Vereinigten Staaten überprüft worden. Die Ergebnisse beweisen, daß ein Gebiet unverändert bleibt, wenn es einmal richtig behandelt worden ist, und *mindestens zwanzig Jahre lang nicht mehr gespritzt zu werden braucht.* Die Arbeit kann oft von Männern ausgeführt werden, die zu Fuß gehen, ihre Spritz- oder Stäubegeräte auf dem Rücken tragen und das Material völlig unter Kontrolle haben. Manchmal können Pumpen und Material auf Fahrgestelle von Lastwagen montiert werden, aber es gibt keine Großflächenbehandlung mehr. Das Mittel wird ausschließlich gegen Bäume und besonders hohe Sträucher eingesetzt, die ausgerottet werden müssen. Dadurch wird die Umgebung unversehrt erhalten, der ungeheure Wert des Lebensraumes für wildlebende Tiere bleibt bewahrt und man hat die schönen Sträucher, Farne und wilden Blumen nicht geopfert.

Hier und dort hat man die Methode, wuchernde Vegetation durch selektives Sprühen zu bändigen, bereits übernommen. Meist stirbt aber eine eingefleischte Gewohnheit nur schwer, und das Sprühen großer Flächen wird weiterhin eifrig betrieben. Die hohen Kosten dafür fallen dem Steuerzahler zur Last, und das ökologische Gefüge des Lebens leidet schweren Schaden. Sicherlich blüht das Geschäft nur, weil die Tatsachen nicht bekannt sind. Wenn die Steuerzahler erst begreifen, daß sie die Rechnung für die Spritzmaßnahmen an städtischen Straßen nur einmal in einer Generation zu bezahlen brauchten, statt jedes Jahr, werden sie gewiß aufbegehren und fordern, daß man die Methoden ändert.

Es ist einer der vielen Vorteile des selektiven Sprühens, daß es die Menge des chemischen Mittels, mit dem man auf die Landschaft einwirkt, äußerst verringert. Das Material wird nicht weit verstreut, sondern konzentriert auf den Fuß der Bäume angewandt. Der Schaden, der wilden Tieren dadurch zugefügt werden könnte, bleibt daher ebenfalls auf ein Mindestmaß beschränkt.

Die meistverwendeten Herbizide sind 2,4-D sowie 2,4,5-T und verwandte Verbindungen. Ob diese Stoffe tatsächlich giftig sind oder nicht, ist noch eine Streitfrage. Leute, die ihren Rasen mit 2,4-D besprüht haben und sich mit dem Mittel benetzten, bekamen hin und wieder eine schwere Nervenentzündung, oder es traten sogar Lähmungen auf. Obwohl solche Vorfälle anscheinend nicht häufig sind, raten sachverständige Ärzte zur Vorsicht beim Gebrauch dieser Verbindungen. Vielleicht sind auch noch andere, weniger deutlich erkennbare Gefahren mit der Verwendung von 2,4-D verbunden. Man hat experimentell nachgewiesen, daß es grundlegende physiologische Vorgänge bei der Zellatmung stört und in ähnlicher Weise wie Röntgenstrahlen die Chromosomen schädigt. Einige ganz neue Arbeiten deuten darauf hin, daß die Fortpflanzung durch diese und andere Herbizide schon von Konzentrationen, die weit unterhalb der tödlichen Dosis liegen, ungünstig beeinflußt werden kann.

Abgesehen von den unmittelbaren Giftwirkungen hat der Gebrauch bestimmter Herbizide merkwürdige indirekte Folgen. Man hat entdeckt, daß eine Pflanze, auch wenn sie sonst als Futter stets verschmäht wird, nach dem Besprühen manchmal auf Tiere – auf wildlebende Pflanzenfresser wie auf Weidevieh – seltsam anziehend wirkt. Hat man ein hochgiftiges Herbizid wie eine Arsenverbindung verwendet, wird die Gier nach den welkenden Pflanzen den Tieren unausweichlich zum Verhängnis. Unheilvolle Nachwirkungen können auch weniger giftige Herbizide haben, falls die Pflanze selbst giftig ist oder vielleicht Dornen oder stachelige Früchte besitzt. Giftiges Unkraut auf Weiden ist plötzlich nach dem Sprühen für Vieh verlockend geworden, und die Tiere sind verendet, weil sie ihren unnatürlichen Gelüsten nachgegeben haben. Die Literatur der Tiermedizin enthält eine Fülle ähnlicher Beispiele: Schweine, die besprühte Arten von Spitzkletten gefressen hatten, wurden anschließend schwer krank, ebenso Lämmer, die besprühte Disteln abgeweidet hatten; Bienen, die sich an Ackersenf und verwandten Formen, die nach dem Aufblühen behandelt worden waren, gütlich taten, wurden vergiftet. Spätblühende Traubenkirschen, deren Blätter äußerst giftig sind, haben auf Rinder eine verhängnisvolle Anziehungskraft ausgeübt, sobald das Laub mit 2,4-D besprüht worden war. Anscheinend werden die Pflanzen begehrenswert, wenn sie infolge des Besprühens – oder nach dem Abmähen – welken. Weitere Beispiele dafür haben verschiedene, zum Teil aus Europa eingeschleppte Arten des Kreuzkrauts geliefert. Weidevieh meidet diese Pflanzen gewöhnlich, außer wenn es aus Mangel an anderem Futter im Spätwinter oder Vorfrühling gezwungen ist, damit vorliebzunehmen. Die Tiere fressen jedoch begierig davon, nachdem die Blätter mit 2,4-D besprüht worden sind.

Manchmal läßt sich dieses eigenartige Verhalten anscheinend daraus erklären, daß die Chemikalien Veränderungen im Stoffwechsel der Pflanze selbst verursachen. Vorübergehend nimmt der Zuckergehalt, der die Pflanze für viele Tiere schmackhafter macht, auffallend zu.

Eine andere sonderbare Wirkung von 2,4-D hat wichtige Folgen für Haustiere wie für wildlebende Geschöpfe und offensichtlich auch für den Menschen. Versuche, die ungefähr vor einem Jahrzehnt durchgeführt wurden, zeigten, daß nach der Behandlung mit diesem chemischen Stoff der Nitratgehalt von Mais und Zuckerrüben scharf anstieg. Man vermutet, daß dies auch bei Mohrenhirse, Sonnenblume, Dreimasterblume, Weißem Gänsefuß, Fuchsschwanzarten und Vogelknöterich der Fall sei. Einige dieser Pflanzen werden von Rindern normalerweise nicht beachtet, doch werden sie nach der Behandlung mit 2,4-D mit Wohlbehagen verzehrt. Nach Angaben mancher landwirtschaftlicher Fachleute konnte eine Reihe von Todesfällen bei Rindern auf besprühtes Unkraut zurückgeführt werden. Die Gefahr liegt in der Zunahme von Nitraten, denn infolge des eigenartigen Stoffwechsels der Wiederkäuer entsteht sogleich ein kritisches Problem. Die meisten dieser Tiere besitzen ein äußerst verwickeltes Verdauungssystem mit einem Magen, der in vier besondere Abschnitte zerfällt. Die Zellulose wird durch das Eingreifen von Mikroorganismen – den Pansenbakterien – in einem der Magenräume verdaut. Sobald das Tier Pflanzen frißt, die einen abnormalen Gehalt an Nitraten aufweisen, wandeln die Mikroorganismen im sogenannten Pansen oder Rumen sie in stark giftige Nitrite um. Danach setzt eine tödlich verlaufende Kettenreaktion ein: Die Nitrite wirken auf den Blutfarbstoff ein, der zu einer schokoladebraunen Substanz wird und den Sauerstoff so fest bindet, daß beim Atmen kein neuer mehr aufgenommen und von der Lunge zu den Geweben befördert werden kann. Binnen weniger Stunden tritt infolge Sauerstoffmangels der Tod ein. Die verschiedenen Berichte über Verluste an Nutzvieh, das bestimmte Unkrautarten abgeweidet hatte, nachdem sie mit 2,4-D behandelt worden waren, finden damit eine logische Erklärung. Die gleiche Gefahr besteht für wilde Tiere, die zur Gruppe der Wiederkäuer gehören – wie Rotwild, Gabelantilopen, Dickhornschafe und Schneegemsen.

Nun können zwar auch manche anderen Faktoren, so etwa außergewöhnlich trockenes Wetter, den Nitratgehalt erhöhen, aber deshalb darf man nicht außer acht lassen, daß sich der jäh steigende Umsatz und die ebenso schnell zunehmende Anwendung von 2,4-D gleichfalls bemerkbar machen. Die Landwirtschaftliche Versuchsstation der Universität von Wisconsin maß der Lage so große Bedeutung bei, daß sie es im Jahre 1957 für angebracht hielt, davor zu warnen, »daß Pflanzen, die mit 2,4-D vernichtet werden, große Mengen von Nitraten enthalten können«. Sobald Mais, Hafer und Mohrenhirse, die stark nitrathaltig sind, in Silos aufbewahrt werden, geben sie giftige Stickstoffoxyde ab, die für jeden, der den Silo betritt, eine tödliche Gefahr bedeuten. Nur ein paar Atemzüge von einem dieser Gase können eine ausgedehnte – von diesen chemischen Stoffen ausgelöste – Lungenentzündung verursachen. Eine Reihe solcher Fälle, die von der medizinischen Fakultät der Universität in Minnesota untersucht worden sind, endeten mit einer einzigen Ausnahme tödlich.

»Wieder einmal benehmen wir uns in der Natur wie ein Elefant im Porzellanladen.« In diesem Satz faßt C. J. Briejèr, ein holländischer Naturforscher von außergewöhnlicher Intelligenz, sein Urteil über unsere Anwendung von Unkrautbekämpfungsmitteln zusammen. »Meiner Ansicht nach wird zuviel als erwiesen angenommen. Wir wissen nicht, ob alles Unkraut auf den Feldern schädlich ist oder ob nicht manche Arten nutzbringend sind«, meint Dr. Briejèr.

Selten wird die Frage gestellt, welche Beziehung zwischen dem Unkraut und dem Boden besteht. Selbst von unserem engherzigen Standpunkt aus, der nur den unmittelbaren eigenen Nutzen bedenkt, mag diese Beziehung nützlich sein. Wir haben gesehen, daß der Boden und die Lebewesen in und auf ihm voneinander abhängig sind und daß dieses Verhältnis beiden Gewinn bringt. Man darf annehmen, daß das Unkraut dem Boden Stoffe entzieht; vielleicht steuert es aber auch andere bei. Ein praktisches Beispiel dafür konnte man in den Parks einer holländischen Stadt beobachten. Dort gediehen die Rosen schlecht. Bodenproben zeigten, daß die Erde von Unmengen winziger Fadenwürmer verseucht war. Die Wissenschaftler des holländischen Pflanzenschutzdienstes empfahlen nicht, mit chemischen Mitteln zu sprühen oder den Boden damit zu behandeln; vielmehr rieten sie, zwischen die Rosen Ringelblumen zu pflanzen. Diese Blumen, die der Säuberungsfanatiker zweifellos in jedem Rosenbeet als Unkraut betrachten würde, scheiden aus den Wurzeln einen Stoff aus, der die Fadenwürmer im Boden tötet. Der Rat wurde befolgt; einige Beete wurden mit Ringelblumen bepflanzt, andere zur Kontrolle unverändert belassen. Die Ergebnisse waren verblüffend. Mit Hilfe der Ringelblumen gediehen die Rosen prächtig; in den Kontrollbeeten kränkelten sie und ließen die Köpfe hängen. Ringelblumen werden jetzt an vielen Orten zur Bekämpfung von Fadenwürmern verwendet.

Auf die gleiche Weise könnten vielleicht, ohne daß wir es wissen, andere Pflanzen, die wir erbarmungslos ausmerzen, eine Funktion ausüben, die notwendig ist, um den Boden gesund zu erhalten. Eine sehr nützliche Funktion natürlicher Pflanzengemeinschaften, die jetzt ziemlich allgemein als Unkraut gebrandmarkt werden, besteht zum Beispiel darin, daß sie uns die Beschaffenheit des Bodens anzeigen. Wo chemische Unkrautbekämpfungsmittel angewandt worden sind, können sie uns diesen wichtigen Dienst natürlich nicht mehr leisten.

Wer die Lösung aller Probleme im Sprühen zu finden meint, übersieht eine weitere Tatsache von großer wissenschaftlicher Bedeutung: die Notwendigkeit, einige natürliche Pflanzengemeinschaften zu erhalten. Wir brauchen sie als einen Maßstab, an dem wir abmessen können, welche Veränderungen wir mit unseren Eingriffen auslösen. Wir brauchen sie als natürlichen Lebensraum, in dem die ursprünglichen Populationen von Insekten und anderen Organismen bestehen bleiben. Denn wie im sechzehnten Kapitel erläutert werden soll, entwickeln sich Formen von Insekten und vielleicht auch von anderen Organismen, die gegen Insektizide widerstandsfähig sind und ein verändertes Erbgut besitzen. Ein Naturwissenschaftler hat sogar vorgeschlagen, man solle eine Art »Zoo« einrichten, um Insekten, Milben und dergleichen Tiere zu erhalten, ehe sich die Zusammensetzung ihrer Gene noch weiter wandelt.

Manche Fachleute warnen davor, daß die Vegetation durch den wachsenden Gebrauch von Herbiziden unauffällig aber folgenschwer umgestaltet wird. Die chemische Verbindung 2,4-D rottet unsere breitblättrigen Pflanzen aus und läßt die Gräser, denen diese Arten nun nicht mehr den Platz streitig machen, prächtig gedeihen. Jetzt sind einige Gräser selbst zu »Unkraut« geworden, sie bilden für die Bekämpfung ein neues Problem und lenken die Entwicklung wiederum in neue Bahnen. Diese sonderbare Lage wird in einem kürzlich erschienenen Heft einer Zeitschrift gewürdigt, die sich mit landwirtschaftlichen Problemen befaßt: »Mit der weitverbreiteten Anwendung von 2,4-D zur Bekämpfung von breitblättrigem Unkraut sind besonders Gräser als Unkraut immer mehr zu einer Gefahr für den Ertrag von Mais und Sojabohnen geworden.«

Das Verderben aller, die an Heufieber leiden, sind vor allem zwei Arten des Traubenkrauts, das Beifußblättrige und das »Dreizähnige« Traubenkraut; sie bieten ein interessantes Beispiel dafür, wie Bemühungen, regelnd in die Natur einzugreifen, zum Bumerang wurden. Viele Tausende von Litern chemischer Flüssigkeiten sind entlang von Straßenrändern verspritzt worden, um das Traubenkraut zu bekämpfen. Doch stellte sich heraus, daß auf den besprühten Flächen nur noch mehr statt weniger Traubenkraut wuchs. Das ist die traurige Wahrheit. Das Traubenkraut ist eine einjährige Pflanze; seine Sämlinge brauchen freien Boden, um sich jedes Jahr neu ansiedeln zu können. Wir vermögen uns daher am besten vor ihm zu schützen, wenn dichte Sträucher, Farne und andere mehrjährige Pflanzen erhalten bleiben. Sprühen zerstört häufig diese schützende Vegetation und schafft freie kahle Flächen, die das Traubenkraut schleunigst füllt. Überdies stammt der Gehalt der Atmosphäre an Blütenstaub meist nicht von dem Traubenkraut am Straßenrand, sondern von seinen Vertretern auf freiem Bauland in Städten und auf Brachfeldern.

Der rasche Aufschwung des Handels mit chemischen Mitteln zur Bekämpfung von Hirsearten, besonders von Blut- und Fadenhirse, ist ein weiteres Beispiel dafür, wie schnell unvernünftige Methoden Anklang finden. Es gibt einen billigeren und besseren Weg, Gräser zu entfernen, als sie Jahr für Jahr mit Chemikalien auszurotten. Man muß sie zu einem Wettstreit mit anderen Gräsern zwingen, gegen die sie sich nicht behaupten können. Diese Hirsearten sind nur in einem ungesunden Rasen lebensfähig. Sie sind ein Symptom, aber nicht selbst eine Krankheit. Sorgt man für gute Erde, so daß die erwünschten Gräser von Anfang an gut gedeihen, dann schafft man eine Umwelt, in der die Hirsearten nicht wachsen können, denn sie brauchen freien Raum, wo sie Jahr für Jahr von neuem aus Samen hervorgehen können.

Statt den Zustand zu behandeln, der zugrunde liegt, lassen sich die Bewohner der Vorstädte von Gärtnern beraten – die wiederum von den Herstellern chemischer Mittel beraten werden – und behandeln weiterhin alljährlich ihre Rasen mit erstaunlichen Mengen von Mitteln, die diese Hirsearten bekämpfen sollen. Auf den Markt kommen die Mittel unter Handelsnamen, die keinen Hinweis auf ihre chemische Natur geben. Viele dieser Präparate enthalten Gifte wie Quecksilber, Arsen und Chlordan. Wendet man die empfohlene Dosis an, bleiben auf dem Rasen ungeheure Massen dieser chemischen Stoffe zurück. Bei einem dieser Erzeugnisse kommen zum Beispiel 26 Kilo technisches Chlordan auf 4047 Quadratmeter, wenn die Verbraucher die Anweisungen befolgen. Benützen sie ein anderes dieser vielen verfügbaren Mittel, entfallen auf die gleiche Fläche 79 Kilo metallisches Arsen. Wie wir im achten Kapitel erfahren werden, ist der Tribut an verendeten Vögeln tief betrüblich. Wie lebensgefährlich diese Rasen vielleicht für menschliche Wesen sind, weiß man noch nicht.

Mit dem selektiven Sprühen für Vegetation an Straßenrändern und öffentlichen Verkehrswegen hatte man an manchen Orten guten Erfolg. Man darf daher hoffen, daß auch bei anderen Maßnahmen zur Unkrautbekämpfung auf Farmen, Weiden und in Wäldern ebenso vernünftige Methoden entwickelt werden, Methoden, die nicht darauf abzielen, eine bestimmte Art auszurotten, sondern die Vegetation als lebendige Gemeinschaft gestalten.

Andere anerkennenswerte Leistungen beweisen, was getan werden kann. Mit biologischen Bekämpfungsmaßnahmen hat man einige der eindrucksvollsten Erfolge erzielt, wenn es galt, unerwünschte Pflanzen im Zaum zu halten. Auch die Natur selbst stand vor vielen der Probleme, die uns jetzt bedrängen, und sie hat sie meist auf ihre eigene, erfolgreiche Weise gelöst. Wo der Mensch klug genug war, die Natur zu beobachten und ihr nachzueifern, ist auch er oft mit Erfolg belohnt worden.

Ein besonders eindrucksvolles Beispiel dafür, wie man unliebsame Pflanzen bekämpfen kann, ist die Methode, mit der man in Kalifornien an das Problem des Johanniskrauts herangegangen ist. Diese Pflanze, auch Tüpfel-Hartheu genannt, stammt zwar aus Europa, aber sie hat den Menschen auf seinen Wanderungen nach dem Westen begleitet und tauchte in den Vereinigten Staaten zuerst im Jahre 1739 in der Nähe von Lancaster in Pennsylvanien auf. Um 1900 hatte sie im nächsten Umkreis des Klamath River Kalifornien erreicht und erhielt daher den Namen »Klamath weed«. Im Jahre 1929 hatte sie bereits rund 400 Quadratkilometer Weideland befallen, die bis 1952 auf 8300 Quadratkilometer anwuchsen.

Zum Unterschied von einheimischen Pflanzen, wie den amerikanischen Wermutarten, hatte das Johanniskraut in der Ökologie dieser Region keinen Platz, und seine Anwesenheit ist für kein Tier und auch für keine andere Pflanze erforderlich. Im Gegenteil – wo immer es auftauchte, wurde das Vieh, wenn es diese Pflanze fraß, »räudig, bekam ein wundes Maul, und es lohnte sich nicht mehr, es zu halten«. Das Weideland sank entsprechend im Wert, denn das Johanniskraut hatte, wie man meinte, die erste Hypothek darauf.

In Europa ist das Johanniskraut niemals zum Problem geworden, weil sich zugleich mit der Pflanze verschiedene Insektenarten entwickelt haben, denen es in so ausgedehntem Maße als Futter dient, daß einem reichlichen Vorkommen strenge Grenzen gesetzt sind. Insbesondere zwei Käferarten in Südfrankreich, die erbsengroß und von metallischer Farbe sind, haben sich in ihrer Lebensweise dem Johanniskraut so angepaßt, daß sie sich ausschließlich davon ernähren und sich nur auf ihm fortpflanzen können.

Es war ein Ereignis von historischer Bedeutung, als im Jahre 1944 die ersten Sendungen dieser Käfer in den Vereinigten Staaten eintrafen, denn dies war der erste Versuch, in Nordamerika eine Pflanze mit einem pflanzenfressenden Insekt zu bekämpfen. Bis zum Jahre 1948 waren die beiden Käferarten so heimisch geworden, daß man keine neuen Tiere mehr einzuführen brauchte. Man hatte erfolgreich für ihre Verbreitung gesorgt, indem man aus den ursprünglichen Kolonien Millionen von Käfern sammelte und sie immer wieder neu verteilte. Innerhalb kleiner Gebiete gelingt es den Käfern, sich selbständig auszubreiten, sie wandern weiter, sobald das Johanniskraut ausstirbt, und machen äußerst zielsicher neue Bestände ausfindig. Während die Käfer das Unkraut zum Schwinden bringen, können erwünschte Futterpflanzen, die von ihm verdrängt worden sind, zurückkehren.

Als man im Jahre 1959 nach zehnjähriger Arbeit die Überprüfung der Maßnahmen abschloß, zeigte sich, daß die Bekämpfung des Johanniskrauts »wirksamer gewesen war, als selbst begeisterte Anhänger der Methode es erhofft hatten«. Die wuchernden Bestände des Johanniskrauts waren auf nur ein Prozent ihres früheren Umfangs vermindert worden. Dieses Andenken, das von der Landplage noch zurückgeblieben ist, schadet nichts, tatsächlich braucht man die Pflanzen, um eine Population von Käfern zu unterhalten und so in Zukunft von einer erneuten Vermehrung des Johanniskrauts geschützt zu sein.

Ein weiteres Beispiel für eine äußerst erfolgreiche und billige Unkrautbekämpfung hat man in Australien erlebt. Kolonisten nehmen mit Vorliebe Pflanzen oder Tiere in ein neues Land mit. So hatte ein gewisser Captain Arthur Philipp im Jahre 1787 auch eine brasilianische Kakteenart nach Australien gebracht. Er beabsichtigte, sie zur Zucht von Cochenille- oder Scharlachschildläusen zu benützen, aus denen man damals Farbstoffe gewann. Andere Kakteen wurden später ins Land gebracht; zwei davon pflanzte man vielfach als Hecken für Viehweiden an. In der neuen Heimat, wo keine natürlichen Feinde sie in Schranken hielten, verwilderten sie, verbreiteten sich übermäßig stark und hatten sich schließlich im Jahre 1925 auf einer Fläche von 243000 Quadratkilometern angesiedelt. Mindestens die Hälfte des Landes war so dicht mit Kakteen bedeckt, daß es unbrauchbar wurde. Schon vorher hatte diese Entwicklung Besorgnis erregt.

Im Jahre 1920 sandte man australische Entomologen nach Nord- und Südamerika, um zu erforschen, welche Insekten die Kakteen an ihren heimatlichen Standorten als Feinde besaßen. Nachdem man mit mehreren Arten Versuche unternommen hatte, wurden im Jahre 1930 drei Milliarden Eier einer argentinischen Motte in Australien ausgesetzt. Sieben Jahre später war das letzte dichte Kakteengestrüpp zerstört, und die einst unbewohnbaren Gebiete wurden erneut als Siedlungs- und Weideland erschlossen. Das ganze Unternehmen hatte für je 4047 Quadratkilometer weniger als einen Penny gekostet. Im Gegensatz dazu hatte man für die unbefriedigenden Versuche, chemische Mittel zur Bekämpfung einzusetzen, ungefähr zehn englische Pfund für die gleiche Fläche aufwenden müssen.

Die beiden Beispiele legen den Gedanken nahe, daß sich viele unerwünschte Vegetationsformen äußerst wirksam bekämpfen ließen, wenn man der Rolle, die pflanzenfressende Insekten spielen, mehr Aufmerksamkeit schenkte. Aber die Wissenschaft der sachgemäßen Bewirtschaftung von Weideland hat diese Möglichkeit meist nicht beachtet. Doch sind solche Insekten in ihrer Kost vielleicht wählerischer als alle anderen Pflanzenfresser, sie ernähren sich meist nur von ganz bestimmten Gewächsen, und das könnte sich der Mensch durchaus zunutze machen.

7. Kapitel
Unnötige Verwüstung

Während der Mensch seinem offen verkündeten Ziel, der Eroberung der Natur zustrebt, hat er niederdrückende Zeugnisse eines Vernichtungswerks hinterlassen, das sich nicht nur gegen die Erde richtet, die er bewohnt, sondern auch gegen die Lebewesen, die sie mit ihm teilen. Die Geschichte der letzten Jahrhunderte hat düstere Kapitel: Die Bisons auf den Prärien des Westens wurden abgeschlachtet; Schützen, die ihre Beute auf dem Markt feilboten, richteten ein Blutbad unter den Küstenvögeln an, und die Reiher wurden um ihrer Federn willen beinahe ausgerottet. Nun fügen wir zu diesen und anderen ähnlich traurigen Kapiteln ein neues hinzu, beschwören neue Verwüstung herauf: Wir töten jetzt auch Vögel, Säugetiere, Fische, ja alle Arten wildlebender Geschöpfe durch chemische Insektizide, die auf ein Stück Land gesprüht werden und wahllos wirken.

Gemäß der Lebensanschauung, die heute unsere Geschicke lenkt, darf nichts sich dem Mann mit dem Spritzgerät in den Weg stellen. Die Opfer, die dieser Feldzug gegen Insekten nebenbei noch fordert, zählen nicht; wenn Wanderdrosseln, Jagdfasane, Waschbären, katzenartige Raubtiere oder sogar Hausvieh zufällig das gleiche Fleckchen Erde bewohnen wie die Insekten – denen die Bekämpfung gilt – und durch den Regen insektenvernichtender Gifte getroffen werden, darf niemand Einspruch erheben.

Will der Bürger die Frage, ob Verluste an wilden Tieren zu beklagen sind, gerecht beurteilen, sieht er sich vor eine schwierige Entscheidung gestellt. Auf der einen Seite versichern Anhänger des Naturschutzgedankens und viele Biologen, die sich mit wildlebenden Tieren beschäftigen, daß die Verluste schwer und in manchen Fällen geradezu katastrophal sind. Andererseits leugnen die Stellen, von denen die Bekämpfung durchgeführt wird, meist glatt und kategorisch, daß solche Verluste überhaupt eingetreten sind oder – falls es dazu kam – irgendwelche Bedeutung hatten. Welcher Ansicht sollen wir uns anschließen?

Ausschlaggebend ist in erster Linie die Glaubwürdigkeit des Gewährsmannes. Der Biologe, der sich berufsmäßig mit den Geschöpfen in der freien Natur befaßt und sich am Schauplatz befindet, ist sicherlich am besten dazu befähigt, die Verluste an wilden Tieren festzustellen und richtig zu deuten. Der Entomologe, dessen besonderes Fachgebiet die Insekten sind, ist seiner Ausbildung nach nicht so geeignet dafür und aus psychologischen Gründen nicht bereit, nach unerwünschten Nebenwirkungen seines Bekämpfungsprogramms zu forschen. Doch gerade die Leute, die in den Regierungen der Staaten und des Bundes für die Bekämpfung verantwortlich sind, – und natürlich die Hersteller der Chemikalien, leugnen die Tatsachen, die von den Biologen gemeldet werden, hartnäckig ab und erklären, sie könnten wenig Beweise für eine Schädigung wildlebender Tiere entdecken. Wie die Priester und Leviten in der biblischen Geschichte ziehen sie es vor, auf der anderen Seite vorüberzugehen und nichts zu sehen. Selbst wenn wir Milde walten lassen und annehmen, daß sie leugnen, weil sie als Spezialisten kurzsichtig sind oder ihren Vorteil wahren wollen, bedeutet das noch nicht, daß wir sie als geeignete Gewährsleute anerkennen.

Wenn wir uns ein eigenes Urteil bilden wollen, sehen wir uns am besten einmal einige der größeren Bekämpfungsprogramme näher an und lassen uns von Beobachtern, die mit der Lebensweise wilder Geschöpfe vertraut und nicht für Chemikalien voreingenommen sind, erzählen, was sich als Folge eines Giftregens ereignete, der vom Himmel in die Welt der wildlebenden Tiere fiel.

Wird in einem Gebiet irgend etwas unternommen, das auch nur für ein einziges Jahr die wildlebenden Geschöpfe vernichtet, raubt man dem Bewohner der Vororte, der Freude an den Vögeln in seinem Garten hat, dem Vogelbeobachter, dem Jäger, dem Fischer oder dem Mann, der die Wildnis erforscht, ein Vergnügen, auf das er nach dem Gesetz ein Anrecht hat. Das ist ein durchaus begründeter Gesichtspunkt. Selbst wenn – wie es manchmal geschah – einige der Vögel, Säugetiere und Fische imstande sind, sich nach einmaligem Besprühen wieder anzusiedeln, wird echter und großer Schaden angerichtet.

Doch sehr wahrscheinlich kommt es nicht dazu, daß die Tiere wiederkehren. Meist wird wiederholt gespritzt, und daß die Populationen wildlebender Tiere nur einmal den chemischen Mitteln ausgesetzt werden, sich also vielleicht davon erholen können, ist eine Seltenheit.

Das übliche Ergebnis ist eine vergiftete Umwelt, eine Todesfalle, in der nicht nur die dauernd dort lebenden Populationen zugrunde gehen, sondern auch Tiere, die als Gäste kommen. Je größer das besprühte Gebiet ist, desto schwerer wird der Schaden, weil keine sicheren Oasen übrigbleiben. Nun ist ein Jahrzehnt verstrichen, das durch planmäßige Insektenvertilgung gekennzeichnet ist. Viele Tausende, ja Millionen Morgen Land sind einheitlich besprüht worden, es war ein Jahrzehnt, in dem auch Sprühmaßnahmen von Privatleuten und Gemeinden stetig an Umfang zugenommen haben und ein Höchstmaß an Zerstörung und an getöteten wildlebenden Geschöpfen Amerikas zu verzeichnen war. Wir wollen uns jetzt einige dieser Bekämpfungsprogramme betrachten und feststellen, was geschehen ist.

Im Jahre 1959 wurden im Laufe des Herbstes rund 110 Quadratkilometer im südöstlichen Michigan, einschließlich zahlreicher Vorstädte von Detroit, aus der Luft mit Aldrin, einem der gefährlichsten aller chlorierten Kohlenwasserstoffe, bestäubt. Das Vorhaben wurde vom Landwirtschaftsministerium von Michigan in Zusammenarbeit mit dem Landwirtschaftsministerium der Vereinigten Staaten geplant und geleitet; wie man bekanntgab, sollte damit der »Japanische Käfer« bekämpft werden.

Es ließ sich für diese drastische und gefährliche Maßnahme kaum ein dringender Grund erkennen. Im Gegenteil: Walter P. Nickell, einer der bekanntesten und bestinformierten Naturwissenschaftler Michigans, der seine Zeit größtenteils in der freien Natur verbringt und sich jeden Sommer lange im Süden dieses Staates aufhält, erklärte: »Wie ich mich selbst überzeugt habe, ist der ›Japanische Käfer‹ seit mehr als dreißig Jahren in der Stadt Detroit nur in geringer Zahl zu finden gewesen. Im Laufe all dieser Jahre war keinerlei nennenswerte Vermehrung zu erkennen. Ich habe noch keinen einzigen ›Japanischen Käfer‹ erblickt [das war im Jahre 1959], außer den paar Tieren, die sich in Detroit in den von der Regierung aufgestellten Fallen fingen . . . Alles wird so geheimgehalten, daß es mir noch nicht möglich war, irgendeine Auskunft darüber zu bekommen, ob sie wirklich an Zahl zugenommen haben.«

In einer amtlichen Bekanntmachung der staatlichen Behörde hieß es nur, daß der Käfer in den Gebieten, die zu einem Luftangriff auf ihn ausersehen worden waren, »aufgetreten sei«. Obwohl also kein berechtigter Grund dafür vorlag, begann man mit dem Vorhaben. Der Staat lieferte die Arbeitskräfte und beaufsichtigte das Unternehmen, die Bundesregierung sorgte für Geräte und weitere Hilfskräfte, während die Gemeinden das Insektizid bezahlten.

Der »Japanische Käfer« ist ein Insekt, das in die Vereinigten Staaten eingeschleppt wurde. Im Jahre 1916 entdeckte man ihn in New Jersey, wo in einer Pflanzenschule in der Nähe von Riverton ein paar glänzende Käfer von metallisch grüner Farbe gesichtet wurden. Man erkannte die Käfer zuerst nicht, aber schließlich bestimmte man sie als eine Art, die auf den Hauptinseln Japans häufig vorkommt. Offensichtlich waren sie auf Sämlingen eingedrungen, die man importiert hatte, ehe im Jahre 1912 über die Einfuhr eine Kontrolle verhängt wurde.

Von der Stelle aus, an der er eingeschleppt worden ist, hat sich der »Japanische Käfer« ziemlich weit über viele Staaten östlich des Mississippi verbreitet, wo die Temperaturbedingungen für ihn günstig waren. In den östlichen Gebieten, in denen sich die Käfer am längsten eingenistet hatten, waren Versuche unternommen worden, sie mit biologischen Methoden zu bekämpfen. Wo dies geschehen war, wurden die Populationen der Käfer verhältnismäßig niedrig gehalten, wie viele verbürgte Berichte bezeugen.

Obwohl nun nachgewiesen war, daß sich der Schädling in den Ostgebieten einigermaßen in Zaum halten ließ, sind die Staaten des Mittleren Westens, die am Rande des Verbreitungsgebiets des Käfers liegen, zu einem Angriff übergegangen, der sich gegen einen Todfeind des Menschen lohnt, aber nicht gegen ein Insekt, das nur mäßigen Schaden anrichtet. Man hat dabei die gefährlichsten chemischen Mittel in einer Weise verteilt, daß eine große Anzahl von Menschen, ihre Haustiere und alle Geschöpfe in der freien Natur dem Gift ausgesetzt wurden, das für den »Japanischen Käfer« bestimmt war. Als Ergebnis haben diese Maßnahmen die Tierwelt in erschütterndem Ausmaß zerstört und unleugbar menschliche Wesen in Gefahr gebracht. Auch Teile von Michigan, Kentucky, Iowa, Indiana, Illinois und Missouri müssen nun alle im Namen der Käferbekämpfung einen Regen von Chemikalien über sich ergehen lassen.

Die Maßnahme in Michigan war einer der ersten Großangriffe auf den »Japanischen Käfer« aus der Luft. Daß man gerade Aldrin, eines der tödlichsten chemischen Mittel, wählte, geschah nicht, weil es sich zur Bekämpfung des Käfers besonders gut eignete, sondern man wollte einfach Geld sparen, da Aldrin von den verfügbaren chemischen Mitteln am billigsten war. Obzwar der Staat in seiner amtlichen Mitteilung an die Presse zugab, daß Aldrin ein »Gift« sei, ließ man durchblicken, daß den Menschen in den dicht bevölkerten Gebieten, wo die Chemikalie angewandt wurde, kein Schaden daraus erwachsen könne. Die Antwort auf die Frage: »Welche Vorsichtsmaßnahmen soll ich ergreifen?« lautete: »Für Sie selbst keine.« – Der Ausspruch eines Beamten der Bundesbehörde für den Einsatz von Flugzeugen: »Dieses Unternehmen ist gefahrlos«, wurde später in der örtlichen Presse zitiert, und ein Vertreter der Verwaltungsstelle für Parks und Erholungsstätten von Detroit schloß sich mit der Versicherung an, daß »der Staub unschädlich für Menschen sei und Pflanzen oder Haustieren nichts zuleide tun werde«. Man muß annehmen, daß keiner dieser Beamten die Berichte zu Rate gezogen hat, die vom amtlichen Gesundheitsdienst der Vereinigten Staaten sowie von der Betreuungsstelle für Fische und Wildtiere veröffentlicht werden und leicht zugänglich sind, oder anderes Beweismaterial für die äußerst giftige Natur des Aldrin studiert hat.

In Michigan gibt es ein Gesetz über die Bekämpfung von Schädlingen, das dem Staate erlaubt, überall Spritz- und Stäubemittel anzuwenden, ohne die einzelnen Grundbesitzer zu verständigen oder ihre Erlaubnis einzuholen. Unter dem Schutze dieses Gesetzes begannen nun in geringer Höhe die Flugzeuge über das Gebiet von Detroit zu fliegen. Die Stadtverwaltung und die Bundesbehörde für den Einsatz von Flugzeugen wurden sogleich von Anrufen besorgter Bürger bestürmt. Nachdem die Polizei fast 800 Anrufe in einer einzigen Stunde erhalten hatte, bat sie Radio, Fernsehstationen und Zeitungen dringend, »den Zuschauern zu erklären, was vorgehe, und ihnen mitzuteilen, daß keine Gefahr bestehe«, wie die Detroiter Zeitung ›News‹ schrieb. Der Sicherheitsbeamte der Bundesbehörde beteuerte den Leuten öffentlich, daß »die Flugzeuge strikte Anweisungen erhalten« und »ermächtigt sind, niedrig zu fliegen«. In einem etwas mißglückten Versuch, die Befürchtungen zu zerstreuen, fügte er hinzu, die Flugzeuge besäßen Notventile, die ihnen gestatteten, ihre gesamte Ladung unverzüglich abzuwerfen. Glücklicherweise geschah das nicht, aber als die Flugzeuge sich ans Werk machten, fielen die Insektizid-Kügelchen gleicherweise auf Käfer wie Menschen, Schauer von »unschädlichem« Gift rieselten auf Leute herab, die Einkäufe machten oder an ihre Arbeit gingen, und auf Kinder, die zur Mittagszeit aus der Schule kamen. Hausfrauen fegten die Körnchen von Veranda und Gehsteig, wo sie wie Schnee ausgesehen haben sollen. Die Audubon-Gesellschaft von Michigan hat es später eindringlich geschildert: »In den Spalten zwischen den Dachschindeln, in den Dachtraufen, in den Rillen von Baumrinde und Zweigen hatten sich die kleinen weißen Kügelchen zu Millionen festgesetzt; sie waren nicht größer als Stecknadelköpfe und bestanden aus Aldrin und Tonerde . . . Als Schnee und Regen kamen, wurde jede Pfütze zu einem Gifttrank, der den Tod bringen konnte.«

Binnen weniger Tage nach der Stäubemaßnahme erhielt die Audubon-Gesellschaft von Detroit Anrufe, die von den Vögeln berichteten. Wie Mrs. Ann Boyes, die Sekretärin der Gesellschaft, erzählte, »war das erste Anzeichen dafür, daß sich die Leute wegen des Stäubens beunruhigten, ein Anruf, den ich am Sonntagmorgen von einer Frau erhielt. Sie meldete, daß sie auf dem Heimweg von der Kirche eine beängstigende Anzahl toter oder sterbender Vögel gesehen habe. Man hatte dort am Donnerstag vom Flugzeug aus gestäubt. In dem Gebiet flögen überhaupt keine Vögel mehr, sagte sie, und sie selbst hätte mindestens ein Dutzend verendete in ihrem Garten hinter dem Haus gefunden, während bei den Nachbarn tote Baumhörnchen lägen.« Alle weiteren Anrufe an jenem Tag berichteten: »Sehr viele tote und keine lebenden Vögel . . . Leute, die Futterhäuschen aufgestellt hatten, erklärten, es seien keine Vögel mehr um Futter gekommen.« Vögel, die man in sterbendem Zustand aufgelesen hatte, zeigten die typischen Symptome einer Insektizidvergiftung: Sie waren gelähmt, konnten nicht mehr fliegen, zitterten und wanden sich in Krämpfen.

Die Vögel waren nicht die einzigen unmittelbar betroffenen Lebewesen. Ein Tierarzt dieser Gegend berichtete, daß sich in seiner Sprechstunde Hunde- und Katzenbesitzer mit ihren plötzlich erkrankten Tieren drängten. Am meisten schienen Katzen zu leiden, die sich stets so sorgfältig das Fell putzen und die Pfoten lecken. Die Krankheit äußerte sich bei ihnen in schwerem Durchfall, Erbrechen und Krämpfen. Der Tierarzt konnte den Leuten lediglich raten, die Tiere nicht unnötig ins Freie zu lassen oder ihnen, falls sie draußen gewesen waren, sogleich die Pfoten zu waschen. (Aber die chlorierten Kohlenwasserstoffe lassen sich nicht einmal von Früchten oder Gemüse abwaschen, daher konnte man nicht erwarten, daß diese Maßnahme viel Schutz gewährte.)

Der Bevollmächtigte des Gesundheitsdienstes für die Stadt

und den Landkreis bestand zwar darauf, daß die Vögel durch »irgendeine andere Art Sprühmittel« getötet worden sein mußten und daß die plötzlich auftretenden Fälle von Halsentzündung und Bronchitis bei Menschen, die dem Aldrin ausgesetzt gewesen waren, »sicher auf etwas anderes« zurückzuführen seien; der Strom von Beschwerden beim örtlichen Gesundheitsamt riß nicht ab. Ein berühmter Internist in Detroit wurde binnen einer Stunde zu vier Patienten gerufen, die Aldrin abbekommen hatten, als sie den Flugzeugen bei der Arbeit zusahen. Alle hatten ähnliche Symptome: Übelkeit, Erbrechen, Schüttelfrost, Fieber, völlige Erschöpfung und Husten.

Die Erfahrungen, die man in Detroit gemacht hatte, wiederholten sich in vielen anderen Gemeinden, da man in steigendem Maße darauf drängte, den »Japanischen Käfer« mit chemischen Mitteln zu bekämpfen. Auf Blue Island in Illinois wurden Hunderte toter und sterbender Vögel aufgelesen. Als man Vögel beringte, hat man Daten gesammelt, die vermuten lassen, daß achtzig Prozent der Singvögel gemordet wurden. In Joliet in Illinois wurden im Jahre 1959 rund 12 Quadratkilometer mit Heptachlor behandelt. Nach den Berichten eines örtlichen Sportklubs war der Vogelbestand innerhalb des behandelten Gebiets nachher »praktisch ausgerottet«. Tote Kaninchen und Hasen, Bisamratten, Opossums und Fische wurden ebenfalls in Mengen gefunden, und an einer der dortigen Schulen wurden von einer naturwissenschaftlichen Arbeitsgemeinschaft die vergifteten Vögel gesammelt und gezählt.

Um des Ziels einer »käferlosen Welt« willen hat vielleicht kein Gemeinwesen mehr gelitten als Sheldon im östlichen Illinois und die angrenzenden Gebiete im Landkreis Iroquois. Im Jahre 1954 begannen das Landwirtschaftsministerium der Vereinigten Staaten und des Staates Illinois den »Japanischen Käfer« entlang der Linie, auf der er nach Illinois vorrückte, planmäßig auszurotten. Sie wiegten sich in der Hoffnung, ja in der Gewißheit, daß intensives Sprühen die Populationen des eindringenden Insekts vernichten werde. Noch im gleichen Jahr ging man ans Werk. Aus der Luft wurden 5,67 Quadratkilometer mit Dieldrin behandelt. Auf ähnliche Weise verfuhr man im Jahre 1955 mit weiteren 10 Quadratkilometern, und vermutlich hielt man damit die Aufgabe für erledigt. Doch ständig wurde weiterer Einsatz chemischer Mittel angefordert, der sich bis zum Ende des Jahres 1961 bereits auf 530 Quadratkilometer erstreckte. Schon in den ersten Jahren des Bekämpfungsprogramms zeigte sich, daß schwere Verluste unter wildlebenden Tieren und Haustieren auftraten. Trotzdem setzte man die Behandlung mit Chemikalien fort, ohne die Betreuungsstelle für Fische und Wildtiere der Vereinigten Staaten oder die Abteilung für Wildgehege um Rat zu fragen. (Im Frühling des Jahres 1960 erschienen jedoch Vertreter des Landwirtschaftsministeriums der Vereinigten Staaten vor einem Kongreßausschuß, um gegen ein Gesetz Einspruch zu erheben, das gerade eine solche vorherige Befragung forderte. Sie erklärten höflich, das Gesetz sei überflüssig, weil Zusammenarbeit und Beratung »üblich« seien. Diese Beamten waren außerstande, sich irgendeiner Gelegenheit zu entsinnen, bei der man nicht auf »höchster Ebene« in Washington zusammengearbeitet habe. Bei den gleichen Verhandlungen stellten sie aber eindeutig fest, daß sie keine Lust hätten, mit staatlichen Stellen für Fischerei und Jagdwesen zu beratschlagen.)

Für die chemische Schädlingsbekämpfung floß das Geld in einem nie endenden Strom; die Biologen dagegen, die im Amt für Naturkunde des Staates Illinois angestellt sind, um den Tier- und Pflanzenbestand zu überwachen, und nun versuchten, das Ausmaß des Schadens zu bestimmen, mußten ihre Arbeit fast ohne Geldmittel durchführen. Im Jahre 1954 stand die geringe Summe von 1100 Dollar für die Anstellung eines Assistenten für Freilandbeobachtungen zur Verfügung, und im Jahre 1955 waren überhaupt keine zusätzlichen Mittel dafür vorgesehen. Trotz dieser lähmenden Schwierigkeiten sammelten die Biologen ein Tatsachenmaterial, das zusammengenommen ein Bild beispielloser Vernichtung wildlebender Tiere ergab. Es war eine Vernichtung, die sich bereits offenbarte, als das Bekämpfungsprogramm eben angelaufen war.

Die Gifte, die man benützte, und die Geschehnisse, die dadurch ausgelöst wurden, schufen genau die richtigen Bedingungen, um insektenfressende Vögel zu vergiften. Bei den ersten Maßnahmen in Sheldon verwendete man Dieldrin im Verhältnis von 1,36 Kilo auf je 4047 Quadratmeter. Um zu begreifen, wie sich das auf die Vögel auswirkte, braucht man sich nur daran zu erinnern, daß bei Laboratoriumsversuchen mit Zahnwachteln wie den Kalifornischen Schopfwachteln Dieldrin sich als ungefähr fünfzigmal so giftig wie DDT erwiesen hat. Das Gift, das in der Gegend von Sheldon verbreitet wurde, entsprach daher rund 68 Kilo DDT auf je 4047 Quadratmeter.

Das war überdies nur eine Mindestmenge, da sich entlang von Feldrainen und in den Ecken die behandelten Flächen überschnitten haben dürften.

Als die Chemikalie in den Boden eindrang, krochen die vergifteten Käferlarven an die Erdoberfläche, wo sie einige Zeit liegenblieben, ehe sie verendeten und insektenfressende Vögel anlockten. Noch zwei Wochen nach der Behandlung fielen die verschiedenen Arten toter und sterbender Insekten auf. Die Wirkung auf die Populationen von Vögeln hätte man leicht voraussagen können. Braune Spottdrosseln, Stare, Lerchenstärlinge, Purpurgrackeln und Jagdfasane wurden im wesentlichen ausgerottet. Wanderdrosseln wurden nach dem Bericht der Biologen »nahezu vernichtet«. Nach einem milden Regen hatte man Unmengen toter Regenwürmer beobachtet; wahrscheinlich hatten die Wanderdrosseln die vergifteten Würmer aufgepickt. Auch für andere Vögel hatte sich der einst so wohltätige Regen dank der teuflischen Macht des Giftes, das man in ihre Welt hineintrug, in ein Vernichtungswerkzeug verwandelt.

Sah man wenige Tage nach dem Sprühen in Pfützen, die der Regen zurückgelassen hatte, Vögel trinken oder baden, waren sie unausweichlich dem Tod verfallen.

Die überlebenden Vögel dürften unfruchtbar geworden sein. Man hat zwar ein paar Nester gefunden, einige sogar mit Eiern darin, doch keines davon barg Junge.

Von den Säugetieren wurden die Baumhörnchen im wesentlichen ausgemerzt; man fand ihre Kadaver in einer Haltung, die für einen gewaltsamen Tod infolge einer Vergiftung kennzeichnend ist. In den behandelten Gegenden stieß man auf verendete Bisamratten, und auf den Feldern lagen tote Kaninchen und Hasen. Das Fuchshörnchen war ein verhältnismäßig häufiges Tier in der Stadt gewesen; nach dem Sprühen war es verschwunden.

Nachdem der Krieg gegen die Käfer begonnen hatte, gab es im Umkreis von Sheldon kaum eine Farm, die noch so glücklich war, eine Katze zu besitzen. 90 Prozent aller Katzen auf Farmen fielen während der ersten Zeit der Sprühmaßnahmen dem Dieldrin zum Opfer. Man hätte darauf gefaßt sein können, da sich das Gift an anderen Orten schon einen üblen Ruf erworben hatte. Katzen sind äußerst empfindlich gegen alle Insektizide und anscheinend besonders gegen Dieldrin. Im Westen von Java hatte die Weltgesundheitsorganisation ein Bekämpfungsprogramm gegen die Malaria durchgeführt, in dessen Verlauf, wie gemeldet wurde, viele Katzen eingingen. Im Innern von Java wurden so viele getötet, daß sich der Preis für eine Katze mehr als verdoppelte. In ähnlicher Weise sollen, laut Bericht, infolge von Sprühmaßnahmen der Weltgesundheitsorganisation in Venezuela Katzen zu seltenen Tieren geworden sein.

In Sheldon wurden bei dem Feldzug gegen eine einzige Insektenart nicht allein die wildlebenden Geschöpfe und die Hausgenossen geopfert. Wie man an einigen Herden von Schafen und Rindern beobachten konnte, drohte allen Anzeichen nach auch dem Vieh Vergiftung und Tod. Der Bericht des Amtes für Naturkunde beschreibt eine dieser Episoden wie folgt:

»Die Schafe ... wurden von einem Feld, das am 6. Mai mit einem Dieldrin-Spritzmittel behandelt worden war, über eine Kiesstraße auf eine kleine Weide mit Rispengras getrieben. Offensichtlich war von dem Mittel etwas über die Straße auf die Weide verweht, denn fast unmittelbar darauf traten bei den Schafen Anzeichen einer Vergiftung auf ... Sie wollten nicht mehr fressen und wurden sichtlich von äußerster Unrast ergriffen, sie wanderten immer wieder entlang des Zauns herum und suchten anscheinend nach einem Fluchtweg ... Sie ließen sich nicht treiben, blökten fast dauernd und blieben mit gesenktem Kopf stehen; schließlich brachte man sie von der Weide fort ... Sie suchten gierig nach Wasser. Zwei der Schafe wurden tot in dem Bach gefunden, der durch die Weide lief, und die übrigen wurden wiederholt aus dem Bach gejagt, einige davon mußten mit Gewalt aus dem Wasser gezerrt werden. Drei Tiere verendeten schließlich; die übrigen erholten sich allem äußeren Anschein nach wieder.«

Dies war also das Bild, das sich am Ende des Jahres 1955 bot. Obwohl der Kampf mit chemischen Mitteln in den folgenden Jahren fortgesetzt wurde, versiegten die spärlich fließenden Geldmittel für die Forschungsarbeiten völlig. Geld für die Untersuchung des Einflusses von Insektiziden auf wildlebende Tiere wurde zwar im alljährlichen Haushaltsplan vom Amt für Naturkunde beantragt und der gesetzgebenden Körperschaft von Illinois unterbreitet, doch stets gehörte dieser Posten zu den ersten, die wieder gestrichen wurden. Erst im Jahre 1960 fand man irgendwie das Geld, um die Ausgaben für einen Assistenten zu bezahlen, der Freilandbeobachtungen durchführen konnte. Er hatte überdies eine Arbeit zu leisten, mit der leicht vier Männer voll beschäftigt gewesen wären.

Als die Biologen die seit 1955 ruhenden Untersuchungen wieder aufnahmen, hatte sich das trostlose Bild der Verluste an wildlebenden Geschöpfen wenig verändert. Mittlerweile hatte man das chemische Mittel gewechselt und war zu dem noch giftigeren Aldrin übergegangen, das sich bei Testen an Zahnwachteln als *hundert- bis dreihundertmal* so giftig wie DDT erwiesen hatte. Bis 1960 hatte jede Art wildlebender Säugetiere, die man aus diesem Gebiet kennt, Verluste erlitten. Um die Vögel stand es sogar noch schlimmer. In dem kleinen Ort Donovan waren die Wanderdrosseln ausgerottet worden, ebenso die Purpurgrackeln, die Stare und die Braunen Spottdrosseln. An anderen Orten hatten sich diese und viele andere Vögel stark vermindert. Wer Jagdfasane jagte, bekam die Wirkungen des Feldzugs gegen die Käfer bitter zu spüren. Die Anzahl brütender Vögel auf den behandelten Ländereien sank um etwa 50 Prozent, und es schlüpften weniger Junge aus. Die Jagd auf Fasane, die in früheren Jahren in diesen Gebieten gut gewesen war, lohnte sich nicht mehr und wurde fast ganz eingestellt.

Obwohl unter dem Vorwand, den »Japanischen Käfer« auszumerzen, so ungeheure Verwüstungen angerichtet worden waren, scheint die Behandlung von mehr als 400 Quadratkilometern im Landkreis Iroquois über einen Zeitraum von acht Jahren das Auftreten des Insekts nur vorübergehend unterdrückt zu haben, denn es setzt seine Wanderung nach dem Westen fort. Das volle Ausmaß an Opfern, die dieses reichlich unwirksame Bekämpfungsprogramm als Tribut gefordert hat, wird vielleicht nie bekanntwerden. Denn die Zahlen, die von den Biologen in Illinois als Ergebnis ihrer Schätzungen angegeben werden, sind nur Mindestwerte. Wäre das Forschungsprogramm entsprechend finanziert worden, so daß man eine wirklich umfassende Arbeit hätte leisten können, hätte sich eine noch furchtbarere Zerstörung offenbart. Doch während der acht Jahre, die das Bekämpfungsprogramm dauerte, waren nur rund 6000 Dollar für Untersuchungen in der freien Natur vorgesehen. Inzwischen hatte jedoch die Bundesregierung rund 375000 Dollar für Bekämpfungsmaßnahmen ausgegeben, und weitere Tausende von Dollar hatte der Staat zugeschossen. Die Summe, die man für die Erforschung aufwandte, betrug also nur den winzigen Bruchteil von einem Prozent der Ausgaben für den Einsatz chemischer Mittel.

Diese Bekämpfungsprogramme im Mittleren Westen wurden in einem Geiste durchgeführt, als handle es sich um eine äußerst bedrohliche Lage und der Vormarsch des Käfers stelle eine so große Gefahr dar, daß jedes Mittel gerechtfertigt sei. Das ist natürlich eine Verdrehung der Tatsachen, und wenn die Gemeinden, die diesen Platzregen von Chemikalien über sich ergehen ließen, mit der Lebensgeschichte des »Japanischen Käfers« in den Vereinigten Staaten vertraut gewesen wären, hätten sie sich weniger geduldig gefügt.

Die östlichen Staaten hatten das Glück, der Invasion der Käfer in einer Zeit standhalten zu müssen, in der die synthetischen Insektizide noch nicht erfunden waren. Sie haben sich nicht nur gegen den Ansturm behauptet, sondern das Insekt mit Mitteln unter Kontrolle gebracht, die andere Lebensformen in keiner Weise bedrohten. Im Osten hat sich nichts abgespielt, was mit den Sprühmaßnahmen in Detroit und Sheldon vergleichbar wäre. Zu den wirksamen Methoden, deren man sich zur Bekämpfung bediente, gehörten Naturkräfte; sie haben den doppelten Vorteil, nachhaltig zu wirken und die Umwelt zu verschonen.

Nachdem der Käfer in die Vereinigten Staaten eingedrungen war, vermehrte er sich in den ersten zwölf Jahren schnell, denn hier fehlten die hemmenden Einflüsse, die ihn in seinem Heimatland in Schach gehalten hatten. Trotzdem war er bis 1945 in vielen Gegenden der Region, in der er sich ausgebreitet hatte, nur zu einem unbedeutenden Schädling geworden. Seine Zahl war vor allem deshalb wieder zurückgegangen, weil man aus dem Fernen Osten parasitische Insekten und Organismen einführte, die bei ihm tödliche Krankheiten hervorriefen. Zwischen 1920 und 1930 hatte man das gesamte Verbreitungsgebiet des Käfers in seiner Heimat eifrig nach seinen natürlichen Feinden durchforscht, aus dem Orient etwa vierunddreißig Arten räuberischer oder parasitischer Insekten importiert und sich bemüht, ihn mit ihrer Hilfe zu bekämpfen; fünf davon wurden in den östlichen Staaten gut heimisch. Am besten bewährt und am weitesten verbreitet hat sich eine parasitische Rollwespe aus Korea und China mit dem lateinischen Namen *Tiphia vernalis*. Wenn die weibliche Rollwespe eine Käferlarve im Boden findet, spritzt sie ihr eine lähmende Flüssigkeit ein und heftet ein einzelnes Ei an die Unterseite der Käferlarve. Die junge Wespe ernährt sich im Larvenstadium von der gelähmten Käferlarve und vernichtet sie. Im Laufe von rund 25 Jahren wurden in planmäßiger Zusammenarbeit von Staats- und Bundesbehörden Kolonien dieser Rollwespen in vierzehn östlichen Staaten angesiedelt. Die Rollwespe bürgerte sich weitgehend in diesem Gebiet ein. Von den Entomologen wird allgemein anerkannt, daß ihr eine wichtige Rolle bei der Bekämpfung des Käfers zukommt.

Eine vielleicht noch bedeutendere Rolle hat eine Krankheit gespielt, die vor allem Skarabaeiden befällt, eine Familie, der auch der »Japanische Käfer« angehört. Erreger dieser Krankheit ist ein hoch spezialisiertes Bakterium, das keine anderen Insekten angreift und unschädlich für Regenwürmer, warmblütige Tiere und Pflanzen ist. Die Sporen des Erregers kommen im Boden vor. Wenn sie von einer Käferlarve, die sich ihr Futter sucht, mitverzehrt werden, vermehren sie sich in so erstaunlichem Maße in deren Blut, daß die Larve abnormal weiße Farbe annimmt. Daher rührt auch der im Volksmund gebräuchliche Name »Milchkrankheit«.

Im Jahre 1933 entdeckte man diese Krankheit in New Jersey. Bis zum Jahre 1938 hatte sie in den Gebieten, die schon länger vom »Japanischen Käfer« befallen waren, bereits ziemlich stark überhandgenommen. Man begann daher im Jahr 1939 mit einem Bekämpfungsprogramm, das darauf abzielte, die Ausbreitung der Krankheit zu beschleunigen. Man hat dafür kein Verfahren entwickelt, um die Krankheitserreger auf einem künstlichen Nährboden zu züchten, sondern eine andere befriedigende Lösung gefunden: Infizierte Käferlarven werden zerrieben, getrocknet und mit Kreide vermischt. In der Standardmischung enthält ein Gramm Staub hundert Millionen Sporen. Zwischen den Jahren 1939 und 1953 wurden ungefähr 380 Quadratkilometer in vierzehn östlichen Staaten in einem Bekämpfungsprogramm behandelt, bei dem Bund und Staaten zusammenarbeiteten; auch andere Ländereien, die Eigentum des Bundes waren, wurden einbezogen, dazu kam noch ein ausgedehntes Gebiet, das Privatbesitz von Organisationen oder einzelnen Personen war. Im Jahre 1945 wütete die Milchkrankheit bereits unter den Käferpopulationen der Staaten Connecticut, New York, New Jersey, Delaware und Maryland. In einigen Testbezirken waren bis zu 94 Prozent der Käferlarven infiziert. Im Jahre 1953 wurde die planmäßige Verteilung der Sporen nicht mehr von den Regierungsbehörden durchgeführt, sondern ein Privatlaboratorium übernahm es, dieses Mittel herzustellen, und beliefert weiterhin einzelne Personen, Gartenklubs,

Genossenschaften und alle anderen Leute, die an der Bekämpfung des Käfers interessiert sind.

Die östlichen Gebiete, in denen man zu diesen Maßnahmen griff, genießen nun in hohem Maße einen natürlichen Schutz vor dem Käfer. Der Krankheitserreger bleibt jahrelang im Boden lebensfähig, und man kann im Grunde genommen sagen, daß er sich für alle Zeiten dort festgesetzt hat. Seine Wirksamkeit nimmt noch zu und die Natur sorgt dafür, daß er ständig weiter verbreitet wird.

Wenn diese eindrucksvollen, verbürgten Berichte aus dem Osten vorliegen, warum versuchte man es dann nicht mit den gleichen Verfahren in Illinois und anderen Staaten im Mittleren Westen, wo man den chemischen Krieg gegen die Käfer nun mit solcher Heftigkeit führt?

Man erzählt uns, die Impfung mit Sporen der Milchkrankheit sei »zu kostspielig« – obwohl das in den Jahren nach 1940 kein Mensch in den vierzehn östlichen Staaten festgestellt hat. Und mit welchen Rechenkunststücken kam man dazu, das Urteil »zu kostspielig« zu fällen? Sicherlich veranschlagt man dabei nicht die wahren Kosten der totalen Zerstörung, die von Bekämpfungsprogrammen wie den Sprühmaßnahmen in Sheldon angerichtet worden ist. Und man übersieht dabei auch, daß der Boden ja nur einmal mit den Sporen geimpft zu werden braucht; die ersten Kosten bleiben die einzigen.

Ferner wird vorgebracht, daß man die Milchkrankheit nicht am Rande des Verbreitungsgebietes des Käfers verwenden kann, weil sie sich nur dort einsetzen läßt, wo eine große Käferpopulation bereits im Boden vorhanden ist. Wie viele andere Behauptungen, mit denen man das Sprühen rechtfertigen will, muß auch diese angezweifelt werden. Das Bakterium, das die Milchkrankheit verursacht, kann, wie man festgestellt hat, noch mindestens vierzig andere Käferarten befallen, die alle zusammen ziemlich weit verbreitet sind und aller Wahrscheinlichkeit nach mithelfen würden, die Krankheit auch dort einzuschleppen, wo die Populationen des »Japanischen Käfers« klein sind oder sich noch nicht niedergelassen haben. Da die Sporen im Boden überdies sehr lange lebensfähig sind, kann man sie ihm selbst dann zuführen, wenn von den Käferlarven noch keine Spur zu entdecken ist, also in den Randgebieten, in die der Käfer aus der befallenen Region noch nicht eingewandert ist. Die Sporen wären dann schon bereit, die vorrückende Population zu empfangen.

Wer um jeden Preis unmittelbare Ergebnisse erzielen will, wird zweifellos auch weiterhin chemische Mittel gegen den Käfer verwenden. Das gleiche gilt für jene Leute, die den neuzeitlichen Bestrebungen huldigen, möglichst nichts Dauerhaftes zu schaffen, um den Umsatz zu heben. Denn chemische Schädlingsbekämpfung ist wie eine Schraube ohne Ende, sie muß häufig und unter hohen Kosten wiederholt werden.

Wer dagegen gewillt ist, ein oder zwei Jahre zu warten, bis sich der volle Erfolg einstellt, wird sich der Milchkrankheit bedienen. Er wird dafür mit nachhaltiger Wirkung belohnt werden, die sich im Laufe der Zeit nicht abschwächt, vielmehr zunimmt und den Käfer immer besser im Zaum hält.

In Peoria im Staate Illinois ist im Laboratorium des Landeswirtschaftsministeriums der Vereinigten Staaten ein umfassendes Forschungsprogramm im Gange. Man will einen Weg finden, die Erreger der Milchkrankheit auf künstlichen Nährböden zu züchten. Dadurch könnte man die Kosten weitgehend verringern und so die Anwendung der Bakterien im großen Maßstab fördern. Nach jahrelanger Arbeit hat man nun, wie berichtet wird, einen gewissen Erfolg erzielt. Wenn der »Durchbruch« endgültig gelungen ist, wird vielleicht unser Verhalten dem »Japanischen Käfer« gegenüber wiederum mehr von Vernunft und Weitsicht bestimmt werden. Denn bei manchen Bekämpfungsprogrammen im Mittleren Westen mutet die Maßlosigkeit, mit der man vorgegangen ist, wie ein Alptraum an, und sie war selbst dann nicht gerechtfertigt, als die von dem Käfer angerichtete Verwüstung ihren Höhepunkt erreicht hatte.

Vorfälle wie die Sprühmaßnahmen im Osten von Illinois werfen nicht nur eine wissenschaftliche, sondern auch eine moralische Frage auf. Es geht hier um die Frage, ob irgendein Kulturvolk einen erbarmungslosen Krieg gegen Lebewesen führen kann, ohne sich selbst zu vernichten und ohne das Recht zu verlieren, sich noch als Kulturvolk zu bezeichnen.

Diese Insektizide sind keine selektiven Gifte; sie wirken nicht ausschließlich auf eine Art, deren wir uns zu entledigen wünschen. Jedes der Mittel wird einfach deshalb verwendet, weil es ein tödliches Gift ist. Es vergiftet daher alles Leben, mit dem es in Berührung kommt: die geliebte Katze einer Familie, das Vieh des Farmers, das Kaninchen auf dem Feld und die Ohrenlerche am Himmel. Diese Geschöpfe haben dem Menschen nichts zuleide getan. Im Gegenteil, sie und ihre Gefährten machen ihm, allein durch ihr Dasein, das Leben liebenswerter. Doch er lohnt es ihnen mit dem Tod, der sie nicht nur jäh ereilt, sondern überdies noch grauenhaft ist. Wissenschaftliche Beobachter in Sheldon beschrieben die Erscheinungen bei einem sterbenden Lerchenstärling: »Obwohl die Muskeln nicht mehr koordiniert arbeiteten und der Vogel weder stehen noch fliegen konnte, schlug er noch immer mit den Flügeln und machte Greifbewegungen mit den Krallen, während er seitlich auf dem Boden lag. Er sperrte den Schnabel auf und atmete mühsam.« Vielleicht noch mitleiderregender war das stumme Zeugnis eines toten Erdhörnchens, das »noch im Tode eine charakteristische Haltung zeigte. Der Rücken war gekrümmt und die Vorderbeine, an denen die Krallen der Pfötchen sich fest zusammengekrampft hatten, waren eng an die Brust gezogen... Der Kopf und der Hals waren ausgestreckt, und oft enthielt das Mäulchen Erde, woraus man schließen konnte, daß das sterbende Tier sich in den Boden verbissen hatte«.

Wer ist unter uns, der nicht etwas von seiner Menschenwürde einbüßte, wenn er Taten zustimmt, die einem lebenden Geschöpf so großes Leid zufügen können?

8. Kapitel
Und keine Vögel singen

Wenn der Frühling naht, wird er nun in den Vereinigten Staaten in immer größeren Gebieten nicht mehr von seinen Vorboten, den zurückkehrenden Vögeln, angekündigt. Wo einst am frühen Morgen der herrliche Gesang der Vögel erschallte, ist es merkwürdig still geworden. Die gefiederten Sänger sind jäh verstummt, Schönheit, Farbe und der eigene Reiz, die sie unserer Welt verleihen, sind ausgelöscht; dies hat sich alles ganz schnell und heimtückisch ereignet, und wer in einer Gemeinde lebt, die noch nicht davon betroffen ist, hat nichts davon bemerkt.

Eine Hausfrau aus dem kleinen Ort Hinsdale in Illinois schrieb in ihrer Verzweiflung an Robert Cushman Murphy, den ehemaligen Kurator für Vögel am Amerikanischen Museum für Naturgeschichte und einen der führenden Ornithologen der Welt:

»Hier in unserem Dorf sind die Ulmen seit einigen Jahren gespritzt worden. [Sie schrieb den Brief 1958.] Als wir vor sechs Jahren hierherzogen, gab es eine Fülle von Vögeln. Ich stellte ein Futterhäuschen auf, und ständig strömten den ganzen Winter über Rote Kardinäle, Weidenmeisen, Flaumige Buntspechte und Kleiber herbei, und im Sommer brachten die Kardinäle und Weidenmeisen ihre Jungen.

Nachdem man einige Jahre mit DDT gespritzt hat, sind fast keine Wanderdrosseln und Stare mehr im Ort; Weidenmeisen sind seit zwei Jahren nicht mehr an meiner Futterstelle gewesen, und nun sind auch die Kardinäle verschwunden; die Vögel, die in der Nachbarschaft noch nisten, scheinen aus einem Taubenpaar und vielleicht einer Katzendrosselfamilie zu bestehen.

Es fällt schwer, den Kindern zu erklären, daß die Vögel ausgerottet worden sind, wenn sie in der Schule gelernt haben, daß ein Bundesgesetz die Vögel davor schützt, getötet oder gefangen zu werden. ›Werden sie jemals wiederkommen?‹ fragen sie, und ich habe keine Antwort darauf. Noch immer sterben die Ulmen ab, und auch die Vögel gehen ein. *Wird* irgend etwas dagegen unternommen? *Kann* etwas unternommen werden? Kann *ich* etwas unternehmen?«

Ein Jahr nachdem die Bundesregierung mit einem Masseneinsatz von Sprühmitteln den Kampf gegen die Feuerameise aufgenommen hatte, schrieb eine Frau aus Alabama: »Über ein halbes Jahrhundert ist unser Wohnort eine wahre Zufluchtsstätte für Vögel gewesen. Letzten Juli stellten wir alle fest: Es sind mehr Vögel hier denn je. In der zweiten Augustwoche verschwanden sie dann plötzlich alle. Ich war gewohnt, früh aufzustehen, um für meine Lieblingsstute zu sorgen, die ein junges Stutfohlen hatte. Nicht ein Laut vom Gesang eines Vogels war zu hören. Es war gespenstisch, geradezu beängstigend. Was hat der Mensch unserer vollkommenen und schönen Welt angetan? Fünf Monate später tauchten schließlich ein Blauhäher und ein Zaunkönig wieder auf.«

Die Herbstmonate, von denen diese Frau erzählte, brachten noch andere traurige Meldungen aus dem tiefen Süden. Die ›Field Notes‹, eine Zeitschrift, die vierteljährlich von der Nationalen Audubon-Gesellschaft und der Betreuungsstelle für Fische und Wildtiere in den Vereinigten Staaten herausgegeben wird, verzeichnete in Mississippi, Louisiana und Alabama als auffallende Erscheinung »leere Stellen, wo unheimlicherweise die *gesamte* Vogelwelt wie ausgestorben schien«. Die ›Field Notes‹ sind eine Sammlung von Berichten erprobter Beobachter. Jeder von ihnen hat viele Jahre in seinem bestimmten Gebiet in der freien Natur verbracht und weiß wie kein anderer Bescheid über das normale Vogelleben dieser Region. Wie ein solcher Beobachter meldete, sah er, als er in jenem Herbst mit dem Auto im Süden des Staates Mississippi umherfuhr, »auf lange Strecken überhaupt keine Landvögel«. Eine andere Beobachterin berichtete aus Baton Rouge, daß der Inhalt der Futterstellen »wochenlang« unberührt liegengeblieben war, während Sträucher, die in ihrem Vorgarten standen und sonst um diese Zeit kahlgefressen waren, noch immer ihre Beerenlast trugen. Wieder jemand anderer berichtete, daß man durch sein großes Fenster, das »oft eine ganze Szene umrahmte, in der das Rot von vierzig bis fünfzig Kardinälen Farbkleckse bildete und es von anderen Arten wimmelte, jetzt selten noch einige wenige Vögel gleichzeitig bewundern konnte«. Professor Maurice Brooks von der Universität von West-Virginia, ein maßgebender Kenner der Vögel der Appalachen-Region, teilte mit, daß der Vogelbestand von West-Virginia einen »unglaublichen Schwund« erlitten hat.

Eine Geschichte möge als tragisches Symbol für das Schicksal der Vögel dienen – für ein Schicksal, das manche Arten bereits ereilt hat und allen droht. Es ist die Geschichte der Wanderdrossel, eines Vogels, den jeder kennt. Für Millionen Amerikaner bedeutet die erste Wanderdrossel im Frühling, daß nun die Herrschaft des Winters gebrochen ist. Die Ankunft des Vogels ist ein Ereignis, das in den Zeitungen gemeldet und am Frühstückstisch eifrig besprochen wird. Wenn die Zahl der Zugvögel wächst und die ersten Schleier des Grüns im Waldland erscheinen, lauschen Tausende von Menschen bei Anbruch der Dämmerung dem Chor der Wanderdrosseln, die im Licht des Frühmorgens in schwellenden Tönen flöten. Aber jetzt hat sich alles geändert und es ist nicht einmal mehr selbstverständlich, daß die Vögel überhaupt wiederkommen.

Ob die Wanderdrossel und ob auch viele andere Arten am Leben bleiben, scheint auf verhängnisvolle Weise vom Schicksal der Amerikanischen Ulme abhängig zu sein, einem Baum, der in der Geschichte tausender Orte vom Atlantik bis zu den Rocky Mountains eine Rolle spielt. Er ziert ihre Straßen, Dorfplätze und Schulgebäude mit majestätischen Bogengängen aus grünem Laub. Jetzt sind die Ulmen von einer Krankheit befallen, die sie in ihrem gesamten Verbreitungsgebiet heimsucht, von einer Krankheit, die so schwer ist, daß viele Fachleute glauben, alle Anstrengungen, die Ulmen zu retten, seien letzten Endes umsonst. Es wäre tragisch, die Ulmen zu verlieren, aber doppelt tragisch wäre es, wenn wir in dem vergeblichen Bemühen, sie zu erhalten, riesige Teile unserer Vogelpopulationen in das Dunkel eines endgültigen Untergangs trieben. Doch genau das droht zu geschehen.

Das sogenannte »Ulmensterben« kam um das Jahr 1930 aus Europa in die Vereinigten Staaten. Es ist eine Pilzkrankheit und sie wird nach dem Pilz *(Graphium ulmi)*, der sie verursacht, auch Ulmen-Grafiose genannt. Dieser Pilz wurde mit Ulmenklötzen, die man für die Furnierholzindustrie eingeführt hatte, nach Amerika gebracht.

Ursprünglich war er eine Moderpflanze, wurde aber plötzlich in Holland zum Schmarotzer an Ulmen, und man nennt diese Krankheit in Amerika daher »holländische Ulmenkrankheit«. Der Pilz dringt in die Gefäße des Baums, die das Wasser leiten, ein und verbreitet sich durch Sporen, die von der Saftströmung weiterbefördert werden. Der Pilz scheidet Giftstoffe aus, er verstopft aber auch rein mechanisch die Gefäße; infolgedessen welken die Zweige und der Baum stirbt ab. Von den kranken auf die gesunden Bäume wird die Krankheit von

Ulmensplintkäfern übertragen. Dies geschieht in Amerika vor allem durch den Kleinen Ulmensplintkäfer, der schon früher aus Europa eingeschleppt worden ist, während der dort heimische Dunkle Ulmensplintkäfer nur eine geringe Rolle spielt. Die Gänge, die diese Insekten unter der Rinde abgestorbener Bäume ausgehöhlt haben, werden mit Sporen des eindringenden Pilzes verseucht, die Sporen wiederum bleiben am Körper des Käfers haften und werden von ihm überall mitgeschleppt, wohin er fliegt. Als man sich bemühte, die Pilzkrankheit zu bekämpfen, trachtete man meist, das Insekt anzugreifen, das sie übertrug. In einer Gemeinde nach der anderen, besonders in den an Amerikanischen Ulmen reichen Gebieten, im Mittleren Westen und in New England, ist intensives Sprühen zu einem festen Brauch geworden.

Was diese Spritzmaßnahmen für die Vogelwelt und vor allem für die Wanderdrossel bedeuten können, wurde zum ersten Mal durch die Arbeit von Professor George Wallace und John Mehner, einem seiner Doktoranden – beide Ornithologen an der Staatsuniversität von Michigan – eindeutig festgestellt. Als Mr. Mehner im Jahre 1954 seine Doktorarbeit vorbereitete, wählte er dafür eine Forschungsaufgabe, bei der es um die Populationen der Wanderdrossel ging. Dies geschah rein zufällig, denn damals argwöhnte noch niemand, daß die Wanderdrosseln in Gefahr schwebten. Doch schon als er die Arbeit in Angriff nahm, traten Ereignisse ein, die ihr eine ganz andere Richtung geben und den Forscher tatsächlich seines Materials berauben sollten.

Man begann im Jahre 1954 in kleinem Maßstab auf dem Gelände der Universität mit dem Sprühen gegen das Ulmensterben. Im folgenden Jahr beteiligte sich die Stadt East-Lansing – wo die Universität steht –, und die Sprühmaßnahmen auf dem Hochschulgelände wurden ausgedehnt. Gleichzeitig waren auch örtliche Bekämpfungsprogramme gegen den Schwammspinner und die Moskitos im Gange, so daß der Niederschlag von Chemikalien zu einem Platzregen anschwoll.

Während des Jahres 1954, in dem man das erste Mal leicht gespritzt hatte, schien alles in Ordnung. Im folgenden Frühling trafen die zurückkehrenden Wanderdrosseln, die Zugvögel sind, wie gewöhnlich auf dem Universitätsgelände ein. Sie erwarteten nichts Böses, als sie die ihnen vertrauten Gebiete wieder aufsuchten. Doch bald zeigte sich deutlich, daß irgend etwas nicht stimmte. Auf dem Universitätsgelände tauchten tote und sterbende Wanderdrosseln auf. Man erblickte nur wenige Vögel, die sich wie sonst geschäftig ihr Futter suchten oder sich an den gewohnten Schlafplätzen versammelten. Nur wenige Nester wurden gebaut und wenige Junge erschienen. Mit eintöniger Regelmäßigkeit wiederholte sich dieses Bild im Frühling der folgenden Jahre. Der gespritzte Bezirk war zu einer Todesfalle geworden, in der jede Welle dieser Zugvögel binnen einer Woche ausgerottet war. Dann kamen neue Wanderdrosseln an, nur um die Scharen der zum Tode verurteilten Vögel zu mehren, die man auf dem Universitätsgelände in qualvollen Zuckungen beobachten konnte, ehe sie verendeten.

»Für die meisten Wanderdrosseln, die sich im Frühling hier niederzulassen versuchen, wird das Gelände der Hochschule zum Friedhof«, sagte Dr. Wallace. Aber warum? Zuerst hegte er den Verdacht, es handle sich um eine Erkrankung des Nervensystems; doch bald stellte sich heraus, daß »trotz der beruhigenden Versicherungen der Insektizid-Anhänger, ihre Sprühmittel ›seien für die Vögel unschädlich‹, die Wanderdrosseln in Wirklichkeit infolge einer Insektizidvergiftung eingingen; sie zeigten die wohlbekannten Symptome, wie Verlust des Gleichgewichtes, gefolgt von Tremor, krampfhaften Zukkungen und Tod«.

Verschiedene Tatsachen legten den Gedanken nahe, daß die Wanderdrosseln nicht so sehr durch unmittelbare Berührung mit den Insektiziden wie mittelbar durch die Regenwürmer, die sie fraßen, vergiftet wurden. Regenwürmer aus dem Hochschulgelände hatte man bei einer Forschungsarbeit versehentlich an Flußkrebse verfüttert, und prompt waren die gesamten Krebse verendet. Eine Schlange, die man im Laboratorium in einem Käfig hielt, wurde von heftigem Zittern erfaßt, nachdem man ihr solche Würmer zu fressen gegeben hatte. Regenwürmer bilden aber im Frühling die Hauptnahrung der Wanderdrosseln.

Das Rätsel zu lösen, warum dieser Vogel dem Untergang geweiht schien, kam einem Puzzle-Spiel gleich, doch bald sollte ein wesentliches Ergänzungsstück dafür von Dr. Roy Barker vom Amt für Naturkunde in Urbana im Staate Illinois geliefert werden. Dr. Barkers Arbeit, die 1958 veröffentlicht wurde, spürte dem verwickelten Ablauf der Ereignisse nach, durch die das Schicksal der Wanderdrosseln auf dem Umweg über die Regenwürmer mit den Ulmen verknüpft ist. Die Bäume werden im Frühling gesprüht, meist im Verhältnis von 0,9–1,36 Kilo DDT auf jeden Baum von 15 Metern Höhe; das ist eine Menge, die an Orten, wo die Ulmen zahlreich sind, bis zu rund *10 Kilogramm auf je 4047 Quadratmeter* ansteigen kann. Oft wiederholt man das Sprühen im Juli mit ungefähr der halben Konzentration. Mächtige Spritzgeräte richten einen Giftstrahl auf alle Teile der höchsten Bäume, sie töten nicht nur den Ulmensplintkäfer, der die Zielscheibe ist, sondern auch andere Insekten, darunter Arten, die der Bestäubung dienen, räuberische Spinnen und Käfer. Das Gift bildet auf Blättern und Borke einen zäh haftenden Film, den der Regen nicht abzuwaschen vermag. Im Herbst fallen die Blätter zu Boden, häufen sich zu durchnäßten Schichten an und beginnen so langsam wieder mit der Erde eins zu werden. Dabei hilft ihnen die mühevolle Arbeit der Regenwürmer, die sich im Laubabfall ihre Nahrung suchen, denn Ulmenblätter gehören zu ihrem Lieblingsfutter. Wenn die Würmer die Blätter verzehren, verschlingen sie auch das Insektizid, sie sammeln und konzentrieren es in ihrem Körper. Dr. Barker fand im ganzen Verdauungstrakt, im Blut, in den Gefäßen und in der Körperwand der Würmer eingelagertes DDT. Zweifellos erliegen auch manche der Regenwürmer selbst dem Gift, doch andere bleiben am Leben und werden zu »biologischen Verstärkern«. Im Frühling kehren die Wanderdrosseln wieder und bilden ein weiteres Glied in dem Kreislauf. Schon die geringe Anzahl von elf Regenwürmern kann auf eine Wanderdrossel eine tödliche Dosis DDT übertragen. Elf Würmer sind aber nur ein kleiner Teil der Tagesration eines Vogels, der in ebensovielen Minuten zehn bis zwölf Regenwürmer verspeist.

Nicht alle Wanderdrosseln erhalten eine tödliche Dosis, doch ebenso sicher wie tödliche Vergiftung kann eine andere Wirkung von DDT zur Ausrottung dieser Vogelart führen. Untersucht man die Vögel, taucht wie ein Schatten immer wieder die Unfruchtbarkeit auf; dieser drohende Schatten breitet sich in der Tat immer weiter aus und erstreckt sich auf alle Lebewesen innerhalb seines Wirkungsbereichs. Auf dem ganzen, rund 750000 Quadratmeter großen Gelände der Staatlichen Universität von Michigan findet man jetzt nur mehr ein bis drei Dutzend Wanderdrosseln in jedem Frühling, gegenüber der maßvoll geschätzten Zahl von 370 erwachsenen Vögeln, die in diesem Gebiet vor dem Sprühen vorhanden waren. Im Jahre 1954 gingen aus jedem Wanderdrosselnest, das von Mehner beobachtet wurde, Jungvögel hervor. Während man vor Beginn des Sprühens mindestens 370 Jungvögel als normalen Nachwuchs der Population erwachsener Vögel hätte erwarten dürfen, konnte Mehner Ende Juni im Jahre 1957 nur *eine einzige junge Wanderdrossel* entdecken. Ein Jahr später sollte Dr. Wallace berichten: »Zu keinem Zeitpunkt im Frühling oder Sommer (des Jahres 1958) erblickte ich irgendwo auf dem Hochschulgelände eine eben flügge gewordene Wanderdrossel, und es ist mir bis jetzt nicht gelungen, einen Menschen ausfindig zu machen, der eine gesehen hätte.«

Zum Teil rührt dieser mangelnde Nachwuchs natürlich daher, daß von einem Pärchen Wanderdrosseln eine oder beide zugrunde gehen, ehe die Brutzeit beendet ist. Doch Wallace besitzt wichtiges Tatsachenmaterial, das auf etwas weit Schlimmeres hinweist – auf die verlorengegangene Fortpflanzungsfähigkeit der Vögel. Wallace hat zum Beispiel »Berichte von Wanderdrosseln und anderen Vögeln, die Nester bauen, aber keine Eier legen, oder von anderen, die zwar Eier legen und sie ausbrüten, ohne daß aber Junge ausschlüpfen. Von einer Wanderdrossel wird berichtet, daß sie getreulich einundzwanzig Tage lang auf ihren Eiern saß, aus denen jedoch keine Jungen hervorgingen. Normalerweise dauert das Ausbrüten dreizehn Tage... Unsere Analysen weisen in den Hoden und Eierstökken der brütenden Vögel hohe Konzentrationen von DDT nach«, erklärte Wallace im Jahre 1960 einem Kongreßausschuß. »Zehn Männchen hatten in den Hoden Mengen von 30 bis zu 109 Teilen pro Million, und zwei Weibchen wiesen in den Eizellen, den sogenannten Follikeln der Eierstöcke, 151 beziehungsweise 211 Teile pro Million auf.«

Bald führten Untersuchungen in anderen Gebieten zu ebenso betrüblichen Entdeckungen. Professor Joseph Hickey und seine Studenten an der Universität von Wisconsin berichteten nach sorgfältigen vergleichenden Studien in besprühten und nicht besprühten Gegenden, daß die Sterblichkeit der Wanderdrosseln mindestens 86–88 Prozent betrug. Im Jahre 1956 bemühte sich das Cranbrook-Institut für Naturwissenschaften in Bloomfield Hills in Michigan, abzuschätzen, wieviel Vögel infolge des Sprühens der Ulmen zugrunde gegangen waren und bat, man möge alle Vögel, die man für Opfer einer DDT-Vergiftung hielt, dem Institut zur Untersuchung übergeben. Der Erfolg der Bitte überstieg alle Erwartungen. Binnen weniger Wochen waren die Tiefkühlanlagen des Instituts voll ausgelastet, so daß weitere Exemplare nicht mehr eingelagert werden konnten. Bis 1959 waren aus dieser einzigen Gemeinde rund tausend vergiftete Vögel eingeliefert oder gemeldet worden. Das Hauptopfer war zwar die Wanderdrossel – eine Frau, die das Institut anrief, berichtete, daß im Augenblick ihres Telefongesprächs zwölf tote Wanderdrosseln auf ihrem Rasen lägen –, aber unter den Vögeln, die vom Institut untersucht wurden, befanden sich noch dreiundsechzig verschiedene andere Arten.

Die Wanderdrosseln sind also nur ein Glied in der Kette der Verwüstung, die von dem Sprühen der Ulme ausgelöst wurde, genau wie der Kampf gegen das Ulmensterben nur eines der zahlreichen planmäßigen Sprühvorhaben ist, die unser Land mit Giften verseuchen. Zu den neunzig Vogelarten, unter denen eine hohe Sterblichkeit zu verzeichnen ist, gehören auch jene, die den Bewohnern der Vorstädte und naturkundigen Laien am vertrautesten sind. In mancher der Städte, in denen man gespritzt hat, ist der Bestand an nistenden Vögeln sogar um 90 Prozent zurückgegangen. Wie wir sehen werden, sind Vögel mit ganz verschiedener Lebensweise betroffen, ob sie nun ihr Futter auf dem Boden, in den Kronen oder in der Borke der Bäume suchen oder Räuber sind.

Es ist nur logisch, anzunehmen, daß allen Vögeln und Säugetieren, die weitgehend auf Regenwürmer oder sonstige Bodenorganismen als Nahrung angewiesen sind, das gleiche Schicksal droht wie der Wanderdrossel. Etwa fünfundvierzig Vogelarten fressen unter anderem auch Regenwürmer. Zu ihnen zählt die Amerikanische Waldschnepfe, eine Art, die in südlichen Gebieten überwintert, wo man in jüngster Zeit stark mit Heptachlor gespritzt hat. An ihr hat man nun zwei bedeutsame Entdeckungen gemacht: In den Brutgegenden von New Brunswick hat sich die Zahl der Jungvögel eindeutig vermindert, und erwachsene Vögel, die man untersucht hat, enthielten starke Rückstände von Heptachlor und DDT.

Es liegen bereits beunruhigende Meldungen über hohe Sterblichkeit unter mehr als zwanzig Arten von Vögeln vor, deren Nahrung aus Würmern, Ameisen, Larven oder anderen Bodenorganismen besteht und vergiftet worden ist. Unter diesen Formen befinden sich auch drei Drosseln, deren Gesang zu den köstlichsten Vogelstimmen zählt: die Zwergdrossel, die Walddrossel und die Einsiedlerdrossel. Auch die Ammerfinken, die durch das Strauchdickicht im »Untergeschoß« der Waldungen huschen und raschelnd inmitten des abgefallenen Laubs nach Futter suchen, wie die Singammer und den Weißkehlammerfink, hat man unter den Opfern des Ulmensprühens gefunden.

Ebenso können Säugetiere, unmittelbar oder mittelbar, in den Kreislauf hineingeraten. Regenwürmer bilden einen wichtigen Bestandteil des abwechslungsreichen Futters der Waschbären und werden im Frühling und im Herbst von Opossums gefressen. Tiere, die unterirdische Gänge graben, wie Spitzmäuse und Maulwürfe, fangen sie in beträchtlichen Mengen und geben dann das Gift vielleicht an Räuber wie Schreieulen und Schleiereulen weiter. Etliche sterbende Schreieulen hat man in Wisconsin nach einem heftigen Frühlingsregen aufgegriffen, vielleicht hatten sie Regenwürmer verzehrt und sich damit vergiftet. Man war auf Greife, Falken und Eulen gestoßen, die von krampfartigen Zuckungen befallen waren – unter anderem auf Virginische Uhus, Schreieulen, Rotbugbussarde, Heuschrekkenfalken und Kornweihen. Dies könnten Fälle einer Vergiftung »aus zweiter Hand« gewesen sein, verursacht durch andere Vögel oder Mäuse, die von den Raubvögeln gefressen worden waren und in ihrer Leber oder in anderen Organen Insektizide gespeichert hatten.

Nicht allein die Geschöpfe, die sich ihr Futter auf dem Boden suchen, oder die Räuber, die Jagd auf sie machen, werden gefährdet, wenn man das Ulmenlaub spritzt. Auch alle Vögel, die sich in den Baumkronen ihre Nahrung suchen und Insekten von den Blättern picken, sind aus stark besprühten Gebieten verschwunden, unter ihnen die Kobolde der Waldungen, die Goldhähnchen wie das Rotkrönchen und das Goldkrönchen, die winzigen Mückenschnäpper und viele der Waldsänger, die Zugvögel sind und im Frühling in Scharen gleich einer lebenden bunten Flut durch die Baumwipfel ziehen. Im Jahre 1956 verzögerten sich infolge eines späten Frühlings die Sprühmaßnahmen, so daß sie mit der Ankunft einer ungewöhnlich starken Welle des Zugs der Waldsänger zusammenfielen. Unter den vielen Opfern, die dadurch getötet wurden, waren fast alle Waldsängerarten vertreten. In der White Fish Bay im Staate Wisconsin konnte man in früheren Jahren mindestens tausend Myrtenwaldsänger auf ihrer Wanderung sehen; im Jahre 1958 konnten Beobachter nach dem Spritzen der Ulmen nur mehr zwei dieser Vögel finden. Rechnet man noch die Angaben aus anderen Gemeinden dazu, so wächst die Liste erheblich, und zu den Waldsängern, die durch das Sprühen getötet werden, gehören gerade die reizendsten Vertreter, die alle, die sie kennen, bezaubern wie der Schwarzweiße, der Sommer-, der Magnolien- und der Cape-May-Waldsänger; ferner der Goldkopfwaldsänger, dessen Ruf zur Maienzeit in den Wäldern erschallt, der Gelbbraune Waldsänger, dessen Flügel feuerfarben getönt sind, der Gelbstirnwaldsänger, der Kanadische und der Grüne Waldsänger. Diese Vögel, die ihre Nahrung auf den Bäumen finden, sind alle entweder unmittelbar geschädigt, weil sie vergiftete Insekten verzehren, oder indirekt, weil das Futter knapp wird.

Die fehlende Nahrung ist auch ein schwerer Schlag für die Schwalben, die am Himmel kreuzen und die Insekten aus der Luft »sieben« wie der Hering das Plankton aus dem Meer. Ein Naturforscher aus Wisconsin berichtete: »Die Schwalben hat es hart getroffen. Jedermann beklagt sich, wie wenige man jetzt sieht, verglichen mit der Zeit vor vier bis fünf Jahren. Noch vor vier Jahren war der Himmel über uns voll von ihnen. Jetzt sehen wir selten welche... Beides könnte schuld daran sein: Mangel an Insekten wegen des Sprühens oder vergiftete Insekten.«

Über andere Vögel schrieb der gleiche Beobachter: »Auch der Östliche Schnäppertyrann ist ein weiterer bemerkenswerter Verlust für uns. Die Tyrannen, die sich Fliegen und dergleichen aus der Luft holen, sind überall selten, aber auch den verbreiteten und wetterfesten Östlichen Schnäppertyrannen, der so früh eintrifft, gibt es nicht mehr. Nur einen einzigen habe ich in diesem und im letzten Frühling erblickt. Von anderen Vogelkennern in Wisconsin hört man die gleichen Klagen. Ich habe früher fünf bis sechs Pärchen Roter Kardinäle gehabt, jetzt ist keines mehr da. Jedes Jahr haben Zaunkönige, Wanderdrosseln, Katzendrosseln und Schreieulen in unserem Garten genistet. Jetzt ist nichts von ihnen zu sehen. Die Sommermorgen sind ohne Vogelsang. Nur Vögel, die eine Landplage sind, wie Tauben, Stare und Haussperlinge, bleiben übrig. Es ist tragisch und unerträglich.«

Die Spritzmittel, mit denen die Ulmen im Herbst behandelt werden, ruhen auf den Bäumen und lassen das Gift in jede kleine Spalte in der Rinde sickern. Wahrscheinlich sind sie dafür verantwortlich, daß sich, wie man beobachtete, die Anzahl der Weidenmeisen, Kleiber, Meisen, Spechte und Waldbaumläufer stark verringert hat. In den Jahren 1957 und 1958 sah Dr. Wallace im Laufe des Winters zum ersten Mal seit vielen

Jahren keine Weidenmeisen oder Kleiber mehr an den Futterstellen vor seinem Haus. Drei Kleiber, die er später fand, sorgten für einen traurigen Anschauungsunterricht, der Schritt für Schritt Ursache und Wirkung zeigte: Ein Kleiber suchte gerade auf einer Ulme nach Futter, der zweite war mit Symptomen, die für DDT typisch sind, am Verenden und der dritte war bereits tot. Wie man später feststellte, hatte der verendende Kleiber 226 Teile pro Million DDT in seinen Geweben.

Die Freßgewohnheiten all dieser Vögel machen sie nicht nur besonders anfällig für Spritzmittel gegen Insekten, sondern es ist auch aus wirtschaftlichen und weniger leicht erkennbaren Gründen bedauerlich, wenn wir so nützliche Tiere verlieren. So gehören zum Beispiel zum Sommerfutter des Karolinakleibers und des Waldbaumläufers die Eier, Larven und erwachsenen Formen von Insekten, die für Bäume schädlich sind. Ungefähr drei Viertel der Nahrung von Weidenmeisen bestehen aus Kleintieren, einschließlich sämtlicher Entwicklungsstadien vieler Insekten. Wie sich die Weidenmeise ihr Futter verschafft, wird in Bents hervorragenden ›Life Histories‹ nordamerikanischer Vögel beschrieben: »Während der Schwarm weiterzieht, untersucht jeder Vogel peinlich genau Borke, Äste und Zweiglein und fahndet nach winzigen Happen zum Fressen – nach Spinneneiern, Kokons oder anderen Ruhestadien der Insekten.«

Durch zahlreiche wissenschaftliche Untersuchungen hat man festgestellt, daß verschiedentlich Vögel bei der Bekämpfung von Insekten eine Rolle spielen. So sind Spechte die Hauptfeinde des Borkenkäfers, der die Engelmannfichten befällt, sie vermindern dessen Populationen um 45–98 Prozent und sind in Obstgärten mit Apfelbäumen wichtig für die Bekämpfung des Apfelwicklers. Weidenmeisen und andere Vögel, die sich im Winter in den Vereinigten Staaten aufhalten, können Obstgärten auch gegen Raupen von Spannerarten schützen.

Doch was in der Natur geschieht, darf nicht in der modernen, mit Chemikalien durchtränkten Welt geschehen, wo Spritzen und Stäuben nicht nur die Insekten, sondern deren Hauptfeinde – die Vögel – vernichtet. Wenn später die Insektenpopulation wiederauflebt, wie es fast stets der Fall ist, sind keine Vögel mehr da, um ihre Scharen in Schach zu halten. Wie Owen J. Gromme, Kurator für Vögel am Staatlichen Museum von Milwaukee, an die Zeitung ›Milwaukee Journal‹ schrieb: »Der größte Feind der Insektenwelt sind andere räuberische Insekten, Vögel und einige kleine Säugetiere, doch DDT tötet sie ohne Unterschied und trifft auch die eigenen ›Schutztruppen‹, die ›Polizei‹ der Natur... Sollen wir im Namen des Fortschritts Opfer unserer eigenen teuflischen Mittel zur Insektenbekämpfung werden? Sie bringen uns vorübergehend Erleichterung, doch nur um den Preis, daß später keine Insekten mehr vertilgt werden. Wenn die Vögel, die Schutztruppen der Natur, durch Gift ausgerottet worden sind, mit welchen Mitteln werden wir dann neue Schädlinge bekämpfen, die unsere übrigen Baumarten angreifen könnten, nachdem die Ulmen verschwunden sind?«

Mr. Gromme berichtete, daß nach dem Beginn des Sprühens in Wisconsin Anrufe und Briefe sich im Laufe der Jahre stetig mehrten. Erkundigte man sich näher, stellte sich immer heraus, daß Gebiete, wo die Vögel verendeten, gesprüht oder eingenebelt worden waren.

In den meisten Forschungsinstituten im Mittleren Westen, wie im Cranbrook Institut in Michigan, im Amt für Naturkunde in Illinois und in der Universität von Wisconsin, machten Ornithologen und Vertreter des Naturschutzes die gleichen Erfahrungen wie Mr. Gromme. Ein Blick auf die Spalte für Leserbriefe in den Zeitungen fast aller Orte, wo man gerade sprühte, zeigte deutlich, daß die Bürger nicht nur erregt und aufgebracht waren, sondern oft die Gefahren und den Widersinn der Sprühmaßnahmen schärfer erfaßten als die Behörden, die sie anordneten. »Ich fürchte mich vor der nicht mehr fernen Zeit, da bei uns in den Gärten viele schöne Vögel sterben werden«, schrieb eine Frau aus Milwaukee. »Das ist ein jammervolles, herzzerreißendes Erlebnis... Überdies ist es ein vergebliches Beginnen, das mich erbittert, denn dieses Morden erfüllt offensichtlich nicht den Zweck, für den es gedacht ist... Wenn man die Sache genauer betrachtet, fragt man sich: Lassen sich Bäume retten, ohne daß man zugleich die Vögel rettet? Sind sie im Haushalt der Natur nicht aufeinander angewiesen? Ist es nicht möglich, das Gleichgewicht in der Natur zu fördern, ohne alles zu zerstören?«

In einem anderen Brief wird der Gedanke ausgesprochen, daß die schattenspendenden Ulmen, so majestätisch sie sind, nicht als »heilige Kühe« angesehen werden dürften und keineswegs einen nie endenden Zerstörungsfeldzug gegen alle anderen Formen des Lebens rechtfertigten. »Ich habe stets unsere Ulmen geliebt, die mir als Wahrzeichen unserer Landschaft erschienen«, schrieb eine andere Frau aus Wisconsin. »Doch gibt es viele Arten von Bäumen... Wir müssen unbedingt auch unsere Vögel retten. Kann sich jemand etwas so Freudloses und Ödes vorstellen wie einen Frühling ohne den Gesang einer Wanderdrossel?«

Dem Mann auf der Straße mag es vielleicht vorkommen, als gehe es hier nur um eine simple Wahl zwischen »Schwarz und Weiß«: Sollen wir nun Vögel oder Ulmen haben? Doch so einfach ist das nicht, und es ist eine der Ironien, denen man auf dem Gebiet der chemischen Schädlingsbekämpfung so oft begegnet, daß wir sehr wohl am Ende keines von beiden mehr besitzen könnten, wenn wir uns in dem gegenwärtigen, ausgefahrenen Gleise weiterbewegen. Sprühmaßnahmen töten die Vögel, retten aber die Ulmen nicht. Die Illusion, das Heil für die Ulmen liege im Zerstäuber eines Sprühgeräts, ist ein gefährliches Irrlicht, das eine Gemeinde nach der anderen in einen Sumpf drückender Ausgaben lockt, ohne dauerhafte Ergebnisse zu erzielen. Greenwich im Staate Connecticut sprühte zehn Jahre lang regelmäßig. Dann brachte ein Dürrejahr Lebensbedingungen mit sich, die für den Käfer besonders günstig waren, und die Ulmensterblichkeit stieg um 1000 Prozent. In Urbana im Staate Illinois, wo sich die Staatsuniversität befindet, trat das Ulmensterben zum ersten Mal im Jahre 1951 auf. Im Jahre 1953 begann man mit dem Sprühen. Obwohl man sechs Jahre lang sprühte, hatte das Gelände der Universität 86 Prozent seiner Ulmen eingebüßt, von denen die Hälfte der Ulmenkrankheit zum Opfer gefallen war.

In Toledo im Staate Ohio veranlaßte eine ähnliche Erfahrung den Forstdirektor Joseph A. Sweeney, die Ergebnisse des Sprühens streng sachlich zu überprüfen. Man hatte im Jahre 1953 zu sprühen begonnen und die Maßnahmen bis einschließlich 1959 fortgesetzt. Inzwischen hatte Mr. Sweeney jedoch festgestellt, daß die »Wollige« Ahornschildlaus, von der die ganze Stadt heimgesucht wurde, nach dem Sprühen – das die Sachverständigen voll der Bücherweisheit empfohlen hatten – zu einer schlimmeren Landplage geworden war als zuvor. Mr. Sweeney beschloß, die Wirkungen des Sprühens gegen das Ulmensterben persönlich genau zu untersuchen. Was er fand, erschütterte ihn. In der Stadt Toledo entdeckte er, »daß die einzigen Gebiete, die einigermaßen unter Kontrolle standen, jene waren, wo man schnell gehandelt und die erkrankten, vom Pilz befallenen Bäume entfernt hatte. Wo wir uns auf das Sprühen verlassen hatten, war es nicht gelungen, dem Ulmensterben

Einhalt zu gebieten. Auf dem Lande, wo nichts unternommen worden war, hatte sich die Krankheit nicht so schnell wie in der Stadt ausgebreitet. Das ist ein Zeichen, daß Sprühen alle natürlichen Feinde vernichtet.

Wir geben es nun auf, Spritzmittel gegen erkrankte Ulmen einzusetzen. Dadurch bin ich in Konflikt mit jenen Leuten geraten, die alle Empfehlungen des Landwirtschaftsministeriums der Vereinigten Staaten unterstützen, aber ich kenne die Tatsachen und werde mich an sie halten.«

Es ist schwer begreiflich, warum diese Kleinstädte des Mittleren Westens, in die das Ulmensterben erst vor verhältnismäßig kurzer Zeit vorgedrungen ist, sich so blindlings an großzügigen und kostspieligen Sprühprogrammen beteiligt haben, offensichtlich ohne abzuwarten und sich nach den Erfahrungen anderer Gebiete zu erkundigen, denen das Problem schon länger vertraut war.

Der Staat New York zum Beispiel kann sicherlich auf die längste Zeitspanne kontinuierlicher Erfahrungen mit dem Ulmensterben zurückblicken. Denn über den Hafen New York gelangte, wie man annimmt, um das Jahr 1930 das Holz erkrankter Ulmen in die Vereinigten Staaten. Heute nun kann der Staat New York eine höchst beachtliche Leistung aufweisen, was die Eindämmung und Unterdrückung der Krankheit betrifft. Doch hat man sich nicht aufs Sprühen verlassen. Die staatlichen Stellen, die sich um die Förderung der Landwirtschaft bemühen, raten sogar davon ab, es in den Gemeinden als Bekämpfungsmethode zu verwenden.

Wie hat nun New York diese ausgezeichnete Leistung zustande gebracht? Als der Kampf um die Ulmen begann, hat es von den ersten Jahren an bis in die Gegenwart hinein streng für den Schutz der gesunden Bäume gesorgt und alles kranke oder von Pilzen befallene Holz sofort entfernt und vernichtet. Manchmal wurde man am Anfang von den Ergebnissen enttäuscht, doch nur, weil man zuerst nicht begriff, daß nicht allein die befallenen Bäume, sondern alles Ulmenholz, in dem der Käfer sich vermehren konnte, beseitigt werden mußte. Wird infiziertes Ulmenholz geschnitten und als Brennholz aufgestapelt, gehen aus ihm Scharen von Käfern hervor, von denen der Pilz verbreitet wird, falls man es nicht vor dem Frühling verbrennt. Es sind gerade die erwachsenen Käfer, die aus der Winterruhe auftauchen, sich Ende April und im Mai auf Futtersuche begeben und dabei die Ulmenkrankheit übertragen. Die Entomologen New Yorks haben aus Erfahrung gelernt, welche Brutstätten der Käfer wirklich von Bedeutung für die Verbreitung der Ulmenkrankheit sind. Als man sich auf dieses gefährliche Material konzentrierte, konnte man nicht nur gute Erfolge erzielen, sondern sogar die Kosten für das Säuberungsprogramm in vernünftigen Grenzen halten. Bis zum Jahre 1950 war das Ulmensterben so weit eingedämmt, daß nur 0,2 Prozent der 55000 Ulmen der Stadt befallen waren. Im Jahre 1942 wurden auch im Landkreis Westchester solche Schutzmaßnahmen eingeleitet. Im Laufe der nächsten vierzehn Jahre betrug der durchschnittliche jährliche Verlust an Ulmen ebenfalls nur 0,2 Prozent des Bestandes. Buffalo mit 185000 Ulmen ist es bestens gelungen, die Krankheit auf gleiche Weise einzudämmen, in letzter Zeit starben alljährlich nur 0,3 Prozent der Bäume ab. Mit anderen Worten: es würde bei diesen Verlustziffern dreihundert Jahre dauern, bis die Ulmen von Buffalo ausgerottet sind.

Besonders eindrucksvoll ist, was sich in Syracuse ereignet hat. Vor dem Jahre 1957 hatte man keinerlei wirksame Maßnahmen getroffen. Zwischen 1951 und 1956 verlor Syracuse nahezu 3000 Ulmen. Dann wurde unter der Leitung von Howard C. Miller von der Forsthochschule der Staatlichen Universität von New York ein energischer Vorstoß gemacht, um alle erkrankten Ulmen und alles Holz dieser Bäume, in das sich die Käfer einnisten konnten, zu beseitigen. Heute liegen die Verlustziffern unter einem Prozent im Jahr. New Yorker Fachleute für die Bekämpfung des Ulmensterbens betonen nachdrücklich, wie wirtschaftlich die Säuberungsmethode ist. »In den meisten Fällen sind die tatsächlichen Ausgaben gering, verglichen mit dem Geld, das man sich wahrscheinlich erspart hat«, meint J. G. Matthysse von der Staatlichen Hochschule für Landwirtschaft in New York. »Wenn es sich um einen abgestorbenen oder abgebrochenen Ast handelt, müßte man ihn irgendwann ja doch entfernen, schon um Sachschaden und Verletzung von Personen zu verhüten. Wenn es sich um Brennholzstapel handelt, kann das Holz vor dem Frühling verwendet und die Rinde abgeschält werden, oder man bewahrt es an einem trockenen Platz auf. Falls Ulmen eingehen oder schon abgestorben sind, sollte man sie sogleich fällen, um zu verhindern, daß sich das Ulmensterben ausbreitet. Das verursacht meist keine höheren Kosten, denn in den Stadtgebieten müssen die toten Bäume am Ende doch weggeschafft werden.«

Hinsichtlich des Ulmensterbens ist daher die Lage nicht völlig hoffnungslos, vorausgesetzt, daß Maßnahmen ergriffen werden, die klug überlegt und vorbereitet sind. Obwohl die Krankheit, wenn sie erst einmal in einer Gemeinde Fuß gefaßt hat, mit keinem der derzeit bekannten Mittel völlig ausgetilgt werden kann, läßt sie sich durch Schutz der gesunden Bäume zurückdrängen und einigermaßen in Schranken halten; man braucht keine Methoden anzuwenden, die nicht nur wirkungslos, sondern noch mit einer tragischen Vernichtung der Vogelwelt verbunden sind. Weitere Möglichkeiten liegen auf dem Gebiet der Pflanzenzüchtung, wo Versuche hoffen lassen, daß es gelingen wird, eine Ulmenrasse zu entwickeln, die gegen diese Krankheit unempfindlich ist. Die europäische Ulme ist sehr widerstandsfähig dagegen, und man hat viele dieser Bäume in Washington D. C. gepflanzt. Selbst in einer Zeit, in der ein hoher Prozentsatz der Ulmen dieser Stadt befallen war, blieben die europäischen Arten verschont.

In Gemeinden, die große Mengen von Ulmen einbüßen, fordert man dringend, daß durch ein Aufforstungsprogramm und Anlage von Baumschulen Ersatz geschaffen wird. Das ist wichtig, aber wenn auch in ein solches Programm die europäischen Ulmen einbezogen werden können, sollte es vor allem darauf abzielen, verschiedene Baumarten zu pflanzen, damit in Zukunft keine epidemischen Krankheiten mehr auftreten und eine Gemeinde ihren Baumbestand verlieren kann. Der Schlüssel zu einer gesunden Pflanzen- oder Tiergemeinschaft liegt in der »Erhaltung der Mannigfaltigkeit«, wie es der britische Ökologe Charles Elton ausdrückte. Was heute geschieht, ist größtenteils auf mangelnde biologische Kenntnisse früherer Generationen zurückzuführen. Selbst vor einer Generation wußte noch niemand, daß man das Unheil geradezu heraufbeschwor, wenn man große Gebiete dicht mit einer einzigen Baumart bepflanzte. So säumten ganze Städte ihre Straßen mit Ulmen und setzten sie überall in die Parkanlagen; doch heute sterben die Ulmen ab, und mit ihnen gehen die Vögel zugrunde.

Gleich der Wanderdrossel scheint auch ein anderer amerikanischer Vogel dem Aussterben nahe zu sein. Es ist der Weißkopfseeadler, das nationale Symbol der Vereinigten Staaten. Seine Bestände sind innerhalb des letzten Jahrzehnts in erschreckendem Maße dahingeschwunden.

Das Tatsachenmaterial legt den Gedanken nahe, daß in der

Umwelt des Adlers irgend etwas darauf hinwirkt, daß er sich fast nicht mehr fortzupflanzen vermag. Um welche Einflüsse es sich handelt, weiß man noch nicht sicher, aber man hat gewisse Beweise dafür, daß Insektizide dafür verantwortlich sind.

Am eingehendsten wurden in Nordamerika die Adler erforscht, die entlang der Westküste Floridas von Tampa bis Fort Myers nisten. Dort hat sich Charles Broley, ein ehemaliger Bankier, als Ornithologe großen Ruhm erworben, da er in den Jahren 1939 bis 1949 über tausend Weißkopfseeadler beringt hat. (Vorher hatte man, seit man diese Methode anwandte, insgesamt nur 166 Adler beringt.) Mr. Broley beringte die jungen Adler während der Wintermonate, ehe sie ihre Nester verlassen hatten. Als man später beringte Vögel wiederentdeckte, zeigte sich, daß diese in Florida geborenen Weißkopfseeadler entlang der Küste nordwärts bis nach Kanada und zur Prince Edward Insel vorkamen, obwohl man früher geglaubt hatte, sie seien keine Zugvögel. Im Herbst kehren sie nach dem Süden zurück, und man hat ihre Wanderung an so berühmten und günstigen Stellen wie dem Hawk Mountain in Ost-Pennsylvanien beobachtet.

Während der ersten Jahre, in denen Mr. Broley die Vögel beringte, fand er auf dem Küstenstreifen, den er sich für seine Arbeit ausgewählt hatte, ständig hundertfünfundzwanzig belegte Nester. Die Zahl der beringten Jungen betrug jedes Jahr rund hundertfünfzig. Im Jahre 1947 nahm die Menge der Jungvögel das erste Mal ab. Manche Nester enthielten keine Eier, in anderen lagen welche, aus denen aber keine Jungen schlüpften. Zwischen den Jahren 1952 und 1957 blieben ungefähr 80 Prozent der Nester ohne Junge. Im letzten Jahr dieses Zeitraums waren nur mehr dreiundvierzig Nester besetzt. Aus sieben von ihnen gingen Junge hervor (acht Jungadler); dreiundzwanzig Nester bargen Eier, aus denen keine Vögel schlüpften; dreizehn wurden von erwachsenen Adlern nur als Futterstationen benützt und enthielten keine Eier. Im Jahre 1958 durchstreifte Mr. Broley über 160 Kilometer Küstengebiet, ehe er einen Jungadler aufspürte und ihn beringen konnte. Erwachsene Weißkopfseeadler, die man im Jahre 1957 noch an dreiundvierzig Nestern gesehen hatte, waren so spärlich geworden, daß er sie nur mehr an zehn Nestern beobachtete.

Mr. Broley starb im Jahr 1959, und dadurch wurde diese wertvolle Reihe ununterbrochener Beobachtungen beendet, doch Berichte der Audubon-Gesellschaft von Florida, auch solche aus den Staaten New Jersey und Pennsylvanien bestätigen diese Entwicklung, die uns wohl zwingen könnte, ein neues nationales Wappentier zu finden. Besonders bedeutsam sind die Meldungen von Maurice Brown, dem Kurator des Naturschutzgebietes am Hawk Mountain. Der Hawk Mountain ist ein malerischer Berggipfel im südöstlichen Pennsylvanien, an einer Stelle, wo die östlichen Rücken der Appalachen eine letzte Barriere gegen die Westwinde bilden, ehe jene zur Küstenebene abfallen. Winde, die auf diese Berge treffen, werden nach oben abgelenkt, so daß an vielen Herbsttagen ständig Aufwind herrscht, von dem sich die Breitflügelbussarde mühelos mittragen lassen und auf ihrer Wanderung nach dem Süden viele Meilen im Tag zurücklegen. Am Hawk Mountain laufen die Bergketten und auch die Flugwege zusammen. Als Folge davon strömen Vögel aus einer ausgedehnten Region im Norden durch den Engpaß dieser Zugstraße.

In den über zwanzig Jahren, in denen Maurice Brown das Schutzgebiet dort betreute, hat er mehr Bussarde und Adler beobachtet als irgendein anderer Amerikaner und über sie Buch geführt. Der Zug des Weißkopfseeadlers erreicht Ende August und Anfang September seinen Höhepunkt. Man nimmt an, daß es sich um Vögel aus Florida handelt, die nach einem Sommer im Norden in ihr Heimatgebiet zurückkehren. (Später im Herbst und zu Beginn des Winters ziehen hier noch ein paar größere Adler durch. Man nimmt an, daß sie einer nördlichen Rasse angehören, die in einer unbekannten Gegend überwintert.) In den ersten Jahren nach der Errichtung des Schutzgebiets, also von 1935 bis 1939, waren 40 Prozent der beobachteten Adler Jährlinge, die sich leicht an ihrem einheitlich dunklen Gefieder erkennen ließen. Doch in den letzten Jahren sind diese noch nicht voll erwachsenen Tiere zu einer Seltenheit geworden. Zwischen 1955 und 1959 waren sie nur mit 20 Prozent an der Gesamtzahl beteiligt, und in einem Jahr, 1957, entfiel nur je ein junger auf zweiunddreißig erwachsene Adler.

Die Beobachtungen am Hawk Mountain stimmen mit den Funden an anderen Orten überein. Ein Bericht darüber stammt von Elton Fawks, einem Beamten des Rats für die Pflege der Naturschätze von Illinois. Adler, die wahrscheinlich im Norden nisten, verbringen den Winter am Mississippi und Illinois River. Im Jahre 1958 meldete Mr. Fawk, daß nach einer neueren Zählung unter neunundfünfzig Adlern nur ein einziges nicht voll erwachsenes Tier vorhanden war. Ähnliche Angaben, die darauf hindeuten, daß diese Vögel aussterben, stammen von der Mount Johnson Insel im Susquehanna River, dem einzigen Schutzgebiet der Welt, das ausschließlich für Adler bestimmt ist. Die Insel liegt zwar nur 13 Kilometer oberhalb des Conowingo-Damms und 800 Meter vom Flußufer im Landkreis Lancaster entfernt, aber sie hat ihren ursprünglichen Wildnischarakter bewahrt. Ihr einziges Adlernest hat Professor Herbert H. Beck, ein Ornithologe aus Lancaster, der auch dieses Schutzgebiet betreut, seit 1934 ständig beobachtet. Zwischen 1935 und 1947 wurde das Nest regelmäßig benützt und stets wurden Junge ausgebrütet. Seit 1947 schlüpfen keine Jungadler mehr aus, obwohl die Alten das Nest besetzt und Eier gelegt hatten.

Auf der Mount Johnson Insel ebenso wie in Florida herrscht also der gleiche Zustand: Nester werden von den erwachsenen Vögeln benützt, sie legen auch einige Eier, doch gibt es nur wenige oder keine Jungvögel. Sucht man eine Erklärung dafür, scheint nur eine allen Tatsachen gerecht zu werden: Die Fortpflanzungsfähigkeit der Vögel ist durch irgendeinen Einfluß der Umwelt so stark beeinträchtigt worden, daß nun alljährlich kaum noch Junge hinzukommen und die Art erhalten können.

Verhältnisse genau der gleichen Art hat man in verschiedenen Experimenten mit anderen Vögeln künstlich herbeigeführt. Vor allem Dr. James DeWitt von der Betreuungsstelle für Fische und Wildtiere der Vereinigten Staaten hat in seinen nun schon klassischen Versuchen über die Wirkung einer Reihe von Insektiziden auf Zahnwachteln und Jagdfasane eines eindeutig bewiesen: Selbst wenn DDT oder verwandte chemische Verbindungen den Vogeleltern, die ihnen ausgesetzt werden, keinen feststellbaren Schaden zufügen, können sie die Fortpflanzung äußerst ungünstig beeinflussen.

Die Wirkung kann auf verschiedene Weise zustande kommen, doch das Endergebnis ist immer das gleiche. Zahnwachteln, deren Futter man DDT zugesetzt hatte, blieben die Brutzeit über am Leben und legten sogar eine normale Anzahl von befruchteten Eiern. Doch nur wenige der Jungen schlüpften aus. »Viele Embryonen schienen sich während der ersten Entwicklungsstadien normal zu entfalten, doch in der Zeit vor dem Ausschlüpfen gingen sie zugrunde«, erklärte Dr. DeWitt. Von denen, die ausschlüpften, starb über die Hälfte innerhalb von fünf Tagen. Bei anderen Testen, bei denen Jagdfasane und Zahnwachteln Versuchstiere waren, legten die erwachsenen

Vögel überhaupt keine Eier, wenn sie das ganze Jahr hindurch eine Kost erhalten hatten, der Insektizide beigemengt waren. Dr. Robert Rudd und Dr. Richard Genelly von der Universität von Kalifornien berichteten von ähnlichen Befunden. Als Jagdfasane mit ihrem Futter Dieldrin erhielten, »wurden erheblich weniger Eier gelegt, und um die überlebenden Küken war es schlecht bestellt«. Nach Ansicht dieser Autoren tritt die verzögerte aber tödliche Wirkung auf Jungvögel ein, weil Dieldrin im Eidotter gespeichert und aus ihm dann während des Ausbrütens und nach dem Ausschlüpfen allmählich vom Embryo aufgenommen wird.

Diese Annahme wird durch kürzliche Untersuchungen von Dr. Wallace und Richard F. Bernard, einem seiner Doktoranden, weitgehend bestätigt; sie stellten in Wanderdrosseln auf dem Gelände der Staatlichen Universität von Michigan hohe Konzentrationen von DDT fest. Sie fanden das Gift in allen Hoden von Wanderdrossel-Männchen, die sie untersuchten, in den Eifollikeln der Eierstöcke der Weibchen, in voll ausgebildeten, aber ungelegten Eiern, in Eileitern, in nicht ausgebrüteten Eiern verlassener Nester, in Embryonen innerhalb der Eier und in einem eben ausgeschlüpften toten Nestling.

Diese wichtigen Untersuchungen erhärten die Tatsache, daß das Insektizidgift die nächste Generation angreift, die nicht mehr in unmittelbare Berührung mit ihm gekommen ist. Wird das Gift im Ei, im Dotter gespeichert, der den Embryo, der sich entwickelt, ernährt, bedeutet das im Grunde genommen ein Todesurteil und erklärt auch, warum so viele von DeWitts Vögeln schon im Ei oder wenige Tage nach dem Ausschlüpfen zugrunde gingen.

Wollte man die Untersuchungen im Laboratorium auch bei Adlern durchführen, würde dies auf unüberwindliche Schwierigkeiten stoßen, aber in Florida, New Jersey und anderen Orten befaßt man sich bereits mit entsprechenden Untersuchungen in der freien Natur. Man hofft, dabei Beweismaterial zu erarbeiten, aus dem endgültig hervorgeht, wodurch die Unfruchtbarkeit bei einem großen Teil des Adlerbestandes verursacht worden ist. Der bereits vorhandene Indizienbeweis deutet vorerst auf die Insektizide hin. An Orten, wo es reichlich Fische gibt, bilden sie einen Hauptbestandteil der Kost des Weißkopfseeadlers, 65 Prozent in Alaska, 52 Prozent im Gebiet der Chesapeake-Bai. Es besteht kaum ein Zweifel, daß die von Mr. Broley beobachteten Adler vorwiegend Fischfresser waren. Seit dem Jahre 1945 wurde aber gerade in dieser Küstenregion wiederholt mit DDT, das in Heizöl gelöst war, gesprüht. Man wollte mit dem Sprühen vom Flugzeug aus hauptsächlich die Moskitos der Salzwassersümpfe treffen. Diese Stechmücken sind in den Schwemmland- und Küstengebieten heimisch, in denen sich die Adler vor allem ihr Futter suchen. Fische und Krabben wurden in Unmengen getötet. Als man ihre Gewebe in Laboratorien analysierte, enthielten sie hohe Konzentrationen von DDT – bis zu 46 Teilen pro Million. Wie die Westtaucher vom Clear Lake, die starke Konzentrationen von Insektizidresten anhäuften, weil sie Fische aus dem See gefressen hatten, speicherten höchstwahrscheinlich auch die Adler in ihren Körpergeweben DDT. Und gleich den Westtauchern, den Jagdfasanen, den Zahnwachteln und den Wanderdrosseln sind auch sie immer weniger fähig, Junge zu bekommen und den Bestand ihrer Art zu erhalten.

Aus allen Gegenden der Welt hört man Meldungen von der Gefahr, denen Vögel in unserer modernen Welt ausgesetzt sind. Die Berichte unterscheiden sich in den Einzelheiten, aber immer wiederholt sich das Grundthema vom Tode, der im Gefolge der Schädlingsbekämpfungsmittel die wildlebenden Tiere ereilt. Es ist stets die gleiche Geschichte, ob nun hunderte von kleinen Vögeln und Rebhühnern in Frankreich verendeten, nachdem man die Weinstöcke mit einem arsenhaltigen Herbizid behandelt hatte, oder ob sich auf Rebhuhnjagden in Belgien, die einst berühmt waren wegen der Menge Vögel, nach dem Spritzen angrenzender Äcker kein Rebhuhn mehr blicken ließ.

In England scheint das Hauptproblem speziell damit zusammenzuhängen, daß man immer mehr dazu übergeht, Samen vor der Aussaat mit Insektiziden zu behandeln. Das sogenannte Beizen von Saatgut ist kein ganz neues Verfahren, aber in früheren Jahren waren die dafür verwendeten Chemikalien vorwiegend Fungizide, das heißt Mittel, die Pilze vernichten. Man scheint bei ihnen keinerlei Wirkung auf Vögel bemerkt zu haben. Um 1956 ungefähr ging man dann zu einer Behandlung der Samen über, mit der man einen doppelten Zweck verfolgte: Man fügte dem Fungizid noch Dieldrin, Aldrin oder Heptachlor bei, um die Insekten im Boden zu bekämpfen. Dadurch verschlimmerte sich die Lage erheblich.

Im Frühling des Jahres 1960 erreichte eine Hochflut von Berichten über verendete Vögel die maßgebenden britischen Stellen wie den Britischen Ornithologen-Verband, die Royal Society für Vogelschutz und die Gesellschaft für Vogelwild. »Es sieht hier aus wie auf einem Schlachtfeld«, schrieb ein Grundbesitzer in Norfolk. »Mein Verwalter hat unzählige Kadaver gefunden, darunter Unmengen kleiner Vögel wie Buchfinken, Hänflinge, Heckenbraunellen und Haussperlinge... Die Vernichtung von wildlebenden Tieren ist ein wahrer Jammer.« Ein Förster schreibt: »Meine Rebhühner sind mit den gebeizten Getreidekörnern ausgerottet worden, ebenso einige Fasanen und alle anderen Vögel. Hunderte von ihnen sind getötet worden... Für mich, der ich ein Leben lang Förster gewesen bin, war das ein schmerzliches Erlebnis. Es ist bitter, Rebhuhnpärchen zu sehen, die vereint den Tod fanden.«

In einem gemeinsamen Bericht beschrieben der Britische Ornithologen-Verband und die Royal Society für Vogelschutz rund siebenundsechzig Fälle, in denen Vögel umgekommen waren, und sie hatten damit bei weitem nicht die gesamte Zerstörung verzeichnet, die im Frühling 1960 angerichtet wurde. Von diesen siebenundsechzig wurden neunundfünfzig durch Behandlung des Saatguts verursacht und acht durch giftige Sprühmittel.

Im folgenden Jahr setzte eine neue Vergiftungswelle ein. Dem Oberhaus wurde der Tod von sechshundert Vögeln auf einem einzigen Gut in Norfolk gemeldet, und hundert Fasanen gingen auf einem Bauernhof in Nord-Essex ein. Bald wurde offenbar, daß mehr Grafschaften in Mitleidenschaft gezogen waren als im Jahre 1960 – vierunddreißig im Vergleich zu dreiundzwanzig. Lincolnshire, wo vorwiegend Landwirtschaft betrieben wird, berichtete von zehntausend toten Vögeln und schien am meisten gelitten zu haben. Doch alle Ackerbaugebiete in England waren betroffen, von Angus im Norden bis Cornwall im Süden, von Anglesey im Westen bis Norfolk im Osten.

Im Frühling des Jahres 1961 erreichte die Besorgnis einen solchen Höhepunkt, daß ein besonderer Ausschuß des Unterhauses die Angelegenheit näher untersuchte. Farmer und Grundbesitzer, Vertreter des Landwirtschaftsministeriums sowie verschiedener Dienststellen von Behörden und Verbänden, die sich mit wildlebenden Tieren befaßten, mußten ihre Aussage machen.

»Tauben fallen plötzlich tot vom Himmel«, erzählte ein Augenzeuge. »Man kann bis zu hundert oder zweihundert Meilen aus London hinausfahren, ohne einen einzigen Turmfalken zu sehen«, berichtete ein anderer. »Soweit ich weiß, hat sich weder in diesem Jahrhundert noch zu irgendeiner anderen Zeit etwas Ähnliches ereignet, dies ist die größte Gefahr, die je für das Jagdwild und andere Tiere bestanden hat«, bezeugte ein Beamter der Naturschutzbehörde.

Der Aufgabe, die Opfer chemisch zu analysieren, war man in keiner Weise gewachsen. Denn nur zwei Chemiker im Lande waren in der Lage, die Teste durchzuführen – ein staatlicher Chemiker und ein anderer, der bei der Royal Society angestellt war. Zeugen schilderten die riesigen Holzfeuer, auf denen man die Kadaver der Vögel verbrannte. Doch bemühte man sich, einige zu sammeln, um sie zu untersuchen. Von den Vögeln, die man analysierte, enthielten alle bis auf einen Insektizidreste. Die einzige Ausnahme war eine Schnepfe, die keine Samen frißt.

Zugleich mit den Vögeln dürften auch Füchse Schaden gelitten haben, wahrscheinlich, weil sie vergiftete Vögel oder Mäuse gefressen hatten. In England sind die Wildkaninchen eine Landplage und der Fuchs wird als Raubtier dringend gebraucht. Doch vom November 1959 bis April 1960 sind mindestens 1300 Füchse verendet. Am schwersten waren die Verluste in den Grafschaften, aus denen auch Turmfalken und andere dort vorkommende Raubvögel fast völlig verschwunden waren. Das läßt vermuten, daß sich das Gift über die Nahrungskette verbreitete und über die Körnerfresser auch die Raubtiere in Pelz und Federkleid erreichte. Das Verhalten der sterbenden Füchse glich genau dem anderer Tiere, die sich mit insektiziden chlorierten Kohlenwasserstoffen vergiftet hatten. Man sah sie betäubt und halb blind im Kreis herumirren, ehe sie unter krampfhaften Zuckungen verendeten.

Was der Ausschuß zu hören bekam, überzeugte ihn, daß die Bedrohung der wildlebenden Tiere »höchst beunruhigend« war; er empfahl demgemäß dem Unterhaus, »der Landwirtschaftsminister und der Minister für Schottland sollten dafür Sorge tragen, daß der Gebrauch von Verbindungen, die Dieldrin, Aldrin, Heptachlor oder Chemikalien von vergleichbarer Giftigkeit enthalten, ab sofort für Saatgutbeizen verboten wird«. Ferner empfahl er angemessenere Kontrollmaßnahmen, um zu gewährleisten, daß Chemikalien unter Laboratoriums-, aber ebenso unter Freilandbedingungen genügend getestet würden, ehe man sie auf den Markt brachte. Wie besonders hervorgehoben zu werden verdient, ist dies überall eine der empfindlichen Lücken in der Erforschung der Schädlingsbekämpfungsmittel. Wenn die Herstellerfirmen die Wirkung der Mittel an den landläufigen Versuchstieren – an Ratten, Hunden und Meerschweinchen – erproben, beziehen sie keine wildlebenden Arten ein, in der Regel weder Vögel noch Fische, und die Teste werden unter kontrollierten, künstlichen Bedingungen im Laboratorium durchgeführt. Es ist alles andere als wissenschaftlich genau, die Ergebnisse auf Lebewesen in der freien Natur anzuwenden.

England steht mit seinem Problem, Vögel vor gebeiztem Saatgut zu schützen, keineswegs allein da. In den Vereinigten Staaten ergaben sich die unangenehmsten Schwierigkeiten in den Reisbaugebieten Kaliforniens und des Südens. Einige Jahre lang hatten die kalifornischen Reispflanzer Samen mit DDT behandelt, um sie gegen kleine Blattfußkrebse, die sogenannten Kiefenfüße der Gattung *Triops*, und Kolbenwasserkäfer zu schützen, die manchmal den Reissämlingen Schaden zufügen. Kalifornische Sportsleute hatten ihr Vergnügen an den ausgezeichneten Jagdbedingungen, da sich Wasservögel und Jagdfasanen in Scharen in den Reisfeldern versammelten. Doch aus den Landkreisen, in denen Reis angebaut wird, sind in den letzten zehn Jahren ständig Berichte über Verluste an Vögeln, besonders unter den Jagdfasanen, Enten und Stärlingen eingegangen. Die »Fasanenkrankheit« wurde zu einer wohlbekannten Erscheinung: Die Vögel »suchen das Wasser, werden gelähmt und man findet sie, am ganzen Körper bebend, an den Rändern der Gräben und an den Dämmen der Reisfelder«, wie ein Beobachter angibt. Die »Krankheit« befällt die Tiere im Frühling, wenn die Reisfelder angesät werden. Die Konzentration des verwendeten DDT beträgt das Vielfache der Menge, die einen erwachsenen Jagdfasanen töten kann.

Nachdem einige Jahre verstrichen sind und man noch viel giftigere Insektizide entwickelt hat, ist die Gefahr, die gebeiztes Saatgut mit sich bringt, noch größer geworden. Aldrin, das für Fasane hundertmal so toxisch ist wie DDT, wird nun weitgehend als Samenschutzmittel verwendet. In den Reisfeldern im Osten von Texas hat dieses Verfahren die Populationen der Gelben Baumente, einer lohfarbenen, gänseähnlichen Ente der Golfküste, erheblich vermindert. Man hat tatsächlich Grund, anzunehmen, daß die Reispflanzer, da sie nun einen Weg gefunden haben, die Bestände der Stärlinge zu verringern, die Insektizide zu einem doppelten Zweck gebrauchen, und dies wirkt sich unheilvoll auf verschiedene Vogelarten der Reisfelder aus.

Da die Gewohnheit zu töten immer mehr um sich greift und wir jedes Geschöpf, das uns lästig oder unbequem ist, einfach »ausrotten«, erleben es die Vögel immer häufiger, daß sie selbst zur Zielscheibe für Gifte werden und nicht nur zufällig Schaden leiden. Man neigt in wachsendem Maße dazu, so tödliche Gifte wie Parathion vom Flugzeug aus anzuwenden, um Ansammlungen von Vögeln, die dem Farmer widerwärtig sind, zu »bekämpfen«. Der Betreuungsstelle für Fische und Wildtiere erschien es notwendig, ernste Bedenken dagegen zu äußern. Man betonte, daß »mit Parathion behandelte Gebiete ein Gefahrenmoment für Menschen, Haustiere und wilde Tiere bilden«. Im südlichen Indiana tat sich zum Beispiel im Sommer 1959 eine Gruppe von Farmern zusammen, um ein Flugzeug zu mieten, von dem aus ein Gebiet der fruchtbaren Tiefebenen am Fluß mit Parathion behandelt werden sollte. Das Gelände war ein beliebter Schlafplatz für Tausende von Stärlingen, die sich in nahegelegenen Maisfeldern ihr Futter suchten. Man hätte das Problem leicht lösen können, wenn man die Bepflanzung geringfügig geändert hätte und auf eine Maissorte mit tiefsitzenden Kolben übergegangen wäre, an die Stärlinge nicht herankommen können. Doch hatten sich die Farmer überzeugen lassen, daß es vorteilhafter sei, die Vögel mit Gift zu töten, und entsandten die Flugzeuge in das Gebiet, den Mordauftrag auszuführen.

Die Ergebnisse werden die Farmer wohl befriedigt haben, denn die Verlustliste umfaßte rund 65 000 Rotschulterstärlinge und Stare. Wieviel Todesopfer an anderen wilden Tieren vielleicht unbemerkt und unerwähnt geblieben sind, weiß man nicht. Parathion ist nicht spezifisch für Stärlinge, es tötet alles Leben. Doch Wildkaninchen, Waschbären oder Opossums, die in diesen Tiefebenen umhergestreift sein mögen und vielleicht niemals die Maisfelder der Farmer besucht haben, sind von einem »Gerichtshof« verurteilt worden, der nichts von ihrem Dasein wußte und sich auch nicht darum kümmerte.

Und wie steht es mit den Menschen? In kalifornischen Obstgärten, die mit dem gleichen Parathion gespritzt wurden, sind Arbeiter, als sie Laub anfaßten, das *einen Monat* zuvor behandelt worden war, zusammengebrochen und haben einen Nervenschock erlitten. Nur durch sachkundige ärztliche Behandlung sind sie dem Tode entronnen. Wachsen in Indiana noch Jungen auf, die durch Wald und Feld streifen und vielleicht die Ufer eines Flusses erkunden? Wenn ja, wer hütet das vergiftete Gebiet und verwehrt jedem den Zugang, der sich verleiten läßt, es auf der Suche nach unberührter Natur zu betreten? Wer hält aufmerksam Wache, um den ahnungslosen Wanderer zu warnen, daß die Felder, durch die er gerade schlendern will, lebensgefährlich und all ihre Pflanzen mit einem todbringenden Film bedeckt sind? Doch diese furchtbare Gefahr haben die Farmer nicht bedacht, als sie ihren unnötigen Krieg gegen die Stärlinge führten, und niemand hat sie daran gehindert.

Bei jedem dieser Fälle sinnt man erneut über die Frage nach: Wer hat die Entscheidung getroffen, die diese Kette von Vergiftungen auslöst, diese Todeswelle, die sich immer weiter ausbreitet gleich den Wellenringen, die von einem Kiesel ausgehen, der in einen stillen Weiher geworfen wird? Wer hat hier Für und Wider abgewogen, hat auf die eine Schale der Waage die Blätter gelegt, die unter Umständen von den Käfern gefressen worden wären, und auf die andere die mitleiderregenden bunten Federhäufchen, die leblosen Überreste von Vögeln, die unter dem wahllos niederknüppelnden Hagel giftiger Insektizide zugrunde gingen? Wer hat die Entscheidung gefällt für die ungezählten Legionen von Menschen, die man nicht um ihre Meinung gefragt hat – wer hat das *Recht*, für sie zu entscheiden, daß eine Welt ohne Insekten über alles geht, selbst wenn es zugleich eine von Unfruchtbarkeit bedrohte Welt ist, in der keine Vogelschwinge in anmutigem Flug mehr kreist. Die Entscheidung liegt bei dem vorübergehend mit vollen Machtmitteln ausgestatteten Vertreter des Staates; er hat sie autoritär zu einem Zeitpunkt gefällt, als Millionen Menschen, für die Schönheit und die wohlgeordnete Welt der Natur noch immer eine tiefe und zwingende Bedeutung besitzen, in ihrer Aufmerksamkeit erlahmten.

9. Kapitel
Der Tod zieht in die Flüsse ein

Aus den grünen Tiefen des offenen Atlantischen Ozeans führen viele Wege zur Küste zurück. Es sind Wege, auf denen Fische ziehen; obzwar unsichtbar und nicht genau zu erfassen, folgen diese Wanderpfade dem Wasser, das aus den Küstenflüssen ins Meer strömt. Seit abertausend Jahren sind den Lachsen diese Süßwasserströmungen bekannt, sie wiesen ihnen den Weg, der sie in die Flüsse zurückführte; jeder Fisch suchte stets wieder den Nebenfluß auf, in dem er die ersten Monate oder Jahre seines Lebens verbracht hatte. So zogen auch im Sommer und Herbst des Jahres 1953 die Lachse des Miramichiflusses an der Küste von New Brunswick aus ihren Jagdgründen im fernen Atlantik in ihren Heimatfluß und wanderten in ihm aufwärts. In den oberen Einzugsgebieten des Miramichi, in kleinen Wasserläufen, die sich zu einem Netzwerk schattiger Bäche vereinen, laichten in diesem Herbst die Lachse im kiesigen Bett, über das in schnellem Lauf das kühle Wasser rauschte. Solche Plätze, an denen die Wasserscheiden der großen Nadelwälder mit ihren Fichten und Balsamtannen, mit Hemlocktannen und Kiefern liegen, bieten genau die Laichgründe, die der Lachs braucht, um sich fortpflanzen zu können.

Hier wiederholte sich der uralte geregelte Ablauf der Ereignisse, die den Miramichi zu einem der besten Lachsgewässer Nordamerikas gemacht haben. Doch dieses Jahr sollte die festgefügte Ordnung gestört werden.

Während des Herbstes und Winters lagen die großen, dickschaligen Lachseier in seichten, mit Kies gefüllten Mulden oder »Nestgruben«, die das Weibchen am Grund des Baches ausgehöhlt hatte. In der Winterkälte entwickelten sie sich, wie es ihre Art war, nur langsam, und erst als der Frühling schließlich Tauwetter brachte und die Waldbäche vom Eis befreite, schlüpften die Jungen aus. Zuerst verbargen sie sich zwischen den Kieseln des Bachbetts als winzige Fischchen, die ungefähr zwölf Millimeter lang waren. Sie nahmen kein Futter zu sich, sondern ernährten sich von dem großen Dottersack. Erst als er verbraucht war, begannen sie im Bach nach kleinen Insekten zu suchen.

Neben den neu geschlüpften Lachsen befanden sich im Frühling des Jahres 1954 im Miramichi noch Jungfische früherer

Brut, ein bis zwei Jahre alte Lachse in prächtigem Schuppenkleid, das mit Streifen und leuchtend roten Flecken gezeichnet war. Diese Junglachse fraßen heißhungrig, was sie von den seltsamen und mannigfaltigen Insektenformen des Wassers erjagen konnten.

Als der Sommer herankam, änderte sich das alles. In diesem Jahr wurde die Wasserscheide des Nordwest-Miramichi in ein ausgedehntes Sprühprogramm einbezogen, mit dem die kanadische Regierung schon im Jahr davor begonnen hatte. Es sollte die Wälder vor dem Fichtentriebwickler Nordamerikas retten. Die Raupen dieses Kleinschmetterlings treten massenhaft auf und befallen mehrere Arten immergrüner Bäume. Im östlichen Kanada scheint das Insekt etwa alle 35 Jahre in ungewöhnlich großen Mengen vorzukommen. Ein solches Anschwellen der Populationen des Fichtentriebwicklers hatte man in den ersten Jahren nach 1950 erlebt. Um ihn zu bekämpfen, fing man an, mit DDT zu sprühen, zuerst in bescheidenem Umfang, doch im Jahre 1953 ging man plötzlich zur Großflächenbehandlung über. Während es vorher nur Tausende von Morgen Wald gewesen waren, wurden es nun Millionen. Man wollte dadurch die Balsamtannen retten, die das Hauptmaterial für die Papierindustrie liefern.

Im Jahre 1954, im Juni, besuchten also die Flugzeuge die Wälder des Nordwest-Miramichi, sie zogen kreuz und quer ihre Bahn, die sich in einem Muster aus weißen Wolken herabsinkenden Nebels abzeichnete. Die Sprühnebel – bestehend aus rund 227 Gramm in Öl gelöstem DDT auf je 4047 Quadratmeter – sickerten in die Wälder aus Balsamtannen, und ein Teil davon erreichte schließlich den Boden und die Wasserläufe. Die Piloten, die mit ihren Gedanken nur bei der ihnen übertragenen Aufgabe weilten, gaben sich nicht die Mühe, den kleinen Flüßchen auszuweichen oder die Sprühdüsen abzuschalten, während sie darüberflogen; da aber die Sprühnebel selbst beim leisesten Lufthauch sehr weit treiben, wäre das Ergebnis vielleicht auch nicht sehr viel anders ausgefallen, wenn die Flieger besser achtgegeben hätten.

Bald nach dem Abschluß des Sprühens entdeckte man untrügliche Anzeichen dafür, daß keineswegs alles in Ordnung war. Binnen zwei Tagen fand man entlang der Bachufer verendende und tote Fische, einschließlich vieler Junglachse. Unter den toten Fischen tauchten auch Bachsaiblinge auf, und an den Straßen und in den Wäldern gingen die Vögel ein. Im Bach war alles Leben erstorben. Vor dem Sprühen hatte man hier eine reiche Auswahl an Wassertieren gefunden, die das Futter für Lachs und Bachsaibling bilden: Larven von Köcherfliegen in lose sitzenden Schutzhüllen aus Blättern, Stengeln oder Sand, die mit Speichel zusammengekittet werden, Nymphen von Steinfliegen, die sich in der wirbelnden Strömung an Felsblöcke heften, und die wurmartigen Larven von Kriebelmücken – den »Schwarzen Fliegen« Kanadas –, die unter Stromschnellen oder an Plätzen, wo sich der Bach über steil abfallende Felsen ergießt, die Kanten der Steine säumen. Doch nun waren die Insekten des Baches tot, vom DDT vernichtet, und für einen Junglachs war nichts mehr zum Fressen da.

Inmitten eines solchen Bilds des Todes und der Zerstörung durfte man kaum erwarten, daß die Junglachse selbst heil davonkamen, und das war auch nicht der Fall. Bis zum August war nicht einer der jungen Lachse, die aus den Nestgruben im Kies hervorgegangen waren, übriggeblieben. Die Brut eines ganzen Jahres war vernichtet. Den älteren Jungfischen, die vor einem Jahr oder früher geschlüpft waren, erging es nur um ein Geringes besser. Von je sechs jungen Lachsen, die 1953 geschlüpft waren und sich in dem Bach ihr Futter gesucht hatten, als die Flugzeuge nahten, blieb nur einer am Leben. Die Junglachse aus der Brut des Jahres 1952, die fast schon wieder bereit waren, ins Meer zu wandern, büßten ein Drittel ihrer Zahl ein.

Man weiß über alle diese Tatsachen Bescheid, weil die Staatliche Forschungsstelle für Fischerei von Kanada seit 1950 wissenschaftliche Arbeiten über die Lachse im Nordwest-Miramichi gemacht hat. Jedes Jahr zählte man den Bestand der Fische, die in diesem Fluß lebten. Die Aufzeichnungen der Biologen enthielten die Anzahl der Jungen jeder Altersgruppe, die im Strom vorhanden war, sowie den normalen Bestand nicht nur der Lachse, sondern auch anderer Fischarten, die in dem Fluß heimisch waren. Anhand dieser vollständigen Daten über die Verhältnisse vor dem Sprühen war es möglich, den Schaden, der angerichtet worden war, mit einer Genauigkeit festzustellen, die an anderen Orten selten erreicht wurde.

Die Überprüfung zeigte weit mehr als nur den Verlust an Jungfischen; sie offenbarte eine bedeutende Veränderung in den Bächen selbst. Infolge des wiederholten Sprühens hat sich nun die Umwelt für die Lebewesen im Fluß völlig gewandelt, und die Wasserinsekten, die das Futter von Lachs und Bachsaibling bilden, sind ausgetilgt worden. Selbst nach einem einmaligen Sprühen brauchen die meisten dieser Insekten sehr lange Zeit – in Jahren, nicht in Monaten gerechnet –, bis sie sich wieder in genügender Menge vermehrt haben, um eine normale Lachspopulation zu ernähren.

Die kleineren Arten wie Zuckmücken und Kriebelmücken siedeln sich ziemlich schnell wieder an. Sie sind das geeignete Futter für die kleinsten Lachse, die Fischbrut, die erst wenige Monate alt ist. Doch die größeren Wasserinsekten, auf die Lachse in ihrem zweiten und dritten Lebensjahr angewiesen sind, erholen sich nicht so schnell. Zu ihnen gehören die Larvenstadien von Köcherfliegen, Steinfliegen und Eintagsfliegen. Noch zwei Jahre, nachdem DDT in einen Fluß eingedrungen ist, dürfte es einem jungen Lachs schwerfallen, mehr zu erhaschen als gelegentlich eine kleine Steinfliege. Er könnte keine großen Steinfliegen, keine Eintags- und Köcherfliegen finden. Die Kanadier haben sich bemüht, dieses natürliche Futter zu beschaffen; sie versuchten, in die verödeten Abschnitte des Miramichi Köcherfliegenlarven und andere Insekten einzusetzen. Doch natürlich würden auch diese neuen Bewohner wieder ausgerottet, wenn man das Sprühen wiederholte.

Die Populationen des Fichtentriebwicklers haben sich, statt, wie erwartet, abzunehmen, als sehr widerstandsfähig erwiesen, und von 1955 bis 1957 wurde daher in verschiedenen Teilen von New Brunswick und Quebec von neuem gesprüht, an manchen Orten sogar dreimal. Bis zum Jahre 1957 waren rund 60700 Quadratkilometer gesprüht worden. Obwohl man dann versuchsweise mit dem Sprühen aussetzte, nahm man es in den Jahren 1960 und 1961 erneut auf, da sich der Fichtentriebwickler plötzlich wieder stark vermehrte. Tatsächlich gibt es nirgendwo einen Beweis dafür, daß Sprühen mit Chemikalien im Kampf gegen Fichtentriebwickler mehr als eine vorübergehende Aushilfe ist. Sie soll die Bäume, die im Laufe einiger Jahre ihre gesamten Nadeln verlieren, vor dem Absterben retten. Solange man weitersprüht, werden sich auch die verhängnisvollen Nebenwirkungen weiter bemerkbar machen. In dem Bemühen, die Vernichtung von Fischen auf ein Mindestmaß zu beschränken, haben die kanadischen Forstleute die Konzentration des DDT von 227 Gramm, die man vorher verwendet hatte, auf 114 Gramm für 4047 Quadratmeter herabgesetzt, wie die Staatliche Forschungsstelle für Fischerei empfohlen hatte. (In den Vereinigten Staaten verwendet man noch immer vorwiegend die höchst lebensgefährliche Menge von 454 Gramm auf 4047 Quadratmeter.) Die Kanadier hatten inzwischen Gelegenheit, die Folgen des Sprühens schon einige Jahre lang zu beobachten und stehen vor einer recht zweifelhaften Situation. Falls man weitersprüht, ist sie für begeisterte Anhänger des Lachsfischens jedenfalls sehr wenig tröstlich.

Mehrere Umstände haben sich auf eine höchst ungewöhnliche Weise vereint und die Zuflüsse des Nordwest-Miramichi bis jetzt noch vor der Zerstörung bewahrt, mit der man bereits gerechnet hatte. Es war ein Zusammentreffen von Ereignissen, das sich in einem Jahrhundert nicht wiederholen dürfte. Doch ist es für uns wichtig zu erfahren, was hier geschehen ist und aus welchen Gründen es dazu kam.

Wie erwähnt, wurde im Jahre 1954 die Wasserscheide dieses Quellflusses des Miramichi stark gesprüht. Nachher wurde – abgesehen von dem schmalen Streifen, den man im Jahre 1956 behandelte – die ganze obere Wasserscheide des Flußarms vom Sprühprogramm ausgenommen. Im Herbst des Jahres 1954 spielte ein tropisches Unwetter für das Schicksal des Miramichi-Lachses eine wichtige Rolle. Der Hurrikan Edna, der auch am äußersten Ende seines Wegs nichts von seiner Heftigkeit eingebüßt hatte, brachte für die Küsten von New England und Kanada Wolkenbrüche mit sich. Das Hochwasser, das dadurch entstand, trug Süßwasserströme weit ins Meer hinaus und lockte ungewöhnliche Mengen von Lachsen an. Als Folge davon wurden im Kiesbett der Bäche, die der Lachs zum Laichen aufsucht, besonders große Massen von Eiern abgelegt. Die jungen Lachse, die im Frühling des Jahres 1955 im Nordwest-Miramichi ausschlüpften, fanden geradezu ideale Lebensbedingungen vor. Zwar hatte das DDT im Jahr zuvor alle Insekten im Fluß getötet, aber die kleinsten von ihnen, die Zuckmücken und Kriebelmücken, waren in Scharen wiedergekehrt. Diese Mücken bilden die normale Nahrung für die kleinsten Lachse. Die Lachsbrut dieses Jahres hatte also nicht allein reichlich Futter, sondern es waren auch nur wenige andere Fische da, die es ihnen streitig machten. Daran war die traurige Tatsache schuld, daß die älteren Lachse durch das Sprühen im Jahre 1954 getötet worden waren. Die Fischbrut des Jahres 1955 wuchs daher entsprechend schnell heran und blieb in außergewöhnlich großer Zahl am Leben. Die Junglachse vollendeten ihr Wachstum im Fluß sehr bald und wanderten frühzeitig ins Meer. Viele von ihnen kehrten im Jahre 1959 wieder und sorgten für reichlichen Nachwuchs in ihrem Heimatfluß.

Wenn die Quellflüsse des Nordwest-Miramichi noch in verhältnismäßig gutem Zustand sind, so nur deshalb, weil hier lediglich in einem einzigen Jahr gesprüht wurde. Die Folgen wiederholten Sprühens lassen sich deutlich in anderen Bächen der Wasserscheide beobachten, wo die Lachspopulationen in beängstigendem Maße abnehmen.

In allen gesprühten Bächen sind junge Lachse jeder Größe spärlich. Die jüngsten sind oft »praktisch ausgerottet«, wie die Biologen melden. Im Haupteinzugsgebiet des Südwest-Miramichi, das in den Jahren 1956 und 1957 gesprüht wurde, erlebte man 1959 den niedrigsten Fang seit einem Jahrzehnt. Fischer bemerkten, daß die jüngste Gruppe der zurückkehrenden Lachse außerordentlich schwach vertreten war. In einer Falle, mit der man im Jahre 1959 in der Mündung des Miramichi Proben entnahm, betrug die Anzahl der einjährigen Lachse nur ein Viertel der Menge des Vorjahres. Im Jahre 1959 gingen aus dem gesamten Gebiet der Wasserscheide des Miramichi nur rund 600000 Junglachse hervor, die flußabwärts ins Meer zogen. Dies war weniger als ein Drittel der Fische, die in den letzten drei Jahren den Rückweg angetreten hatten.

Auf dem Hintergrund solcher Tatsachen könnte die Zukunft der Lachsfischerei in New Brunswick durchaus davon abhängen, ob man sich etwas Besseres einfallen läßt, als die Wälder mit DDT zu durchtränken.

Die Lage im östlichen Kanada ist keineswegs einzigartig – abgesehen vielleicht von der Größe der Waldgebiete, die dort gesprüht worden sind, und von der Fülle des gesammelten Tatsachenmaterials. Auch der Staat Maine hat seine Fichten- und Balsamtannenwälder und sein Problem, Forstschädlinge zu bekämpfen. Auch in Maine wandern noch Lachse, Überbleibsel der großartigen Züge früherer Tage. Was heute noch davon übrig ist, wurde in harter Arbeit von den Biologen und Naturschutzvertretern gewonnen. Sie bemühten sich, für den Lachs noch ein Heimatgebiet in Flüssen zu retten, die mit Abwässern der Industrie verunreinigt und mit Triftholz verstopft waren. Obwohl man versucht hat, auch hier Sprühmittel als Waffe gegen den allgegenwärtigen Fichtentriebwickler einzusetzen, sind die in Mitleidenschaft gezogenen Gebiete verhältnismäßig klein, und in ihnen lag bis jetzt noch keiner der Wasserläufe, die für das Laichen der Lachse von Bedeutung sind. Doch was mit den Flußfischen in einem Gebiet geschehen ist, das unter Beobachtung des Amtes für Binnenfischerei und Jagdwesen von Maine steht, ist vielleicht ein schlimmes Vorzeichen der Dinge, die noch kommen könnten.

Wie das Amt berichtete, »wurden unmittelbar nach dem Sprühen im Jahre 1958 im Big Goddard Brook große Mengen von Saugern in sterbendem Zustand beobachtet. Diese Fische wiesen die typischen Symptome einer DDT-Vergiftung auf; sie schwammen ziellos umher, schnappten an der Oberfläche nach Luft und wurden sichtlich von Zuckungen und Krämpfen geplagt. In den ersten fünf Tagen nach dem Sprühen sammelte man aus zwei Sperrnetzen 668 tote Sauger. Auch in den Little Goddard, Carry, Alder und Blake Brooks wurden Amerikanische Karpfenfische und Sauger in großer Zahl getötet. Oft sah man die Fische in geschwächtem Zustand und dem Tode nahe flußabwärts treiben. In einigen Fällen fand man über eine Woche nach dem Sprühen blinde, verendende Bachsaiblinge und Forellen, die sich den Fluß hinabtreiben ließen«.

Verschiedene Forschungsarbeiten haben übrigens bestätigt, daß DDT bei Fischen Blindheit verursachen kann. Ein kanadischer Biologe, der im Jahre 1957 im Norden der Insel Vancouver die Sprühmaßnahmen beobachtete, meldete, daß die jungen »Cutthroat«-(»Kehlschnitt«-)Forellen, die nach dem roten Streifen beiderseits des Mauls so genannt werden, mit der Hand aus dem Bach geholt werden konnten, da sie sich nur träge voranbewegten und sich nicht bemühten zu entkommen. Als man sie untersuchte, stellte sich heraus, daß ihre Augen von einem undurchsichtigen weißen Häutchen bedeckt waren: ein Anzeichen dafür, daß ihr Sehvermögen gelitten hatte oder völlig zerstört war. Wissenschaftliche Arbeiten des Kanadischen Amtes für Fischerei bewiesen, daß fast alle Fische – es handelte sich um Silberlachse –, soweit sie durch die niedrige Konzentration von DDT (3 Teile pro Million) nicht getötet wurden, deutliche Trübung der Linsen zeigten; aus diesen Symptomen konnte man auf eine Erblindung schließen.

Überall, wo es große Wälder gibt, bedrohen moderne Methoden der Insektenbekämpfung die Fische, die unter dem schützenden Dach der Bäume in den Bächen leben. Eines der bekanntesten Beispiele für die Vernichtung von Fischen in den Vereinigten Staaten erlebte man im Jahre 1955 als Folge der Sprühmaßnahmen im Yellowstone National Park und dessen Umgebung. Im Herbst jenes Jahres hatte man so viele verendete Fische im Yellowstone River gefunden, daß Sportsleute und die Verwaltungsstellen für Fischerei und Jagdwesen äußerst besorgt wurden. Eine Flußstrecke von ungefähr 145 Kilometern war betroffen. An einem Uferabschnitt von rund 275 Meter Länge zählte man sechshundert tote Fische, darunter eingebürgerte Bachforellen, Renkenarten, in Amerika »Weißfische« genannt, und Sauger. Wasserinsekten, die natürliche Nahrung der Forellen, waren verschwunden.

Beamte des Forstdienstes erklärten, sie hätten sich an den Rat gehalten, daß 454 Gramm auf je 4047 Quadratmeter »ungefährlich« seien. Doch die Ergebnisse des Sprühens hätten genügen müssen, jeden zu überzeugen, daß dieser Rat keineswegs vernünftig gewesen war. Im Jahre 1956 entschlossen sich das Amt für Fischerei und Jagdwesen des Staates Montana und zwei Bundesbehörden – die Betreuungsstelle für Fische und Wildtiere und der Forstdienst – zu einer gemeinsamen Untersuchung. Die Sprühmaßnahmen erstreckten sich in diesem Jahr in Montana auf 3642 Quadratkilometer; auch im Jahre 1957 wurden 3237 Quadratkilometer behandelt. Es machte den Biologen daher keine Mühe, Gebiete für ihr Studium zu finden.

Stets ergab sich in den vom Tode heimgesuchten Gegenden das gleiche charakteristische Bild: Der Geruch von DDT lag über den Wäldern, ein Ölfilm breitete sich auf dem Wasserspiegel aus und tote Forellen wurden ans Ufer geschwemmt; tote wie noch lebende, die man analysierte, hatten in ihren Geweben DDT gespeichert. Wie im östlichen Kanada war eine der schwerwiegendsten Folgen des Sprühens, daß die Organismen, die als Futter dienten, stark vermindert wurden. Die Wasserinsekten und die übrige Fauna am Grunde der Flüsse und Bäche waren dadurch auf ein Zehntel des normalen Bestandes zusammengeschmolzen. Sind aber die Populationen dieser Insekten, die so unentbehrlich für das Weiterleben von Forellen und Bachsaiblingen sind, einmal vernichtet, brauchen sie lange Zeit, bis sie wieder neu erstehen. Selbst am Ende des zweiten Sommers nach dem Sprühen hatten sich nur spärliche Mengen von Wasserinsekten wieder angesiedelt. In einem der Bäche, in dem früher eine reichhaltige Tierwelt am Grunde gelebt hatte, konnte man kaum noch etwas davon entdecken. Gerade in diesem Wasserlauf war die Zahl der Fische, die man geangelt hatte, um 80 Prozent zurückgegangen.

Die Tiere brauchen nicht unbedingt sogleich zu verenden. In der Tat kann das Fischsterben später weit größere Ausmaße annehmen als unmittelbar nach dem Sprühen, und wie die Biologen von Montana entdeckten, werden die Verluste unter Umständen nicht gemeldet, weil sie erst nach der Jahreszeit, in der gefischt wird, eintreten. In den untersuchten Wasserläufen kamen viele Todesfälle unter den Fischen vor, die im Herbst laichen, wie Bachforellen, Bachsaiblinge und Renkenarten. Das ist nicht erstaunlich, weil in Zeiten einer physischen Überbeanspruchung der Organismus, ob es sich nun um Fische oder Menschen handelt, gespeichertes Fett zur Energiegewinnung verwertet. Dadurch kann das DDT, das in den Geweben eingelagert ist, seine tödliche Wirkung voll entfalten.

Es war daher mehr als einleuchtend, daß die Fische in Waldbächen schwer bedroht waren, wenn man mit DDT im Verhältnis 454 Gramm auf 4047 Quadratmeter sprühte. Überdies war es nicht gelungen, den Fichtentriebwickler erfolgreich zu bekämpfen, und für viele Gebiete wurde erneutes Sprühen angeordnet. Das Amt für Fischerei und Jagdwesen von Montana erhob energischen Einspruch gegen weitere Sprühmaßnahmen und erklärte, »es sei nicht gewillt, die Gewässer für Sportfischerei wegen Maßnahmen zu gefährden, deren Notwendigkeit fragwürdig und deren Erfolg zweifelhaft sei«. Doch gab das Amt bekannt, daß es auch weiterhin mit dem Forstdienst zusammenarbeiten werde, »um festzustellen, wie sich die ungünstigen Auswirkungen auf ein Mindestmaß beschränken lassen«.

Kann es aber durch solche Zusammenarbeit tatsächlich gelingen, die Fische zu retten? Die Erfahrung, die man in dieser Hinsicht in British Columbia gemacht hat, spricht Bände. Dort war eine Art der Fichtentriebwickler, deren Raupen schwarzbraune Köpfe besitzen, plötzlich in Massen aufgetaucht und hatte mehrere Jahre lang gewütet. Die Forstbeamten fürchteten, daß hohe Verluste an Bäumen eintreten könnten, wenn die Raupen sie noch ein weiteres Jahr kahlfraßen, und entschieden sich im Jahr 1957 für Bekämpfungsmaßnahmen. Man hielt viele Beratungen mit dem Amt für Jagdwesen ab, dessen Beamte wegen der Lachswanderungen in den Flüssen besorgt waren. Die Abteilung für Forstbiologie willigte ein, das Sprühprogramm auf jede nur mögliche Weise, und soweit seine Wirksamkeit dadurch nicht zunichte gemacht wurde, abzuändern, um die Gefahren für die Fische zu mindern.

Trotz dieser Vorsichtsmaßnahmen und obwohl man sich anscheinend ehrlich bemühte, wurden in *mindestens vier größeren Wasserläufen fast 100 Prozent der Lachse getötet.*

In einem der Flüsse wurden die Jungen von ungefähr 40000 erwachsenen Silberlachsen, die in ihm aufwärts gewandert waren, nahezu völlig ausgerottet. Ebenso erging es den Jugendstadien von einigen tausend Stahlkopfforellen und anderen Forellenarten. Beim Silberlachs umfaßt der Kreislauf des Lebens drei Jahre, und die wandernden Fische gehören beinahe ausschließlich einer einzigen Altersgruppe an. Gleich anderen Lachsarten besitzt der Silberlachs einen stark ausgeprägten Instinkt, der ihm den Weg weist, wenn er in den Bach zurückkehrt, wo er zur Welt kam. Sein heimatliches Laichgebiet wird nicht von Lachsen aus anderen Flüssen neu bevölkert. Das bedeutet also, daß der sonst alle drei Jahre stattfindende Laichzug der Lachse in diesem Fluß so lange fast völlig ausfällt, bis sich durch behutsame und geschickte Verfahren, wie künstliche Fortpflanzung und andere Mittel, diese wirtschaftlich wichtigen Lachsbestände wieder erholt haben.

Es gibt einen Weg, dieses Problem zu lösen, die Wälder zu erhalten und auch die Fische zu retten. Wollten wir annehmen, wir müßten uns damit abfinden, daß unsere Wasserläufe in Todesströme verwandelt werden, hieße das, dem Rat zu folgen, den uns Verzweiflung und Pessimismus eingeben. Wir müssen uns weit mehr als bisher völlig anderer, bereits bekannter Methoden bedienen und unseren Scharfsinn und alle Hilfsmittel aufwenden, um weitere zu entwickeln. Man kennt verbürgte Fälle, in denen Parasiten den Fichtentriebwickler wirkungsvoller in Schach gehalten haben als das Sprühen. Solche natürlichen Bekämpfungsmethoden sollten unbedingt in vollstem Umfang verwertet werden. Es besteht auch die Möglichkeit, weniger giftige Sprühmittel anzuwenden oder – was noch besser ist – Mikroorganismen heranzuziehen, die unter den Fichtentriebwicklern Krankheiten hervorrufen, ohne das ganze Lebensgefüge des Waldes zu schädigen. Wir werden später einige dieser biologischen Methoden kennenlernen und erfahren, was wir von ihnen erhoffen dürfen. Vorerst ist eines wichtig: Wir müssen einsehen, daß es weder der einzige noch der beste Weg ist, wenn man gegen schädliche Forstinsekten chemische Spritzmittel einsetzt.

Die Gefahr, die Fischen von Schädlingsbekämpfungsmitteln droht, ließe sich in drei Abschnitte gliedern. Wie wir gesehen haben, handelt es sich einmal um Fische fließender Gewässer in den nördlichen Wäldern und um das Sprühen dieser Wälder, das ein Problem für sich darstellt. Diese Gefahr beruht fast ausschließlich auf den Wirkungen von DDT. Eine andere Gefahr ist ungemein groß, sie schleicht sich überall ein und ist weit verbreitet, denn sie besteht für zahlreiche verschiedenartige Fische, für Sägebarsche und Sonnenbarsche, für die kleinen »crappies« der Gattung *Pomoxis*, für Sauger und andere Arten. Diese Fische kommen in vielen Gegenden der Vereinigten Staaten vor und leben in allen möglichen fließenden und stehenden Gewässern. An den schädlichen Wirkungen ist fast die gesamte Reihe der Insektizide beteiligt, die derzeit in der Landwirtschaft in Gebrauch sind, obwohl ein paar der hauptsächlichen Übeltäter wie Endrin, Toxaphen, Dieldrin und Heptachlor leicht herausgegriffen werden können. Noch ein weiteres Problem muß berücksichtigt werden, bei dem wir vorläufig darauf angewiesen sind, logisch zu folgern, was sich in Zukunft ereignen wird, weil man mit den Forschungsarbeiten, die uns die Tatsachen enthüllen werden, gerade erst beginnt. Es geht dabei um die Fische von Salzwassersümpfen, Buchten und Flußmündungen.

Der weitverbreitete Gebrauch von Schädlingsbekämpfungsmitteln mußte unausweichlich den Fischen zum Verderben werden. Fische sind geradezu phantastisch empfindlich gegen chlorierte Kohlenwasserstoffe, aus denen die Hauptmasse moderner Insektizide besteht. Werden Millionen Tonnen giftiger Chemikalien auf die Landoberfläche verteilt, läßt es sich nicht umgehen, daß einige davon ihren Weg ins Wasser finden, das sich in unaufhörlichem Kreislauf zwischen Land und Meer bewegt.

Berichte von Fischsterben, das manchmal verhängnisvolle Ausmaße annimmt, sind jetzt so häufig geworden, daß der Gesundheitsdienst der Vereinigten Staaten ein eigenes Amt eingerichtet hat, das solche Berichte sammelt und daraus auf den Grad der Verunreinigung des Wassers schließt.

Das ist ein Problem, das sehr viele Menschen angeht. Für rund 25 Millionen Amerikaner ist vor allem das Fischen eine Quelle der Erholung, und weitere 15 Millionen angeln zumindest gelegentlich. Diese Leute geben jährlich drei Milliarden Dollar für amtliche Genehmigungen, Angelgerät, Boote, Camping-Ausrüstung, Benzin und Nachtquartier aus. Jedes Ereignis, das ihnen die Möglichkeit nimmt, diesen Sport zu betreiben, wird darüber hinaus auch zahlreiche wirtschaftliche Interessen schädigen. Ein Wirtschaftszweig, der davon betroffen wird, ist die Handelsfischerei; und was vielleicht noch wichtiger ist, eine lebenswichtige Quelle für die Ernährung geht verloren. Binnenland- und Küstenfischerei liefern – ohne den Fang auf hoher See – schätzungsweise einen Ertrag von 1,36 Milliarden Kilo im Jahr. Wie wir erfahren werden, bedrohen jedoch die Schädlingsbekämpfungsmittel, die in Bäche, Teiche, Flüsse und Meeresbuchten eindringen, die Sport- wie die Handelsfischerei.

Überall kann man Beispiele für die Vernichtung von Fischen durch das Sprühen und Stäuben von Feldfrüchten entdecken. In Kalifornien zum Beispiel hatte man versucht, ein Insekt, dessen Larve in Reisblättern Minen anlegt, mit Dieldrin zu bekämpfen, eine Maßnahme, die den Verlust von 60 000 Angelfischen, vorwiegend von Blauwangen und anderen Sonnenbarschen zur Folge hatte. In Louisiana kamen allein in einem Jahr (1960) über dreißig schwere Fälle von Fischsterben vor, weil man auf den Zuckerrohrfeldern Endrin benutzt hatte. Durch Endrin, das man in Obstgärten verwendet hatte, um Mäuse zu vertilgen, wurden auch in Pennsylvanien scharenweise Fische getötet. Nach dem Gebrauch von Chlordan zur Heuschreckenbekämpfung auf den westlichen Hochebenen verendeten in den Flüssen ebenfalls viele Fische.

Wahrscheinlich ist kein landwirtschaftliches Programm in so großem Maßstab durchgeführt worden wie das Stäuben und Sprühen von Millionen Morgen Land im Süden der Vereinigten Staaten, um die Feuerameisen zu bekämpfen. Heptachlor, die hauptsächlich benützte Chemikalie, ist für Fische nur um ein geringes weniger giftig als DDT. Dieldrin, ein anderes Gift gegen Feuerameisen, ist äußerst gefährlich für alle Lebewesen im Wasser, wie seine durch Tatsachen belegte Geschichte beweist. Nur Endrin und Toxaphen bilden für Fische eine noch größere Gefahr.

Aus allen Bezirken innerhalb des Gebietes, wo man die Feuerameise bekämpfte, ob sie nun mit Heptachlor oder Dieldrin behandelt worden waren, wurden verheerende Wirkungen auf Wassertiere gemeldet. Ein paar Auszüge aus Berichten von Biologen, die den Schaden untersuchten, sollen deutlich machen, worum es geht. Aus Texas meldeten sie: »Schwerer Verlust an Wassertieren trotz Anstrengungen, die Kanäle zu schützen« – »Tote Fische... waren in allen behandelten Gewässern vorhanden« – »Großes Fischsterben, das über drei Wochen lang anhielt.« Aus Alabama: »Die meisten erwachsenen Fische wurden (im Landkreis Wilcox) binnen weniger Tage nach der

Behandlung getötet« – »Die Fische in Gewässern, die sich nur vorübergehend füllen, und in kleinen Nebenflüssen scheinen vollkommen ausgerottet worden zu sein.«

In Louisiana beklagten sich die Farmer über Verluste in Zuchtteichen. In einem Kanal sah man über fünfhundert tote Fische schwimmen oder entlang einer Strecke von nicht ganz 400 Metern am Ufer liegen. In einer anderen Gemeinde konnte man auf je vier lebende Sonnenbarsche hundertfünfzig verendete finden. Fünf weitere Arten schienen völlig ausgetilgt worden zu sein.

In Florida stellte man fest, daß Fische aus Teichen in dem behandelten Gebiet Rückstände von Heptachlor und Heptachlor-Epoxyd – einer daraus hervorgegangenen Verbindung – enthielten. Zu diesen Fischen zählten Sonnenbarsche sowie Weiße und Gelbe Sägebarsche, die natürlich bei den Anglern besonders beliebt sind und häufig auf den Tisch kommen. Doch die chemischen Stoffe, die sie enthielten, gehören zu jenen, die nach Ansicht der Nahrungs- und Arzneimittelprüfstelle für den Menschen selbst in winzigen Mengen höchst gefährlich sind.

Die Berichte verzeichneten derartige Massen getöteter Fische, Frösche und anderer Geschöpfe im Wasser, daß die amerikanische Gesellschaft der Ichthyologen und Herpetologen – eine ehrwürdige wissenschaftliche Organisation, die sich eingehend mit dem Studium von Fischen, Reptilien und Amphibien beschäftigt – im Jahre 1958 einen Beschluß faßte, in dem sie das Landwirtschaftsministerium und die ihm zugehörigen staatlichen Stellen aufforderte, »die Verteilung von Heptachlor, Dieldrin und gleichwertigen Giften vom Flugzeug aus einzustellen, ehe ein Schaden angerichtet wird, der sich nicht wiedergutmachen läßt«. Die Gesellschaft machte aufmerksam auf den Artenreichtum von Fischen und anderen Lebewesen, die im Südosten der Vereinigten Staaten heimisch sind, darunter auch Formen, die sonst nirgends mehr auf der Welt vorkommen. Wie man warnend hervorhob, »bewohnen viele dieser Tiere nur kleine Gebiete und könnten daher leicht völlig ausgerottet werden«.

Auch unter Insektiziden, die gegen Baumwollschädlinge angewandt wurden, haben Fische der Südstaaten schwer gelitten. Der Sommer des Jahres 1950 war eine Zeit des Unheils im nördlichen Alabama, wo Baumwolle gepflanzt wird. Vor diesem Jahr hatte man, um den Kapselkäfer der Baumwolle zu bekämpfen, nur wenig Gebrauch von organischen Insektiziden gemacht. Im Jahre 1950 aber hatten sich infolge einer Reihe milder Winter diese Kapselkäfer stark vermehrt, und so griffen schätzungsweise achtzig bis fünfundneunzig Prozent der Farmer auf Drängen der Landkreisbehörden zu Insektiziden. Vorzugsweise benutzten sie Toxaphen, eine der vernichtendsten Chemikalien für Fische.

In diesem Sommer regnete es häufig und stark. Die Niederschläge schwemmten die Chemikalien in die Bäche und Flüsse, und die Farmer wandten daraufhin noch weitere Mengen an. In den Baumwollpflanzungen entfielen in diesem Jahr auf je 4047 Quadratmeter durchschnittlich 28,58 Kilo Toxaphen. Manche Farmer brachten es sogar bis auf 90,72 Kilo pro 4047 Quadratmeter; einer verwendete für die gleiche Fläche in maßlosem Übereifer rund 227 Kilo!

Die Folgen hätte man leicht voraussehen können. Typisch für die ganze Region war, was sich im Flint Creek ereignete, der 80 Kilometer weit durch Baumwolland in Alabama strömt, ehe er sich in den Wheeler Speichersee ergießt. Am 1. August gingen Regengüsse auf die Wasserscheide des Flint Creek nieder. In Rinnsalen, in Bächen und schließlich in Strömen lief das Wasser von den Ländereien in die Flüsse ab. Im Flint Creek stieg der Wasserspiegel um 15 Zentimeter. Am nächsten Morgen zeigte sich deutlich, daß keineswegs nur Regenwasser in die Flüsse gelangt war. Dicht an der Oberfläche schwammen Fische ziellos im Kreise umher. Manchmal schnellte sich einer aus dem Wasser und fiel aufs Ufer. Sie ließen sich leicht fangen; ein Farmer griff einige heraus und brachte sie in einen Teich, der aus einer Quelle gespeist wurde. In dem reinen Wasser erholten sich diese wenigen Tiere wieder. Doch im Fluß trieben den ganzen Tag über tote Fische abwärts. Dies war aber nur das Vorspiel, denn jeder Regen spülte noch mehr von dem Insektizid in den Fluß und tötete weitere Fische. Der Regen am 10. August hatte ein so großes Fischsterben in dem gesamten Wasserlauf zur Folge, daß nur wenige übrigblieben. Sie wurden Opfer des nächsten Giftschwalls, der am 15. August in den Fluß drang. Den Beweis dafür, daß die tödlichen Chemikalien vorhanden waren, erbrachte man, als man zur Probe Goldfische in Käfigen in den Fluß hängte; die Tiere waren binnen eines Tages verendet.

Zu den zum Tode verurteilten Fischen des Flint Creek gehörten große Mengen von *Pomoxis annularis*, dem Weißen »crappie«, der besonders gerne geangelt wird. Tote Säge- und Sonnenbarsche fand man ebenfalls, sie kommen in Scharen im Wheeler Speichersee vor, in den der Flint Creek mündet. Auch der gesamte Bestand an weniger wertvollen Fischen wurde in diesen Gewässern vernichtet – Karpfen, Büffelfische, Süßwasser-Trommelfische, ferner die als Futterfische ins Süßwasser eingeführten Atlantischen Magen-Finten und die Katzenwelse. Keiner ließ Anzeichen irgendeiner Krankheit erkennen, die verendenden Fische fielen nur durch ihre ziellosen Bewegungen und die eigenartig satte weinrote Farbe der Kiemen auf.

Werden in der Nachbarschaft Insektizide angewandt, herrschen sehr wahrscheinlich in den warmen geschlossenen Wassermassen von Zuchtteichen Bedingungen, die für Fische tödlich sind. Wie viele Beispiele zeigen, wird das Gift durch Regenfälle und Wasser, das von den umliegenden Ländereien abfließt, hineingetragen. Manchmal nehmen die Teiche nicht nur verunreinigtes, ablaufendes Wasser auf, sondern sie bekommen unmittelbar etwas ab, wenn die Piloten, die vom Flugzeug aus die Feldfrüchte stäuben, versäumen, die Stäubegeräte abzuschalten, sobald sie einen Teich überfliegen. Doch auch ohne solche erschwerenden Umstände sind Fische durch den Gebrauch von Insektiziden in der Landwirtschaft weit höheren Konzentrationen von chemischen Stoffen ausgesetzt, als erforderlich wären, um sie zu töten. Mit anderen Worten, die Lage wäre kaum weniger bedrohlich, wenn man die Menge der Chemikalien merklich verringerte; denn im allgemeinen gilt es schon als gefährlich, wenn man dem Teich selbst mehr als 45 Gramm auf 4047 Quadratmeter Fläche zusetzt. Ist das Gift erst einmal ins Wasser gelangt, läßt es sich schwer entfernen. Man hatte einen Teich mit DDT behandelt, um unerwünschte Formen wie Längsbandorfen zu beseitigen, doch obwohl man ihn wiederholt auslaufen ließ und kräftig durchspülte, blieb das Wasser so giftig, daß es 94 Prozent der Sonnenbarsche tötete, die man später darin eingesetzt hatte. Anscheinend hatte sich der chemische Stoff in den Schlamm am Grund des Teiches eingelagert.

Die Zustände sind offenkundig heute nicht besser als in der Zeit, in der man die modernen Insektizide das erste Mal anwandte. Das Amt für Naturschutz von Oklahoma stellte im Jahre 1961 fest, daß Berichte von Verlusten an Fischen in Zuchtteichen und kleinen Seen mindestens einmal wöchentlich eintrafen und sich ständig mehrten. Meist waren für die Verluste in Oklahoma Bedingungen verantwortlich, die uns vertraut sind, weil sie sich im Laufe der Jahre dauernd wiederholt haben: Äcker und Felder werden mit Chemikalien behandelt, und ein starker Regen schwemmt das Gift dann in die Teiche.

In manchen Gegenden der Erde ist die Fischzucht in Teichen eine unentbehrliche Nahrungsquelle. An solchen Orten entstehen sogleich Schwierigkeiten, wenn man Insektizide ohne Rücksicht auf die Folgen für Fische gebraucht. In Rhodesien gehen zum Beispiel die Jungen eines wichtigen Nahrungsfisches, des Kafu-Buntbarsches, bereits zugrunde, wenn sie in seichten Weihern der Einwirkung von nur 0,04 Teilen DDT pro Million ausgesetzt werden. Selbst eine kleinere Dosis vieler anderer Insektizide wäre für sie tödlich. Die seichten Gewässer, in denen diese Fische leben, sind günstige Brutstätten für Moskitos. Das Problem, die Moskitos zu bekämpfen und gleichzeitig einen Fisch zu erhalten, der einen wesentlichen Bestandteil der Kost in Zentralafrika bildet, ließ sich offenbar nicht befriedigend lösen.

Auf den Philippinen, in China, Vietnam, Thailand, Indonesien und Indien muß man sich bei der Zucht von Milchfischen mit einem ähnlichen Problem auseinandersetzen. Der Milchfisch wird entlang der Küsten dieser Länder in seichten Tümpeln gezüchtet. Schwärme von Jungfischen erscheinen plötzlich in den Küstengewässern – kein Mensch weiß, woher –, man holt sie mit Schöpfeimern heraus und bringt sie in eingedämmte Becken, wo sie heranwachsen. Dieser Fisch ist für die Millionen Menschen Südostasiens und Indiens, die sich von Reis ernähren, außerordentlich wichtig, da er ihnen tierisches Eiweiß liefert. Der Naturwissenschaftliche Kongreß für das pazifische Gebiet empfahl daher, man solle sich in internationaler Zusammenarbeit bemühen, die noch unbekannten Laichgründe zu suchen, um die Zucht dieser Fische in großem Maßstab betreiben zu können. Trotzdem hat man zugelassen, daß in den bereits vorhandenen Teichen durch Sprühen schwere Verluste verursacht wurden. Auf den Philippinen ist das Sprühen vom Flugzeug aus, zur Bekämpfung der Moskitos, den Besitzern der Teiche teuer zu stehen gekommen. In einem Teich, der 120000 Milchfische beherbergte, verendete, nachdem ein Sprühflugzeug darübergeflogen war, über die Hälfte der Fische, obwohl sich der Eigentümer verzweifelt bemühte, das Gift zu verdünnen, und den Teich flutete.

Eines der eindrucksvollsten Fischsterben der letzten Zeit erlebte man im Jahre 1961 im Colorado River, unterhalb Austin im Staate Texas. Am 15. Januar, an einem Sonntagmorgen, kurz nach Tagesanbruch, tauchten in dem neuen Stadtsee in Austin und im Fluß bis zu einer Entfernung von 8 Kilometern unterhalb des Sees tote Fische auf. Tags zuvor hatte man noch keine gesichtet. Am Montag trafen Meldungen von verendeten Fischen aus dem Gebiet 80 Kilometer flußabwärts ein. Inzwischen war man sich darüber klargeworden, daß eine Welle irgendeiner giftigen Substanz sich im Wasser flußabwärts bewegte. Am 21. Januar wurden bereits 160 Kilometer stromabwärts, in der Nähe von La Grange, Fische getötet, und eine Woche später übten die Chemikalien ihre tödliche Wirkung noch 320 Kilometer unterhalb der Stadt Austin aus. Während der letzten Januarwochen wurden die Schleusen im Intracoastal Waterway – dem Kanal zwischen der vorgelagerten Inselkette und dem Festland – geschlossen, um die giftigen Fluten von der Matagorda-Bai fernzuhalten und sie in den Golf von Mexiko umzuleiten.

Mittlerweile hatte man in Austin nachgeforscht und einen Geruch bemerkt, der den Insektiziden Chlordan und Toxaphen eigen ist. Er war besonders stark in einem der Abwässerkanäle. Dieser Kanal hatte früher schon Schwierigkeiten bereitet, die mit Industrieabfällen zusammenhingen. Vertreter des Amtes für Jagdwesen und Fischerei von Texas gingen nun vom See aus dem Lauf des Kanals nach und stellten dabei an sämtlichen Schachtöffnungen bis hin zu einem Zuflußrohr einer chemischen Fabrik einen Geruch fest, der dem von Hexachlorcyclohexan glich. Diese Fabrik erzeugte hauptsächlich DDT, Hexachlorcyclohexan und Toxaphen sowie kleinere Mengen anderer Insektizide. Der Direktor der Fabrik gab zu, daß eine gewisse Menge Insektizidpulver vor kurzem in den Abwässerkanal gespült worden war, und – was noch bedeutsamer war – er gestand ein, daß es in den letzten zehn Jahren üblich gewesen war, Rückstände und Abfälle von Insektiziden auf solche Weise zu beseitigen.

Als die Fischereibeamten weiterforschten, fanden sie noch andere Fabriken, wo Regenfälle oder das Wasser, das man zum Reinigen verwendet hatte, ständig Insektizide in den Kanal schwemmten. Das letzte Glied in der Beweiskette ergab sich, als man entdeckte, daß wenige Tage, ehe das Wasser im See und Fluß für Fische todbringend wurde, das ganze Kanalsystem mit einigen Millionen Litern Wasser unter hohem Druck durchgespült worden war, um es von Abfallresten zu säubern.

Dieses Wasser hatte zweifellos Insektizide, die sich in der Ansammlung von Kies, Sand und Schutt festgesetzt hatten, herausgelöst und sie in den See und von dort in den Fluß getragen, wo später chemische Analysen ihre Anwesenheit bestätigten.

Als die giftige Masse im Colorado abwärts trieb, brachte sie Tod und Verderben mit sich. Stromabwärts vom See müssen auf einer Strecke von 225 Kilometern fast alle Fische zugrunde gegangen sein, denn als man später Fallnetze verwendete und sich festzustellen bemühte, ob irgendwelche Fische davongekommen waren, zog man die Netze leer heraus. Man konnte unter den toten Fischen 27 Arten beobachten, von denen auf 1600 Meter Flußufer ungefähr 454 Kilo Fische entfielen. Darunter befanden sich Getüpfelte Gabelwelse, die vor allem in diesem Fluß geangelt wurden; aber man sah auch Blaue Gabelwelse, Plattkopfwelse, Braune Katzenwelse – auch Zwergwelse genannt –, ferner vier Arten von Sonnenbarschen, Amerikanische »Orfen« der Gattung *Notropis*, bunte kleine Vertreter der Gattung *Chrosomus* – die den europäischen Elritzen ähneln –, Steinroller, Forellenbarsche, Karpfen, Meeräschen, die in küstennahes Süßwasser einwandern, und Sauger wie den Flanellmaul- und den Buckelsauger. Es gab unter den Opfern Amerikanische Aale, Knochenhechte, Karpfensauger, Atlantische Magen-Finten und Büffelfische. Unter ihnen entdeckte man einige Patriarchen des Flusses, Fische, die nach ihrer Größe zu schließen uralt sein mußten. Viele Plattkopfwelse wogen über 10 Kilo, einige erreichten laut Berichten von Leuten, die entlang der Flußufer wohnten und sie aufgelesen hatten, sogar 27 Kilo, und ein riesiger Blauer Gabelwels hatte das amtlich festgestellte Gewicht von 38 Kilo.

Das Amt für Jagdwesen und Fischerei sagte voraus, daß selbst ohne weitere Verunreinigung die Zusammensetzung des Fischbestandes im Fluß auf Jahre hinaus verändert bleiben werde. Manche Arten, die hier an den Grenzen ihres natürlichen Verbreitungsgebietes lebten, wären vielleicht nie mehr imstande, sich wieder anzusiedeln, und die andern könnten es nur, wenn mit Hilfe großzügiger staatlicher Maßnahmen neue Fische herbeigeschafft und eingesetzt würden.

So viel ist von dem Unheil, das die Fische in Austin ereilt hat, bekannt, doch sicherlich hatte es noch ein Nachspiel. Nachdem das toxische Flußwasser über 320 Kilometer stromabwärts zurückgelegt hatte, übte es noch immer seinen tödlichen Einfluß aus. Man hielt es für zu gefährlich, es in die Gewässer der Matagorda-Bai mit ihren Austernbänken und ihrer Garnelenfischerei eindringen zu lassen. So wurde der gesamte Giftstrom an der Mündung in das offene Wasser des Golfs umgeleitet. Welche Wirkungen rief er dort hervor? Wie stand es mit dem Wasser, das aus vielen anderen Flüssen einströmte und vielleicht ebenso lebensgefährliche Verunreinigungen mit sich führte?

Gegenwärtig beschränken sich unsere Antworten auf diese Fragen größtenteils auf Vermutungen, doch macht man sich in wachsendem Maße Sorgen darüber, welche Rolle die Verunreinigung mit Schädlingsbekämpfungsmitteln in Flußmündungen, Salzwassersümpfen, Buchten und anderen Küstengewässern spielt. Diese Gebiete nehmen nicht nur das verschmutzte Wasser der Flüsse auf, die sich in sie ergießen, sie werden allzuoft auch unmittelbar gesprüht, um Moskitos und andere Insekten zu bekämpfen.

Nirgends ist die Wirkung von Schädlingsbekämpfungsmitteln auf die Lebewesen der Salzsümpfe, Flußmündungen und aller stillen Meeresbuchten anschaulicher vor Augen geführt worden als an der Ostküste Floridas im Land am Indian River. Dort wurden im Frühjahr 1955 in Salzsümpfen im Landkreis St. Lucie ungefähr 8 Quadratkilometer mit Dieldrin behandelt, mit dem man die Larven der Sandmücken auszurotten versuchte. Die Konzentration des wirksamen Stoffes, den man verwendete, betrug 454 Gramm auf 4047 Quadratmeter. Die Wirkung auf die Geschöpfe im Wasser war katastrophal. Wissenschaftler der Entomologischen Forschungsstelle des Staatlichen Gesundheitsamtes besichtigten nach dem Sprühen das Gemetzel und meldeten, daß die Fische »im wesentlichen vollzählig« vernichtet worden waren. Überall lagen an den Ufern tote Fische verstreut. Vom Flugzeug aus konnte man Haifische hereinziehen sehen, angelockt von den hilflosen und sterbenden Fischen im Wasser. Keine Art blieb verschont. Unter den Opfern waren Meeräschen, Schaukelkopfglasbarsche, Mojarras und Koboldkärpflinge, die auch Moskitofische genannt werden.

Aus den Berichten von R. W. Harrington Junior und W. L. Bidlingmayer, zwei Mitgliedern der Arbeitsgruppe, die das Ausmaß dieser Verluste feststellen sollte, ging folgendes hervor:

Die Mindestmenge der sogleich getöteten Fische in dem ganzen Sumpfgelände, ausgenommen die Ufer des Indian River, betrug rund 18–27 Tonnen oder ungefähr 1 175 000 Fische von mindestens 30 Arten.

Mollusken schien das Dieldrin nichts anhaben zu können. Krebstiere wurden praktisch im gesamten Gebiet ausgerottet. Die ganze Population von Krabben, die im Wasser leben, war anscheinend vernichtet, und die Winkerkrabben, die noch nicht völlig ausgemerzt waren, hielten sich nur noch eine Weile im Sumpf am Leben, an Stellen, wo offensichtlich die Insektizidkügelchen nicht hingefallen waren.

Die größeren Angel- und Futterfische erlagen dem Gift sehr schnell... Krabben machten sich daran, die verendenden Fische zu vertilgen, doch am nächsten Tag waren sie selber tot. Die Schnecken aber verschlangen auch weiterhin Fischkadaver. Nach zwei Wochen war von den herumliegenden toten Fischen keine Spur mehr übriggeblieben.

Das gleiche trübselige Bild hat der verstorbene Dr. Herbert R. Mills entworfen. Er hatte seine Beobachtungen in der Tampa-Bai, an der gegenüberliegenden Küste Floridas gemacht, wo die Nationale Audubon-Gesellschaft in dem Gebiet, zu dem auch die Insel Whiskey Stump Key gehört, ein Schutzgebiet für Meeresvögel verwaltet. Nachdem die örtlichen Gesundheitsbehörden einen Feldzug unternommen hatten, um die Moskitos der Salzsümpfe auszutilgen, war es geradezu eine Ironie, dieses Gebiet als Zufluchtsstätte für Tiere zu bezeichnen. Wiederum waren Fische und Krabben die Hauptopfer. Die Winkerkrabbe, dieses kleine und pittoreske Krebstier, das wie Weidevieh in Scharen über Schlamm oder Sandflächen zieht, ist gegen die Sprühmittel wehrlos. Nachdem man im Laufe der Sommer- und Herbstmonate kurz nacheinander gesprüht hatte – in manchen Gebieten bis zu sechzehnmal –, schilderte Dr. Mills zusammenfassend die Lage der Winkerkrabben: »Es war inzwischen aufgefallen, daß Winkerkrabben immer seltener wurden. An einem Stück Strand, wo sich unter den Gezeiten- und Wetterbedingungen an diesem Tage [12. Oktober] hunderttausend Winkerkrabben hätten aufhalten müssen, konnte man nicht mehr als hundert erblicken, und sie waren alle tot oder krank, sie zitterten und zuckten, sie stolperten und waren kaum imstande, weiterzukriechen; in den benachbarten, nicht gesprühten Gebieten dagegen wimmelte es von ihnen.«

In der Ökologie der Welt, in der die Winkerkrabbe lebt, nimmt sie einen wichtigen Platz ein, der nicht leicht wieder ausgefüllt werden kann. Sie bildet eine wesentliche Futterquelle für viele Tiere. Waschbären der Küstengebiete fressen sie, ebenso die Vögel, die diese Sümpfe bewohnen, wie die Klapperralle, verschiedene Küstenvögel und sogar die Meeresvögel, die zu Besuch kommen. In einem Salzsumpf, den man in New Jersey mit DDT gesprüht hatte, sank die Population der Aztekenmöwen einige Wochen lang um 85 Prozent, vermutlich, weil die Vögel nach dem Sprühen nicht mehr genügend Futter zu finden vermochten. Die Winkerkrabben der Sümpfe sind auch noch in anderer Hinsicht von Bedeutung, da sie Unrat vertilgen und den Schlamm der Sümpfe mit ihren ausgedehnten Höhlenbauten durchlüften. Sie dienen auch in Mengen den Fischern als Köder.

Die Winkerkrabbe ist nicht das einzige Geschöpf, das durch die Schädlingsbekämpfungsmittel bedroht wird; auch andere Tiere, deren Wert für den Menschen noch augenfälliger ist, werden gefährdet. Die berühmte Blaue Krabbe der Chesapeake-Bai und anderer Küsten ist so hochempfindlich gegen Insektizide, daß jedes Sprühen von Wasserläufen, Gräben und Teichen in Sümpfen im Gezeitenbereich den Großteil der dort lebenden Krabben tötet. Nicht allein die Krabben an Ort und Stelle gehen ein. Auch andere, die vom Meer in ein gesprühtes Gebiet einwandern, erliegen dem schleichenden Gift. Manchmal erfolgt die Vergiftung auch auf Umwegen, wie in den Sümpfen in der Nähe des Indian River, wo Aas fressende Krabben über die sterbenden Fische herfielen, doch bald darauf selber an dem Gift zugrunde gingen. Welche Gefahr für den Hummer und die Languste besteht, ist weniger bekannt. Doch gehören sie zur gleichen Gruppe der Gliederfüßler wie die Blaue Krabbe, sie haben im wesentlichen den gleichen Körperbau und dürften daher den gleichen Schaden erleiden. Das gilt vermutlich auch für die Steinkrabbe und andere Krebstiere, die von unmittelbarer wirtschaftlicher Bedeutung für die menschliche Ernährung sind.

Die Gewässer dicht vor der Küste – die Buchten und Meerengen, die Flußmündungen und Gezeiten-Sümpfe – bilden eine äußerst wichtige ökologische Einheit. Sie sind so eng mit dem Dasein vieler Fische, Weichtiere und Krebse verbunden und so unentbehrlich für sie, daß diese Nahrung aus dem Meer von unserem Tisch verschwinden würde, wenn sich in diesen Gewässern kein Lebewesen mehr aufhalten könnte.

Selbst unter den Fischen, die in den Küstengewässern bis weit ins Meer hinaus vorkommen, brauchen viele die geschützten Gebiete nahe dem Ufer, die ihnen als »Kinderstube« und Futtergründe für ihre Jungen dienen. In dem ganzen Labyrinth der von Mangroven eingesäumten Wasserläufe und Kanäle, die sich am Rande des unteren Drittels der Westküste Floridas hinziehen, wimmelt es von den Jungen des Atlantischen Tarpuns. An der Atlantik-Küste laichen Umberfische wie *Cynoscion regalis*, in Amerika »Meerforelle« genannt, Westatlantischer Umberfisch, Zebra-Umberfisch und Ritterfische auf Sandbänken vor dem Ufer der kleinen langgestreckten Buchten zwischen Inseln, die wie eine schützende Kette vor dem Großteil der Küste südlich von New York liegen. Die jungen Fische schlüpfen aus und werden von den Gezeiten durch die Bucht hinausgetragen. In den Bais und Sunden von Currituck, Pamlico, Bogue und vielen anderen finden sie reichlich Nahrung und wachsen schnell heran. Ohne diese »Kinderstuben« mit warmen, geschützten und futterreichen Gewässern könnten diese und viele andere Arten ihren Bestand nicht aufrechterhalten. Doch wir lassen zu, daß auf dem Weg über die Flüsse und durch unmittelbares Sprühen des angrenzenden Sumpflandes Schädlingsbekämpfungsmittel in dieses Wasser gelangen. Die Jugendstadien dieser Fische sind aber ganz besonders und weit mehr als die erwachsenen Tiere gegen chemische Gifte empfindlich.

Auch Garnelen sind auf die küstennahen Futtergründe für ihre Jungen angewiesen. Vom Fang einer in Scharen auftretenden und weitverbreiteten Garnelen-Art lebt die gesamte Handelsfischerei der südatlantischen und der Golf-Staaten. Obwohl die Garnelen im Meer laichen, schwimmen die Jungen, sobald sie ein paar Wochen alt sind, in die Flußmündungen und Buchten, wo sie sich mehrmals häuten und die Form verändern. Dort bleiben sie vom Mai oder Juni bis zum Herbst und ernähren sich von den Abfällen am Grund. Während der ganzen Zeit ihres Lebens nahe der Küste hängt das Gedeihen der Garnelen und damit der Industrie, die von ihnen lebt, von günstigen Bedingungen in den Flußmündungen ab.

Bilden die Schädlingsbekämpfungsmittel für die Garnelenfischerei und die Belieferung der Märkte eine Gefahr? Die Antwort dürften uns Experimente geben, die in Laboratorien von der Abteilung für Handelsfischerei gemacht worden sind. Wie sich herausstellte, war die Widerstandsfähigkeit junger Garnelen bei Arten, die gehandelt werden, besonders gering, wenn sie das Larvenstadium gerade erst hinter sich hatten. Sie wurde in Teilen pro Milliarde ausgedrückt, statt in dem allgemein üblichen Maßstab von Teilen pro Million. Zum Beispiel wurde bei einem Experiment die Hälfte der Garnelen durch Dieldrin in einer Konzentration von nur rund 15 Teilen pro Milliarde getötet. Andere chemische Giftstoffe wirkten sogar noch stärker. Endrin, das sich stets als eines der tödlichsten Mittel erweist, vernichtete die Hälfte der Garnelen bereits in einer Konzentration von nur *einem halben Teil pro Milliarde.*

Austern und andere eßbare Muscheln werden von verschiedenen Gefahren bedroht. Wiederum sind die Jugendstadien am verwundbarsten. Diese Schaltiere hausen am Grund von Buchten, Meerengen und Gezeitenströmungen von New England bis Texas und in Gebieten an der pazifischen Küste, die ihnen Zuflucht bieten. Obwohl sie als erwachsene Tiere ein seßhaftes Dasein führen, geben sie ihre Eier ins Meer ab, wo die Jungen mehrere Wochen lang frei umherschwimmen. Zieht man an einem Sommertag ein feinmaschiges Schleppnetz hinter einem Boot nach, sammeln sich darin zusammen mit den anderen dahintreibenden winzigen Pflanzen und Tieren, die das Plankton bilden, auch die unendlich kleinen, wie Glas zerbrechlichen Larven von Austern und anderen Muscheln. Die durchsichtigen Larven, nicht größer als Staubkörnchen, schwimmen im Wasser an der Oberfläche umher und ernähren sich von den mikroskopischen Pflanzen des Planktons. Wenn diese Meeresvegetation nicht gedeiht, müssen die jungen Muscheln hungern. Doch Schädlingsbekämpfungsmittel können sehr wohl beträchtliche Mengen Plankton vernichten. Manche der Herbizide, die allgemein für Rasen und Felder, an Straßenrändern, ja sogar in den Küstensümpfen angewandt werden, sind für das pflanzliche Plankton, das Futter der Weichtierlarven, außerordentlich toxisch – manche von ihnen schon in Konzentrationen von wenigen Teilen pro Milliarde.

Die zarten Larven selbst werden schon von sehr geringen Mengen vieler allgemein gebräuchlicher Insektizide getötet. Selbst wenn die Larve einer Dosis ausgesetzt wird, die unter der tödlichen Menge liegt, kann sie am Ende zugrunde gehen, denn stets wird die Wachstumsgeschwindigkeit verlangsamt. Dadurch muß eine solche Larve längere Zeit als sonst in der gefährlichen Welt des Planktons verbringen und hat geringere Aussicht, sich zu einem voll erwachsenen Tier zu entwickeln.

Für die erwachsenen Weichtiere besteht anscheinend – zumindest bei manchen Schädlingsbekämpfungsmitteln – weniger

Gefahr, unmittelbar vergiftet zu werden. Doch ist das nicht unbedingt beruhigend. Austern und andere eßbare Muscheln können diese Gifte in ihren Verdauungsorganen und in anderen Geweben anreichern. Beide Muschelarten werden gewöhnlich ganz und manchmal roh verzehrt. Dr. Philip Butler vom Amt für Handelsfischerei hat auf eine unheimliche Parallele hingewiesen: Wir könnten uns in der gleichen Lage befinden wie die Wanderdrosseln. Dr. Butler erinnert uns daran, daß auch die Wanderdrosseln nicht starben, weil sie unmittelbar durch das DDT vergiftet wurden; sie gingen zugrunde, weil sie Regenwürmer gefressen hatten, die in ihren Geweben das Insektizid bereits konzentriert hatten.

Der plötzliche Tod von Tausenden von Fischen oder Krebstieren in manchen Flüssen oder Teichen als unmittelbare und sichtbare Folge einer Insektenbekämpfung ist unheimlich und alarmierend. Doch die unsichtbaren, bis jetzt noch weitgehend unbekannten und nicht genau zu ermessenden Wirkungen jener Schädlingsbekämpfungsmittel, die über Bäche und Flüsse die Mündungsgebiete erreichen, könnten letzten Endes noch verhängnisvoller. sein. Aus der gesamten Lage ergeben sich viele dringende Fragen, die wir gegenwärtig noch nicht befriedigend beantworten können. Wir wissen, daß in dem Wasser, das von Farmen und Wäldern abläuft, Schädlingsbekämpfungsmittel enthalten sind und nun ständig von vielen, ja vielleicht allen großen Flüssen ins Meer befördert werden. Doch wir kennen weder die genaue Zusammensetzung aller chemischen Stoffe noch ihre Gesamtmenge, und wir besitzen derzeit keinerlei verläßliche Prüfmethoden, sie in stark verdünnter Lösung nachzuweisen, wenn sie einmal das Meer erreicht haben. Obwohl uns bekannt ist, daß die chemischen Verbindungen mit ziemlicher Sicherheit während der langen Zeit ihres Transports Umwandlungen unterworfen sind, haben wir keine Ahnung, ob der veränderte chemische Stoff weniger oder stärker giftig ist als der ursprüngliche. Ein weiteres nahezu unerforschtes Gebiet ist die Frage der Wechselwirkung zwischen Chemikalien, eine Frage, die besonders ernst wird, wenn sie in die Welt des Meeres gelangen, wo so viele verschiedene anorganische Stoffe sich dauernd mischen und weitergetragen werden. Alle diese Fragen erheischen dringend präzise Antworten, die nur eine umfassende Forschung erteilen kann; doch die Geldmittel für solche Zwecke sind jämmerlich gering.

Die Fischerei im Süß- und Salzwasser ist eine Versorgungsquelle von großer Bedeutung, und von ihr hängen das Wohl und die Interessen einer sehr großen Anzahl von Menschen ab. Es kann nicht mehr bezweifelt werden, daß die Fischerei derzeit durch die Chemikalien, die in unsere Gewässer eindringen, ernstlich bedroht wird. Wenn wir auch nur einen kleinen Bruchteil des Geldes, das alljährlich für die Entwicklung immer giftigerer Sprühmittel aufgewendet wird, für schöpferische Forschungsarbeiten ausgäben, könnten wir Mittel und Wege finden, weniger toxische Stoffe anzuwenden und Gifte von unseren Gewässern fernzuhalten. Wann wird die Öffentlichkeit die Tatsachen klar genug erfassen und nachdrücklich fordern, daß man entsprechend handelt?

10. Kapitel
Gifte regnen vom Himmel

Das Sprühen vom Flugzeug aus begann in kleinem Maßstab mit dem Einsatz über Farmen und Wäldern. Doch hat es sich auf so weite Gebiete ausgedehnt und so zugenommen, daß, wie ein britischer Ökologe kürzlich sagte, »ein unbeschreiblicher Todesregen« auf die Erdoberfläche niedergeht. Unsere Einstellung zu Giften hat sich unmerklich gewandelt. Einst wurden sie in Gefäßen aufbewahrt, die mit Totenkopf und gekreuzten Gebeinen gekennzeichnet waren; sie wurden selten gebraucht, und stets war man dann sorgfältig darauf bedacht, daß sie nur das gewünschte Ziel trafen und mit nichts anderem in Berührung kamen. Als man die neuen organischen Insektizide entwickelte und nach dem Zweiten Weltkrieg eine große Menge überflüssig gewordener Flugzeuge zur Verfügung hatte, war all das vergessen. Obwohl die heutigen Gifte gefährlicher sind als alle, die man zuvor kannte, sind sie verblüffenderweise zu Stoffen geworden, die man ohne Unterschied vom Himmel regnen läßt. Nicht nur das Insekt oder die Pflanze, die man damit treffen will, sondern auch sämtliche menschlichen oder nichtmenschlichen Wesen innerhalb des Bereichs, in dem die Chemikalien niedergehen, können den unheimlichen Einfluß des Giftes zu fühlen bekommen. Nicht allein Wälder und bebaute Felder werden besprüht, sondern ebenso kleine und große Städte.

Vielen Menschen ahnt nichts Gutes, wenn über Millionen Morgen Land tödliche Chemikalien vom Flugzeug aus verteilt werden. Zwei Feldzüge mit Masseneinsatz von Sprühmitteln, die man am Ende der fünfziger Jahre unternommen hat, trugen viel dazu bei, diese Zweifel noch zu verstärken. Es handelt sich dabei um die Feldzüge gegen den Schwammspinner in den nordöstlichen Staaten und gegen die Feuerameise im Süden. Keiner der beiden Schädlinge ist ein einheimisches Insekt, doch beide haben wir schon viele Jahre im Lande, ohne daß dadurch eine Lage entstanden wäre, die verzweifelte Maßnahmen erforderte. Plötzlich aber hat man gegen sie drastische Schritte unternommen und hielt sich dabei an den Grundsatz, daß der Zweck die Mittel heilige, eine Auffassung, von der sich die Abteilungen für Schädlingsbekämpfung in unserem Landwirtschaftsministerium nur allzulange haben leiten lassen.

Das Bekämpfungsprogramm gegen den Schwammspinner beweist, welch ungeheurer Schaden angerichtet werden kann, sobald an die Stelle örtlicher und maßvoller Bekämpfung eine rücksichtslose Großflächenbehandlung tritt. Der Feldzug gegen die Feuerameise ist ein vorzügliches Beispiel für eine Maßnahme, deren Notwendigkeit man stark übertrieb und die man nach solcher Begründung unüberlegt begann, ohne die Dosis des Giftes, die zur Vernichtung des Insekts erforderlich war, oder die Wirkungen auf andere Lebewesen wissenschaftlich einwandfrei festzustellen. Mit keinem der beiden Programme wurde das beabsichtigte Ziel erreicht.

Der Schwammspinner stammt aus Europa, lebt aber schon fast hundert Jahre lang in den Vereinigten Staaten. Im Jahre 1869 ließ Leopold Trouvelot, ein französischer Gelehrter, in Medford im Staate Massachusetts versehentlich ein paar dieser Nachtfalter aus seinem Laboratorium entkommen, wo er sie mit Seidenspinnern zu kreuzen versuchte. Nach und nach ist der Schwammspinner dann überall in New England aufgetaucht. Die Hauptursache für seine zunehmende Verbreitung ist der Wind; das Larvenstadium, die Raupe, ist außerordentlich leicht und kann bis in beträchtliche Höhen und über weite Entfernungen verweht werden. Ein weiteres Mittel, den Schädling zu verschleppen, sind Sendungen von Pflanzen, an denen die Eimassen haften, da bei dieser Art die Eier überwintern. Der Schwammspinner, dessen Raupe in jedem Frühling einige Wochen lang über das Laub von Eichen und einigen anderen Laubbäumen herfällt, kommt nun in allen New-England-Staaten vor. Vereinzelt tritt er auch in New Jersey auf, wohin er im Jahre 1911 mit einer Schiffsladung von Fichten aus Holland gebracht wurde, ferner in Michigan, wo man nicht weiß, auf welchem Wege er Einzug hielt. Der Hurrikan, der im Jahre 1938 in New England wütete, trug ihn nach Pennsylvanien und New York hinein, aber im allgemeinen bildeten die Adirondacks ein Hindernis für sein Vordringen nach Westen, da dieses Gebirge mit Baumarten bewaldet ist, die für ihn nicht anziehend sind.

Die Aufgabe, den Schwammspinner auf die nordöstliche Ecke des Landes zu beschränken, hat man mit den verschiedensten Methoden gelöst, und in den nahezu hundert Jahren seit seinem Erscheinen auf diesem Kontinent hat sich die Besorgnis, er könnte die großen Laubwälder der südlichen Appalachen befallen, als unbegründet erwiesen. Aus dem Ausland wurden dreizehn Parasiten und räuberische Feinde in New England eingeführt und erfolgreich eingebürgert. Das Landwirtschaftsministerium selbst hat es diesen importierten Formen zugeschrieben, daß die plötzliche starke Vermehrung von Schwammspinnern erheblich seltener auftrat und nicht mehr so große Zerstörung anrichtete. Dank dieser natürlichen Bekämpfungsmethode, die noch durch Quarantänemaßnahmen und örtliches Sprühen ergänzt wurde, gelang es, »Verbreitung und Schaden hervorragend einzudämmen«, wie das Ministerium im Jahre 1955 erklärte.

Doch schon ein Jahr, nachdem das Ministerium sich so befriedigt über die Lage der Dinge geäußert hatte, ließ sich die Abteilung für die Bekämpfung von Pflanzenschädlingen des gleichen Ministeriums auf ein Programm ein, das eine Großflächenbehandlung von jährlich einigen Millionen Morgen Land mit Sprühmitteln vorsah. Wie man verkündete, beabsichtigte man damit, den Schwammspinner endlich »auszurotten«. (Unter »Ausrottung« versteht man die endgültige Vernichtung oder Beseitigung einer Art in ihrem gesamten Verbreitungsgebiet. Da jedoch aufeinanderfolgende Bekämpfungsprogramme versagt haben, hielt es das Ministerium für notwendig, von einer zweiten oder dritten »Ausrottung« der gleichen Art in dem gleichen Gebiet zu sprechen.)

Der »totale chemische Krieg« des Ministeriums gegen den Schwammspinner begann auf der ganzen Linie. Im Jahre 1956 wurden in den Staaten Pennsylvanien, New Jersey, Michigan und New York fast 4047 Quadratkilometer gesprüht. Zahlreiche Menschen, die in den besprühten Gebieten wohnten, beschwerten sich über Schäden. Die Vertreter des Naturschutzes wurden immer besorgter, als die Pläne, riesige Gebiete zu sprühen, feste Gestalt annahmen. Als man ankündigte, daß im Jahre 1957 rund 12000 Quadratkilometer gesprüht werden sollten, wurde die Opposition noch erheblich stärker. Bezeichnenderweise taten die Beamten der Landwirtschaftsministerien des Staates und des Bundes die Beschwerden einzelner Personen mit einem Achselzucken als unwesentlich ab.

Der Bezirk von Long Island, der im Jahre 1957 in die Sprühmaßnahmen gegen den Schwammspinner einbezogen wurde, bestand hauptsächlich aus dichtbevölkerten kleinen Städten und Vorstädten sowie aus Küstengebieten mit angrenzenden Salzsümpfen. Der Landkreis Nassau auf Long Island ist, abgesehen von der Stadt New York, die am dichtesten besiedelte

Gegend. Als Gipfel der Ungereimtheit erscheint es jedoch, daß man behauptete, »das Zentrum der Großstadt New York sei von der Ansteckung bedroht«, und dies als eine wichtige Rechtfertigung für das Bekämpfungsprogramm anführte. Der Schwammspinner ist ein Waldschädling, aber in Städten kommt er bestimmt nicht vor. Er lebt auch nicht auf Wiesen und bebauten Feldern oder in Gärten und Sümpfen. Trotzdem ließen im Jahre 1957 die Flugzeuge, die vom Landwirtschaftsministerium der Vereinigten Staaten und des Staates New York gemietet worden waren, die vorgeschriebenen Mengen DDT, in Dieselöl gelöst, unparteiisch herabregnen. Sie sprühten Gemüsegärten und Meiereien, Fischteiche und Salzsümpfe. Sie sprühten die 1000 Quadratmeter umfassenden Grundstücke der Vorstädte, verschonten auch eine Hausfrau nicht, die sich verzweifelt bemühte, ihren Garten abzudecken, ehe die dröhnenden Flugzeuge sie erreichten, und sie überschütteten spielende Kinder und wartende Fahrgäste an den Eisenbahnstationen mit dem Insektizid. In Setauket trank ein schönes Pferd aus einem Trog auf einem Feld, das die Flugzeuge besprüht hatten; zehn Stunden später war es tot. Automobile wurden von der öligen Mischung beschmutzt, Blumen und Sträucher vernichtet. Vögel, Fische, Krabben und nützliche Insekten wurden getötet.

Eine Gruppe von Bürgern auf Long Island, angeführt von dem weltberühmten Ornithologen Robert Cushman Murphy, hatte versucht, ein gerichtliches Verbot zu erwirken, um die Sprühmaßnahmen im Jahre 1957 zu verhindern. Da es ihnen nicht gelang, ein vorläufiges Verbot zu erreichen, mußten sie die vorgeschriebene »Dusche« von DDT einfach über sich ergehen lassen, bemühten sich aber danach weiter hartnäckig um ein dauerndes Verbot. Doch weil man die Handlung bereits vollzogen hatte, war das Gericht der Ansicht, daß das Ansuchen um ein Verbot »umstritten« sei. Der Fall wurde bis zur höchsten Instanz weitergetragen, die es ablehnte, ihn zu verhandeln. Richter William O. Douglas, der die Entscheidung, den Fall nicht zu überprüfen, stärkstens mißbilligte, war allerdings der Meinung, daß »die warnenden Stimmen vieler Fachleute und verantwortlicher Beamten, die auf die Gefahren des DDT hingewiesen haben, die Bedeutung dieses Falles für die Allgemeinheit nur unterstreichen«.

Die Beschwerde, die von den Bürgern auf Long Island eingebracht worden war, erfüllte zumindest einen Zweck: Sie machte die Öffentlichkeit darauf aufmerksam, daß man zunehmend bestrebt ist, Insektizide in Massen anzuwenden, und daß die Stellen, die sich mit der Bekämpfung befassen, die Macht haben und auch geneigt sind, angeblich unverletzliche Eigentumsrechte von Privatleuten zu mißachten.

Für viele Leute war es eine unangenehme Überraschung, als im Laufe der Sprühmaßnahmen gegen den Schwammspinner auch die Milch und landwirtschaftliche Erzeugnisse verunreinigt wurden. Sehr aufschlußreich ist, was sich auf der 0,8 Quadratkilometer großen Waller-Farm im nördlichen Landkreis Westchester des Staates New York ereignete. Mrs. Waller ersuchte die Beamten des Landwirtschaftsministeriums ausdrücklich, ihren Besitz nicht zu sprühen, weil es unmöglich sei, den Viehweiden auszuweichen, wenn man das Waldland sprühte. Sie machte sich erbötig, nachprüfen zu lassen, ob auf dem Land Schwammspinner vorhanden seien, und war bereit, vorhandene Schädlinge durch örtliches Sprühen zu vernichten. Obwohl man ihr versicherte, daß die Farmen verschont bleiben sollten, wurde ihr Besitz zweimal unmittelbar gesprüht, zudem trieben zweimal Sprühnebel darüber hinweg. Als man achtundvierzig Stunden später der Milch von Wallers reinrassigen Guernsey-Kühen Proben entnahm, enthielt sie DDT in Mengen von 14 Teilen pro Million. Natürlich waren auch Futterproben von Wiesen, auf denen die Kühe geweidet hatten, verunreinigt. Obwohl man dies dem Gesundheitsamt des Landkreises meldete, wurden keine Anweisungen gegeben, die Milch nicht auf den Markt zu bringen. Dieser Fall ist leider typisch für den nur allzu häufig feststellbaren mangelnden Schutz des Verbrauchers. Obwohl die Nahrungs- und Arzneimittelprüfstelle Rückstände von Schädlingsbekämpfungsmitteln in Milch nicht gestattet, sorgt sie nicht entsprechend streng dafür, daß ihre Verbote beachtet werden, außerdem gelten diese lediglich für den zwischenstaatlichen Handel. Die Behörden eines Staates oder eines Landkreises können keineswegs dazu gezwungen werden, sich an die Vorschriften des Bundes über zulässige Mengen von Schädlingsbekämpfungsmitteln zu halten, wenn nicht zufällig auch die örtlichen Gesetze das gleiche fordern, und das ist selten der Fall.

Gemüsegärtner haben ebenfalls Verluste erlitten. Manche Nutzpflanzen, von denen die Blätter verwertet werden, waren so verbrannt und fleckig, daß sie nicht mehr verkauft werden konnten. Andere wiesen starke Rückstände auf. Eine Probe von Erbsen, die man in der landwirtschaftlichen Versuchsstation der Cornell Universität analysierte, enthielt 14–20 Teile DDT pro Million. Die gesetzlich erlaubte Höchstmenge sind 7 Teile pro Million. Die Leute, die diese Erbsen angepflanzt hatten, mußten daher schwere Verluste auf sich nehmen, oder sie befanden sich in der unangenehmen Lage, Erzeugnisse mit gesetzwidrigen Insektizidresten verkaufen zu müssen; manche von ihnen verlangten Schadenersatz und erhielten ihn auch.

Als man immer mehr dazu überging, mit DDT vom Flugzeug aus zu sprühen, mehrten sich auch die Klagen, die bei Gericht eingereicht wurden. Unter anderem beschwerten sich Bienenzüchter in mehreren Gebieten des Staates New York. Schon vor dem Sprühen im Jahre 1957 war es den Bienenzüchtern schlimm ergangen, als man DDT in Obstgärten anwandte. »Bis zum Jahre 1953 betrachtete ich alles, was vom Landwirtschaftsministerium der Vereinigten Staaten und den landwirtschaftlichen Instituten kam, als Evangelium«, bemerkte einer von ihnen bitter. Doch im Mai des gleichen Jahres verlor dieser Mann, nachdem der Staat ein großes Gebiet gesprüht hatte, achthundert Bienenvölker. So schwer war der Verlust, und er erstreckte sich auf ein so ausgedehntes Gebiet, daß sich vierzehn andere Bienenzüchter ihm anschlossen und den Staat auf einen Schadenersatz von einer Million Dollar verklagten. Ein weiterer Bienenzüchter, dessen vierhundert Stöcke zufällig im Jahre 1957 zur Zielscheibe der Sprühgeräte wurden, berichtete, daß von den Arbeitsbienen, die ausfliegen, um Nektar und Blütenstaub für die Stöcke zu sammeln, in bewaldeten Gebieten hundert Prozent und auf dem weniger intensiv gesprühten Farmland bis zu fünfzig Prozent getötet worden waren. »Es ist sehr schmerzlich«, schrieb er, »im Mai in einen Garten zu gehen und nicht eine Biene summen zu hören.«

Das Bekämpfungsprogramm gegen den Schwammspinner war durch viele unverantwortliche Handlungen gekennzeichnet. Da sich die Bezahlung der Flugzeuge mehr nach der Anzahl der Liter des angewandten Insektizids als nach der Größe der Fläche richtete, bemühte man sich nicht, Vorsicht walten zu lassen, und viele Besitzungen wurden nicht nur einmal, sondern öfter gesprüht. Aufträge für das Sprühen vom Flugzeug aus wurden in mindestens einem Falle einer Firma aus einem anderen Staat erteilt, die keine örtliche Niederlassung besaß und sich, entgegen der gesetzlichen Vorschrift, bei den staatlichen Behörden nicht angemeldet hatte, um die Frage der gesetzlichen Verantwortung zu regeln. Bei dieser äußerst unsicheren Rechtslage entdeckten Bürger, die infolge von Schäden in Obstgärten mit Apfelbäumen oder an Bienenvölkern unmittelbare finanzielle Verluste zu verzeichnen hatten, daß niemand da war, den sie verklagen konnten.

Nach den verhängnisvollen Sprühmaßnahmen des Jahres 1957 wurde das Programm unvermittelt und drastisch eingeschränkt – mit der recht unklaren Begründung, daß man die bisherige Arbeit »auswerten« und andere Insektizide erproben wolle. Von den 14164 Quadratkilometern, die man 1957 gesprüht hatte, verkleinerte sich die behandelte Fläche 1958 auf 2023 Quadratkilometer und 1959, 1960 und 1961 auf 405 Quadratkilometer.

In diesen Jahren müssen die Nachrichten aus Long Island für die Stellen, die diese Bekämpfung durchgeführt hatten, sehr beunruhigend gewesen sein. Der Schwammspinner war dort erneut in Scharen aufgetreten. Die kostspielige Sprühmaßnahme war dem Ministerium teuer zu stehen gekommen, weil es so viel Vertrauen und Wohlwollen bei der Bevölkerung verspielt hatte, sie war dazu bestimmt gewesen, den Schwammspinner für immer auszutilgen, und in Wirklichkeit hatte man überhaupt nichts erreicht.

Mittlerweile hatten die Leute, die sich im Ministerium mit dem Kampf gegen Pflanzenschädlinge befaßten, vorübergehend die Schwammspinner vergessen, denn sie waren emsig damit beschäftigt, ein noch großartigeres Programm im Süden in Gang zu bringen. Noch immer kam das Wort »Ausrottung« leicht und glatt aus den Vervielfältigungsmaschinen des Ministeriums; diesmal versprachen die an die Presse ausgegebenen Mitteilungen, daß man die Feuerameise ausrotten werde.

Die Feuerameise, ein Insekt, das wegen seines brennenden Stichs so genannt wird, scheint von Südamerika in die Vereinigten Staaten über den Hafen Mobile in Alabama eingedrungen zu sein. Dort hatte man sie kurz nach dem Ende des Ersten Weltkriegs entdeckt. Um 1928 hatte sie sich bis in die Vorstädte von Mobile verbreitet und hat ständig weitere Gebiete befallen, so daß sie jetzt in die meisten Südstaaten gelangt ist.

Während der über vierzig Jahre seit ihrer Ankunft in den Vereinigten Staaten scheint die Feuerameise wenig Aufsehen erregt zu haben. Die Staaten, in denen sie am zahlreichsten vorkam, hielten sie für einen Plagegeist, weil sie große Nester oder Hügel baut, die oft über 30 Zentimeter hoch sind und dadurch die Arbeit der landwirtschaftlichen Maschinen behindern können. Doch nur zwei Staaten führten die Feuerameise unter ihren zwanzig wichtigsten schädlichen Insekten auf, und auch sie stellten sie ziemlich ans Ende der Liste. Weder Behörden noch Privatpersonen scheinen befürchtet zu haben, daß die Feuerameise Feldfrüchte oder Vieh bedrohen könnte.

Als chemische Stoffe mit weitreichender tödlicher Wirksamkeit entwickelt wurden, änderte sich plötzlich die Einstellung der Behörden. Im Jahre 1957 unternahm das Landwirtschaftsministerium der Vereinigten Staaten einen der denkwürdigsten Propagandafeldzüge seiner Geschichte. Die Feuerameise wurde plötzlich zur Zielscheibe eines wahren Sperrfeuers von amtlichen Berichten, Filmen und amtlicherseits angeregten Geschichten, in denen das Insekt als Verderben der Landwirtschaft des Südens und als Mörder von Vögeln, Vieh und Menschen dargestellt wurde. Ein gewaltiger Krieg wurde angekündigt, in dem die Bundesregierung in Zusammenarbeit mit den betroffenen Staaten schließlich rund 81000 Quadratkilometer Land in neun südlichen Staaten mit Insektiziden behandeln wollte.

»Die Erzeuger von Schädlingsbekämpfungsmitteln in den Vereinigten Staaten scheinen auf eine wahre Goldgrube für ihren Absatz gestoßen zu sein, da sich die Zahl der Vorhaben, die vom Landwirtschaftsministerium der USA im großen Maßstab zur Ausrottung von Schädlingen durchgeführt werden, ständig mehrt«, berichtete hocherfreut eine Handelszeitung im Jahre 1958, als das Bekämpfungsprogramm gegen die Feuerameise anlief.

Niemals ist ein solches Unternehmen von nahezu jedermann, außer von den Nutznießern der »Goldgrube für den Absatz« so völlig und mit Recht verdammt worden. Es ist ein hervorragendes Beispiel für ein schlecht ausgedachtes, fehlerhaft durchgeführtes und in jeder Hinsicht schädliches Experiment eines Masseneinsatzes von Insektiziden. Dieses Experiment kostete solche Unsummen von Dollars, vernichtete so viele Tierleben, und das Landwirtschaftsministerium verscherzte sich dadurch so weitgehend das Vertrauen der Leute, daß es unverständlich ist, wenn auch heute noch irgendwelche Gelder dafür aufgewandt werden.

Die Unterstützung des Kongresses für das Projekt gewann man anfänglich durch Darstellungen, deren Richtigkeit später bezweifelt wurde. Man schilderte die Feuerameise als eine ernste

Gefahr für die Landwirtschaft im Süden, da sie den Erntesegen erheblich schmälere, aber auch für die Fauna, weil sie die Jungen von Vögeln, die am Boden nisteten, angreife. Wenn sie Menschen stach, war deren Gesundheit angeblich ernstlich bedroht.

Wie weit sind nun diese Vorwürfe begründet? Die Angaben, die Gewährsleute des Ministeriums machten, damit Gelder für das Unternehmen bewilligt wurden, stimmten nicht mit den Daten in den maßgebenden Bekanntmachungen des Landwirtschaftsministeriums überein. In dem Bericht des Jahres 1957 über ›Empfehlungen von Insektiziden ... für die Bekämpfung von Insekten, die Feldfrüchte und Vieh angreifen‹, wurde die Feuerameise nicht einmal erwähnt. Das ist ein recht eigenartiges Versäumnis, falls das Ministerium an seine eigene Propaganda glaubt. Überdies fand sich in dem von dieser Behörde herausgegebenen ›Jahrbuch 1952‹ – einem umfassenden Sachwörterbuch über Insekten – nur ein kurzer Absatz über die Feuerameise in einem Gesamttext von einer halben Million Wörtern.

Der unbewiesenen Behauptung, die Feuerameise zerstöre Feldfrüchte und greife Vieh an, steht die sorgfältige und genaue Untersuchung der landwirtschaftlichen Versuchsstation von Alabama gegenüber, einem Staat, der dieses Insekt gründlichst kennengelernt hat. Nach Ansicht der Wissenschaftler von Alabama »wird im allgemeinen selten Schaden an Pflanzen angerichtet«. Dr. F. S. Arant, ein Entomologe des Polytechnischen Instituts von Alabama und im Jahre 1961 Präsident der Entomologischen Gesellschaft Amerikas, erklärt, daß seine Abteilung »in den letzten fünf Jahren nicht eine einzige Meldung über Schäden an Pflanzen durch Ameisen erhalten habe ..., es sei auch nicht bemerkt worden, daß Vieh Schaden gelitten habe«. Diese Männer, von denen Ameisen auf freiem Feld und im Laboratorium wirklich beobachtet wurden, berichten, daß die Feuerameisen sich hauptsächlich von den verschiedensten anderen Insekten ernähren, von denen viele als Schädlinge betrachtet werden. Man hat Feuerameisen beobachtet, die Larven des Kapselkäfers der Baumwolle von den Pflanzen wegschleppten. Wenn sie ihre Hügel bauen, dient das einem nützlichen Zweck, da sie den Boden dabei durchlüften und entwässern. Die Studien in Alabama wurden durch Untersuchungen an der Staatsuniversität von Mississippi bestätigt, und sie sind weit eindrucksvoller als das Beweismaterial des Landwirtschaftsministeriums, das sich anscheinend entweder auf Gespräche mit Farmern stützte, die leicht eine Ameise mit der anderen verwechseln könnten, oder auf alte und überholte Forschungsergebnisse. Manche Entomologen glauben, daß sich die Freßgewohnheiten der Ameise geändert haben, als sie in größeren Mengen auftrat, so daß Beobachtungen, die man vor einigen Jahrzehnten machte, jetzt nur mehr geringen Wert besitzen.

Auch die Behauptung, die Ameise bedrohe Gesundheit und Leben, muß erheblich eingeschränkt werden. Um Unterstützung für sein Bekämpfungsprogramm zu gewinnen, ließ das Landwirtschaftsministerium einen Propagandafilm drehen, in dem Schreckensszenen die Wirkung des Stichs von Feuerameisen ausmalten. Zugegeben, er ist schmerzhaft und es ist ratsam, sich vor ihm zu hüten, genauso wie man es normalerweise vermeidet, sich von Wespen oder Bienen stechen zu lassen. Bei überempfindlichen Menschen können gelegentlich heftige Reaktionen auftreten, und in der medizinischen Literatur wird von einem Todesfall berichtet, der möglicherweise, aber nicht unbedingt dem Gift von Feuerameisen zuzuschreiben ist. Im Gegensatz dazu verzeichnet das Amt für Lebenswichtige Statistik allein im Jahre 1959 dreiunddreißig Todesfälle infolge von Wespen- und Bienenstichen. Trotzdem scheint niemand vorgeschlagen zu haben, diese Insekten »auszurotten«.

Wiederum ist das an Ort und Stelle gesammelte Beweismaterial am überzeugendsten. Obwohl die Feuerameise seit vierzig Jahren dort vorkommt und dort auch den stärksten Bestand aufweist, erklärt der Leiter des Staatlichen Gesundheitsamts, daß »in Alabama niemals der Tod eines Menschen durch Stiche eingeschleppter Feuerameisen herbeigeführt worden ist«, und daß von Feuerameisen gestochene Menschen ärztlich behandelt werden mußten, ist seiner Meinung nach nur »zufällig« vorgekommen. Wenn sich Ameisenhaufen auf Rasen oder Spielplätzen befinden, können Kinder wahrscheinlich in die unangenehme Lage geraten, gestochen zu werden, aber das ist schwerlich eine Rechtfertigung dafür, daß man Millionen Morgen Land mit Giften durchtränkt. Diese Zustände lassen sich leicht beseitigen, wenn man die einzelnen Ameisenhügel behandelt.

Man berief sich auch auf den Schaden, der der Vogeljagd zugefügt wird, ohne aber Beweise dafür zu liefern. Ein Mann, der sicherlich bestens geeignet ist, sich zu dieser Streitfrage zu äußern, ist Dr. Maurice F. Baker, der Leiter des Verbands zur

Erforschung wildlebender Tiere in Auburn im Staate Alabama, der über vieljährige Erfahrung in diesem Lande verfügt. Seine Ansicht steht allerdings im krassen Gegensatz zu der des Landwirtschaftsministeriums. Er erklärt: »In Süd-Alabama und Nordwest-Florida ist die Jagd ausgezeichnet, und neben starken Populationen eingeschleppter Feuerameisen können sich Bestände von Virginischen Baumwachteln durchaus behaupten ... In den fast vierzig Jahren, in denen Alabama die Feuerameise beherbergt hat, vermehrten sich, wie sich herausgestellt hat, die Populationen von Jagdwild stetig und in sehr beträchtlichem Maße. Sicherlich könnten diese Bedingungen nicht bestehen, wenn die importierte Feuerameise die wildlebenden Tiere ernstlich bedrohte.«

Was mit diesen wildlebenden Tieren jedoch geschehen würde, wenn man sie dem Insektizid aussetzte, das man gegen die Ameisen anwandte, war eine andere Sache. Die chemischen Stoffe, die benutzt werden sollten, waren Dieldrin und Heptachlor, beide verhältnismäßig neu. Man hatte wenig Erfahrung in der Anwendung dieser Mittel in der freien Natur, und niemand wußte, wie sie dort auf Vögel, Fische oder Säugetiere wirken könnten, wenn man sie im großen Maßstab verwendete. Es war jedoch bekannt, daß beide Gifte um ein Vielfaches toxischer waren als DDT, das damals ungefähr seit einem Jahrzehnt im Gebrauch war und selbst in einem Verhältnis von nur 454 Gramm auf 4047 Quadratmeter manche Vögel und viele Fische getötet hatte. Die Dosierung von Dieldrin und Heptachlor war stärker, meist 908 Gramm auf 4047 Quadratmeter, und wenn auch der »Weißrandige« Rüsselkäfer noch bekämpft werden sollte, entfielen auf die gleiche Fläche sogar 1,36 Kilo. Berücksichtigte man die Wirkungen auf Vögel, entsprach die vorgeschriebene Menge Heptachlor 9,04 Kilo DDT auf 4047 Quadratmeter, während sie bei Dieldrin auf 54,43 Kilo anstieg!

Die meisten Naturschutzstellen des Staates erhoben sofort Einspruch, ebenso die Naturschutzverbände, die Ökologen und sogar manche Entomologen. Sie ersuchten den damaligen Landwirtschaftsminister Ezra Benson, das Bekämpfungsprogramm zumindest so lange aufzuschieben, bis man Forschungen angestellt hatte, um die Wirkung von Heptachlor und Dieldrin auf wildlebende Geschöpfe und auf Haustiere zu prüfen und die zur Bekämpfung der Ameisen notwendige Mindestmenge zu bestimmen. Die Proteste wurden nicht beachtet, und im Jahre 1958 begann man mit dem Vorhaben. Im ersten Jahr wurden 4047 Quadratkilometer behandelt. Es war klar, daß jede weitere Forschungsarbeit nur mehr eine Art Leichenschau sein würde.

Als das Bekämpfungsprogramm weiterlief, häufte sich das Tatsachenmaterial, das sich aus wissenschaftlichen Untersuchungen von Biologen der Naturschutzstellen des Staates wie des Bundes und mehrerer Universitäten ergab. Die Arbeiten offenbarten Verluste verschiedenen Grades, die in manchen behandelten Gebieten bis zur vollständigen Vernichtung der wildlebenden Tiere anstiegen. Auch Geflügel, Vieh und zahme Tiere wurden getötet. Doch das Landwirtschaftsministerium setzte sich über alle Beweise für den Schaden hinweg und tat sie als übertrieben und irreführend ab.

Das Tatsachenmaterial häufte sich jedoch weiter an. Nachdem die Chemikalie zum Beispiel über den Landkreis Hardy in Texas niedergegangen war, verschwanden die Opossums, die Neunbinden-Gürteltiere und eine reiche Population von Waschbären dort fast völlig. Noch im zweiten Herbst nach der Behandlung des Landes mit dem Insektizid waren diese Tiere spärlich. Die wenigen Waschbären, die man damals dort aufspürte, trugen in ihren Geweben Rückstände des chemischen Stoffes.

Verendete Vögel, die man in den behandelten Gegenden fand, hatten die Gifte, die gegen die Feuerameisen verwendet worden waren, aufgenommen oder geschluckt, wie die chemische Analyse ihrer Gewebe deutlich zeigte. Der einzige Vogel, der in nennenswerter Zahl am Leben blieb, war der Haussperling, der auch in anderen Gebieten bewiesen hat, daß er verhältnismäßig unempfindlich ist. In einem Landstrich von Alabama, den man im Jahre 1959 behandelt hatte, wurde die Hälfte der Vögel getötet. Von Arten, die auf dem Boden leben oder sich häufig in Stauden oder niedrigem Strauchwerk aufhalten, gingen hundert Prozent zugrunde. Selbst ein Jahr nach den Bekämpfungsmaßnahmen gingen im Frühling die Singvögel ein, und viel günstiges Nistgelände lag still und ungenützt da. In Texas fand man in den Nestern tote Stärlinge, Dickzissel und Lerchenstärlinge, viele Nester aber waren überhaupt verlassen. Als man Exemplare der toten Vögel aus Texas, Louisiana, Alabama, Georgia und Florida zur Betreuungsstelle für Fische und Wildtiere sandte, um sie analysieren zu lassen, stellte sich heraus, daß über neunzig Prozent Reste von Dieldrin oder eine Form von Heptachlor in Mengen enthielten, die bis zu 38 Teilen pro Million anstiegen.

Amerikanische Waldschnepfen, die in Louisiana überwintern, aber im Norden brüten, tragen nun das Gift, das für die Feuerameisen bestimmt war, in ihrem Körper. Woher diese Verunreinigung stammt, ist klar. Waldschnepfen ernähren sich weitgehend von Regenwürmern, die sie mit ihrem langen Schnabel anpicken. Würmer, die in Louisiana am Leben blieben, hatten in ihren Geweben noch sechs bis acht Monate, nachdem man das Gebiet behandelt hatte, 20 Teile pro Million Heptachlor. Ein Jahr später waren es noch 10 Teile pro Million. Die Folgen dieser für die Waldschnepfen selbst nicht tödlichen Vergiftung lassen sich jetzt an einer deutlichen Abnahme der Jungvögel im Verhältnis zu den erwachsenen Tieren erkennen. Das konnte man zum ersten Mal in der Brutzeit nach dem Beginn des Kampfes gegen die Feuerameise beobachten.

Einige der betrüblichsten Nachrichten für die Sportleute des Südens betrafen die Virginische Baumwachtel. Dieser Vogel baut sein Nest auf dem Boden und sucht sich dort auch sein Futter; er wurde in den behandelten Gebieten so gut wie ausgerottet. In Alabama zählten zum Beispiel Biologen des Verbandes zur gemeinsamen Erforschung der wildlebenden Tiere in einem Gebiet von rund 15 Quadratkilometern, die zum Sprühen ausersehen waren, vorher die Baumwachtel-Population. Dreizehn Völker, bestehend aus insgesamt 121 Baumwachteln, waren in dieser Gegend verteilt. Zwei Wochen nach der Behandlung waren nur noch verendete Baumwachteln zu finden. Alle Exemplare, die man zur Analyse an die Betreuungsstelle für Fische und Wildtiere schickte, enthielten Insektizide in Mengen, die genügten, sie zu töten. Die Ergebnisse von Alabama wiederholten sich in Texas, wo auf einer Landfläche von 10 Quadratkilometern, die mit Heptachlor behandelt wurde, alle Baumwachteln eingingen. Zusammen mit den Baumwachteln verschwanden neunzig Prozent der Singvögel. Wiederum offenbarte die chemische Analyse, daß sich in den Geweben der verendeten Vögel Heptachlor befand.

Außer den Baumwachteln wurden auch die wilden Truthühner durch das Bekämpfungsprogramm gegen die Feuerameise erheblich in ihrer Zahl vermindert. In einer Gegend im Landkreis Wilcox, wo man vor der Anwendung von Heptachlor achtzig Truthühner gezählt hatte, konnte man im Sommer nach der Behandlung keines mehr entdecken – abgesehen von einem Gelege mit Eiern, aus denen keine Jungen geschlüpft waren, und einem toten Hühnchen. Die wilden Truthühner dürften das gleiche Schicksal erlitten haben wie ihre zahmen Brüder, denn die Truthühner auf Farmen des mit Chemikalien behandelten Gebiets hatten ebenfalls nur mehr wenige Junge. Aus ein paar Eiern schlüpften noch Küken aus, aber fast keines davon blieb am Leben. In nahe gelegenen Gebieten, die man nicht behandelt hatte, war dies nicht der Fall.

Das Schicksal der Truthühner stand keineswegs einzig da. Dr. Clarence Cottam, einer der bekanntesten und höchstgeachteten Biologen, der die Tierwelt Alabamas gründlich kennt, suchte einige Farmer auf, deren Besitz behandelt worden war. Sie bemerkten ihm gegenüber, daß »all die kleinen Waldvögel« nach der Behandlung verschwunden zu sein schienen, doch berichteten die meisten auch von Verlusten an Vieh, Geflügel und Haustieren. Ein Mann »geriet in Zorn über die Leute, die diese Maßnahmen durchgeführt haben«, berichtete Dr. Cottam. »Wie er sagte, verscharrte oder beseitigte er auf andere Weise die Kadaver von neunzehn Kühen, die durch das Gift getötet worden waren, und er wußte, daß noch drei bis vier Kühe in der Umgebung infolge der gleichen Maßnahmen zugrunde gegangen waren. Sogar Kälber, die seit ihrer Geburt nur Milch bekommen hatten, waren verendet.«

Was sich in den Monaten nach der Behandlung ihres Grund und Bodens abgespielt hatte, bereitete den Menschen, die Dr. Cottam befragte, Kopfzerbrechen. Eine Frau erzählte ihm, sie habe mehrere Hennen gesetzt, nachdem Gift über das umliegende Land gestreut worden war, »und aus unbegreiflichen Gründen waren sehr wenige Küken geschlüpft oder am Leben geblieben«. Ein anderer Farmer »züchtet Schweine, und nach der Verbreitung von Giften konnte er volle neun Monate lang keine Ferkel mehr großziehen. Die Würfe wurden tot geboren, oder die Tiere starben nach der Geburt.« – »Ähnliches meldete ein anderer Farmer, der feststellte, daß von siebenunddreißig Würfen, die sich auf insgesamt vielleicht zweihundertfünfzig Ferkel hätten belaufen können, nur dreizehn Stück am Leben blieben. Dieser Mann war auch, seit das Land vergiftet worden war, nicht mehr imstande, Küken aufzuziehen.«

Das Landwirtschaftsministerium hat hartnäckig geleugnet, daß Verluste an Vieh mit dem Bekämpfungsprogramm gegen die Feuerameise zusammenhingen. Doch Dr. Otis L. Poitevint, ein Tierarzt in Brainbridge im Staate Georgia, der zur Behandlung vieler der erkrankten Tiere herbeigeholt wurde, hat die Gründe, aus denen er die Todesfälle dem Insektizid zuschrieb, wie folgt zusammengefaßt: Innerhalb eines Zeitraums von zwei Wochen bis zu mehreren Monaten, nachdem das Gift gegen die Feuerameise angewandt worden war, begannen Rinder, Ziegen, Pferde, Küken, Vögel und andere wildlebende Tiere an einer oft tödlichen Krankheit des Nervensystems zu leiden. Es wurden nur Tiere davon befallen, die Zugang zu verunreinigtem Futter und Wasser hatten. Stalltiere waren nicht betroffen. Der Zustand war nur in Gebieten zu beobachten, wo man die Feuerameise bekämpft hatte. Laboratoriumsteste, mit denen sich Krankheiten nachweisen lassen, verliefen negativ. Die von Dr. Poitevint und anderen Tierärzten beobachteten Symptome entsprachen genau den Anzeichen, die in maßgebender Fachliteratur als Merkmale einer Vergiftung durch Dieldrin oder Heptachlor beschrieben werden.

Dr. Poitevint schilderte auch den interessanten Fall eines zwei Monate alten Kalbes, das Symptome einer Heptachlorvergiftung zeigte. Das Tier wurde mit allen Prüfmethoden, über die man im Laboratorium verfügt, untersucht. Das einzige bedeutsame Ergebnis war, daß man in seinem Fett 79 Teile pro Million Heptachlor entdeckte. Doch waren seit der Anwendung des Giftes fünf Monate verstrichen. Hatte das Kalb das Gift unmittelbar beim Grasen aufgenommen oder es auf Umwegen mit der Milch des Muttertieres oder vielleicht sogar vor der Geburt erhalten? »Falls das Heptachlor aus der Milch stammte, warum wurden dann nicht besondere Vorsichtsmaßnahmen getroffen, um unsere Kinder zu schützen, die Milch aus den Molkereien am Ort tranken?« fragte Dr. Poitevint.

In dem Bericht dieses Mannes wird ein bedeutsames Problem zur Sprache gebracht: die Verunreinigung der Milch. Das Bekämpfungsprogramm gegen die Feuerameise umfaßte vorwiegend ein Gebiet mit Feldern, Wiesen und Äckern. Wie stand es nun mit den Milchkühen, die auf diesem Land grasten? Auf behandelten Weiden werden die Gräser unvermeidlich Rückstände von Heptachlor in einer seiner Formen an sich tragen; werden diese Rückstände von den Kühen gefressen, taucht das Gift in der Milch auf. Daß Heptachlor geradewegs in die Milch übergeht, ist im Jahre 1955 experimentell nachgewiesen worden – also lange, bevor man Bekämpfungsprogramme in Angriff genommen hatte – und wurde später auch für Dieldrin festgestellt, das man ebenfalls gegen die Feuerameise eingesetzt hatte.

Das Landwirtschaftsministerium führt in seinen alljährlich veröffentlichten Schriften Heptachlor und Dieldrin jetzt unter den chemischen Stoffen an, durch die Futterpflanzen ungeeignet werden für die Ernährung von Tieren, die Milch liefern oder zum Schlachten bestimmt sind. Trotzdem haben die Abteilungen für Schädlingsbekämpfung des Ministeriums Maßnahmen gefördert, durch die über beträchtliche Weidelandflächen im Süden Heptachlor und Dieldrin verbreitet wurden. Wer schützt den Verbraucher und sorgt dafür, daß keine Reste von Dieldrin oder Heptachlor in der Milch auftreten? Das Landwirtschaftsministerium würde zweifellos antworten, daß es den Farmern geraten hat, Milchkühe dreißig bis fünfzig Tage von behandelten Weiden fernzuhalten. Kennt man aber den geringen Umfang vieler Farmen und weiß, in wie großem Maßstab das Bekämpfungsprogramm gehalten war – da die Chemikalien meist vom Flugzeug aus angewandt wurden –, ist es höchst fraglich, ob diese Empfehlung befolgt wurde oder überhaupt befolgt werden konnte. Berücksichtigt man noch, daß die Rückstände die Eigenschaft haben, sich lange zu halten, ist die vorgeschriebene Zeit keineswegs ausreichend.

Die Leute von der Nahrungs- und Arzneimittelprüfstelle runzeln zwar bedenklich die Stirn, wenn irgendwelche Rückstände von Schädlingsbekämpfungsmitteln in der Milch vorhanden sind, aber sie besitzen in diesem speziellen Fall wenig Vollmachten. In den meisten Staaten, in denen die Feuerameise bekämpft wurde, sind die Molkereibetriebe klein, und ihre Erzeugnisse gelangen nicht über die Staatsgrenzen hinaus. Es bleibt daher den Staaten selbst überlassen, die Milchversorgung, die durch ein Vorhaben des Bundes gefährdet wird, zu schützen. Als im Jahre 1959 an die Beamten des Gesundheitsamtes oder an andere zuständige Stellen von Alabama, Louisiana und Texas Anfragen gerichtet wurden, stellte sich heraus, daß keinerlei Teste gemacht worden waren und man einfach nicht wußte, ob die Milch mit Insektiziden verunreinigt war oder nicht.

Mittlerweile hatte man sich bemüht, die besondere Eigenart des Heptachlors zu erforschen, doch geschah das im wesentlichen erst nach, anstatt vor Beginn des Bekämpfungsprogrammes. Vielleicht wäre es richtiger, zu sagen, daß irgend jemand nachschlug, was an Forschungsergebnissen bereits veröffentlicht worden war. Denn die grundlegende Tatsache, die zu einem verspäteten Eingreifen der Bundesregierung führte, war ja schon einige Jahre zuvor entdeckt worden und hätte die Gestaltung des Programms von Anfang an beeinflussen sollen. Es war nämlich längst erwiesen, daß Heptachlor in den Geweben von Tieren oder Pflanzen oder auch im Boden nach kurzer Zeit in eine erheblich toxischere Form – in Heptachlor-Epoxyd – übergeht. Meist wird Epoxyd einfach als »ein Oxydationsprodukt« bezeichnet, das durch Verwitterung entsteht. Daß sich diese Umwandlung vollziehen kann, war seit dem Jahre 1952 bekannt. Damals hatte die Nahrungs- und Arzneimittelprüfstelle entdeckt, daß weibliche Ratten, deren Futter 30 Teile pro Million Heptachlor zugesetzt wurden, schon einige Wochen später 165 Teile pro Million von dem giftigeren Epoxyd gespeichert hatten.

Im Jahre 1959 ließ man es endlich zu, daß diese Fakten aus ihrem Versteck in der biologischen Literatur ans Licht geholt wurden – gerade in dem Augenblick, als sich die Nahrungs- und Arzneimittelprüfstelle zum Handeln entschloß und jegliche Rückstände von Heptachlor oder dessen Epoxyd auf Nahrungsmitteln verbot. Diese amtliche Entscheidung wirkte zumindest vorübergehend hemmend auf das Bekämpfungsprogramm. Das Landwirtschaftsministerium trachtete zwar auch weiterhin, alljährlich Gelder für die Bekämpfung der Feuerameise zu erhalten, doch die örtlichen landwirtschaftlichen Behörden waren immer weniger geneigt, Farmen den Gebrauch von Chemikalien anzuraten, durch die ihre Ernte, dem Gesetz zufolge, wahrscheinlich unverkäuflich werden würde.

Kurz gesagt, hatte sich das Landwirtschaftsministerium auf dieses Bekämpfungsprogramm eingelassen, ohne auch nur die elementarste Voraussetzung zu erfüllen und nachzuforschen, was über den chemischen Stoff, der verwendet werden sollte, bereits bekannt war; oder wenn es das tat, kümmerte es sich nicht um die Ergebnisse. Ebenso muß das Ministerium versäumt haben, vorher zu untersuchen, welche Mindestmenge des chemischen Stoffes für den vorgesehenen Zweck genügte. Nachdem es drei Jahre lang eine starke Dosis angewandt hatte, verringerte es im Jahre 1959 die Heptachlormenge unvermittelt von 907 auf 567 Gramm für je 4047 Quadratmeter, später sogar auf 227 Gramm, die in zwei Raten von 113,5 Gramm im Abstand von drei bis sechs Monaten verteilt wurden. Ein Beamter des Ministeriums erklärte dazu, daß »man planmäßig an einer Verbesserung der Angriffsmethoden arbeite« und sich dabei die geringere Menge als wirksam erwiesen habe. Hätte man das herausgefunden, ehe das Unternehmen anlief, hätte sich ungeheurer Schaden vermeiden lassen, und den Steuerzahlern wäre eine Menge Geld erspart geblieben.

Im Jahre 1959 bot das Landwirtschaftsministerium den Grundbesitzern in Texas die Chemikalien unentgeltlich an, vielleicht, um die wachsende Unzufriedenheit mit dem Programm zu beschwichtigen; doch sollten die Leute eine Verzichturkunde unterschreiben, die Bundes- und Staatsregierung sowie örtliche Verwaltungsstellen von jeder Verantwortung für einen etwaigen Schaden freisprach. Höchst beunruhigt und verärgert über den Schaden, der von den Chemikalien angerichtet worden war, weigerte sich der Staat Alabama im gleichen Jahr, irgendwelche weiteren Geldmittel für das Projekt zu bewilligen. Einer der Staatsbeamten bezeichnete das ganze Unternehmen als »ungenügend vorbedacht, übereilt begonnen, unzulänglich geplant und als himmelschreiendes Beispiel für eine grobe Mißachtung der Rechte und Pflichten anderer öffentlicher und privater Stellen«. Obwohl staatliche Mittel nun fehlten, flossen, wenn auch spärlich, Gelder des Bundes weiterhin nach Alabama, und im Jahre 1961 ließ sich das Parlament wiederum überreden, eine geringe Summe zu genehmigen. Inzwischen sträubten sich die Farmer in Louisiana immer mehr, sich durch ihre Unterschrift mit dem Projekt einverstanden zu erklären; denn wie sich herausstellte, vermehrten sich Insekten, die für Zuckerrohr äußerst schädlich waren, besonders stark, wenn man Chemikalien gegen die Feuerameise anwandte. Überdies erreichte man mit dem Bekämpfungsprogramm offenkundig überhaupt nichts. Wie traurig es darum bestellt war, läßt sich den kurzen und bündigen Worten entnehmen, mit denen Dr. L. D. Newsom, der Direktor für entomologische Forschung an der Landwirtschaftlichen Versuchsstation der staatlichen Universität von Louisiana, das Ergebnis zusammenfaßte: »Das ›Ausrottungsprogramm‹ gegen die eingeschleppte Feuerameise, das Verwaltungsstellen des Staates und des Bundes verwirklichten, ist bis jetzt ein Fehlschlag. In Louisiana sind derzeit mehr Morgen Land von dem Insekt befallen als vor Beginn dieses Unternehmens.«

Neuerdings scheint sich eine Rückkehr zu vernünftigeren und maßvolleren Methoden anzubahnen. Aus Florida wurde berichtet, daß es dort »jetzt mehr Feuerameisen gibt als zu der Zeit, als das Bekämpfungsprogramm anlief«, und gleichzeitig kündigte dieser Staat an, daß er jeden Gedanken an eine Ausrottung dieser Insekten durch Großflächenbehandlung aufgebe und sich statt dessen ausschließlich mit örtlicher Bekämpfung befassen werde.

Wirksame und billige Methoden örtlicher Bekämpfung sind seit Jahren bekannt. Da die Feuerameise die Gewohnheit hat, Hügel zu bauen, ist es eine einfache Angelegenheit, gegen die einzelnen Hügel mit chemischen Mitteln vorzugehen. Ein solches Verfahren kostet ungefähr einen Dollar für je 4047 Quadratmeter. Wo zahlreiche Hügel vorhanden sind und es wünschenswert erscheint, Maschinen einzusetzen, läßt sich ein Gerät benützen, das die Landwirtschaftliche Versuchsstation des Staates Mississippi entwickelt hat; damit kann man die Hügel zuerst einebnen und sie dann unmittelbar mit dem chemischen Mittel behandeln. Mit dieser Methode werden neunzig bis fünfundneunzig Prozent der Ameisen beseitigt. Das kostet für je 4047 Quadratmeter nur etwa 23 Cent. Bei dem Bekämpfungsprogramm des Landwirtschaftsministeriums dagegen mußte man 3,50 Dollar für die gleiche Fläche ausgeben – es war das kostspieligste und unwirksamste von allen derartigen Vorhaben und hat überdies den größten Schaden angerichtet.

11. Kapitel
Das übertrifft die kühnsten Träume der Borgias

Nicht allein durch Masseneinsatz von Sprühmitteln wird unsere Welt verunreinigt. Tatsächlich ist dies für die meisten von uns von geringerer Bedeutung als die unzähligen Gelegenheiten, bei denen wir Tag für Tag und Jahr für Jahr kleineren Mengen von Giften ausgesetzt sind. Wie das stetige Tropfen des Wassers selbst den härtesten Stein aushöhlt, so könnte es sich am Ende als verhängnisvoll erweisen, wenn wir von der Geburt bis zum Tode der Einwirkung gefährlicher Chemikalien unterworfen werden. Einerlei wie gering die Mengen jedesmal sind, sie tragen ihr Teil zu der wachsenden Ansammlung von Chemikalien im Körper bei und damit zu einer fortschreitenden Vergiftung.

Wahrscheinlich ist niemand davor gefeit, mit diesen Stoffen, die sich immer mehr verbreiten und alles verunreinigen, in Berührung zu kommen, es sei denn, er lebe in denkbar größter Isolierung. In Sicherheit gewiegt von den einschmeichelnden Werbetricks und den »heimlichen Verführern«, merkt der Durchschnittsbürger selten, wie lebensgefährlich die Stoffe sind, mit denen er sich umgibt; vielleicht wird er sich nicht einmal bewußt, daß er sie überhaupt verwendet.

So vollkommen hat das Zeitalter der Gifte seine Herrschaft angetreten, daß jeder in einen Laden gehen und, ohne von Fragen belästigt zu werden, Substanzen kaufen kann, die eine weit stärkere todbringende Wirkung haben als die Arznei, bei deren Kauf man in der Apotheke nebenan vielleicht von ihm verlangt, daß er sich in ein »Giftbuch« einträgt. Es genügt, sich ein paar Minuten in irgendeinem großen Selbstbedienungsladen gut umzusehen. Auch dem beherztesten Kunden wird es dann Angst werden – vorausgesetzt, daß er auch nur ein wenig über die Chemikalien Bescheid weiß, die ihm zur Auswahl angeboten werden.

Wenn ein riesiger Totenkopf mit gekreuzten Gebeinen über der Insektizid-Abteilung aufgehängt wäre, könnte der Käufer sie wenigstens mit dem Respekt betreten, den man normalerweise todbringenden Stoffen entgegenbringt. Doch statt dessen werden Insektizide in Reihen aufgestapelt und in anheimelnder und farbenfreudiger Aufmachung zur Schau gestellt, auf der anderen Seite des Ganges sehen wir die eingemachten Essiggurken und Oliven, nebenan liegen die Badeseifen und Waschmittel. In Reichweite einer Kinderhand, die neugierig danach fassen mag, finden wir Chemikalien in *Glasbehältern*. Wenn ein Kind oder ein unvorsichtiger Erwachsener sie auf den Boden fallen läßt, könnte jeder, der in der Nähe ist, mit einer Chemikalie bespritzt werden, von der Leute, die damit gesprüht haben, schwere Krämpfe bekamen. Diese Gefahren begleiten den Menschen, der die Mittel erwirbt, natürlich auch in seine Wohnung. Ein Kanister mit einem Mittel gegen Motten, das DDT enthält, trägt zum Beispiel in ganz kleinen Buchstaben die warnende Aufschrift, daß er, da sein Inhalt unter Druck steht, in der Hitze oder in der Nähe einer offenen Flamme bersten kann. Ein gebräuchliches Insektizid für den Haushalt, das auch für alle möglichen Zwecke in der Küche verwendet wird, ist Chlordan. Doch der leitende Pharmakologe der Nahrungs- und Arzneimittelstelle hat erklärt, daß es eine »sehr große« Gefahr bedeutet, in einem Haus zu wohnen, in dem mit Chlordan gesprüht worden ist. In anderen Präparaten für den Haushalt ist das sogar noch giftigere Dieldrin enthalten.

Der Gebrauch von Giften in der Küche wird den Leuten anziehend und bequem gemacht. Schrankpapier, weiß und getönt – damit es zur Farbzusammenstellung des Raumes paßt –, kann mit Insektizid imprägniert sein, nicht nur auf einer, sondern auf beiden Seiten. Herstellerfirmen bieten uns Broschüren an, in denen gezeigt wird, wie man Wanzen selbst vertilgen kann. Man braucht nur leicht auf einen Knopf zu drücken und kann in die unzugänglichsten Winkel und Ritzen von Schränken, Zimmerecken und Dielenbrettern einen Dieldrinnebel schicken.

Wenn wir von Stechmücken, von den Larven der Erntemilben oder anderen lästigen Insekten geplagt werden, haben wir die Wahl zwischen unzähligen Flüssigkeiten, Salben und Sprühmitteln, die wir auf die Kleidung oder die Haut bringen können. Wir werden zwar gewarnt, daß manche von ihnen Lack, Farben und synthetische Fasern auflösen, sollen aber vermutlich daraus schließen, daß die menschliche Haut für Chemikalien undurchlässig sei. Damit wir auch ja allezeit bereit sind, Insekten abzuwehren, macht ein vornehmes Geschäft in New York Reklame für ein Taschensprühgerät für Insektizide, das man in die Handtasche stecken oder zur Ausrüstung für Strand, Golfspiel und Angeln packen kann.

Wir können unsere Böden mit Wachs bohnern, das garantiert jedes darüberspazierende Insekt tötet. Wir können Streifen, die mit dem chemischen Stoff Lindan durchtränkt sind, in unsere Stuben, Wandschränke und Kleidersäcke hängen oder sie in die Schubladen der Kommode legen, damit wir uns ein halbes Jahr lang keine Sorgen mehr über Mottenfraß zu machen brauchen. In den Werbeanzeigen findet sich keinerlei Andeutung darüber, daß Lindan gefährlich ist. Ebensowenig verrät uns davon die Reklame für ein elektronisches Gerät, das Lindandämpfe ausströmt, ja man macht uns weis, es sei ungefährlich und geruchlos. Die Wahrheit jedoch ist, daß die Amerikanische Medizinische Gesellschaft solche Lindan-Verdampfer für so gefährlich hält, daß sie in ihrem ›Journal‹ einen großangelegten Feldzug gegen sie geführt hat.

Das Landwirtschaftsministerium rät uns in einem ›Bericht für Haus und Garten‹, unsere Kleidung mit Öl-Lösungen von DDT, Dieldrin, Chlordan oder irgendeinem der anderen Mottenvertilger zu sprühen. Wenn übermäßiges Sprühen zu einer weißen Ablagerung von Insektizid auf dem Gewebe führt, läßt sich diese durch Bürsten entfernen, wie das Ministerium behauptet. Es vergißt allerdings, uns zu mahnen, daß wir vorsichtig darauf achten sollten, wo und wie wir das Insektizid abbürsten. Nachdem wir all das erledigt haben, können wir unseren Tag auch noch mit Insektiziden beschließen, wenn wir uns unter einer mottensicheren Decke, die mit Dieldrin imprägniert ist, schlafen legen.

Gartenpflege ist heute eng verbunden mit Supergiften. Jeder Eisenwarenladen, jedes Geschäft für Gartengeräte und jedes große Kaufhaus bieten Reihen von Insektiziden feil für jede erdenkliche Lage, die sich bei der Pflege des Gartens ergeben könnte. Wer von dieser Galerie tödlicher Sprüh- und Stäubemittel keinen ausgedehnten Gebrauch macht, gilt stillschweigend als rückständig, denn auf der Garten-Seite fast jeder Zeitung oder in der Mehrzahl der Zeitschriften für Gärtnerei wird ihr Gebrauch als selbstverständlich vorausgesetzt.

Sogar die sehr schnell tödlich wirkenden organischen Phosphorverbindungen werden so ausgiebig als Insektizide für Rasen und Zierpflanzen benutzt, daß das Staatliche Gesundheitsamt von Florida es im Jahre 1960 für nötig hielt, die gewerbsmäßige Anwendung von Schädlingsbekämpfungsmitteln in Wohngebieten jedermann zu verbieten, der nicht vorher eine Genehmigung dafür erhalten hat und gewisse Bedingungen erfüllt. Ehe man in Florida diese Vorschriften erlassen hatte, waren mehrere Todesfälle durch Parathion verursacht worden.

Es wird jedoch wenig getan, den Gärtner oder Hausbesitzer darauf aufmerksam zu machen, daß er mit äußerst gefährlichen Stoffen umgeht. Laufend tauchen neue Erfindungen auf, die es den Leuten bequemer machen, Rasen und Garten mit Giften zu behandeln und – den Gärtner noch stärker in Berührung mit ihnen bringen. Man kann zum Beispiel ein krugähnliches Zusatzgerät für den Gartenschlauch erwerben, mit dem so überaus giftige Substanzen wie Chlordan und Dieldrin verteilt werden, während man den Rasen gießt. Eine solche Vorrichtung gefährdet nicht nur die Person, die den Schlauch handhabt; sie ist auch eine Bedrohung der Allgemeinheit. Die ›New York Times‹ fand es notwendig, auf ihrer Garten-Seite die Warnung zu veröffentlichen, daß Gifte durch Druckschwankungen in die Wasserleitung dringen können, wenn man nicht besondere Schutzvorrichtungen anbringt. Wenn wir berücksichtigen, wie viele derartige Geräte in Gebrauch sind und wie selten eine solche Warnung ausgesprochen wird, brauchen wir uns da noch zu wundern, daß unser Wasser so verunreinigt ist?

Als Beispiel dafür, was dem Gärtner selbst zustoßen kann, wollen wir uns den Fall eines Arztes betrachten. Er war in seiner Freizeit ein begeisterter Gärtner und begann, seine Sträucher und den Rasen regelmäßig jede Woche zuerst mit DDT, dann mit Malathion zu behandeln. Manchmal benutzte er dafür ein Hand-Sprühgerät, ein andermal eine Vorrichtung, die er an seinem Gartenschlauch anbrachte. Dabei wurden seine Haut und die Kleider oft von dem Sprühmittel durchnäßt. Nachdem das ungefähr ein Jahr lang so weitergegangen war, brach er plötzlich zusammen und kam ins Krankenhaus. Als man ihm ein Stückchen Fettgewebe herausschnitt und es untersuchte, ergab sich, daß darin 23 Teile pro Million DDT gespeichert waren. Das Nervensystem war stark angegriffen und es handelte sich nach Ansicht der Ärzte um einen Dauerschaden. Im Laufe der Zeit verlor der Arzt an Gewicht, litt unter großer Müdigkeit und einer eigenartigen Muskelschwäche, die kennzeichnend für die Wirkung von Malathion ist. Alle diese nachhaltigen Folgen waren so ernst, daß es ihm schwerfiel, seine Praxis weiter auszuüben.

Man hat nicht allein den einst so harmlosen Gartenschlauch, sondern auch Motor-Rasenmäher mit Geräten ausgerüstet, die Schädlingsbekämpfungsmittel verteilen. Während der Hausbesitzer seinen Rasen mäht, sendet dieses Zusatzgerät eine Wolke von Sprühnebeln aus. So kommen zu den unter Umständen gefährlichen Auspuffgasen der Benzinmotore noch fein verteilte Partikel irgendeines Insektizids, das der wahrscheinlich ahnungslose Vorstadtbewohner sich ausgesucht hat, und die Verpestung der Luft über seinem eigenen Grundstück erreicht einen Grad, wie ihn nur wenige Großstädte zu verzeichnen haben.

Doch erfährt man kaum etwas von den Gefahren, die dem Gartenliebhaber von Giften oder jedermann von den Insektiziden, die im Haushalt benutzt werden, drohen; Warnungen auf Schildern sind so unauffällig in kleiner Schrift gedruckt, daß sich nur wenige die Mühe nehmen, sie zu lesen oder zu befolgen. Eine Firma unternahm es kürzlich, nachzuforschen, *wie* wenige Menschen das tun. Dabei ergab sich, daß kaum fünfzehn von hundert Leuten, die insektizide Aerosole und Spritzmittel verwenden, überhaupt merken, daß die Behälter warnende Aufschriften tragen.

In der Vorstadt ist es heute ein ungeschriebenes Gesetz, daß Blut- und Fadenhirse um jeden Preis verschwinden müssen. Säcke von Chemikalien, die dazu bestimmt sind, den Rasen von solchen verachteten Pflanzen zu säubern, sind fast ein Symbol für die gesellschaftliche Stellung. Diese Unkrautvertilgungsmittel werden unter Handelsnamen verkauft, die niemals verraten, um welchen chemischen Stoff es sich handelt oder welche Eigenschaften er besitzt. Um zu erfahren, daß sie Chlordan oder Dieldrin enthalten, muß man die überaus klein gedruckte Aufschrift lesen, die an der unauffälligsten Stelle des Sacks angebracht ist. Die Heftchen, in denen das Mittel beschrieben wird, kann man in jeder Eisenwarenhandlung oder jedem Geschäft für Gartenbedarf mitnehmen, doch sie geben selten Aufschluß über die wahre Gefahr, der man sich aussetzt, wenn man die Stoffe berührt oder gebraucht. Statt dessen zeigt die typische Illustration eine glückliche Familienszene: Vater und Sohn schicken sich lächelnd an, den Rasen mit der Chemikalie zu behandeln, während kleine Kinder mit einem Hund im Gras umhertollen.

Die Frage chemischer Rückstände auf Nahrungsmitteln, die wir verzehren, ist heiß umstritten. Das Vorhandensein solcher Rückstände wird von der Industrie entweder als bedeutungslos hingestellt oder glatt geleugnet. Gleichzeitig neigt man sehr stark dazu, alle als Fanatiker oder Schwarmgeister zu brandmarken, die so verschroben sind zu fordern, daß ihre Nahrung frei von Insektengiften bleibe. Was sind nun die greifbaren Tatsachen in dem Nebel, der diese ganze Streitfrage umgibt?

Es ist medizinisch einwandfrei festgestellt worden, daß Personen, die vor dem Anbruch des DDT-Zeitalters (um 1942) lebten und starben, keine Spur von DDT oder irgendeinem ähnlichen Stoff in ihren Geweben enthielten. Das müßte uns auch der gesunde Menschenverstand sagen. Wie im dritten Kapitel erwähnt, enthielten dagegen Proben von Körperfett, die man der Bevölkerung zwischen 1954 und 1956 entnahm, durchschnittlich 5,3–7,4 Teile pro Million DDT. Es ist Beweismaterial vorhanden, daß die durchschnittliche Konzentration seit damals allgemein auf einen höheren Wert angestiegen ist und Einzelpersonen, die in ihrem Beruf oder aus anderen Gründen der Einwirkung von Insektiziden besonders ausgesetzt sind, natürlich noch mehr DDT speichern.

Bei der Bevölkerung, die mit Insektiziden nicht stark in Berührung kommt, darf man im allgemeinen annehmen, daß der Großteil des DDT, das in Fett eingelagert und gespeichert wird, mit der Nahrung in den Körper gelangt ist. Um diese Annahme zu überprüfen, hat eine wissenschaftliche Arbeitsgruppe des Gesundheitsdienstes der Vereinigten Staaten Mahlzeiten in Restaurants und Anstalten Proben entnommen. *Jede untersuchte Mahlzeit enthielt DDT.* Daraus schloß die Arbeitsgruppe zu Recht, »man könne sich nur bei wenigen, wenn überhaupt noch bei irgendeinem Nahrungsmittel darauf verlassen, daß es völlig frei von DDT sei«.

Die Mengen in solchen Mahlzeiten können ungeheuer groß sein. In einer gesonderten Untersuchung des Gesundheitsdienstes offenbarte die Analyse von Gefängniskost, daß einzelne Zutaten wie gekochte Trockenfrüchte 69,6 Teile und Brot sogar 100,9 Teile pro Million DDT enthielten!

In der Kost eines Durchschnittshaushalts finden sich in Fleisch und allen Erzeugnissen, die aus tierischem Fett hergestellt werden, die stärksten Rückstände an chlorierten Kohlenwasserstoffen. Das kommt daher, daß diese chemischen Stoffe in Fett löslich sind. Auf Früchten und Gemüsen sind meist etwas geringere Reste vorhanden. Mit Waschen kommt man ihnen nur wenig bei, man kann sich lediglich damit helfen, daß man von Pflanzen, wie Salat und Kohlköpfen, alle äußeren Blätter entfernt und wegwirft, Früchte dagegen schält und keinerlei Schalen oder Deckblätter mehr verwendet. Kochen zerstört die Rückstände nicht.

Milch ist eines der wenigen Nahrungsmittel, bei denen gemäß den Vorschriften der Nahrungs- und Arzneimittelprüfstelle keine Rückstände von Schädlingsbekämpfungsmitteln erlaubt sind. Tatsächlich aber tauchen solche Rückstände jedesmal auf, wenn die Milch überprüft wird. Am größten sind sie in Butter und anderen Molkereierzeugnissen. Als man im Jahre 1960 von solchen Erzeugnissen 461 Proben untersuchte, zeigte es sich, daß ein Drittel Rückstände aufwies, also eine Lage bestand, die von der Nahrungs- und Arzneimittelprüfstelle als »keineswegs ermutigend« bezeichnet wurde.

Um eine Kost zu finden, die von DDT und verwandten chemischen Stoffen frei ist, muß man anscheinend in ein fernes und urtümliches Land gehen, das die Segnungen der Zivilisation noch entbehrt. Ein solches Land scheint es tatsächlich zu geben, zumindest am Rande des Kontinents an den fernen Eismeerküsten Alaskas, obwohl man selbst dort den nahenden dunklen Schatten bemerken kann. Als Wissenschaftler die heimische Kost der Eskimos in dieser Region untersuchten, fand man sie frei von Insektiziden. Die frischen und getrockneten Fische, das Fett, Öl oder Fleisch von Biber, Beluga, Karibu, Elch, Ugruk, Eisbär und Walroß, Großfrüchtige Moosbeeren, Prächtige Himbeeren und wilder Rhabarber, sie alle waren bis dahin von Verunreinigungen verschont geblieben. Es gab nur eine Ausnahme: Zwei Schnee-Eulen von Point Hope enthielten kleine Mengen DDT, die sie vielleicht im Laufe einer Wanderung aufgenommen hatten.

Als man einige Eskimos selbst überprüfte und ihrem Fettgewebe Proben entnahm, entdeckte man geringe Reste von DDT (1,9 Teile pro Million). Der Grund dafür lag auf der Hand. Die Fettproben stammten von Leuten, die ihr Heimatdorf verlassen hatten, um sich im Krankenhaus des Gesundheitsdienstes der Vereinigten Staaten in Anchorage einer Operation zu unterziehen. Dort herrschten die Lebensgewohnheiten der Zivilisation, und wie sich herausstellte, enthielten die Mahlzeiten in diesem Krankenhaus so viel DDT wie die in der dichtest bevölkerten Großstadt. Für ihren kurzen Aufenthalt in der Zivilisation wurden die Eskimos mit einer kleinen »Giftgabe« belohnt.

Wenn jede Mahlzeit, die wir verzehren, ihre Last an chlorierten Kohlenwasserstoffen an sich trägt, ist das die unausweichliche Folge des fast allgemein üblichen Sprühens oder Stäubens landwirtschaftlicher Anbauflächen mit diesen Giften. Wenn der

Farmer beim Gebrauch solcher Chemikalien die Anweisung auf den Schildern gewissenhaft befolgt, werden die Rückstände nicht größer sein, als es die Nahrungs- und Arzneimittelprüfstelle gestattet. Im Augenblick wollen wir die Frage offen lassen, ob diese gesetzlich erlaubten Rückstände so »ungefährlich« sind, wie man sie darstellt; eine wohlbekannte Tatsache bleibt jedoch bestehen: Die Farmer überschreiten häufig die vorgeschriebene Dosierung, sie verwenden die chemischen Stoffe zu knapp vor der Erntezeit, sie gebrauchen mehrere Insektizide, wo eines genügen würde, und zeigen noch auf andere Weise, daß auch sie in den allgemein menschlichen Fehler verfallen sind, Kleingedrucktes nicht zu lesen.

Selbst die chemische Industrie anerkennt, daß Insektizide oft falsch angewandt werden und die Farmer besser unterrichtet werden müßten. Eine der führenden Handelszeitungen dieser Industrie erklärte jüngst, daß »viele Leute bei der Anwendung nicht zu begreifen scheinen, daß sie die erträglichen und erlaubten Mindestmengen für Insektizide überschreiten, wenn sie höhere Dosierungen als empfohlen anwenden. Und wenn viele Feldfrüchte aufs Geratewohl mit Insektiziden überschüttet werden, so wahrscheinlich deshalb, weil die Farmer die Mittel ganz nach Gutdünken und Laune verteilen.«

In den Akten der Nahrungs- und Arzneimittelprüfstelle finden sich Zeugnisse von einer erschreckenden Anzahl solcher Verstöße gegen die Vorschriften. Ein paar Beispiele sollen veranschaulichen, wie die Gebrauchsanweisungen mißachtet werden: Ein Farmer, der Salat pflanzte, behandelte seine Äcker kurze Zeit vor der Ernte nicht mit einem, sondern mit acht verschiedenen Insektiziden; ein Mann, der Sellerie transportierte, hatte ihn mit dem Fünffachen der empfohlenen Höchstmenge behandelt; Großgärtnereien gebrauchten für Salat Endrin – den giftigsten aller chlorierten Kohlenwasserstoffe –, obwohl keinerlei Rückstände davon erlaubt sind; Spinat wurde eine Woche vor dem Abernten mit DDT gesprüht.

Manchmal spielt bei solchen Vorkommnissen auch ein unglücklicher Zufall mit. Große Mengen von grünem Kaffee in Leinensäcken wurden verunreinigt, als man sie auf Schiffe verfrachtete, die auch eine Ladung von Insektiziden transportierten. Verpackte Nahrungsmittel in Warenhäusern werden wiederholt mit DDT, Lindan und anderen Insektiziden besprüht, die vielleicht durch das Verpackungsmaterial dringen und sich dann in meßbaren Mengen in dem Inhalt nachweisen lassen. Je länger die Lebensmittel aufbewahrt werden, desto größer ist die Gefahr einer Verunreinigung.

Auf die Frage: »Aber schützt uns die Regierung nicht vor solchen Dingen?« lautet die Antwort: »Nur in begrenztem Maße.« Die Tätigkeit der Nahrungs- und Arzneimittelprüfstelle auf dem Gebiet des Verbraucherschutzes vor Insektiziden wird durch zwei Tatsachen stark eingeschränkt. Erstens hat diese Stelle nur rechtliche Vollmachten bei Lebensmitteln, die im zwischenstaatlichen Handel befördert werden. Was innerhalb des Staates angepflanzt wird und auf den Markt kommt, liegt völlig außerhalb ihres Machtbereichs, gleichgültig welches Gesetz übertreten worden ist. Das zweite und entscheidende Hindernis ist die geringe Zahl der Inspektoren in ihrem Beamtenstab – es sind weniger als sechshundert Leute für die gesamte, mannigfaltige Arbeit. Nach Angabe eines Beamten dieser Prüfstelle läßt sich mit den vorhandenen Einrichtungen nur ein unendlich kleiner Teil – weit weniger als ein Prozent – der Ackerbauprodukte überprüfen, die im staatlichen Zwischenhandel verfrachtet werden. Das genügt aber nicht für eine Statistik, die wirklich von Bedeutung wäre. Hinsichtlich der innerhalb eines Staates erzeugten und verkauften Nahrungsmittel ist die Lage noch schlimmer, denn die meisten Staaten haben auf diesem Gebiet ganz unzulängliche Gesetze.

Das System, nach dem die Nahrungs- und Arzneimittelprüfstelle die höchsten zulässigen Grenzen für eine Verunreinigung bestimmt, weist offenkundige Mängel auf. Unter den herrschenden Umständen sorgt es für eine Sicherheit, die nur auf dem Papier steht, und erweckt den völlig ungerechtfertigten Eindruck, daß feste Grenzen gezogen seien und man sich an diese Vorschriften halte. Was die Ansicht betrifft, daß es ungefährlich sei, ein paar Spritzer Gift auf unserer Nahrung zuzulassen – ein wenig auf dieser, ein wenig auf jener Speise –, so machen viele Menschen mit höchst überzeugenden Gründen dagegen geltend, daß kein Gift in der Nahrung ungefährlich oder wünschenswert ist. Wenn die Nahrungs- und Arzneimittelprüfstelle einen zulässigen Gehalt festlegt, dann greift sie auf Versuche zurück, die man mit dem Gift an Tieren im Laboratorium gemacht hat; nach ihnen bestimmt sie dann eine Höchstmenge an Verunreinigung, die weit unter der Konzentration liegt, die erforderlich ist, um bei den Versuchstieren Symptome hervorzurufen. Dieses System, das Sicherheit gewährleisten soll, läßt eine Anzahl wichtiger Tatsachen außer acht. Ein Laboratoriums-Tier, das unter kontrollierten und weitgehend künstlich geschaffenen Bedingungen lebt und eine gegebene Menge eines spezifischen chemischen Stoffes zu sich nimmt, unterscheidet sich stark von einem menschlichen Wesen. Denn der Mensch ist Schädlingsbekämpfungsmitteln nicht allein vielfach ausgesetzt, er weiß auch meist nichts davon und kann das Ausmaß weder feststellen noch kontrollieren. Selbst wenn nur 7 Teile pro Million DDT auf dem Salat, den er zu Mittag ißt, »ungefährlich« wären, gehören zur Mahlzeit noch andere Speisen, jede mit zulässigen Rückständen, zudem sind die Insektizide auf seinem Essen, wie wir erfahren haben, nur ein Teil – und möglicherweise nur ein geringer Teil – der Gesamtmenge, mit der er es zu tun hat. Diese Anhäufung von Chemikalien aus vielen verschiedenen Quellen setzt ihn einer Gesamteinwirkung aus, die sich nicht messen läßt. Es ist daher sinnlos, davon zu reden, daß irgendeine bestimmte Menge von Rückständen »gefahrlos« sei.

Das sind aber nicht die einzigen Mängel. Manchmal ist der zulässige Gehalt entgegen der besseren Einsicht der Wissenschaftler der Nahrungs- und Arzneimittelprüfstelle festgesetzt worden, so etwa in dem Falle, der auf Seite 226f. angeführt ist; oder er ist auf Grund mangelnder Kenntnis des betreffenden chemischen Stoffes bestimmt worden. Später, als man besser Bescheid wußte, hat man die zulässige Höchstmenge verringert oder keinerlei Rückstände mehr gestattet. Doch das ist erst geschehen, nachdem die Allgemeinheit Monate oder Jahre lang Konzentrationen ausgesetzt worden war, die, wie man zugeben mußte, gefährlich waren. Dies geschah auch, als man für Heptachlor eine Höchstmenge gestattete, die man später widerrufen mußte. Für manche Chemikalien entwickelt man erst, wenn sie ins Handelsregister eingetragen sind, eine Methode, mit der sich Analysen im Freien durchführen lassen. Den Inspektoren ist es daher unmöglich, nach Rückständen zu forschen. Diese Schwierigkeit behinderte auch weitgehend die Arbeit an der »Moosbeeren-Chemikalie« Aminotriazol. Analytische Methoden fehlten auch für gewisse Fungizide, die allgemein in Gebrauch sind, um Samen zu behandeln. Bleiben solche Samen aber nach der Aussaat übrig, können sie ohne weiteres den Weg in die menschliche Nahrung finden.

Legt man Höchstmengen fest, bedeutet dies im Endergebnis also, daß man es gutheißt, wenn die Lebensmittel, mit denen das Volk versorgt wird, mit giftigen Chemikalien verunreinigt werden, damit der Farmer und die Firmen, die seine Erzeugnisse verarbeiten, den Vorteil einer billigeren Produktion genießen. Den Verbraucher bestraft man dann, indem man ihm Steuern auferlegt, um eine Überwachungsstelle zu unterhalten, die gewährleistet, daß er keine tödliche Dosis abbekommt. Doch wenn man die gegenwärtigen Mengen und die Giftigkeit der Chemikalien für die Landwirtschaft bedenkt, würde es so viel Geld kosten, die Überwachung ordnungsgemäß durchzuführen, daß kein Gesetzgeber den Mut aufbrächte, es zu bewilligen. So bezahlt der unglückliche Verbraucher seine Steuern, bekommt aber dennoch weiterhin Gifte.

Wie läßt sich das Problem lösen? Zuerst einmal wäre es unbedingt notwendig, bei chlorierten Kohlenwasserstoffen, bei der Gruppe organischer Phosphorverbindungen und bei anderen hoch giftigen chemischen Stoffen keine noch so geringe Mindestmenge an Rückständen auf Nahrungsmitteln zu gestatten. Dagegen wird sogleich eingewendet werden, daß man damit dem Farmer eine untragbare Bürde auferlegt. Doch ist es möglich und wird angestrebt, Chemikalien so anzuwenden, daß nur erlaubte Reste zurückbleiben. Man hat 7 Teile pro Million als zulässige Menge für DDT festgesetzt, 1 Teil pro Million für Parathion und sogar nur 0,1 Teil pro Million bei vielerlei Früchten für Dieldrin. Warum ist es dann nicht möglich, mit nur ein wenig mehr Sorgfalt zu verhindern, daß überhaupt Rückstände vorkommen? Dies fordert man tatsächlich bei einigen Chemikalien wie Heptachlor, Endrin und Dieldrin für bestimmte Feldfrüchte. Wenn man das in diesen Fällen für durchführbar hält, warum dann nicht in allen?

Aber das ist noch keine vollkommene oder endgültige Lösung, denn die »zulässige Menge Null« ist von geringem Wert, wenn sie nur auf dem Papier steht. Wie wir festgestellt haben, entgehen 99 Prozent der zwischen den Staaten verfrachteten Lebensmittel der Inspektion. Eine wachsame und kampfbereite Prüfstelle mit einer erheblich verstärkten Truppe von Inspektoren wäre ebenfalls dringend nötig.

Dieses System jedoch – wohlüberlegt, unsere Nahrung zu vergiften und das Ergebnis dann zu überwachen – erinnert nur allzusehr an Lewis Carrolls Weißen Ritter, der sich »vornahm, sich den Backenbart grün zu färben und stets einen so großen Fächer zu benutzen, daß man den Bart nicht sehen konnte«. Die endgültige Antwort lautet: Man muß Chemikalien benutzen, die weniger toxisch sind, so daß die Gefahr, die der Allgemeinheit durch Mißbrauch droht, erheblich verringert wird. Solche Chemikalien sind bereits vorhanden: die Pyrethrine, Rotenon, Ryania und andere, die aus pflanzlichen Substanzen gewonnen werden. Für die Pyrethrine sind kürzlich synthetische Ersatzstoffe entwickelt worden, so daß eine sonst bedrohliche Knappheit verhütet werden kann. Auch eine Aufklärung der Öffentlichkeit über die Natur der Chemikalien, die zum Verkauf angeboten werden, ist dringend erforderlich. Der Käufer ist im allgemeinen völlig verwirrt von der Galerie verfügbarer Insektizide, Fungizide und Unkrautvertilgungsmittel und hat keine Möglichkeit zu unterscheiden, welche die tödlichen und die einigermaßen ungefährlichen sind.

Außer der Umstellung auf weniger giftige Chemikalien für die Landwirtschaft, sollten wir emsig die Anwendungsmöglichkeiten nicht-chemischer Methoden erforschen. In Kalifornien versucht man bereits, Insektenkrankheiten gegen Pflanzenschädlinge zu verwenden. Diese Krankheiten werden von einem Bakterium verursacht, das für bestimmte Insektenarten spezifisch ist. Umfassendere Versuche mit dieser Methode sind bereits im Gange. Es gibt noch sehr viele andere Möglichkeiten, Insekten wirksam mit Methoden zu bekämpfen, die keine Rückstände auf Nahrungsmitteln hinterlassen (siehe siebzehntes Kapitel). Bis sich einmal die Mehrzahl der Menschen zu diesen Methoden bekehrt hat, werden wir uns kaum eine Lage erleichtern können, die nach allen Regeln der Vernunft unerträglich ist. So wie die Sache jetzt steht, ergeht es uns nur wenig besser als den Gästen der Borgias.

12. Kapitel
Der Preis, den der Mensch zu bezahlen hat

Als die Flut von Chemikalien, die das Industriezeitalter hervorgebracht hat, immer höher stieg und unsere Umwelt verschlang, ist ein tiefgreifender Wandel eingetreten, und wir haben es heute meist mit völlig andersartigen wichtigen Problemen der Volksgesundheit zu tun als früher. Noch gestern lebte man in Furcht vor den Geißeln der Menschheit, vor den Pokken, der Cholera und der Pest, die einst ganze Nationen überfielen. Jetzt gilt unsere Hauptsorge nicht mehr den Krankheitserregern, die einst allgegenwärtig waren; hygienische Einrichtungen, bessere Lebensbedingungen und neue Arzneimittel haben es ermöglicht, Infektionskrankheiten in hohem Maße unter Kontrolle zu halten. Heute sind wir besorgt über eine andere Gefahr, die wir selbst mit der Entwicklung unserer modernen Lebensweise über unsere Welt gebracht haben.

Die neuen, umweltbedingten Gesundheitsprobleme sind mannigfaltiger Art. Sie wurden durch Strahlung in all ihren Formen geschaffen und entstanden durch den nie endenden Strom von Chemikalien, von denen die Schädlingsbekämpfungsmittel nur ein Teil sind. Chemikalien durchdringen jetzt die Welt, in der wir leben, sie wirken unmittelbar und auf Umwegen, gesondert und vereint auf uns ein. Ihre Anwesenheit wirft einen Schatten, der nicht weniger unheildrohend ist, weil er gestaltlos und verschwommen bleibt, nicht weniger angsteinflößend, weil es einfach unmöglich ist, vorauszusagen, welche Folgen es haben kann, wenn der Mensch ein Leben lang chemischen und physikalischen Einflüssen ausgesetzt ist, über deren biologische Wirksamkeit er noch keinerlei Erfahrungen besitzt.

»Wir alle leben in der quälenden Furcht, irgend etwas könnte die Umwelt bis zu dem Grade verderben, daß der Mensch sich als ausgestorbene Lebensform zu den Dinosauriern gesellt«, meint Dr. David Price vom Gesundheitsdienst der Vereinigten Staaten. »Und was diese Gedanken nur noch beunruhigender macht, ist die Erkenntnis, daß zwanzig oder mehr als zwanzig Jahre, bevor sich Symptome bemerkbar machen, unser Schicksal vielleicht schon besiegelt sein könnte.«

Wo fügen sich Schädlingsbekämpfungsmittel in das Gesamtbild umweltbedingter Krankheiten ein? Wie wir erfahren haben, verunreinigen sie nun den Boden, das Wasser und die Nahrung, durch ihren mächtigen Einfluß sterben die Fische in den Flüssen, und in Gärten und Wäldern wird es still, weil die Vögel fehlen. Der Mensch ist jedoch ebenfalls ein Teil der Natur, wenn er auch noch so gern das Gegenteil behaupten möchte. Kann er einer Verunreinigung entrinnen, die nun so gründlich über die ganze Welt verteilt ist?

Selbst wenn man nur ein einziges Mal diesen Chemikalien ausgesetzt ist, kann dies – falls die Menge groß genug ist – zu einer akuten Vergiftung führen. Aber das ist nicht das Hauptproblem. Wenn Farmer und Leute, die sprühen, wenn Piloten und andere, die mit beträchtlichen Mengen von Schädlingsbekämpfungsmitteln in Berührung kommen, plötzlich erkranken und sterben, ist das tragisch und dürfte nicht vorkommen. Was die Bevölkerung in ihrer Gesamtheit betrifft, so muß unsere Besorgnis mehr den Folgen gelten, die erst später eintreten, nachdem geringe Mengen jener unsichtbar unsere Welt verpestenden Schädlingsbekämpfungsmittel aufgenommen worden sind.

Verantwortliche Beamte des Gesundheitsdienstes haben darauf hingewiesen, daß die biologischen Wirkungen von Chemikalien kumulativ sind und sich im Laufe langer Zeiträume steigern, und daß die Gefahr für den einzelnen Menschen davon abhängen dürfte, wie oft er insgesamt in seinem Leben den Stoffen ausgesetzt gewesen ist. Gerade aus diesen Gründen wird die Gefahr leicht ignoriert. Es ist Menschenart, etwas mit einem Achselzucken abzutun, das uns vielleicht nur als vage Drohung eines künftigen Unheils erscheint. »Die Menschen sind naturgemäß am meisten von Krankheiten beeindruckt, die sich in deutlichen äußeren Anzeichen offenbaren«, meint Dr. René Dubos, ein erfahrener Arzt. »Doch manche ihrer schlimmsten Feinde schleichen sich unauffällig an sie heran.«

Für jeden von uns, wie auch für die Wanderdrossel in Michigan oder den Lachs im Miramichi, ist dies ein Problem der Ökologie, der wechselseitigen Beziehungen und der Abhängigkeit der Geschöpfe voneinander. Wir vergiften die Köcherfliegen in einem Bach, und die Lachszüge schwinden dahin. Wir vergiften die Mücken in einem See, und das Gift wandert von einem Glied der Futterkette zum nächsten, und bald fallen ihm die Vögel am Ufer des Sees zum Opfer. Wir sprühen unsere Ulmen, und im nächsten Frühling ist der Gesang der Wanderdrosseln verstummt; nicht weil wir die Wanderdrosseln selbst mit einem Sprühmittel töteten, sondern weil das Gift Schritt für Schritt in dem uns nun schon vertrauten Kreislauf vom Ulmenblatt zum Regenwurm und zur Wanderdrossel gelangte. Dies sind verbürgte Vorkommnisse, die sich beobachten lassen und einen Teil der sichtbaren Welt bilden, die uns umgibt. Sie spiegeln das Gefüge des Lebens – oder des Todes – wider, das die Wissenschaftler als Ökologie bezeichnen.

Aber es gibt auch eine »Ökologie« der Welt innerhalb unseres Körpers. In dieser Welt, die wir nicht sehen, rufen winzige Ursachen gewaltige Wirkungen hervor; überdies steht die Wirkung oft scheinbar in keinem Zusammenhang mit der Ursache, sie tritt in einem Teil des Körpers auf, der weitab von der Stelle liegt, an der ihn der Schaden ursprünglich traf. »Eine Veränderung an einem Punkt, selbst nur in einem Molekül, kann im ganzen Organismus weiterwirken und in Organen und Geweben, die scheinbar in keinerlei Verbindung damit stehen, Veränderungen auslösen«, heißt es in einer neueren Zusammenfassung des gegenwärtigen Stands medizinischer Forschung. Wenn man sich mit den geheimnisvollen und wunderbaren Vorgängen im menschlichen Körper befaßt, entdeckt man, daß zwischen Ursache und Wirkung selten einfache und leicht erkennbare Beziehungen bestehen. Sie können räumlich wie zeitlich weit voneinander getrennt sein. Will man herausfinden, wodurch Krankheit und Tod herbeigeführt worden sind, muß man geduldig viele anscheinend gesonderte und beziehungslose Tatsachen zusammenfügen, die man mit einem ungeheuren Aufwand an Nachforschungen auf völlig getrennten Fachgebieten erarbeitet hat.

Wir sind gewöhnt, nach der massiven und unmittelbaren Wirkung zu suchen und alles andere nicht zu beachten; wenn sie nicht unverzüglich und in so augenfälliger Form eintritt, daß man sie nicht mehr übersehen kann, leugnen wir, daß eine Gefahr besteht. Selbst Forscher müssen erleben, daß unzulängliche Methoden es ihnen erschweren, Schädigungen in ihren Anfängen zu entdecken. Der Mangel an hinreichend empfindlichen Methoden, um Schädigungen festzustellen, ehe noch Symptome auftreten, ist eines der großen ungelösten Probleme der Medizin.

»Aber ich habe meinen Rasen viele Male mit Dieldrin-Sprühmitteln behandelt und trotzdem niemals Krämpfe bekommen wie die Leute, die im Auftrag der Weltgesundheitsorganisation sprühten. Also hat es mir nicht geschadet«, wird jemand einwenden. So einfach ist das nicht. Obwohl plötzlich auftauchende und drastische Symptome fehlen, kann jemand, der mit solchen Stoffen umgeht, zweifellos giftige Verbindungen in seinem Körper speichern. Bei chlorierten Kohlenwasserstoffen erfolgt dieser Vorgang, wie wir erfahren haben, durch eine steigende Anhäufung, die mit der Aufnahme kleinster Mengen beginnt. Die toxischen Stoffe setzen sich in allen Fettgeweben des Körpers fest. Sobald der Körper von diesen Fettreserven zehrt, kann das Gift schnell angreifen. Eine medizinische Zeitschrift von Neuseeland brachte ein Beispiel dafür. Ein Mann, der wegen Fettleibigkeit behandelt wurde, zeigte plötzlich Vergiftungserscheinungen. Als man sein Fettgewebe untersuchte, fand man, daß es Dieldrin enthielt, das in den Stoffwechsel einbezogen wurde, als der Mann an Gewicht verlor. Das gleiche könnte geschehen, wenn man infolge einer Krankheit abmagert.

Die Folgen einer Speicherung andererseits könnten sogar noch weniger zutage treten. Vor einigen Jahren warnte das ›Journal‹ der Amerikanischen Medizinischen Gesellschaft eindringlich vor den Gefahren der Insektizide, die in Fettgewebe gespeichert werden. Es wurde darauf hingewiesen, daß Arzneimittel oder chemische Stoffe, die kumulativ sind, größere Vorsicht erforderten als andere, die sich nicht so leicht in Geweben anreichern. Das Fettgewebe ist, wie man uns warnt, nicht allein der Ort, wo Fette eingelagert werden – sie machen ungefähr achtzehn Prozent des Körpergewichts aus –, sondern es hat viele wichtige Aufgaben, bei denen die gespeicherten Gifte störend wirken können. Überdies sind Fette sehr weitgehend in den Organen und Geweben des ganzen Körpers verteilt, sie bilden sogar Bestandteile von Zellmembranen. Es ist daher wesentlich, stets zu bedenken, daß die fettlöslichen Insektizide auch in einzelnen Zellen gespeichert werden, wo sie in der Lage sind, die lebenswichtigsten und notwendigsten Funktionen der Oxydation und Energieerzeugung zu stören. Diese wichtige Seite des Problems wird im nächsten Kapitel behandelt werden.

Einer der bedeutsamsten Momente bei chlorierten Kohlenwasserstoffen ist ihre Wirkung auf die Leber. Von allen Organen des Körpers ist die Leber am merkwürdigsten. Sie ist so vielseitig und anpassungsfähig und wegen der besonderen Art ihrer Funktionen so unentbehrlich, daß ihr kein Organ gleichkommt. Sie überwacht so viele lebensnotwendige Vorgänge, daß selbst der geringste Schaden, der ihr zugefügt wird, die schwerwiegendsten Folgen nach sich zieht. Die Leber liefert nicht nur die Galle für die Verdauung von Fetten, sondern sie erhält auch unmittelbar das Blut aus dem Verdauungstrakt und spielt eine große Rolle beim Stoffwechsel aller Hauptnährstoffe; denn sie liegt an einer günstigen Stelle und hat ein besonderes Kreislaufsystem, in das von überall Adern einmünden. Sie speichert Zucker in Form von Glykogen und gibt ihn in sorgsam bemessenen Mengen als Glucose wieder ab, um den normalen Gehalt an Blutzucker aufrechtzuerhalten. Sie baut Eiweißstoffe des Körpers auf, darunter auch einige unentbehrliche Bestandteile des Blutplasmas, die für die Blutgerinnung sorgen. Sie hält den Cholesterinspiegel im Blutplasma auf der richtigen Höhe und macht die weiblichen wie männlichen Hormone unwirksam, wenn sie übermäßige Konzentrationen erreichen. Sie dient als Vorratskammer für viele Vitamine, von denen einige ihrerseits dazu beitragen, daß sie ordnungsgemäß arbeiten kann.

Ohne eine normal arbeitende Leber wäre der Körper wehrlos, er könnte sich gegen die mannigfaltigsten Gifte, die dauernd in ihn eindringen, nicht verteidigen. Manche davon sind normale Nebenprodukte des Stoffwechsels, die von der Leber flink und wirksam unschädlich gemacht werden, indem sie ihnen ihren Stickstoff entzieht. Aber auch Gifte, die normalerweise keinen Platz im Körper haben, können abgebaut werden. Die »unschädlichen« Insektizide Malathion und Methoxychlor sind nur deshalb weniger giftig als die mit ihnen verwandten Stoffe, weil sich ein Leberenzym ihrer annimmt und ihre Moleküle so verändert, daß sie nicht mehr solchen Schaden anrichten können. Auf ähnliche Weise entgiftet die Leber die Mehrzahl der toxischen Stoffe, denen wir ausgesetzt sind.

Unsere Verteidigungslinie gegen eindringende oder aus dem Körper selbst stammende Gifte ist nun geschwächt und droht zu zerfallen. Eine durch Schädlingsbekämpfungsmittel angegriffene Leber ist nicht nur außerstande, uns vor Giften zu schützen, sie kann auch in ihrem gesamten Wirkungsbereich in ihrer Arbeit gestört werden. Das hat weittragende Folgen; da sie aber so vielfältig sind und vielleicht nicht sogleich auftreten, kann man ihre wahre Ursache oft nicht erkennen.

Im Zusammenhang mit dem nahezu universellen Gebrauch von Insektiziden, die Lebergifte sind, ist es interessant, die rasche Zunahme von Leberentzündungen (Hepatitis) festzustellen, die im Jahrzehnt nach 1950 begann und mit Schwankungen weiterhin anhält. Auch Leberzirrhose soll häufiger werden. Nun ist es zwar, wie man zugeben muß, schwierig, wenn es sich um menschliche Wesen und nicht um Versuchstiere handelt, zu »beweisen«, daß Ursache A die Wirkung B hervorbringt, doch sagt uns schon der gesunde Menschenverstand, daß die Beziehung zwischen einer hochschnellenden Zahl von Lebererkrankungen und dem Überhandnehmen von Lebergiften in der Umwelt wohl kein rein zufälliges Zusammentreffen sein kann. Ob nun die chlorierten Kohlenwasserstoffe die eigentliche Ursache sind oder nicht, unter den herrschenden Umständen erscheint es schwerlich klug, wenn wir uns der Einwirkung von Giften aussetzen, die erwiesenermaßen die Fähigkeit besitzen, die Leber zu schädigen und sie so wahrscheinlich weniger widerstandsfähig gegen Krankheit zu machen.

Beide Hauptformen von Insektiziden, die chlorierten Kohlenwasserstoffe und die organischen Phosphate, greifen unmittelbar das Nervensystem an, obwohl sie es auf eine etwas unterschiedliche Weise tun. Das hat man mit unendlich vielen Tierexperimenten, aber ebenso durch Beobachtungen an Menschen eindeutig nachgewiesen. So wirkt das DDT, das erste der neuen organischen Insektizide, das allgemein verwendet wurde, vor allem auf das Zentralnervensystem des Menschen. Man nimmt an, daß die hauptsächlich betroffenen Abschnitte das Kleinhirn und die sogenannten motorischen Rindenfelder sind. Nach den Angaben eines Standardwerks der Toxikologie können sich abnormale Sinnesempfindungen wie Prickeln, Brennen oder Jukken, doch genauso Zittern oder sogar Krämpfe einstellen, nachdem man der Einwirkung beträchtlicher Mengen von DDT ausgesetzt worden ist.

Die Symptome einer akuten DDT-Vergiftung lernten wir zum ersten Mal durch die Versuche einiger britischer Forscher kennen, die DDT absichtlich auf sich einwirken ließen, um die Folgen zu studieren. Zwei Wissenschaftler am physiologischen Laboratorium der Königlich Britischen Kriegsmarine legten das Experiment so an, daß sie das DDT durch die Haut absorbierten. Das geschah durch ständige Berührung mit Wänden, deren wasserlöslicher Farbanstrich zwei Prozent DDT enthielt und noch mit einer dünnen Ölschicht überzogen wurde. Aus der beredten Schilderung dieser Männer geht die unmittelbare Wirkung auf das Nervensystem deutlich hervor: »Die Müdigkeit, das Schweregefühl und Gliederschmerzen waren sehr reale unangenehme Beschwerden, und der Geisteszustand war geradezu quälend... äußerste Reizbarkeit... großer Widerwillen gegen Arbeit irgendwelcher Art... und ein Gefühl, geistig unfähig zu sein, die einfachsten Denkaufgaben zu bewältigen. Die Schmerzen in den Gelenken waren zeitweise sehr heftig.«

Ein anderer Engländer stellte ein Experiment an, bei dem er sich DDT in Acetonlösung auf die Haut strich. Er berichtete ebenfalls von Schweregefühl und Gliederschmerzen, von Muskelschwäche und »Anfällen nervöser Gespanntheit«. Er nahm Urlaub und fühlte sich wieder wohler, doch als er an seine Arbeit zurückkehrte, verschlimmerte sich sein Zustand erneut. Er verbrachte dann drei Wochen im Bett, geplagt von ständigen Schmerzen in den Gliedern, Schlaflosigkeit, überreizten Nerven und akuten Angstzuständen. Zeitweise wurde sein ganzer Körper von einem Zittern geschüttelt – einem Tremor, wie die Ärzte es nennen –, der uns jetzt durch den Anblick der mit DDT vergifteten Vögel nur zu vertraut ist. Der Wissenschaftler, der den Versuch unternahm, konnte zehn Wochen lang nicht mehr arbeiten und er war nach Ablauf eines Jahres, als über den Fall in einer britischen medizinischen Zeitschrift berichtet wurde, noch nicht völlig erholt.

(Trotz dieses Beweismaterials hielten einige amerikanische Forscher, die ein Experiment mit DDT an Freiwilligen durchführten, die Klagen über Kopfweh und »Schmerzen in allen Knochen« für »offenkundig psychoneurotischen Ursprungs«, und damit war die Sache abgetan.)

Man kennt jetzt viele verbürgte Fälle, in denen beide Symptome auftraten und der gesamte Verlauf der Krankheit auf Insektizide als Ursache hindeutete. Bezeichnend für ein solches Opfer ist: Man weiß, daß es einem der Insektizide ausgesetzt gewesen ist, die Symptome sind unter entsprechender Behandlung abgeklungen, nachdem man auch alle Insektizide aus der Umgebung entfernt hat, und – was am bedeutungsvollsten ist – *sie sind bei jeder erneuten Berührung mit den chemischen Stoffen, die das Übel verursachten, wiederum aufgetreten*. Bei vielen anderen Krankheiten bilden Beweise dieser Art die Unterlagen für einen Riesenaufwand an verschiedenen Therapien. Es liegt kein Grund vor, warum derartiges Beweismaterial uns nicht zur Warnung dienen sollte, daß es heute nicht mehr vernünftig ist, das »wohlüberlegte Wagnis« einer Durchtränkung unserer Umwelt mit Schädlingsbekämpfungsmitteln auf uns zu nehmen.

Warum entwickelt nicht jeder, der Insektizide zur Hand nimmt und sie anwendet, die gleichen Symptome? Hier macht sich die persönliche Empfindlichkeit bemerkbar. Man hat gewisse Beweise dafür, daß Frauen empfänglicher als Männer sind, die ganz jungen noch mehr als die erwachsenen; ebenso sind Menschen mit einer sitzenden Lebensweise, die wenig an die frische Luft kommen, stärker gefährdet als andere, die ein rauhes Leben mit Arbeit und viel Bewegung im Freien führen. Darüber hinaus bestehen noch weitere Unterschiede, die keineswegs weniger real sind, weil sie sich nicht erfassen lassen. Warum ein Mensch allergisch gegen Staub oder Pollen, überempfindlich für ein Gift ist oder sich besonders leicht ansteckt, während das für einen anderen nicht gilt, ist ein medizinisches Rätsel, für das man bis jetzt noch keine Erklärung gefunden hat. Dennoch existiert das Problem, und es betrifft einen wesentlichen Teil der Bevölkerung. Manche Ärzte schätzen, daß bei über einem Drittel ihrer Patienten Anzeichen für irgendeine Form von Überempfindlichkeit auftreten und daß diese Zahl stetig wächst. Leider kann auch jemand plötzlich überempfindlich werden, der vorher gar nicht allergisch war. Einige Mediziner meinen, eine solche Überempfindlichkeit könne dadurch hervorgerufen werden, daß man in Abständen der Einwirkung von Chemikalien ausgesetzt ist. Falls das stimmt, ließe sich damit auch erklären, warum man bei einigen Untersuchungen an Menschen, die in ihrem Beruf ständig mit derlei Stoffen zu tun haben, nur geringe toxische Wirkungen entdecken konnte. Durch ihre dauernde Berührung mit den Chemikalien bleiben diese Menschen unempfindlich dagegen, ähnlich wie ein Arzt seine allergischen Patienten durch wiederholte Injektionen mit dem Stoff, gegen den sie allergisch sind, unempfindlich machen kann.

Das gesamte Problem der Vergiftung durch Schädlingsbekämpfungsmittel ist ungeheuer kompliziert, weil ein menschliches Wesen im Gegensatz zu einem Laboratoriumstier, das unter streng kontrollierten Bedingungen lebt, niemals nur mit einem chemischen Stoff allein in Berührung kommt. Zwischen den Hauptgruppen von Insektiziden und zwischen ihnen und anderen Chemikalien ergeben sich Wechselwirkungen, die unter Umständen gefährlich werden können. Ob diese nicht miteinander verwandten Chemikalien nun in den Boden, ins Wasser oder in das menschliche Blut gelangen, sie bleiben nicht voneinander getrennt. Es vollziehen sich geheimnisvolle und unsichtbare Umwandlungen, durch die ein Stoff den anderen so verändern kann, daß er schädlich wird.

Selbst die beiden Hauptgruppen von Insektiziden, von denen man annimmt, daß sie sich völlig verschieden verhalten, können sich wechselseitig beeinflussen. Die organischen Phosphate sind bekanntlich imstande, das Enzym Cholinesterase, das die Nerven schützt, zu vergiften; sie können auch größere Macht gewinnen, wenn auf den Körper zuerst ein chlorierter Kohlenwasserstoff eingewirkt hat, der die Leber angreift. Dies geschieht, weil der Cholinesterase-Spiegel unter den normalen Stand sinkt, sobald die Leberfunktion gestört wird. Drückt das organische Phosphat den Spiegel noch weiter, genügt das vielleicht bereits, akute Symptome heraufzubeschwören. Wie wir erfahren haben, können auch Paare von organischen Phosphaten selbst sich gegenseitig so beeinflussen, daß ihre Toxizität den hundertfachen Wert erreicht. Oder die organischen Phosphate können mit verschiedenen Arzneimitteln reagieren, mit synthetischen Stoffen oder Zusatzmitteln zur Nahrung – mit wer weiß welchen der unendlich vielen von Menschen geschaffenen Substanzen, mit denen unsere Welt jetzt überschwemmt wird.

Die Wirkung eines chemischen Stoffes, der angeblich unschädlich ist, kann sich durch das Eingreifen eines anderen drastisch wandeln; eines der besten Beispiele ist das Methoxychlor, eine mit dem DDT nahe verwandte Verbindung. (Tatsächlich dürfte das Methoxychlor nicht so frei von gefährlichen Eigenschaften sein, wie allgemein behauptet wird. Denn neuere Arbeiten mit Versuchstieren zeigen eine unmittelbare Wirkung auf den Uterus und einen hemmenden Einfluß auf einige der mächtigen Hormone der Hirnanhangdrüse. Das erinnert uns erneut daran, daß wir es hier mit chemischen Stoffen von ungeheurer biologischer Wirksamkeit zu tun haben. Andere Arbeiten liefern den Beweis, daß Methoxychlor unter Umständen die Nieren schädigen kann.) Da das Methoxychlor, allein genommen, nicht in irgendeinem größeren Ausmaß gespeichert wird, macht man uns weis, daß es eine ungefährliche Chemikalie ist. Doch das muß nicht unbedingt stimmen. Sobald die Leber einmal durch irgendeinen anderen wirksamen Stoff geschädigt worden ist, wird das Methoxychlor im Körper in der hundertfachen Normalmenge gespeichert und ähnelt dann in seinen nachhaltigen Wirkungen auf das Nervensystem dem DDT. Doch kann der Leberschaden, der das ermöglicht, so geringfügig sein, daß er unbemerkt bleibt. Irgendeiner von einer ganzen Reihe alltäglicher Umstände könnte ihn verursacht haben –

vielleicht wurde noch ein anderes Insektizid verwendet, oder ein Reinigungsmittel, das Tetrachlorkohlenstoff enthielt, oder der Betreffende hat eines der sogenannten Beruhigungsmittel eingenommen, von denen eine Anzahl – aber nicht alle – chlorierte Kohlenwasserstoffe sind und die Fähigkeit besitzen, die Leber zu schädigen.

Das Nervensystem wird nicht allein durch eine akute Vergiftung angegriffen, es können auch Spätfolgen einer Berührung mit Insektiziden eintreten. Es wird von langdauernder Schädigung des Gehirns und der Nerven durch Methoxychlor und andere Stoffe berichtet. Dieldrin kann außer seinen unmittelbaren Folgeerscheinungen noch andere auslösen, die sich lange hinauszögern und »von Gedächtnisverlust, Schlaflosigkeit und Alpträumen bis zum Wahnsinn« reichen. Nach ärztlichen Befunden wird Lindan in bedeutsamen Mengen im Gehirn und im besonders leistungsfähigen Lebergewebe gespeichert und kann »tiefgreifende und lange vorhaltende Wirkungen auf das Zentralnervensystem ausüben«. Dennoch wird diese Chemikalie, eine Form des Hexachlorcyclohexans, viel in Verdampfungsgeräten verwendet, aus denen sich ein Strom von leicht flüchtigen Insektizid-Nebeln in Wohnungen, Büros und Restaurants ergießt.

Auch die organischen Phosphate, an die man gewöhnlich nur in Verbindung mit den weit heftigeren äußeren Anzeichen einer akuten Vergiftung denkt, besitzen die Macht, Dauerschäden an Nervengeweben und, nach neueren Entdeckungen, sogar Geisteskrankheiten hervorzurufen. Nach dem Gebrauch des einen oder anderen dieser Insektizide traten in mehreren Fällen später Lähmungen auf. Eine seltsame Begebenheit, die sich während der Prohibitionszeit um 1930 in den Vereinigten Staaten zutrug, war ein übles Vorzeichen der Dinge, die noch kommen sollten; verursacht wurde der Vorfall nicht durch ein Insektizid, sondern durch eine Substanz, die chemisch zu der gleichen Gruppe wie die insektiziden organischen Phosphate gehört. In jener Zeit dienten einige medizinische Präparate als Ersatz für alkoholische Getränke, da sie nicht unter das gesetzliche Alkoholverbot fielen. Eine dieser Substanzen war der sogenannte Jamaica-Ingwer. Aber dieses Erzeugnis, das nach dem Arzneibuch der Vereinigten Staaten hergestellt wurde, war kostspielig, und die Alkoholschmuggler kamen auf den Gedanken, einen künstlichen Jamaica-Ingwer zusammenzubrauen. Es gelang ihnen so gut, daß ihr gefälschtes Produkt auf die entsprechenden chemischen Prüfmethoden einwandfrei reagierte und die Regierungschemiker täuschte. Um ihrem falschen Ingwer-Getränk den notwendigen scharfen Geschmack zu geben, hatten sie einen chemischen Stoff, das sogenannte Triorthocresylphosphat, hineingegeben. Wie das Parathion und verwandte Stoffe zerstört diese Substanz das schützende Enzym Cholinesterase. Ungefähr 15 000 Menschen, die das Erzeugnis der Alkoholschmuggler getrunken hatten, bekamen davon eine dauernde Lähmung der Beinmuskeln, die sie zu Krüppeln machte. Man nennt diesen Zustand heute noch »Ingwer-Lähmung«. Sie war begleitet von einer Zerstörung der Nervenscheiden und einer Entartung der Zellen der vorderen Hörner des Rückenmarks.

Ungefähr zwei Jahrzehnte später kamen – wie wir bereits wissen – verschiedene andere organische Phosphate als Insektizide in Gebrauch, und bald traten Fälle auf, die an die Geschichte der »Ingwer-Lähmung« erinnerten. Bei einem davon handelte es sich um einen Gewächshausarbeiter in Deutschland, der gelähmt wurde, nachdem er einige Monate zuvor ein paarmal nach Gebrauch von Parathion leichte Vergiftungssymptome verspürt hatte. Auch eine Gruppe von drei Arbeitskräften einer chemischen Fabrik litt unter einer akuten Vergiftung, weil sie der Einwirkung anderer ähnlicher Insektizide ausgesetzt gewesen war. Die betreffenden Personen erholten sich, als man sie behandelte, doch zehn Tage später bekamen zwei von ihnen Muskelschwäche in den Beinen. Bei einer von ihnen hielt sie zehn Monate lang an; die andere, eine junge Chemikerin, war schwerer geschädigt, sie war an beiden Beinen gelähmt, und auch Hände und Arme waren in Mitleidenschaft gezogen. Als zwei Jahre später ihr Fall in einer medizinischen Zeitschrift geschildert wurde, konnte sie noch immer nicht gehen.

Das Insektizid, das für diese Fälle verantwortlich war, wurde aus dem Handel gezogen, doch manche von denen, die heute verwendet werden, könnten den gleichen Schaden anrichten. Malathion – das bei Gärtnern so beliebt ist – hat bei Versuchen mit Küken schwere Muskelschwäche verursacht. Wie bei der »Ingwer-Lähmung« stellte sich zugleich mit dieser Schwäche eine Zerstörung der Scheiden von Rückenmarks- und Ischiasnerven ein.

Alle diese Folgeerscheinungen einer Vergiftung mit organischen Phosphaten können, wenn man sie überlebt, nur das Vorspiel zu Schlimmerem sein. Angesichts des ernsten Schadens, den sie dem Nervensystem zufügen, war es vielleicht unausbleiblich, daß diese Insektizide eines Tages mit Geisteskrankheiten in Verbindung gebracht wurden. Das letzte Glied in der Beweiskette fanden kürzlich Forscher der Universität und des Prince-Henry-Krankenhauses in Melbourne, die über sechzehn Fälle von Geisteskrankheiten berichteten. Bei allen stand in der Krankengeschichte, daß die betreffenden Personen längere Zeit der Einwirkung insektizider organischer Phosphorverbindungen ausgesetzt gewesen waren. Drei waren Wissenschaftler, die die Wirksamkeit der Sprühmittel überprüft hatten, acht waren in einem Gewächshaus beschäftigt gewesen, fünf waren Farmarbeiter. Ihre Symptome reichten von Gedächtnisschwäche bis zu schizophrenen und depressiven Zuständen. Ehe die Chemikalien, mit denen diese Menschen umgingen, zum Bumerang wurden, der sie zur Strecke brachte, hatten sie alle ganz normale Krankengeschichten.

Wie wir gesehen haben, finden sich weit verstreut in der gesamten medizinischen Literatur Gegenstücke zu derartigen Vorfällen, manchmal in Zusammenhang mit chlorierten Kohlenwasserstoffen, ein andermal mit organischen Phosphaten. Geistesverwirrung, Wahnvorstellungen, Gedächtnisschwund, Tobsucht – das ist fürwahr ein hoher Preis, den man für die vorübergehende Vertilgung von ein paar Insekten zahlt. Doch es ist ein Preis, der auch weiterhin von uns gefordert werden wird, solange wir darauf bestehen, Chemikalien zu verwenden, die das Nervensystem unmittelbar angreifen.

13. Kapitel
Durch ein schmales Fenster

Der Biologe George Wald verglich einmal seine Arbeit an den Sehpigmenten des Auges, also an einem höchst spezialisierten Forschungsobjekt, »mit einem sehr schmalen Fenster, durch das man aus einiger Entfernung nur einen Lichtspalt sieht. Wenn man näher kommt, weitet sich die Sicht immer mehr, bis man schließlich durch das gleiche schmale Fenster das Weltall erblickt«.

So ergeht es auch uns: Nur wenn wir unser ganzes Augenmerk zuerst auf die einzelnen Zellen des Körpers richten, dann auf die winzigen Gebilde innerhalb der Zellen und schließlich auf die grundlegenden Reaktionen von Molekülen innerhalb dieser Gebilde – nur wenn wir das tun, können wir die bedeutenden und weitreichenden Wirkungen körperfremder chemischer Stoffe begreifen, die man auf gut Glück in unsere »innere Umwelt« eindringen läßt. Die medizinische Forschung hat sich erst vor ziemlich kurzer Zeit der Frage zugewandt, was in der einzelnen Zelle vorgeht, wenn Energie erzeugt wird, ohne die kein Leben bestehen kann. Nicht allein die Gesundheit, sondern das Leben selbst beruht auf dem ungewöhnlichen Verfahren des Körpers, Energie zu erzeugen; es übertrifft selbst die lebenswichtigsten Organe an Bedeutung, denn ohne den reibungslosen und wirksamen Verlauf einer Oxydation, die ihm Energie liefert, kann der Körper keine seiner Aufgaben vollbringen. Doch viele der chemischen Stoffe, die gegen Insekten, Nagetiere und Unkraut angewandt werden, sind ihrer Natur nach geeignet, dieses Reaktionssystem unmittelbar anzugreifen und seinen wundervoll funktionierenden Mechanismus zu zerrütten.

Die Forschungsarbeit, die zu unserer gegenwärtigen Einsicht in die Oxydation innerhalb der Zelle führte, ist eine der eindrucksvollsten Leistungen der gesamten Biologie und Biochemie. Die Liste derer, die zu diesem Werk beigetragen haben, umfaßt viele Nobelpreisträger. Ein Vierteljahrhundert lang ist man damit nur Schritt für Schritt vorangekommen und hat manche der Grundsteine sogar noch weiter zurückliegenden Arbeiten entnommen. Selbst heute ist dieses Werk noch nicht in allen Einzelheiten vollendet. Erst innerhalb des letzten Jahrzehnts haben sich alle die verschiedenartigen Teilergebnisse der

Forschung zu einem Ganzen zusammengeschlossen, so daß die Kenntnis der biologischen Oxydation zu einem Bestandteil des Allgemeinwissens der Biologen werden konnte. Vielleicht noch wichtiger ist, daß Mediziner, die ihre Grundausbildung vor dem Jahre 1950 erhielten, wenig Gelegenheit hatten, die entscheidende Bedeutung des Vorgangs und die Gefahren, die seine Unterbrechung heraufbeschwört, voll zu erfassen.

Die grundlegende Arbeit der Energieerzeugung wird nicht in irgendeinem besonders dazu ausgebildeten Organ geleistet, sondern in jeder Zelle des Körpers. Eine lebende Zelle verbrennt gleich einer Flamme Material, um Energie zu erzeugen, von der das Leben abhängt. Der Vergleich ist mehr poetisch als sachlich richtig, denn die Zelle führt die »Verbrennung« nur mit der mäßigen Wärme der normalen Körpertemperatur durch. Dennoch ergeben alle diese kleinen brennenden Feuer den zündenden Funken der Lebensenergie. Sollten sie aufhören zu brennen, »könnte kein Herz schlagen und keine Pflanze der Schwerkraft trotzen und emporwachsen, könnte keine Amöbe schwimmen und keine Sinnesempfindung in einem Nerv entlangeilen, könnte kein Gedanke im menschlichen Gehirn aufblitzen«, sagt der Chemiker Eugene Rabinowitsch.

Die Umwandlung von Materie in Energie innerhalb der Zelle ist ein Vorgang, der ständig in Fluß ist, ein Kreislauf von vielen, die in der Natur der Erneuerung dienen, gleich einem Rad, das sich endlos weiterdreht. Körnchen um Körnchen, Molekül um Molekül wird der Kohlenhydrat-Brennstoff in Form von Glucose in Umlauf gesetzt; auf seinem Weg in diesem Zyklus wird das Brennstoffmolekül in Bruchstücke zerlegt und einer Reihe winziger chemischer Umwandlungen unterworfen. Die Umwandlungen vollziehen sich in streng geregelter Form und schrittweise; jeder Schritt wird gelenkt und überwacht von einem Enzym, das auf seine Aufgabe so spezialisiert ist, daß es nur diese eine und keine andere erfüllen kann. Bei jedem Schritt wird Energie erzeugt und Abfallprodukte (Kohlendioxyd und Wasser) werden abgegeben, das veränderte Brennstoffmolekül aber wird in das nächste Stadium übergeführt. Wenn das Rad eine volle Umdrehung durchlaufen hat, ist das Brennstoffmolekül abgebaut und in eine Form übergegangen, in der es bereit ist, sich mit einem neuen Molekül, das sich nun einschaltet, zu verbinden und den Kreislauf wieder von vorn zu beginnen.

Dieser Vorgang, bei dem die Zelle als chemische Fabrik arbeitet, ist eines der Wunder der lebenden Welt. Die Tatsache, daß alle die zusammenwirkenden Teile unendlich klein sind, macht das Mirakel noch größer. Die Zellen selbst sind mit wenigen Ausnahmen winzig, man kann sie nur mit Hilfe des Mikroskops sehen. Der Großteil der Oxydationsarbeit wird jedoch auf einem Schauplatz geleistet, der noch weit kleiner ist – in den sogenannten Mitochondrien, winzigen Körnchen innerhalb der Zelle. Obwohl man sie seit sechzig Jahren kennt, hat man sie früher als Zellelemente angesehen, die einem unbekannten und wahrscheinlich unbedeutenden Zweck dienen, und sie nicht weiter beachtet. Erst in den fünfziger Jahren wurde ihr Studium zu einem fesselnden und ergiebigen Forschungsgebiet; plötzlich standen die Mitochondrien so sehr im Mittelpunkt der Aufmerksamkeit, daß binnen eines Zeitraums von fünf Jahren tausend wissenschaftliche Abhandlungen nur über dieses Thema erschienen.

Wiederum steht man voll Ehrfurcht vor dem erstaunlichen Scharfsinn und der unglaublichen Geduld, womit das Rätsel der Mitochondrien gelöst worden ist. Man stelle sich ein Teilchen vor, das so klein ist, daß man es selbst in dreihundertfacher Vergrößerung mit dem Mikroskop kaum zu sehen vermag. Dann kann man sich auch eine Vorstellung davon machen, welche Geschicklichkeit erforderlich ist, dieses Teilchen zu isolieren, es zu zerlegen, seine Bestandteile zu analysieren und deren höchst verwickeltes Zusammenwirken zu ergründen. Dennoch ist dies mit Hilfe des Elektronenmikroskops und der Methoden der Biochemiker gelungen.

Man weiß jetzt, daß die Mitochondrien winzige Behälter sind, vollgepackt mit mannigfaltigen, darunter allen für den Oxydationszyklus notwendigen Enzymen, die in genau und regelmäßig angeordneten Reihen entlang der Wände und der ins Innere vorspringenden Zwischenwände aufgestapelt sind. Die Mitochondrien sind die »Kraftwerke«, in denen der größte Teil der energieerzeugenden Reaktionen stattfindet. Nachdem die ersten, einleitenden Schritte der Oxydation im Zytoplasma erfolgt sind, wird das Brennstoffmolekül in die Mitochondrien gebracht. Hier wird die Oxydation zu Ende geführt und hier werden ungeheure Energiemengen frei.

Die Oxydation innerhalb der Mitochondrien, die einem sich endlos drehenden Rade gleicht, hätte wenig Zweck, wenn sie nicht dieses überaus wichtige Ergebnis erzielte. Die Energie, die in jedem Stadium des Oxydationszyklus entsteht, wird größtenteils in Form einer »energiereichen Verbindung« gespeichert, die von den Biochemikern kurz als ATP (Adenosintriphosphat) bezeichnet wird und ein Molekül ist, das drei Phosphatgruppen enthält. Die Rolle, die das ATP als Energielieferant spielt, ist darauf zurückzuführen, daß es eine seiner Phosphatgruppen auf andere Substanzen übertragen kann, zusammen mit der Bindungsenergie von Elektronen, die mit hoher Geschwindigkeit hin und her eilen. So wird in einer Muskelzelle die Energie für die Kontraktion gewonnen, wenn eine endständige Phosphatgruppe auf den Muskel, der sich zusammenzieht, übertragen wird. Es läuft also ein weiterer Zyklus ab – ein Zyklus innerhalb eines anderen: Ein Molekül ATP gibt eine seiner Phosphatgruppen ab und behält nur noch zwei, es wird zum Adenosindiphosphat oder ADP. Doch wenn sich das Rad weiterdreht, wird eine andere Phosphatgruppe erneut damit gekoppelt und das energiereiche ATP wiederhergestellt. Man hat dafür den Vergleich mit einer Batterie geprägt: ATP stellt die geladene, ADP die entladene Batterie dar.

ATP ist einer der wesentlichsten, allgemein verbreiteten »Energieträger« (und man benutzt die Zahl der entstehenden ATP-Moleküle sogar als Einheit für den Nutzwert energiereicher biochemischer Vorgänge). Man findet es in allen Organismen von Mikroben bis zum Menschen. Es liefert mechanische Energie für Muskelzellen und elektrische Energie für Nervenzellen. Die Samenzelle und das befruchtete Ei, das bereit ist, sich in einem ungeheuren Arbeitsaufwand in einen Frosch, einen Vogel oder ein Menschenkind zu verwandeln, die Zelle, die ein Hormon hervorbringen muß, sie alle werden mit ATP versorgt. Etwas von der Energie des ATP wird in den Mitochondrien verbraucht, doch der Großteil wird sogleich in die Zelle hinausgeschickt, um Kraft für andere Tätigkeiten zu liefern. Die Stelle, an der sich die Mitochondrien innerhalb bestimmter Zellen befinden, verrät uns ihre besondere Aufgabe; denn sie sind so angeordnet, daß die Energie genau dort abgegeben werden kann, wo sie benötigt wird. In Muskelzellen drängen sie sich um die Fasern, die sich zusammenziehen; in Nervenzellen findet man sie an der Verbindungsstelle mit einer anderen Zelle, wo sie für Energie zur Übertragung von Impulsen sorgen; in Samenzellen konzentrieren sie sich an dem Punkt, wo der Schwanz, mit dem jene sich voranbewegen, mit dem sogenannten Kopf der Zelle zusammenhängt.

Das Aufladen der Batterie, bei dem sich ADP und eine freie Phosphatgruppe miteinander verbinden, um wiederum ATP zu bilden, ist mit dem Oxydationsprozeß gekoppelt; diese enge Verknüpfung nennt man gekoppelte oder oxydative Phosphorylierung. Wird diese Koppelung aufgehoben, geht die Möglichkeit verloren, brauchbare Energie zu liefern. Die Atmung findet auch weiterhin statt, aber es wird keine Energie erzeugt. Die Zelle gleicht einem rasenden Motor, der im Leerlauf wohl Wärme erzeugt, aber keine Kraft liefert. Dann kann sich der Muskel nicht zusammenziehen, und der Impuls kann nicht mehr die Nervenbahnen entlangeilen. Die Samenzelle vermag nun nicht mehr ihren Bestimmungsort zu erreichen; das befruchtete Ei ist außerstande, die verwickelten Zellteilungen und den kunstvollen Aufbau eines neuen Lebewesens zu vollenden. Die Folgen der aufgehobenen Koppelung könnten in der Tat für jeden Organismus vom Embryo bis zum voll erwachsenen Geschöpf verhängnisvoll sein: nach einer gewissen Zeit würden sie zum Absterben von Geweben oder sogar zum Tod des Organismus führen.

Wie kann eine solche »Entkoppelung« zustande kommen? Strahlung kann sie bewirken, und wie manche annehmen, wird der Tod von Zellen, die radioaktiver Strahlung ausgesetzt sind, auf diese Weise herbeigeführt. Leider haben auch ziemlich viele chemische Stoffe die Macht, die Oxydation von der Energieerzeugung zu trennen, und auf der Liste solcher Substanzen sind die Insektizide wie die Unkrautvertilgungsmittel zahlreich vertreten. So üben die Phenole einen starken Einfluß auf den Stoffwechsel aus, sie verursachen unter Umständen ein tödliches Ansteigen der Körpertemperatur; dies geschieht, weil infolge der aufgehobenen Koppelung der »Motor zu rasen« beginnt. Die Dinitrophenole und die Pentachlorphenole aus dieser Gruppe, die weitgehend als Herbizide gebraucht werden, sind ein Beispiel dafür. Eine andere chemische Verbindung, die »entkoppelt«, ist unter den Herbiziden das 2,4-D. Von den chlorierten Kohlenwasserstoffen kann, wie man bewiesen hat, DDT die Koppelung aufheben, und weitere Forschungsarbeit wird das wahrscheinlich ebenso für andere Vertreter dieser Gruppe offenbaren.

Aber das Aufheben der Koppelung ist nicht der einzige Weg, die kleinen »Feuer« in manchen oder allen der Milliarden Zellen des Körpers zu löschen. Wir haben gehört, daß jeder Schritt in der Oxydation von einem spezifischen Enzym gelenkt und flink bewerkstelligt wird. Wenn irgendeines dieser Enzyme – sei es auch nur ein einziges von ihnen – zerstört oder geschwächt wird, kommt der Oxydationszyklus innerhalb der Zelle zum Stillstand. Welches Enzym betroffen ist, tut nichts zur Sache. Die Oxydation schreitet in einem Zyklus fort, der einem kreisenden Rad gleicht. Wenn wir ein Brecheisen zwischen die Speichen eines Rades stoßen, ist es gleichgültig, wo wir das tun, das Rad hört auf, sich zu drehen. Auf die gleiche Weise wird die Oxydation abgebrochen, wenn wir ein Enzym zerstören, das an irgendeinem Punkt in den Zyklus eingreift. Es kann keine Energie mehr erzeugt werden, so daß das Endergebnis sehr ähnlich ist wie bei der »Entkoppelung«.

Das Brecheisen, das die Räder der Oxydation anhält, kann irgendeiner von vielen chemischen Stoffen sein, die allgemein als Schädlingsbekämpfungsmittel verwendet werden. DDT, Methoxychlor, Malathion, Phenothiazin und verschiedene Dinitro-Verbindungen gehören zu den zahlreichen Schädlingsbekämpfungsmitteln, die, wie sich herausgestellt hat, eines oder mehrere Enzyme hemmen, die am Oxydationszyklus beteiligt sind. Sie entpuppen sich also als Wirkstoffe, die möglicherweise imstande sind, den gesamten Vorgang der Energieerzeugung zu blockieren und die Zelle des Sauerstoffs, den sie verwerten kann, zu berauben. Das ist eine Schädigung, die höchst verhängnisvolle Folgen hat, von denen nur ein paar hier erwähnt werden können.

Wenn man bei Experimenten den Zellen Sauerstoff vorenthielt, hat man sie dadurch bereits in Krebszellen umwandeln können, wie wir im nächsten Kapitel erfahren werden. Bei Tierversuchen mit Embryonen während ihrer Entwicklung hat man einen Hinweis auf andere drastische Folgen erhalten, die sich einstellen, wenn man einer Zelle den Sauerstoff entzieht. Ist nicht genügend Sauerstoff vorhanden, werden die geregelten Vorgänge, durch die sich die Gewebe entfalten und die Organe entstehen, jäh unterbrochen; Mißbildungen und andere abnormale Erscheinungen treten auf. Wahrscheinlich kann auch der menschliche Embryo, dem Sauerstoff fehlt, dadurch verunstaltet zur Welt kommen.

Es sind Anzeichen vorhanden, daß sich solche Unglücksfälle mehren, doch wenn man das auch festgestellt hat, bemühen sich nur wenige, alle, oft weit zurückliegenden Ursachen zu ergründen. Es gehört nicht gerade zu den erfreulichen Errungenschaften unserer Zeit, daß das Amt für Lebenswichtige Statistik es im Jahre 1961 unternahm, für die gesamte Bevölkerung genaue Angaben über angeborene Mißbildungen zusammenzustellen.

Das Amt bemerkte erläuternd dazu, daß die statistischen Ergebnisse die erforderlichen Daten über die Häufigkeit von Mißbildungen und über die Umstände, unter denen sie vorkommen, liefern sollten. Solche Untersuchungen werden zweifellos weitgehend darauf abzielen, die Wirkungen von Strahlung zu beurteilen, doch darf man nicht übersehen, daß viele Chemikalien die gleiche Rolle wie die Strahlung spielen und genau die gleichen Wirkungen hervorrufen. Manche der Defekte und Mißbildungen bei den Kindern von morgen – von deren Unglück uns die Arbeit des Amtes für Lebenswichtige Statistik einen bitteren Vorgeschmack gibt – werden höchstwahrscheinlich von diesen chemischen Stoffen verursacht werden, mit denen unsere Außenwelt und unser Körper durchsetzt sind.

Es wäre gut möglich, daß manche der Fälle, in denen man verminderte Fortpflanzungsfähigkeit feststellte, ebenfalls verknüpft sind mit einer gestörten biologischen Oxydation und der sich daraus ergebenden Erschöpfung der so überaus wichtigen Speicherbatterien des ATP. Selbst vor der Befruchtung muß das Ei reichlich mit ATP versorgt werden, denn es hält sich abwartend bereit für die ungeheure Anstrengung, den riesigen Energieaufwand, der erforderlich wird, wenn die Samenzelle erst einmal mit ihm verschmolzen und die Befruchtung vollzogen ist. Ob die Samenzelle das Ei erreicht und in es eindringen kann, hängt von ihrem eigenen Vorrat an ATP ab, das in den dicht am sogenannten Hals der Zelle zusammengedrängten Mitochondrien erzeugt wird. Ist die Befruchtung erfolgt und hat die Zellteilung begonnen, bestimmt der Energievorrat in Form von ATP weitgehend, ob die Entwicklung des Embryos sich vollendet. Embryologen haben bei Arbeiten an manchen ihrer günstigsten Versuchsobjekte, an Eiern von Fröschen und Seeigeln, gefunden, daß das Ei einfach aufhört, sich zu teilen, und bald abstirbt, wenn der ATP-Gehalt unter einen bestimmten kritischen Wert sinkt.

Es ist durchaus kein unmöglicher Gedankensprung vom Laboratorium zum Apfelbaum, in dem ein Wanderdrosselnest ein Gelege von blaugrünen Eiern enthält; doch die Eier sind kalt, die Feuer des Lebens, die ein paar Tage lang flackerten, sind nun erloschen. Oder wir blicken im Geiste auf den Wipfel einer hohen Kiefer in Florida, wo ein riesiger Stapel von Reisig und kleinen Zweigen – regellos und doch sinnvoll geschichtet – drei große weiße Eier birgt, die kalt und leblos sind. Warum schlüpfen diese jungen Wanderdrosseln und Adler nicht aus? Entwickelten sich die Eier der Vögel gleich denen der Frösche im Laboratorium nicht mehr weiter, weil ihnen einfach die genügende Menge von »Energieträgern« – von ATP-Molekülen – fehlte, um sich voll zu entfalten? Und entstand der Mangel an ATP, weil im Körper der Vogeleltern und in den Eiern so viel Insektizide gespeichert waren, daß sie die kleinen kreisenden Räder der Oxydation, von der die Energieversorgung abhängt, stillstehen ließen?

Wir brauchen nicht nur zu vermuten, daß Insektizide in Vogeleiern gespeichert werden, da sich diese Eier viel leichter beobachten lassen als das Säugetierei. Untersuchte man Eier von Vögeln, die in der freien Natur oder im Experiment der Einwirkung dieser Chemikalien unterworfen wurden, hat man in ihnen stets große Rückstände von DDT und anderen chlorierten Kohlenwasserstoffen entdeckt. Fasaneneier enthielten bei einem Versuch in Kalifornien bis zu 349 Teilen pro Million DDT. In Michigan wiesen Eier aus den Eileitern von Wanderdrosseln, die an DDT-Vergiftung zugrunde gegangen waren, Konzentrationen bis zu 200 Teilen pro Million auf. Andere Eier holte man aus Nestern, die nicht mehr bebrütet wurden, da das Wanderdrosselpärchen vergiftet worden war; auch diese Eier enthielten DDT. Küken, die durch Aldrin vergiftet wurden, das man auf einer Nachbarfarm verwendet hatte, haben später die Chemikalie an ihre Eier weitergegeben; Hennen, die man in einem Versuch mit DDT fütterte, legten Eier, die bis zu 65 Teile pro Million enthielten.

Wenn man weiß, daß DDT und andere chlorierte Kohlenwasserstoffe – vielleicht alle – den energieerzeugenden Zyklus unterbrechen, da sie ein spezifisches Enzym unwirksam machen oder die Koppelung der energieerzeugenden Reaktionen aufheben können, vermag man sich kaum vorzustellen, wie irgendein Ei, das so mit Rückständen vollgepackt ist, den komplizierten Vorgang der Entwicklung zu Ende bringen könnte. Man bedenke nur die unendliche Zahl von Zellteilungen, den kunstvollen Aufbau der Gewebe und Organe sowie die Synthese unentbehrlicher Substanzen, die schließlich ein lebendes Geschöpf entstehen lassen. All dies erfordert gewaltige Energiemengen – eben die kleinen Päckchen voll ATP, die nur hergestellt werden können, wenn sich das Rad des Stoffwechsels weiterdreht.

Wir haben keinen Grund anzunehmen, diese verhängnisvollen Geschehnisse beschränkten sich nur auf Vögel. ATP ist der allgemeine »Energieträger«, und die Stoffwechselzyklen, die es erzeugen, laufen in Vögeln und Bakterien, in Menschen und Mäusen ab und dienen dem gleichen Zweck. Daß bei jeder Art von Geschöpfen Insektizide in den Keimzellen gespeichert werden, ist ein Faktum, das uns ernstlich beunruhigen sollte; legt es doch den Gedanken nahe, daß sich bei menschlichen Wesen ähnliche Wirkungen einstellen.

Manches deutet darauf hin, daß sich diese Chemikalien ebenso wie in den Keimzellen selbst auch in den Geweben festsetzen, die Keimzellen bilden. Anhäufungen von Insektiziden hat man in den Geschlechtsorganen der verschiedenartigsten Vögel und Säugetiere entdeckt – bei Jagdfasanen, Mäusen und Meerschweinchen unter kontrollierten Bedingungen, bei Wanderdrosseln in einem Gebiet, das wegen der Ulmenkrankheit gesprüht wurde, und bei Rotwild in den westlichen Wäldern, die man zur Bekämpfung des Fichtentriebwicklers gesprüht hatte. Bei einer der Wanderdrosseln war die DDT-Konzentration in den Hoden höher als in jedem anderen Organ. Auch Jagdfasane sammelten in den Hoden außergewöhnliche Mengen an, die bis zu 1500 Teile pro Million betrugen.

Wahrscheinlich als Folge einer solchen Speicherung in den Geschlechtsorganen hat man bei Säugetieren im Experiment eine Verkümmerung der Hoden beobachtet. Junge Ratten, die unter Einwirkung von Methoxychlor standen, besaßen ungewöhnlich kleine Hoden. Als man junge Hähne mit DDT fütterte, erreichten die Hoden nur achtzehn Prozent ihres normalen Umfangs; Kämme und Kehllappen, deren Ausbildung von einem Hormon abhängt, das in den Hoden erzeugt wird, hatten nur ein Drittel der normalen Größe.

Die Spermatozoen selbst dürften wohl ebenfalls durch Einbuße von ATP geschädigt werden. Experimente zeigen, daß die Beweglichkeit von Spermatozoen bei Stieren durch Dinitrophenol vermindert wird, das den Koppelungsmechanismus der Energiegewinnung stört und damit unausweichlich zu einem Energieverlust führt. Wenn man danach forschte, würde man die gleiche Wirkung wahrscheinlich auch bei anderen Chemikalien feststellen. Ein gewisses Anzeichen, daß eine solche Wirkung auch beim Menschen möglich ist, kann man medizinischen Berichten über Oligospermie, das heißt verringerte Erzeugung von Spermatozoen, entnehmen. Solche Fälle traten auch bei Fliegern auf, die Feldfrüchte aus der Luft mit DDT bestäubten.

Ein unendlich viel wertvollerer Besitz als das Leben des einzelnen ist für die Menschheit als Ganzes genommen unser genetisches Erbe, durch das wir mit Vergangenheit und Zukunft verbunden sind. Unsere Gene, im Laufe von Äonen der Evolution gestaltet, machen uns nicht allein zu dem, was wir sind, sondern sie bergen auch in ihren winzigen Einheiten die Zukunft – möge sie nun verheißungsvoll oder verderbenbringend sein. Dennoch ist die Verschlechterung der Erbmasse durch Stoffe und Kräfte, die der Mensch selbst geschaffen hat, die schlimmste Bedrohung in unserer Zeit, »die jüngste und größte Gefahr für unsere Kultur«.

Wiederum ergibt sich unausweichlich eine genaue Parallele zwischen Chemikalien und Strahlung.

Die lebende Zelle, die von radioaktiver Strahlung angegriffen wird, erleidet die verschiedenartigsten Schäden: Ihre Fähigkeit, sich normal zu teilen, kann dadurch verlorengehen, die Chromosomenstruktur wird vielleicht verändert, oder die Gene, die Träger des Erbmaterials, können plötzlichen Umwandlungen, sogenannten Mutationen, unterworfen werden, die bewirken, daß sie in folgenden Generationen neue Merkmale hervorbringen. Ist die Zelle besonders empfindlich, kann sie auf der Stelle getötet werden oder schließlich, nach einer gewissen Zeit, meist nach Jahren, zur Krebszelle werden.

Alle diese Folgen radioaktiver Strahlung ließen sich bei Laboratoriumsarbeiten genauso durch eine große Gruppe von chemischen Stoffen herbeiführen, die diese Strahlenwirkung nachahmen und daher als Radiomimetica bezeichnet werden. Viele Chemikalien, die man als Schädlingsbekämpfungsmittel verwendet – Herbizide wie Insektizide –, gehören zu dieser Gruppe von Substanzen, die imstande sind, die Chromosomen zu schädigen, die normale Zellteilung zu stören oder Mutationen zu verursachen. Diese Schädigungen des genetischen Materials sind von solcher Art, daß sie entweder bei dem Betroffenen selbst zu einer Erkrankung führen oder daß erst künftige Generationen ihre Wirkungen zu spüren bekommen.

Noch vor wenigen Jahrzehnten wußte niemand von diesen Wirkungen radioaktiver Strahlung oder chemischer Stoffe. Damals hatte man noch keine Atomkerne gespalten, und von den chemischen Stoffen, die ähnlich wie die Strahlung wirken sollten, hatten die Chemiker erst wenige ersonnen und in Reagenzgläsern zusammengebraut. Im Jahre 1927 fand dann Dr. H. J. Muller, Professor der Zoologie an der Universität von Texas, daß er Mutationen, die sich in nachfolgenden Generationen bemerkbar machten, erzeugen konnte, wenn er einen Organismus Röntgenstrahlen aussetzte. Durch Mullers Entdeckung wurde ein riesiges neues Gebiet naturwissenschaftlicher und medizinischer Erkenntnis erschlossen. Muller erhielt später für seine Leistung den Nobelpreis für Medizin, und in einer Welt, die zu ihrem Unglück bald mit den grauen Niederschlägen des »fallout« vertraut wurde, weiß heute selbst der Laie, welche Folgen radioaktive Strahlung nach sich ziehen kann.

Anfang der vierziger Jahre machten Charlotte Auerbach und William Robson an der Universität von Edinburgh eine Entdeckung, die das Gegenstück dazu bildete, wenn sie auch weit weniger Aufmerksamkeit erregte. Als die beiden mit Lost – auch Senfgas genannt – arbeiteten, fanden sie, daß dieser chemische Stoff an Chromosomen dauernde Mißbildungen erzeugte, die sich von den durch radioaktive Strahlung hervorgerufenen nicht unterscheiden ließen. Als man das Lost an Taufliegen überprüfte, die auch Muller bei seiner Arbeit mit Röntgenstrahlen verwendet hatte, verursachte es ebenfalls Mutationen. Man hatte den ersten chemischen Stoff entdeckt, der eine Mutation auslöste.

Zum Lost als sogenanntem mutagenen Stoff hat sich inzwischen eine lange Liste anderer Chemikalien gesellt, von denen man weiß, daß sie das Erbmaterial in Pflanzen und Tieren verändern. Wenn wir begreifen wollen, wie chemische Stoffe in die Vererbungsvorgänge eingreifen können, müssen wir uns zunächst die dramatischen Geschehnisse betrachten, auf denen das Leben beruht; sie spielen sich auf der Bühne der lebenden Zelle ab.

Die Zellen, aus denen sich Gewebe und Organe des Körpers zusammensetzen, müssen die Fähigkeit besitzen, sich zu vermehren, wenn der Körper wachsen und der Strom des Lebens von Generation zu Generation in Fluß gehalten werden soll. Dies wird durch den Vorgang der Zellteilung, der Mitose, erreicht. In einer Zelle, die sich zur Teilung anschickt, vollziehen sich äußerst wichtige Veränderungen, zuerst im Zellkern, doch am Ende wird die gesamte Zelle mit einbezogen. Innerhalb des Kerns bewegen und teilen sich die Chromosomen auf geheimnisvolle Weise, sie ordnen sich nach uralten Regeln in vorgeschriebenen Stellungen an, die dazu dienen, die determinierenden Träger der Vererbung, die Gene, auf die Tochterzellen zu verteilen. Zuerst nehmen die Chromosomen die Form langgezogener Fäden an, auf denen die Gene aufgereiht sind wie Perlen auf einer Schnur. Dann teilt sich jedes Chromosom der Länge nach, und damit teilen sich auch die Gene. Sobald sich die Zelle teilt, wandert die Hälfte eines jeden Chromosoms in jede der beiden Tochterzellen. Auf diese Weise wird jede neue Zelle einen vollständigen Chromosomensatz erhalten und damit alle Anweisungen oder Informationen, die verschlüsselt als Erbe in ihr weitergegeben werden. So bleibt die Eigentümlichkeit der Rasse und Art unversehrt bewahrt, so zeugt Gleiches stets wieder Gleiches.

In einer besonderen Form vollzieht sich die Zellteilung bei der Bildung von Keimzellen. Da die Chromosomenzahl für eine bestimmte Art konstant ist, dürfen das Ei und die Samenzelle, die sich vereinen, damit ein neues Lebewesen daraus hervorgeht, zu dieser Vereinigung nur die halbe Anzahl der für die Art kennzeichnenden Chromosomen mitbringen. Dies wird außerordentlich genau und zuverlässig dadurch bewerkstelligt, daß sich bei einer der Zellteilungen, aus denen die Keimzellen hervorgehen, das Verhalten der Chromosomen ändert. Diesmal spalten sich die Chromosomen nicht, sondern von jedem Paar wandert ein ganzes Chromosom in jede Tochterzelle.

In diesen dramatischen und elementaren Geschehnissen offenbart sich das Leben als eine Einheit. Die Vorgänge, die sich bei der Zellteilung abspielen, sind allen irdischen Lebewesen gemeinsam; weder der Mensch noch die Amöbe, weder der Mammutbaum noch die einfachste Hefezelle können ohne diese Zellteilung lange bestehen. Alles, was die Mitose stört, bedroht daher auch das Wohlergehen des betroffenen Organismus und seiner Nachkommen aufs schwerste.

»Die Grundzüge der Organisation, der Gestaltung und des Wirkens der Zelle, zu denen zum Beispiel auch die Mitose gehört, müssen weit älter als fünfhundert Millionen Jahre sein – vielleicht sogar schon fast tausend Millionen Jahre bestehen«, schrieben George Gaylord Simpson und seine Kollegen Pittendrigh und Tiffany in ihrem umfassenden Buch mit dem Titel ›Life‹. »In diesem Sinne hat sich im Laufe der Zeiten die Welt des Lebens, obwohl sie sicherlich verwickelt aufgebaut und anfällig ist, doch als unvorstellbar dauerhaft erwiesen – dauerhafter als Gebirge. Diese Beständigkeit beruht ausschließlich auf der fast unglaublichen Zuverlässigkeit und Genauigkeit, mit der ererbte Informationen von Generation zu Generation unverändert weitergegeben werden.«

Doch in all den tausend Millionen Jahren, die diese Autoren im Geiste vor sich sehen, hat keine Gefahr diese »unglaubliche Genauigkeit und Zuverlässigkeit« so unmittelbar und heftig bedroht wie in der Mitte des 20. Jahrhunderts die Wirkungen der vom Menschen geschaffenen Strahlung und der von ihm hergestellten und verbreiteten Chemikalien. Sir Macfarlane Burnet, ein berühmter australischer Arzt und Nobelpreisträger, betrachtet es als »einen der bedeutsamsten Wesenszüge unserer Zeit, daß die normalen schützenden Schranken, die mutagene Faktoren von den inneren Organen ferngehalten haben, immer häufiger durchbrochen werden. Das bringen die therapeutischen Verfahren mit sich, die zu immer stärkeren Mitteln greifen, doch ebenso die heute erzeugten chemischen Substanzen, über deren biologische Wirksamkeit man noch keine Erfahrungen gesammelt hat.«

Die Erforschung menschlicher Chromosomen steckt noch in den Kinderschuhen, und es ist daher erst vor kurzem möglich geworden, die Einflüsse von Umweltfaktoren auf die Chromosomen zu studieren. Erst im Jahre 1956 ermöglichten es neue Methoden, die Zahl der Chromosomen in der menschlichen Zelle genau – mit 46 – zu bestimmen und sie in allen Einzelheiten so eingehend zu beobachten, daß man zu entdecken vermochte, ob ganze Chromosomen oder auch nur Teile von Chromosomen vorhanden waren oder fehlten. Auch der ganze Gedanke, das Erbgut könnte durch irgend etwas in der Umwelt geschädigt werden, ist verhältnismäßig neu, und man macht sich, abgesehen von den Genetikern, deren Rat man selten sucht, im allgemeinen keinen rechten Begriff davon. Die Gefahr, die von Strahlung in ihren mannigfaltigen Formen droht, wird jetzt ziemlich gut begriffen, obwohl sie noch immer an ganz unerwarteten Stellen geleugnet wird. Dr. Muller hat häufig Gelegenheit gehabt zu bedauern, »daß sich so viele Leute hartnäckig dagegen sträuben, genetische Gesetze anzuerkennen, und zwar nicht nur Regierungsvertreter in politisch entscheidenden Stellungen, sondern auch so zahlreiche Mediziner«. Die Tatsache, daß chemische Stoffe eine ähnliche Rolle wie die Strahlung spielen könnten, ist kaum ins Bewußtsein der Öffentlichkeit, ja nicht einmal der meisten Ärzte und Naturwissenschaftler gedrungen. Aus diesem Grunde hat man auch die Bedeutung von Chemikalien, die allgemein – und nicht nur in Laboratorien – gebraucht werden, noch nicht richtig eingeschätzt. Es wäre höchst wichtig, daß dies endlich geschieht.

Sir Macfarlane steht nicht allein mit seiner Beurteilung der latenten Gefahr. Dr. Peter Alexander, ein hervorragender britischer Fachmann, hat erklärt, »daß die Radiomimetica durchaus eine größere Gefahr darstellen können« als die Strahlung. Dr. Muller, der bei seiner jahrzehntelangen, rühmenswerten Arbeit in der Genetik wirklich eine Übersicht gewonnen hat, warnt, daß verschiedene chemische Stoffe – darunter auch Gruppen, die durch Schädlingsbekämpfungsmittel vertreten sind – »die Mutationshäufigkeit ebenso stark ansteigen lassen können wie Strahlung ... Bisher ist viel zuwenig bekannt, in welchem Ausmaß unsere Gene auf Grund moderner Lebensbedingungen, unter denen sie ungewöhnlichen chemischen Stoffen ausgesetzt sind, von solchen mutagenen Einflüssen betroffen werden.«

Man hat das Problem mutagener chemischer Stoffe weitgehend vernachlässigt; vielleicht ist das darauf zurückzuführen, daß die Stoffe, die man zuerst entdeckt hat, nur von rein wissenschaftlichem Interesse waren. Stickstofflost wird schließlich nicht aus der Luft auf die gesamte Bevölkerung einer Gegend gesprüht; seine Anwendung liegt in Händen von Biologen oder Ärzten, die damit experimentieren und es in der Krebstherapie benutzen. (Kürzlich wurde von einem Fall berichtet, bei dem durch eine solche Behandlung die Chromosomen eines Patienten geschädigt wurden.)

Doch mit Insektiziden und Unkrautvertilgungsmitteln kommen sehr viele Menschen in engste Berührung. Obwohl man der Angelegenheit nur wenig Aufmerksamkeit geschenkt hat, lassen sich über eine Anzahl dieser Schädlingsbekämpfungsmittel Daten sammeln, aus denen man ersieht, daß sie die lebenswichtigen Vorgänge in der Zelle auf eine Weise stören, die von geringfügiger Chromosomenschädigung bis zur Genmutation reicht und Folgen auslöst, die sich bis zum schlimmsten Übel, zu bösartigen Zellwucherungen, erstrecken.

Moskitos, die einige Generationen hindurch der Einwirkung von DDT ausgesetzt waren, verwandelten sich in merkwürdige Geschöpfe, sogenannte Gynandromorphe, die halb Männchen, halb Weibchen sind.

Mit verschiedenen Phenolen behandelte Pflanzen litten schwer, die Chromosomen wurden gründlich zerstört, Gene veränderten sich, und eine auffallende Anzahl von Mutationen, von »unabänderlichen erblichen Umwandlungen«, trat auf. Mutationen kamen auch bei der Taufliege vor, dem klassischen Versuchstier genetischer Experimente, wenn man Phenol auf sie einwirken ließ; bei diesen Fliegen entstanden Mutationen, die so großen Schaden anrichteten, daß die Tiere nicht mehr lebensfähig waren, wenn sie einem der gebräuchlichen Herbizide oder Urethan ausgesetzt wurden. Urethan gehört zu der Gruppe chemischer Stoffe, die Carbamate genannt werden; von ihnen leitet sich eine zunehmende Zahl von Insektiziden und anderen in der Landwirtschaft benutzten Chemikalien ab. Zwei der Carbamate werden angewandt, um das Auskeimen gelagerter Kartoffeln zu verhindern – eben weil sich herausgestellt hat, daß sie die Zellteilung hemmen. Einer dieser Stoffe, das Maleinsäurehydrazid, wird als wirkungsvolle mutagene Substanz betrachtet.

Pflanzen, die man mit Hexachlorcyclohexan oder Lindan behandelte, wurden durch tumorartige Geschwülste an ihren Wurzeln abscheulich verunstaltet. Ihre Zellen vergrößerten sich, sie schwollen an, da sich die Chromosomenzahl verdoppelte. Bei folgenden Zellteilungen wiederholte sich diese Verdoppelung, bis jede weitere Zellteilung technisch unmöglich wurde.

Auch das Herbizid 2,4-D hat bei behandelten Pflanzen tumorartige Wucherungen erzeugt. Die Chromosomen werden kurz und dick, sie ballen sich zu einem Klumpen zusammen. Die Zellteilung ist stark verlangsamt. Die allgemeine Wirkung soll der von Röntgenstrahlen verursachten genau entsprechen.

Dies sind nur ein paar Beispiele; es ließen sich noch viele andere anführen. Bis jetzt hat man sich noch zu keiner umfassenden wissenschaftlichen Untersuchung entschlossen, die darauf abzielt, die mutagenen Wirkungen der Schädlingsbekämpfungsmittel als solcher zu überprüfen. Die oben erwähnten Tatsachen sind Nebenergebnisse der Forschung auf dem Gebiet der Zellphysiologie oder der Genetik. Es ist daher dringend erforderlich, das Problem selbst unmittelbar in Angriff zu nehmen.

Manche Wissenschaftler sind durchaus bereit, einzuräumen, daß Strahlung in der Umwelt eine mächtige Wirkung ausübt. Trotzdem halten sie es für fraglich, ob mutagene chemische Stoffe, die heute praktischen Zwecken dienen, die gleiche Wirkung haben können. Sie sprechen von dem großen Durchdringungsvermögen der Strahlen, bezweifeln aber, daß chemische Stoffe die Keimzellen zu erreichen vermögen. Wieder einmal sind wir durch die Tatsache gehemmt, daß dieses Problem beim Menschen wenig erforscht ist. Man hat jedoch große Rückstände von DDT in Keimdrüsen und Keimzellen von Vögeln und Säugetieren gefunden, und das ist ein starker Beweis dafür, daß zumindest die chlorierten Kohlenwasserstoffe nicht nur im ganzen Körper verteilt werden, sondern mit genetischem Material in Berührung kommen. Professor David E. Davis von der Staatsuniversität von Pennsylvanien hat kürzlich entdeckt, daß ein hochwirksamer chemischer Stoff, der Zellen hindert, sich zu teilen, und der in beschränktem Maße in der Krebstherapie verwendet wird, auch dazu benutzt werden kann, Vögel unfruchtbar zu machen. Mengen der Chemikalie, die noch nicht tödlich sind, bringen die Zellteilung in den Keimdrüsen zum Stillstand. Professor Davis hatte auch mit Freilandversuchen einen gewissen Erfolg. Es besteht daher offenkundig wenig Grund zu hoffen oder zu glauben, daß die Keimdrüsen irgendeines Organismus gegen chemische Stoffe in der Umwelt abgeschirmt sind.

Neuere medizinische Forschungsergebnisse über Mißbildungen an Chromosomen sind äußerst interessant und bedeutsam. Im Jahre 1959 stellten einige Arbeitsgruppen französischer und britischer Wissenschaftler fest, daß ihre Untersuchungen unabhängig voneinander die gleiche Schlußfolgerung nahelegten, nach der manche Übel der Menschheit durch eine regelwidrige Chromosomenzahl verursacht werden. Bei gewissen Krankheiten und abnormalen Eigentümlichkeiten, die von diesen Forschern studiert wurden, wich die Zahl der Chromosomen von der üblichen ab. So weiß man jetzt zum Beispiel, daß bei allen typischen Fällen von Mongolismus – einer Form von Idiotie, die durch ein mongolenartiges Aussehen gekennzeichnet ist – ein zusätzliches Chromosom vorkommt. Gelegentlich hat es sich an ein anderes geheftet, so daß die normale Chromosomenzahl 46 erhalten bleibt. In der Regel jedoch handelt es sich um ein getrenntes Chromosom, so daß sich die Zahl auf 47 erhöht. Bei solchen Personen muß die auslösende Ursache des Defekts in der letzten Generation vor seinem Auftreten liegen.

Bei einer Anzahl von Patienten – in Amerika wie in Großbritannien –, die an einer chronischen Form von Leukämie leiden, scheint ein anderer ursächlicher Zusammenhang zu bestehen. Bei diesen Menschen hat man in manchen Blutkörperchen stets abnormale Chromosomen entdeckt. Die Regelwidrigkeit besteht hier darin, daß ein Teil eines Chromosoms verlorengegangen ist. Die Hautzellen besitzen bei diesen Kranken einen normalen Chromosomensatz. Wie sich daraus entnehmen läßt, waren die Chromosomen der Keimzellen, aus denen diese Personen hervorgingen, von diesem Schaden nicht betroffen, er erstreckte sich nur auf bestimmte Zellen – in diesem Falle auf die Vorstadien von Blutkörperchen – und war bei dem Opfer erst im Laufe des Lebens aufgetaucht. Vielleicht haben diese Zellen zugleich mit einem Chromosomenstück ihre »Instruktionen« für normales Verhalten verloren.

Die Liste von Defekten, die mit Störungen in den Chromosomen verknüpft sind, ist erstaunlich schnell angewachsen, seit man dieses Neuland erschlossen hat, das bisher außerhalb des Bereichs medizinischer Forschung lag. Einer dieser Defekte, unter dem Namen Klinefelters Syndrom bekannt, hängt mit der Verdoppelung eines der Geschlechtschromosomen zusammen. Das Ergebnis ist ein Mensch männlichen Geschlechts, doch weil er zwei X-Chromosomen besitzt – also mit XXY statt mit XY, dem normalen Satz für das männliche Geschlecht, ausgestattet ist –, entwickelt er sich auch etwas abnormal. Die Unfruchtbarkeit, die durch diesen Zustand verursacht wird, ist oft von übermäßig hohem Wuchs und von Geistesschwäche begleitet. Im Gegensatz dazu ist ein Mensch, der nur ein Geschlechtschromosom erhält – also XO statt XX oder XY aufweist –, in Wirklichkeit eine Frau, doch fehlen ihm viele der sekundären Geschlechtsmerkmale. Der Zustand ist mit verschiedenen körperlichen und geistigen Mängeln verbunden, denn natürlich enthält das X-Chromosom auch Gene für mannigfaltige andere Merkmale. Man nennt diese Erscheinung Turners Syndrom. Beide abnormalen Zustände sind schon lange, ehe man die Ursache kannte, in der medizinischen Literatur beschrieben worden.

Mit einem ungeheuren Aufwand an Arbeit beschäftigen sich heute Forscher in vielen Ländern mit den Fragen abnormaler Eigentümlichkeiten von Chromosomen. Eine Gruppe an der Universität von Wisconsin hat sich unter der Leitung von Dr. Klaus Patau besonders mit einer Reihe angeborener Abnormitäten befaßt – sehr oft begleitet von Schwachsinn –, die dadurch bedingt zu sein scheinen, daß sich nur ein Teil eines Chromosoms verdoppelt, so, als wäre in irgendeinem Stadium bei der Bildung einer der Keimzellen ein Chromosom zerbrochen und die Stücke hätten sich nicht wieder richtig verteilt. Ein solcher Unglücksfall wird wahrscheinlich die normale Entwicklung des Embryos beeinträchtigen.

Nach dem Stand unseres gegenwärtigen Wissens führt es gewöhnlich zum Tode des Embryos, wenn ein ganzes zusätzliches Chromosom vorhanden ist. Man kennt nur drei solche Zustände, bei denen der Organismus lebensfähig bleibt; einer davon ist natürlich der Mongolismus. Handelt es sich jedoch um ein zusätzliches Bruchstück, das sich an ein anderes Chromosom heftet, tritt zwar eine schwere Schädigung ein, sie muß aber nicht unbedingt tödlich sein. Nach Ansicht der Forscher in Wisconsin könnte auf diesen Umstand ein Großteil der bisher ungeklärten Fälle zurückzuführen sein, in denen ein Kind mit mehreren Defekten – darunter gewöhnlich auch Schwachsinn – geboren wird.

Auf diesem neuen Forschungsgebiet haben sich die Wissenschaftler bis jetzt vorwiegend damit befaßt, Regelwidrigkeiten der Chromosomen zu bestimmen, die Krankheiten und fehlerhafte Entwicklung bedingen; über die Ursachen haben sie sich jedoch weniger Gedanken gemacht. Es wäre töricht anzunehmen, daß irgendein einzelner Faktor für die Schäden an Chromosomen oder für ihr regelwidriges Verhalten während der Zellteilung verantwortlich sei. Dürfen wir aber die Tatsache ignorieren, daß wir derzeit in unserer Umwelt chemische Stoffe anhäufen, die die Macht besitzen, die Chromosomen unmittelbar zu treffen und sie derart zu schädigen, daß solche abnormalen Zustände durchaus verursacht werden könnten? Und ist dies nicht ein zu hoher Preis dafür, daß die Kartoffeln nicht mehr auskeimen oder uns im offenen Lichthof unseres Landhauses keine Moskitos mehr plagen?

Wenn uns daran liegt, können wir diese Gefahr für unser Erbgut vermindern. Es ist ein Besitz, der nach rund zwei Milliarden Jahren der Evolution und Auslese lebenden Protoplasmas auf uns übergegangen ist, ein Besitz, der uns nur einen Augenblick lang gehört, bis wir ihn an kommende Generationen weitergeben müssen. Wir unternehmen jetzt nur wenig, ihn unversehrt zu erhalten. Das Gesetz verlangt zwar von Herstellern chemischer Substanzen, daß sie die Giftigkeit ihrer Erzeugnisse überprüfen, aber Versuche, die verläßlich die genetische Wirkung zeigen würden, brauchen diese Leute nicht durchzuführen, und sie denken auch nicht daran.

14. Kapitel
Jeder vierte ...

Der Kampf der Lebewesen gegen den Krebs begann vor so langer Zeit, daß sich sein Anfang im Dunkel verliert. Aber er muß einmal in einer natürlichen Umwelt ausgebrochen sein, in der jegliches Geschöpf, das die Erde bewohnte, auf Gedeih oder Verderben Einflüssen unterworfen war, die ihren Ursprung in Sonne und Unwettern und den uralten Naturkräften der Erde hatten. Manche Elemente dieser Umwelt brachten Gefahren mit sich, an die sich das Leben anpassen mußte, wenn es nicht zugrunde gehen sollte. Die ultravioletten Strahlen des Sonnenlichts konnten bösartige Wucherungen verursachen. Das gleiche galt für Strahlen, die von bestimmten Gesteinen ausgingen oder von Arsen, das aus dem Boden oder aus Felsen ausgewaschen wurde und Nahrung wie Wasservorräte verunreinigte.

Die Umwelt enthielt diese feindlichen Elemente, ehe noch Leben vorhanden war; trotzdem entstand das Leben, und im Laufe von Millionen Jahren entwickelten sich unendlich viele und mannigfaltige Geschöpfe. In unermeßlich langen Zeiträumen und ohne jede Hast, wie es der Natur eigen ist, gelang es dem Leben allmählich, sich zerstörenden Mächten anzupassen, während die Auslese die weniger anpassungsfähigen Wesen ausmerzte und nur die widerstandsfähigsten übrigblieben. Diese natürlichen Faktoren, die Krebs erzeugen, spielen immer noch bei der Entstehung bösartiger Wucherungen mit; es sind aber nur wenige, und sie gehören zu dem Aufgebot von Kräften, an die sich das Leben von Anfang an gewöhnt hat.

Als der Mensch erschien, änderte sich die Lage, denn von allen Lebewesen kann allein er krebserzeugende Substanzen herstellen, in der medizinischen Fachsprache Karzinogene genannt. Ein paar vom Menschen geschaffene Karzinogene haben seit Jahrhunderten zur Umwelt gehört. Ein Beispiel dafür ist Ruß, der aromatische Kohlenwasserstoffe enthält. Als das Industriezeitalter anbrach, wurde die Welt zu einem Ort, wo sich alles ständig und mit steigender Geschwindigkeit wandelte. An die Stelle der natürlichen Umwelt trat sehr bald eine künstliche; sie setzte sich aus neuen chemischen Stoffen und physikalischen Kräften zusammen, von denen viele mächtige Fähigkeiten besaßen, biologische Umwandlungen herbeizuführen. Gegen diese Karzinogene, die der Mensch mit seiner eigenen emsigen

Geschäftigkeit hervorgebracht hat, war er nicht geschützt. Denn genauso, wie sich sein biologisches Erbe langsam entwickelt hat, paßt er sich nur langsam neuen Bedingungen an. Daher konnten diese wirksamen Substanzen leicht durch die unzulängliche Abwehr des Körpers dringen.

Der Krebs hat eine lange Geschichte, aber die Ursachen, die ihn hervorrufen, hat man nur allmählich voll erfaßt. Das erste Mal kam ein Londoner Arzt vor nahezu zwei Jahrhunderten zur Erkenntnis, daß äußere oder Umweltfaktoren eine bösartige Wucherung herbeiführen können. Im Jahre 1775 erklärte Sir Percival Pott, daß der Krebs des Scrotums, der bei Schornsteinfegern so häufig war, durch den Ruß verursacht werden mußte, der sich auf ihrem Körper ansammelte. Er konnte den »Beweis«, den wir heute dafür fordern würden, nicht erbringen, doch jetzt hat man mit modernen Forschungsmethoden den tödlichen chemischen Stoff im Ruß isoliert und bewiesen, daß Potts Wahrnehmung richtig war.

Die Einsicht, daß bestimmte chemische Stoffe in der menschlichen Umwelt Krebs verursachen konnten, wenn man sie einatmete oder schluckte oder wenn sie wiederholt in Berührung mit der Haut kamen, scheint nach dieser Entdeckung über ein Jahrhundert lang nur wenig weitergediehen zu sein. Gewiß hatte man bemerkt, daß Hautkrebs unter Arbeitern vorherrschte, die in Cornwall oder Wales in Kupferschmelzwerken und Zinngießereien Arsendämpfen ausgesetzt waren. Man erkannte auch, daß Arbeiter in den Kobaltgruben in Sachsen und in den Uranbergwerken in Joachimsthal in Böhmen an einer Lungenkrankheit litten, die man später als Krebs bestimmte. Doch dies waren Erscheinungen einer Zeit, in der es noch keine blühenden Industrien gab, deren Erzeugnisse später die Umwelt nahezu aller Lebewesen durchsetzen sollten.

Während des letzten Viertels des 19. Jahrhunderts wurde zum ersten Mal anerkannt, daß sich bösartige Wucherungen auf das Industriezeitalter zurückführen ließen. Ungefähr um die Zeit, als Pasteur gerade anschaulich bewies, daß die Erreger vieler Infektionskrankheiten Mikroben waren, entdeckten andere Gelehrte, daß chemische Stoffe Krebs hervorriefen – Hautkrebs bei Arbeitern der Braunkohlenindustrie in Sachsen und der schottischen Schieferindustrie, andere, durch Teer und Pech verursachte Formen von Krebs bei Menschen, die beruflich mit diesen Stoffen zu tun hatten. Gegen Ende des 19. Jahrhunderts waren ein halbes Dutzend Karzinogene bekannt, die aus der

Industrie stammten; dem 20. Jahrhundert blieb es vorbehalten, unzählige neue krebserregende Chemikalien zu schaffen und die gesamte Bevölkerung in enge Berührung mit ihnen zu bringen. In den nicht ganz zwei Jahrhunderten, die seit der Arbeit Potts verstrichen sind, hat sich die Umwelt ungemein stark verändert. Nicht allein im Beruf sind heute Menschen gefährlichen Chemikalien ausgesetzt; jeder findet sie in seiner Umwelt vor, sie wirken sogar auf die noch ungeborenen Kinder ein. Es überrascht daher kaum, daß wir jetzt eine beängstigende Zunahme krebsartiger Erkrankungen bemerken.

Man hat nicht nur den subjektiven Eindruck, daß der Krebs häufiger wird. Der Monatsbericht des Amtes für Lebenswichtige Statistik für den Juli 1959 stellt fest, daß bösartige Wucherungen einschließlich der Formen, von denen das Lymphgefäßsystem und die blutbildenden Gewebe befallen werden, für fünfzehn Prozent der Todesfälle im Jahre 1958 verantwortlich waren, verglichen mit nur vier Prozent im Jahre 1900. Nach dem gegenwärtigen Auftreten der Krankheit zu urteilen, schätzt die Amerikanische Krebsgesellschaft, daß 45 Millionen der heute lebenden Amerikaner am Ende ihres Lebens an Krebs leiden werden. Dies bedeutet, daß die bösartige Krankheit zwei von drei Familien befallen wird.

Hinsichtlich der Kinder ist die Lage sogar zutiefst beunruhigend. Vor einem Vierteljahrhundert wurde Krebs bei Kindern als eine medizinische Seltenheit betrachtet – *heute sterben mehr amerikanische Kinder an Krebs als an irgendeiner anderen Krankheit.* Die Lage ist so ernst geworden, daß Boston das erste Krankenhaus in den Vereinigten Staaten eingerichtet hat, das ausschließlich der Behandlung krebskranker Kinder gewidmet ist. Zwölf Prozent aller Todesfälle bei Kindern im Alter zwischen einem und vierzehn Jahren werden durch Krebs verursacht. Eine große Anzahl bösartiger Tumore werden in den Kliniken bei Kindern unter fünf Jahren entdeckt, aber noch schrecklicher ist die Tatsache, daß ein wesentlicher Anteil solcher Gewächse schon vor der Geburt vorhanden ist. Dr. W. C. Hueper vom Nationalen Krebsinstitut, die erste Autorität für umweltbedingten Krebs, hat den Gedanken geäußert, daß Krebs, an dem Säuglinge von Geburt an oder Kleinkinder leiden, vielleicht mit der Wirkung krebserregender Stoffe zusammenhängt, deren Einfluß die Mutter während der Schwangerschaft ausgesetzt war; dringen diese Stoffe durch die Plazenta, können sie auf die Gewebe des Fötus einwirken, die sich schnell entwickeln. Dr. Francis Ray von der Universität von Florida hat davor gewarnt, »daß wir bei den heutigen Kindern Krebs auslösen können, wenn wir der Nahrung Chemikalien zusetzen... Wir werden vielleicht erst ein bis zwei Generationen später erleben, welche Folgen das hat.«

Uns geht es hier um das Problem, ob irgendwelche der chemischen Stoffe, die wir verwenden, wenn wir regelnd in die Natur einzugreifen versuchen, als Krebsursache unmittelbar oder mittelbar eine Rolle spielen. Aus dem Beweismaterial, das man bei Tierexperimenten gewonnen hat, werden wir ersehen, daß fünf, möglicherweise auch sechs der Schädlingsbekämpfungsmittel eindeutig als Karzinogene angesehen werden müssen. Die Liste wird erheblich länger, wenn man auch jene Stoffe hinzufügt, von denen manche Ärzte meinen, sie könnten beim Menschen Leukämie hervorrufen. Der Beweis dafür stützt sich hier nur auf bestimmte Indizien, und das muß so sein, da wir mit menschlichen Wesen nicht experimentieren können, aber er ist trotzdem sehr eindrucksvoll. Auch andere Schädlingsbekämpfungsmittel werden noch hinzukommen, sobald wir auch jene einbeziehen, deren Wirkung auf lebende Gewebe man als mittelbare Ursache bösartiger Wucherungen betrachten kann.

Eines der ältesten Schädlingsbekämpfungsmittel, bei dem eine Beziehung zum Krebs besteht, ist Arsen. Es ist im Natriumarsenit enthalten, mit dem man Unkraut vertilgt, und im Kalziumarsenit sowie in verschiedenen anderen insektiziden Verbindungen. Geschichtlich ist erwiesen, daß es zwischen Arsen und Krebs beim Menschen einen Zusammenhang gibt. Dr. Hueper bringt in seinem Werk ›Occupational Tumors‹, einer klassischen Monographie über das Thema, ein fesselndes Beispiel für die Wirkung von Arsen. In der Stadt Reichenstein in Schlesien hatte man fast tausend Jahre lang Gold- und Silbererze gefördert und einige Jahrhunderte hindurch auch Arsenerze. In diesem langen Zeitraum sammelten sich arsenhaltige Abfälle in der Nachbarschaft der Bergwerke an und wurden von Flüssen und Bächen, die aus den Bergen kamen, ausgelaugt. Auch das Grundwasser wurde verunreinigt, und Arsen gelangte ins Trinkwasser. Jahrhundertelang litten viele Bewohner dieser Gegend unter der sogenannten »Reichenstein-Krankheit«. Es handelte sich um eine chronische Verseuchung des Organismus mit Arsen, die von Leberleiden, Hautkrankheiten und Störungen im Verdauungs- und Nervensystem begleitet war. Auch bösartige Tumore gehörten zu den Symptomen. Die »Reichenstein-Krankheit« ist heute im wesentlichen nur mehr von historischer Bedeutung, denn vor einem Vierteljahrhundert sorgte man für neue Wasserleitungen, die weitgehend frei von Arsen sind. In der Provinz Cordoba in Argentinien ist jedoch chronische Arsenvergiftung endemisch, sie tritt immer wieder auf, weil das Trinkwasser aus Gesteinsformationen stammt, die Arsen enthalten, und daher damit verunreinigt ist. Meist ist die Vergiftung mit Hautkrebs verbunden.

Es wäre nicht schwierig, Bedingungen zu schaffen, die denen in Reichenstein und Cordoba ähneln, man brauchte nur lange genug arsenhaltige Insektizide anzuwenden. In den Vereinigten Staaten könnten die mit Arsen durchtränkten Böden von Tabakpflanzungen, von vielen Obstgärten im Nordwesten und von Blaubeerländereien im Osten leicht zu einer Verunreinigung der Wasserleitungen führen.

Eine Umwelt, die mit Arsen verseucht ist, schädigt nicht nur den Menschen, sondern genauso Tiere. Im Jahre 1936 kam aus Deutschland eine sehr interessante Nachricht. In dem Gebiet um Freiberg in Sachsen strömten aus Schmelzwerken für Silber und Blei Arsendämpfe in die Luft, sie trieben über das Gelände in der Umgebung und lagerten sich auf der Vegetation ab. Nach Dr. Huepers Schilderung litten Pferde, Kühe, Ziegen und Schweine, die natürlich mit Pflanzen aus der Gegend gefüttert wurden, unter Haarausfall und Schwellungen der Haut. Rotwild in den naheliegenden Wäldern hatte manchmal abnormale Pigmentflecke und krebsverdächtige Warzen. Bei einem Tier ließ sich mit Sicherheit Krebs feststellen. Haustiere wie wildlebende Geschöpfe bekamen von dem Arsen Darmkatarrh, Magengeschwüre und Leberzirrhose. »Bei Schafen, die in der Nähe der Schmelzwerke gehalten wurden, entwickelte sich Nasenhöhlenkrebs. Als sie verendet waren, fand man in Gehirn und Leber Arsen und Tumore. In dem Gebiet gingen auch außergewöhnlich viele Insekten, vor allem Bienen, zugrunde. Nach Regenfällen, die den arsenhaltigen Staub von den Blättern spülten und in das Wasser von Bächen und Teichen trugen, starben sehr viele Fische.«

Ein Beispiel für ein Karzinogen, das zu der Gruppe neuer organischer Schädlingsbekämpfungsmittel zählt, ist eine Chemikalie, die allgemein gegen Milben und Zecken verwendet wird. Ihre Geschichte liefert reichliche Beweise dafür, daß trotz der angeblichen, durch die Gesetzgebung gewährleisteten Sicherheitsmaßnahmen die Bevölkerung einige Jahre lang einem bekannten Karzinogen ausgesetzt werden kann, ehe die schwerfälligen Gesetzesverfahren der Lage Herr werden können. Die Geschichte ist auch noch von einem anderen Standpunkt aus interessant: Sie beweist, daß man von den Leuten verlangt, heute etwas als »unschädlich« hinzunehmen, das sich morgen vielleicht als äußerst gefährlich erweist.

Als dieser chemische Stoff im Jahre 1955 eingeführt wurde, beantragte der Hersteller, geringe Rückstände auf allen damit gesprühten Feldfrüchten als zulässig zu genehmigen. Wie vom Gesetz gefordert, hatte er die Chemikalie an Laboratoriumstieren ausprobiert und die Ergebnisse der Versuche zugleich mit dem Antrag eingereicht. Die Wissenschaftler der Nahrungs- und Arzneimittelprüfstelle legten die Versuchsergebnisse anders aus, sie fanden, daß der Stoff möglicherweise krebserzeugend wirken könnte, und der Bevollmächtigte empfahl dementsprechend eine »zulässige Menge Null«; damit wollte er ausdrücken, daß sich auf Nahrungsmitteln, die über die Staatsgrenzen befördert würden, nach dem Gesetz keinerlei Rückstände befinden dürften. Doch der Hersteller hatte das Recht, Einspruch zu erheben, und der Fall wurde daher von einem Ausschuß geprüft. Die Entscheidung des Ausschusses war ein Kompromiß: Als zulässige Mindestmenge wurde 1 Teil pro Million festgesetzt und das Erzeugnis für zwei Jahre im Handel zugelassen. Während dieser Zeit sollten weitere Laboratoriumsversuche bestimmen, ob die Chemikalie tatsächlich ein Karzinogen war.

Wenn der Ausschuß das auch nicht sagte, bedeutete seine Entscheidung doch, daß die Bevölkerung als Versuchskaninchen dienen und gleichzeitig mit den Hunden und Ratten im Laboratorium den als Karzinogen verdächtigten Stoff an sich erproben sollte. Doch die Tiere im Laboratorium liefern schneller Ergebnisse, und nach den zwei Jahren ergab sich einwandfrei, daß dieses Milbenvertilgungsmittel tatsächlich ein Karzinogen war. Selbst dann, im Jahre 1957, konnte die Nahrungs- und Arzneimittelprüfstelle nicht sofort die Genehmigung aufheben, derzufolge Rückstände eines anerkannten Karzinogens auf Nahrungsmitteln, die von der Bevölkerung verzehrt wurden, erlaubt waren. Man brauchte ein weiteres Jahr, um verschiedene gesetzliche Formalitäten zu erledigen. Im Dezember 1958 wurde endlich die »zulässige Menge Null«, die der Bevollmächtigte im Jahre 1955 empfohlen hatte, tatsächlich gesetzlich wirksam.

Dies sind keineswegs die einzigen bekannten Karzinogene unter den Schädlingsbekämpfungsmitteln. Bei Laboratoriumsversuchen mit Tieren hat DDT verdächtige Lebertumore hervorgerufen. Wissenschaftler der Nahrungs- und Arzneimittelprüfstelle, die von der Entdeckung dieser Tumore berichteten, waren nicht sicher, wie sie diese Geschwülste einordnen sollten, aber sie hatten das Gefühl, »daß man sie mit einer gewissen Berechtigung als Leberzellenkarzinome niederen Grades ansehen könnte«.

Zwei Herbizide, IPC und CIPC, die der Carbamatgruppe angehören, haben, wie sich herausgestellt hat, eine Rolle bei der Entstehung von Hautkrebs bei Mäusen gespielt. Manche der Tumore waren bösartig. Diese chemischen Verbindungen scheinen die bösartige Veränderung einzuleiten, die dann durch Chemikalien anderer Art, die in der Umwelt vorherrschen, vollendet wird.

Das Unkrautvertilgungsmittel Aminotriazol hat bei Versuchstieren Schilddrüsenkrebs verursacht. Dieser chemische Stoff wurde im Jahre 1959 von Leuten, die Großfrüchtige Moosbeeren gepflanzt hatten, falsch angewandt und hinterließ auf manchen der Beeren, die auf den Markt kamen, Rückstände. Als der Nahrungs- und Arzneimittelprüfstelle solche verunreinigten Moosbeeren in die Hände fielen, kam es zu einer heftigen Diskussion, bei der weitgehend, selbst von zahlreichen Medizinern, bestritten wurde, daß diese Chemikalie Krebs erzeuge. Die wissenschaftlichen Fakten, die die Nahrungs- und Arzneimittelprüfstelle veröffentlichte, zeigten aber deutlich, daß sich bei Ratten im Laboratorium das Aminotriazol als Karzinogen erwiesen hatte. Als man diesen Tieren Aminotriazol im Verhältnis von 100 Teilen pro Million in Trinkwasser verabreichte – das entspricht einem Teelöffel voll Aminotriazol auf zehntausend Teelöffel Wasser –, entwickelte sich bei ihnen in der achtundsechzigsten Woche Schilddrüsenkrebs. Nach zwei Jahren waren solche Tumore bei über der Hälfte der untersuchten Ratten vorhanden. Sie wurden als verschiedene Formen von gutartigen und bösartigen Gewächsen bestimmt. Die Tumore traten auch bei geringeren Aminotriazol-Konzentrationen im Futter auf, ja, es ließ sich keine Mindestmenge feststellen, die diese Wirkung nicht erzielte. Natürlich weiß niemand, von welcher Aminotriazol-Konzentration beim Menschen Krebs erzeugt wird, doch wie Dr. David Rutstein, Professor der Medizin an der Harvard-Universität, betonte, ist es ebenso wahrscheinlich, daß sich die Konzentration zugunsten wie zum Nachteil des Menschen verschiebt.

Noch ist nicht so viel Zeit verstrichen, daß sich die volle Wirkung der neuen insektiziden chlorierten Kohlenwasserstoffe und der modernen Herbizide offenbaren könnte. Die meisten bösartigen Wucherungen entwickeln sich so langsam, daß sie beträchtliche Zeit brauchen – oft einen ganzen Lebensabschnitt des Opfers –, bis sie ein Stadium erreichen, in dem klinische Symptome sichtbar werden. Anfang der zwanziger Jahre schluckten Frauen, die Leuchtziffern auf Uhren malten, winzige Mengen Radium, wenn sie mit den Pinseln die Lippen berührten; manche dieser Frauen bekamen nach fünfzehn oder mehr Jahren Knochenkrebs. Für manche Krebsarten bei Menschen, die in ihrem Beruf chemischen Karzinogenen ausgesetzt waren, hat man eine Entwicklungsdauer von fünfzehn bis dreißig Jahren nachgewiesen.

Mit DDT kamen – im Unterschied zu diesen verschiedenen Karzinogenen, die in der Industrie auf Menschen einwirkten – Soldaten und Heeresangestellte erst seit dem Jahre 1942, Zivilpersonen nach 1945 in Berührung, und es dauerte bis Anfang der fünfziger Jahre, ehe die mannigfaltigsten Schädlingsbekämpfungsmittel in Gebrauch genommen wurden. Gleichgültig, welche dieser Chemikalien vielleicht Krebs erzeugt, die Saat dieses Übels wird erst nach Jahren aufgehen und schlimme Früchte tragen.

Soweit derzeit bekannt, gibt es jedoch eine Ausnahme von der Regel, daß eine lange Latenzzeit für alle Arten von Krebs üblich ist. Diese Ausnahme ist die Leukämie. Bei Menschen, die Hiroshima überlebt haben, trat schon drei Jahre nach dem Abwurf der Atombombe Leukämie auf, und wir haben heute Grund anzunehmen, daß die Latenzzeit noch erheblich kürzer sein kann. Vielleicht stellt sich noch heraus, daß auch andere Krebsformen eine verhältnismäßig kurze Latenzzeit haben, doch gegenwärtig scheint dies nur bei der Leukämie der Fall zu sein.

Innerhalb des Zeitraums, in dem die Menge moderner Schädlingsbekämpfungsmittel anstieg, ist auch die Zahl der Leukämiefälle stetig gewachsen. Man verfügt über Daten vom Nationalen Amt für Lebenswichtige Statistik, aus denen eine beängstigende Zunahme bösartiger Erkrankungen der blutbildenden Gewebe klar hervorgeht. Im Jahre 1960 forderte allein die Leukämie 12290 Opfer. Insgesamt verzeichnete man 25400 Todesfälle, die auf alle Arten bösartiger Erkrankungen des Blut- und Lymphgefäßsystems zurückzuführen waren; sie hatten sich seit 1950, als es 16690 waren, gewaltig vermehrt. Errechnet man die Todesfälle, die auf hunderttausend Menschen in der Bevölkerung entfallen, erhöht sich die Zahl von 11,1 im Jahre 1950 auf 14,1 im Jahre 1960. Die Zunahme beschränkt sich keineswegs nur auf die Vereinigten Staaten; in allen Ländern mehren sich die amtlich bestätigten Todesfälle infolge von Leukämie um vier bis fünf Prozent im Jahr. Was bedeutet dies? Welchen Kräften oder Stoffen, die tödlich wirken und in unserer Umwelt neu sind, werden die Menschen jetzt immer häufiger ausgesetzt?

So weltberühmte Krankenhäuser wie die Mayo-Klinik nehmen Hunderte von Opfern dieser Krankheiten der blutbildenden Organe auf. Dr. Malcolm Hargraves und seine Mitarbeiter in der Hämatologischen Abteilung der Mayo-Klinik berichten, daß diese Patienten, wie ihre Krankengeschichte verrät, fast ausnahmslos der Einwirkung verschiedener toxischer Chemikalien ausgesetzt waren, darunter Spritzmitteln, die DDT, Chlordan, Benzol, Lindan und Petroleumdestillate enthielten.

Umweltbedingte Krankheiten, die mit der Anwendung verschiedener giftiger Substanzen zusammenhängen, haben nach Ansicht Dr. Hargraves' »besonders innerhalb der letzten zehn Jahre« laufend zugenommen. Nach den umfassenden Erfahrungen in der Klinik glaubt er, »daß die weitaus überwiegende Mehrheit der Patienten, die an einer schlechten Zusammensetzung des Blutes und an Erkrankungen der Lymphorgane leiden, eine bezeichnende Krankengeschichte haben. Aus ihr ist ersichtlich, daß sie verschiedenen Kohlenwasserstoffen ausgesetzt waren, zu denen auch die meisten der heutigen Schädlingsbekämpfungsmittel zählen. Forscht der Arzt gründlich nach, wird er fast immer eine solche Beziehung feststellen.« Dieser Spezialist besitzt jetzt eine große Anzahl sehr ausführlicher Krankengeschichten über alle Patienten, an denen er Leukämie, aplastische Anämie – bei der die Zellbildung im Knochenmark versagt –, Hodgekinssche Krankheit, auch Lymphogranulomatose genannt, und andere Krankheiten des Blutes oder der blutbildenden Gewebe beobachtet hat. »Sie alle waren diesen Stoffen in der Umwelt ausgesetzt, und zwar in recht hohem Maße«, berichtet er.

Was verraten nun diese Krankengeschichten? Eine von ihnen berichtete von einer Hausfrau, die Spinnen verabscheute. Mitte August war sie mit einem Aerosol-Spritzmittel, das DDT und Petroleumdestillate enthielt, in ihren Keller gegangen. Sie sprühte den ganzen Keller gründlich – unter der Stiege, in den Schränken, in denen die Früchte lagerten, und in all den versteckten Winkeln an der Decke und um die Trägerbalken. Als sie mit dem Sprühen fertig war, wurde ihr ganz übel, sie mußte erbrechen und wurde von Angstzuständen und Nervosität geplagt. Im Laufe der nächsten paar Tage fühlte sie sich jedoch wieder wohler und hatte anscheinend keine Ahnung, was die Ursache ihrer Beschwerden gewesen sein könnte. Sie wiederholte daher im September die ganze Prozedur, hatte also zweimal ausgiebig gesprüht, wurde krank, erholte sich wieder und sprühte von neuem. Nachdem sie das Aerosol das dritte Mal angewandt hatte, traten neue Symptome auf: Fieber, Schmerzen in den Gelenken und allgemeine Unpäßlichkeit sowie akute Venenentzündung in einem Bein. Als Dr. Hargraves sie untersuchte, fand er, daß sie akute Leukämie hatte. Sie starb innerhalb von vier Wochen.

Ein anderer von Dr. Hargraves' Patienten war Angestellter. Das Büro, in dem er arbeitete, befand sich in einem Gebäude, in dem es von Küchenschaben wimmelte. Die Anwesenheit dieser Insekten war ihm so lästig, daß er die Bekämpfungsmaßnahmen selbst in die Hand nahm. Er verbrachte fast einen ganzen Sonntag damit, den Keller und alle abgelegenen Räume zu sprühen. Das Sprühmittel hatte eine Konzentration von 25 Prozent DDT, in einem Lösungsmittel verteilt, das Methylnaphthaline enthielt. Binnen kurzer Zeit bekam der Mann blutende Beulen. Als er sich in die Klinik begab, blutete er aus mehreren Wunden. Als man sein Blut untersuchte, stellte man einen starken Schwund des Knochenmarks fest, der kennzeichnend für aplastische Anämie ist. Während der nächsten fünfeinhalb Monate erhielt er zusätzlich zur sonstigen Behandlung neunundfünfzig Bluttransfusionen. Er erholte sich wieder, wenn auch nicht vollständig, erkrankte jedoch neun Jahre später an einer Leukämie, die zum Tode führte.

Wenn Schädlingsbekämpfungsmittel beteiligt sind, spielen die größte Rolle in den Krankengeschichten Chemikalien wie DDT, Lindan, Hexachlorcyclohexan, die Nitrophenole, das allgemein gebräuchliche Mottenpulver Paradichlorbenzol, Chlordan und natürlich die Lösungsmittel, in denen sie verbreitet werden. Wie Dr. Hargraves nachdrücklich betont, handelt es sich nur ausnahmsweise um eine einzelne Chemikalie. Das Erzeugnis, das in den Handel kommt, enthält gewöhnlich ein Gemisch mehrerer chemischer Stoffe, die sich als Suspension, also sehr fein verteilt, in einem Petroleumdestillat befinden, zu dem meist noch ein Treibgas kommt, das es zerstäubt. Die aromatischen oder ringförmigen und die ungesättigten Kohlenwasserstoffe der Trägersubstanz können selbst ein Hauptfaktor sein, wenn Schäden an den blutbildenden Organen verursacht werden. Mehr vom praktischen als vom medizinischen Standpunkt aus betrachtet, hat diese Unterscheidung jedoch wenig zu bedeuten, weil derlei Lösungsmittel einen untrennbaren Bestandteil der meisten üblichen Sprühverfahren bilden.

In der medizinischen Literatur der Vereinigten Staaten und anderer Länder finden sich viele bezeichnende Fälle, die Dr. Hargraves' Annahme bekräftigen, daß zwischen diesen Chemikalien und der Leukämie sowie anderen Blutkrankheiten ein ursächlicher Zusammenhang besteht. Bei diesen Fällen geht es vorwiegend um Menschen, denen wir im Alltag begegnen. Farmer gerieten in den »fallout«, der aus ihren eigenen Spritzgeräten oder denen von Flugzeugen stammte; ein College-Student sprühte sein Zimmer, um Ameisen zu vernichten, und setzte sich anschließend dort an seine Arbeit; eine Frau hatte in ihrem Wohnzimmer einen tragbaren Lindan-Verdampfer aufgestellt oder ein Arbeiter hatte sich auf einem Baumwollfeld aufgehalten, das mit Chlordan und Toxaphen gesprüht worden war. Die Krankenberichte bergen, halb verhüllt von den medizinischen Fachausdrücken, Geschichten von so erschütternden menschlichen Tragödien wie der zweier junger Vettern in der Tschechoslowakei. Die beiden Jungen lebten in der gleichen Kleinstadt und hatten stets miteinander gespielt und gearbeitet. Ihre letzte und verhängnisvollste Beschäftigung fanden sie auf einer Kolchose, wo es ihre Aufgabe war, Säcke mit einem Insektizid (Hexachlorcyclohexan) auszuladen. Acht Monate später erkrankte einer der Jungen an akuter Leukämie. Binnen neun Tagen war er tot. Ungefähr um diese Zeit begann sein Vetter leicht zu ermüden und bekam Fieber. Innerhalb von ungefähr drei Monaten verschlimmerte sich sein Zustand, und auch er kam ins Krankenhaus. Wiederum lautete die Diagnose auf akute Leukämie, und wiederum nahm diese Krankheit ihren unvermeidlich tödlichen Verlauf.

Dann kennen wir noch den Fall eines schwedischen Bauern;

er erinnert uns seltsam an den des japanischen Fischers Kuboyama, der auf dem Schiff »Glücklicher Drache« unterwegs war, um Thunfische zu fangen. Wie Kuboyama war der Bauer ein gesunder Mann gewesen, der seinen Lebensunterhalt auf dem Lande so sauer verdiente wie Kuboyama auf dem Meer. Jedem der beiden Männer brachte ein Gift, das vom Himmel fiel und über sie hinwegtrieb, das Todesurteil. Für den einen war es radioaktive Asche, für den andern der Staub eines chemischen Mittels. Der Bauer hatte ungefähr hundert Morgen Land mit einem Stäubemittel behandelt, das DDT und Hexachlorcyclohexan enthielt. Während er arbeitete, wirbelte immer wieder ein Windstoß kleine Staubwolken um ihn auf. »Am Abend fühlte er sich ungewöhnlich müde, und in den folgenden Tagen befiel ihn eine allgemeine Schwäche, der Rücken und die Beine schmerzten und Schüttelfrost quälte ihn, so daß er sich ins Bett legen mußte«, steht in dem Bericht der medizinischen Klinik in Lund. »Sein Zustand verschlimmerte sich jedoch, und am 19. Mai – eine Woche nach dem Sprühen – bat er um Aufnahme in das Krankenhaus am Ort.« Er hatte hohes Fieber und die Zahl der Blutkörperchen war abnormal. Man überführte ihn in die medizinische Klinik, wo er nach zweieinhalb Monaten starb. Als man die Leiche öffnete, stellte man einen vollkommenen Schwund des Knochenmarks fest.

Die Frage, wie ein normaler und notwendiger Vorgang wie eine Zellteilung sich so verändern kann, daß er regelwidrig verläuft und zerstörend wirkt, hat die Aufmerksamkeit unzähliger Wissenschaftler gefesselt, und man hat Unsummen für ihre Erforschung aufgewandt. Was muß in einer Zelle vorgehen, damit sich ihre streng geregelte Vermehrung in eine wilde und unkontrollierte Krebswucherung verwandelt?

Wenn man eine Antwort darauf findet, wird sie höchstwahrscheinlich nicht eindeutig sein – genauso wie Krebs selbst eine Krankheit ist, die sich hinter vielen äußeren Erscheinungen verbirgt und in verschiedenen Formen auftritt; diese Formen unterscheiden sich in ihrer Entstehung, im Verlauf ihrer Entwicklung und in den Faktoren, die Wachstum oder Rückgang beeinflussen; sie müssen daher auch entsprechend mannigfaltige Ursachen haben. Doch vielleicht liegen ihnen allen nur wenige entscheidende Zellschädigungen zugrunde, die man dafür verantwortlich machen kann. Hier und dort in weit verstreuten Forschungsarbeiten, die manchmal überhaupt nicht unternommen wurden, um den Krebs zu studieren, sehen wir einen ersten Schimmer des Lichts, das eines Tages dieses Problem erhellen könnte.

Wiederum entdecken wir, daß wir die höhere Einsicht, die nötig ist, um solche Geheimnisse zu ergründen, nur gewinnen können, wenn wir uns einige der kleineren Einheiten des Lebens, die Zelle und ihre Chromosomen, ansehen. Hier in diesem Mikrokosmos müssen wir jene Faktoren suchen, die irgendwie den streng geregelten normalen Ablauf der staunenswert zweckmäßigen Vorgänge in der Zelle stören.

Eine der eindrucksvollsten Theorien über den Ursprung von Krebszellen wurde von dem deutschen Biologen Professor Otto Warburg vom Max-Planck-Institut für Zellphysiologie entwickelt. Warburg hat sich zeit seines Lebens dem Studium der komplizierten Oxydationsvorgänge in der Zelle gewidmet. Dieses umfassende Wissen bildete den Hintergrund für eine faszinierende und einleuchtende Erklärung, wie eine normale Zelle bösartig werden kann.

Warburg nimmt an, daß Strahlung oder ein chemisches Karzinogen dadurch wirken, daß sie die Atmung normaler Zellen unmöglich machen und sie so der Energie berauben. Das kann durch winzige, wiederholt einwirkende Mengen geschehen. Ist die Wirkung einmal erzielt, kann sie nicht mehr rückgängig gemacht werden. Die Zellen, die unter dem Ansturm eines solchen Atmungsgiftes nicht auf der Stelle zugrunde gehen, mühen sich ab, um den Energieverlust auszugleichen. Sie können nicht mehr an jenem merkwürdigen und wirksamen Zyklus teilhaben, durch den ungeheure Mengen von ATP erzeugt werden, sondern sie müssen auf eine primitive und weit weniger wirksame Methode, auf die Gärung, zurückgreifen. Der Kampf, sich durch Gärung am Leben zu erhalten, geht lange Zeit weiter. Er dauert auch während der folgenden Zellteilungen an, so daß alle die neu entstehenden Zellen diese abnormale »Atmung« beibehalten. Hat eine Zelle einmal die Fähigkeit, normal zu atmen, eingebüßt, kann sie diese nie mehr wiedergewinnen – nicht in einem Jahr oder einem Jahrzehnt, ja nicht einmal in vielen Jahrzehnten. Vielmehr ringen jene Zellen, die überleben, verzweifelt darum, die verlorengegangene Atmungsenergie Schritt für Schritt durch vermehrte Gärung zu ersetzen. An diesem Punkt könnte man sagen, daß aus normalen Körperzellen Krebszellen entstanden sind.

Warburgs Theorie erklärt viele sonst rätselhafte Dinge. Die

lange Latenzzeit der meisten Krebsformen ist die Periode, die für die unendlich vielen Zellteilungen erforderlich ist, während die Gärung nach der anfänglichen Schädigung der Atmung allmählich zunimmt. Die Zeit, die nötig ist, bis die Gärung überwiegt, schwankt bei den verschiedenen Arten, da sie nicht gleich schnell darauf »umschalten«. Bei der Ratte geschieht dies sehr bald und der Krebs tritt nach kurzer Zeit auf, beim Menschen dauert es länger – oft sogar Jahrzehnte – und die Entwicklung bösartiger Wucherungen vollzieht sich nur allmählich.

Warburgs Theorie macht auch verständlich, warum wiederholte kleine Mengen eines Karzinogens unter gewissen Umständen gefährlicher sind als eine einzelne große Dosis. Diese kann Zellen sofort töten, während die kleinen Mengen einige am Leben lassen, allerdings in geschädigtem Zustand. Solche überlebenden Zellen können dann zu Krebszellen werden. Darum gibt es auch keine »ungefährliche« Dosis eines Karzinogens.

In Warburgs Theorie finden wir auch eine Erklärung für die sonst unverständliche Tatsache, daß ein und derselbe Wirkstoff für die Behandlung von Krebs verwendbar ist, aber ihn auch verursachen kann. Dies gilt, wie jeder weiß, für bestimmte Strahlen, die Krebszellen vernichten, doch ebenso auch Krebs erzeugen können. Es trifft auch für viele der Chemikalien zu, die heute zur Krebsbekämpfung benutzt werden. Warum ist das so? Beide Arten von Karzinogenen schädigen die Atmung. Bei Krebszellen ist die Atmung bereits beeinträchtigt, werden sie noch weiter geschädigt, sterben sie ab. Die normalen Zellen, deren Atmung zum ersten Mal angegriffen wird, gehen nicht zugrunde, sondern sind gezwungen, einen Weg einzuschlagen, der schließlich zu bösartigen Gewächsen führt.

Als es anderen Forschern im Jahre 1953 gelang, normale Zellen allein dadurch in Krebszellen zu verwandeln, daß sie ihnen in Abständen lange Zeit hindurch Sauerstoff vorenthielten, bestätigten sie damit Warburgs Annahme. Im Jahre 1961 wurde sie dann weiter bekräftigt, diesmal mehr durch Versuche mit lebenden Tieren als mit Gewebskulturen. Man injizierte krebskranken Mäusen radioaktive Substanzen, deren Spur im Organismus man verfolgen konnte. Als man dann die Atmung durch genaue Messungen kontrollierte, stellte sich heraus, daß der Anteil der Gärung deutlich über dem normalen Wert lag, genau wie Warburg es vorhergesehen hatte.

Nach den Maßstäben, die Warburg aufgestellt hat, entsprechen die meisten Schädlingsbekämpfungsmittel der Norm eines vollendeten Karzinogens nur allzu gut. Wie wir im vorhergehenden Kapitel erfahren haben, stören viele chlorierte Kohlenwasserstoffe, ebenso die Phenole und manche Herbizide die Oxydation und die Energieerzeugung innerhalb der Zelle. Dadurch können vorerst ruhende Krebszellen entstehen, in denen die unabänderlich bösartige Veränderung lange Zeit unentdeckt schlummert, bis die Krankheit schließlich ausbricht und als einwandfrei erkennbarer Krebs offen zutage tritt.

Ein anderer Weg zum Krebs kann über die Chromosomen führen. Viele der hervorragendsten Forscher auf diesem Gebiet betrachten voll Argwohn alles, was die Chromosomen schädigt, die Zellteilung behindert oder Mutationen verursacht. Nach Ansicht dieser Wissenschaftler kann jede Mutation unter Umständen Krebs hervorrufen. Zwar spricht man, wenn man Mutationen erörtert, meist von jenen, die sich in den Keimzellen vollziehen und sich dann in ihren Auswirkungen vielleicht erst in künftigen Generationen bemerkbar machen, doch können auch in den Körperzellen Mutationen vorkommen. Nach der Mutationstheorie über den Ursprung des Krebses entsteht vielleicht unter dem Einfluß von Strahlung oder einem chemischen Stoff in einer Zelle eine Mutation; diese gestattet ihr, sich der strengen Aufsicht zu entziehen, die der Körper normalerweise über die Zellteilung ausübt. Die Zelle ist daher imstande, sich hemmungslos und in einer ungeregelten Weise zu vermehren. Die neuen Zellen, die aus diesen Teilungen hervorgehen, besitzen die gleiche Fähigkeit, der Aufsicht zu entrinnen, und zur gegebenen Zeit haben sich genügend solche Zellen angesammelt, die dann eine Krebsgeschwulst bilden.

Andere Forscher weisen darauf hin, daß die Chromosomen im Krebsgewebe anfällig oder, wie der Fachmann sagt, instabil sind; sie können leicht zerbrechen oder geschädigt werden, ihre Zahl weicht von der Regel ab, es können sogar doppelte Sätze auftreten.

Als erste haben Albert Levan und John J. Biesele, die am Sloan-Kettering-Institut in New York arbeiteten, abnormale Erscheinungen bei Chromosomen durch alle Stadien bis zu tatsächlich bösartigen Umwandlungen verfolgt. Zu der Frage, was zuerst kam, die Bösartigkeit oder die Störungen bei den Chromosomen, erklärten diese beiden Forscher ohne Zögern, daß »die Regelwidrigkeiten im Bereich der Chromosomen den bösartigen Wucherungen vorangehen«. Wie Levan und Biesele vermuten, folgt auf die anfängliche Schädigung der Chromosomen und die Instabilität, die sich daraus ergibt, eine lange Zeit der Versuche und Fehlschläge, die viele Zellgenerationen hindurch währt; das ist die lange Latenzzeit bösartiger Wucherungen, während der sich schließlich eine Mustersammlung von Mutationen anhäuft, die es den Zellen erlaubt, der Aufsicht zu entkommen und mit der ungeregelten Vermehrung zu beginnen, die nichts anderes als Krebs ist. Ojvind Winge, einer der Gelehrten, die schon früh für die Theorie der Instabilität der Chromosomen eintraten, meinte, daß Verdoppelung von Chromosomen besonders bedeutsam sei. Ist es nun ein zufälliges Zusammentreffen, daß Hexachlorcyclohexan und das mit ihm verwandte Lindan, wie man aus wiederholten Beobachtungen weiß, bei Versuchspflanzen die Chromosomen verdoppeln und daß die gleichen Chemikalien in viele einwandfrei belegte Fälle von tödlicher Anämie verwickelt waren? Und wie steht es mit den vielen anderen Schädlingsbekämpfungsmitteln, von denen die Chromosomen zerbrochen; die Zellteilung gestört und Mutationen ausgelöst werden?

Es ist leicht einzusehen, warum gerade Leukämie eine der häufigsten Krankheiten ist, die sich infolge einer Einwirkung von Strahlen oder von Chemikalien, die Radiomimetica sind, einstellen. Physikalische oder chemische mutagene Faktoren greifen hauptsächlich Zellen an, die sich besonders lebhaft teilen. Solche Zellen finden sich in verschiedenen Geweben, vor allem aber in denen, die Blutkörperchen bilden. Das Knochenmark ist das ganze Leben hindurch der Haupterzeuger der roten Blutkörperchen, es entsendet in der Sekunde ungefähr zehn Millionen neue in den Blutstrom des Menschen. Weiße Blutkörperchen werden in wechselnder, aber erstaunlicher Menge in den Lymphknoten und in gewissen Markzellen gebildet.

Bestimmte chemische Stoffe, die uns damit wieder an radioaktive strahlende Substanzen wie Strontium 90 erinnern, werden vom Knochenmark besonders angezogen. Benzol, ein häufiger Bestandteil von Lösungsmitteln für Insektizide, setzt sich im Mark fest und bleibt dort lange, nachweislich bis zu zwanzig Monaten, eingelagert. In der medizinischen Literatur ist Benzol selbst seit vielen Jahren als Ursache von Leukämie anerkannt.

In den schnell wachsenden Geweben eines Kindes herrschen ebenfalls Bedingungen, die wie geschaffen sind für die Entwicklung bösartiger Zellen. Sir Macfarlane Burnet hat hervorgehoben, daß die Leukämie auf der ganzen Welt zunimmt, überdies aber auch in der Altersklasse der drei- und vierjährigen Kinder sehr häufig geworden ist, was für keine andere Krankheit zutrifft. Nach Ansicht dieses Fachmannes »läßt sich die Häufung der Fälle zwischen dem dritten und vierten Lebensjahr wohl nur so deuten, daß der junge Organismus um die Zeit der Geburt einem mutagenen Reiz ausgesetzt gewesen ist«.

Ein anderer mutagener Stoff, von dem man weiß, daß er Krebs erzeugt, ist Urethan. Wenn trächtige Mäuse mit dieser Chemikalie behandelt werden, bekommen nicht nur sie selbst, sondern auch ihre Jungen Lungenkrebs. Die jungen Mäuse kamen nur vor der Geburt mit dem Urethan in Berührung und die Experimente bewiesen, daß der chemische Stoff durch die Plazenta gedrungen sein mußte. Wie Dr. Hueper warnend bemerkt hat, besteht die Möglichkeit, daß sich auch bei Säuglingen durch Einwirkung vor der Geburt Tumore entwickeln, wenn die Bevölkerung dem Einfluß von Urethan oder verwandten chemischen Verbindungen ausgesetzt ist.

Urethan ist ein Carbamat und daher chemisch verwandt mit den Herbiziden IPC und CIPC. Trotz der Warnungen der Krebsspezialisten werden jetzt Carbamate weitgehend verwendet, nicht nur als Insektizide, Unkrautvertilgungsmittel und Fungizide, sondern auch für die mannigfaltigsten Erzeugnisse wie Weichmacher für Kunststoffe, für Arzneien, Kleidung und Isoliermaterial.

Krebs kann auch auf Umwegen erzeugt werden. Eine Substanz, die selbst kein Karzinogen im üblichen Sinne ist, kann die normale Arbeit in irgendeinem Organ des Körpers auf eine Weise behindern, daß bösartige Wucherungen entstehen. Wichtige Beispiele dafür sind bestimmte Krebsformen, vor allem in den Fortpflanzungsorganen. Sie scheinen mit Störungen des Hormongleichgewichts zusammenzuhängen; diese Störungen wiederum dürften in manchen Fällen eintreten, weil die Fähigkeit der Leber, den richtigen Hormonspiegel aufrechtzuerhalten, durch irgend etwas beeinträchtigt wurde. Die chlorierten Kohlenwasserstoffe sind genau das rechte Mittel, auf solch indirektem Wege Krebs entstehen zu lassen, weil sie alle in gewissem Grade auf die Leber toxisch wirken.

Die Geschlechtshormone sind selbstverständlich normalerweise im Körper vorhanden und erfüllen eine notwendige Aufgabe, weil sie in den verschiedenen Fortpflanzungsorganen unter anderem das Wachstum anregen. Doch ist dem Körper eine

Schutzvorrichtung gegen übermäßige Anhäufung eingebaut: die Leber sorgt für das vorgeschriebene Gleichgewicht zwischen männlichen und weiblichen Hormonen und verhindert eine übermäßige Ansammlung von beiden, die bei jedem Geschlecht, wenn auch in ungleichen Mengen, im Körper erzeugt werden. Ist die Leber jedoch durch Krankheit oder chemische Stoffe angegriffen oder bekommt sie zuwenig B-Vitamine zugeführt, kann sie diese Aufgabe nicht mehr erfüllen. Unter diesen Bedingungen steigt die Konzentration gewisser weiblicher Hormone, der Östrogene, abnormal hoch an.

Was für Folgen hat das? Bei Tieren zumindest verfügt man über reichliches Beweismaterial aus Experimenten. Bei einem solchen Versuch fand ein Wissenschaftler am Rockefeller-Institut für Medizinische Forschung, daß bei Kaninchen, deren Leber durch Krankheit geschädigt war, ein sehr hoher Prozentsatz an Gebärmuttertumoren vorkam. Man nimmt an, daß sie auftraten, weil die Leber nicht mehr imstande war, die Östrogene im Blut unwirksam zu machen, so daß »sie später eine karzinogene Konzentration erreichten«. Wie umfassende Experimente mit Mäusen, Ratten, Meerschweinchen und Affen zeigten, werden in den Geweben der Fortpflanzungsorgane Veränderungen hervorgerufen, »die von gutartigen bis zu eindeutig bösartigen Wucherungen variieren«, wenn man längere Zeit hindurch Östrogene verabreicht; man braucht dazu nicht unbedingt große Mengen zu verwenden. Bei Hamstern wiederum entstanden Nierentumore, wenn man ihnen solche Hormone eingab.

Obwohl die Mediziner in dieser Frage geteilter Meinung sind, liegen zahlreiche Beweise vor, die durchaus die Ansicht rechtfertigen, daß auch in menschlichen Geweben ähnliche Folgen eintreten könnten. Forscher am Königin-Viktoria-Krankenhaus der McGill-Universität entdeckten, daß bei zwei Dritteln der von ihnen untersuchten hundertfünfzig Fälle von Gebärmutterkrebs sich abnormal hohe Östrogenspiegel nachweisen ließen. Bei neunzig Prozent einer späteren Serie von zwanzig Fällen war eine ähnliche Östrogenkonzentration festzustellen.

Es ist möglich, daß die Leber so weit geschädigt wird, daß sie die Östrogene nicht mehr ausschalten kann, obwohl man den Schaden mit keiner der Prüfmethoden, über die man derzeit in der Medizin verfügt, zu erkennen vermag. Die Ursache könnten sehr leicht chlorierte Kohlenwasserstoffe sein, die, wie wir wissen, Leberzellen nachteilig verändern, selbst wenn nur sehr geringe Mengen davon aufgenommen werden. Durch diese Stoffe gehen auch B-Vitamine verloren. Das ist ebenfalls äußerst wichtig, denn eine Reihe anderer Beweise offenbart, daß dieser Vitamin-B-Komplex als Schutz gegen Krebs eine Rolle spielt. C. P. Rhoads, der inzwischen verstorbene ehemalige Direktor des Sloan-Kettering-Instituts für Krebsforschung, fand, daß Versuchstiere, die einem sehr starken chemischen Karzinogen ausgesetzt wurden, keinen Krebs bekamen, wenn man sie mit Hefe fütterte, die reich an natürlichen B-Vitaminen ist. Mundkrebs und vielleicht auch Krebs an anderen Stellen des Verdauungstrakts war, wie man feststellte, von Mangel an diesen Vitaminen begleitet. Dies ist nicht nur in den Vereinigten Staaten, sondern auch in den weit im Norden gelegenen Gegenden Schwedens und Finnlands beobachtet worden, wo die Kost gewöhnlich vitaminarm ist. Gruppen, die vor allem zu Leberkrebs neigen, wie zum Beispiel die Bantustämme in Afrika, sind bezeichnenderweise schlecht ernährt. Brustkrebs bei Männern tritt vorwiegend ebenfalls in manchen Gebieten Afrikas auf und ist mit Leberleiden und mangelhafter Ernährung verbunden. In Griechenland bemerkte man in Zeiten der Hungersnot nach dem Kriege häufig, daß die Brust bei Männern abnormal vergrößert war.

Kurz gesagt, gründet sich der Beweis, daß Schädlingsbekämpfungsmittel indirekt eine Rolle bei Krebs spielen, auf ihre erwiesene Fähigkeit, die Leber zu schädigen und die Versorgung mit allen B-Vitaminen zu beeinträchtigen. Dies führt zu einer Zunahme der »endogenen«, der im Körper selbst erzeugten Östrogene. Zu ihnen kommen noch die mannigfaltigen synthetischen Östrogene, mit denen wir immer stärker in Berührung kommen, da sie in kosmetischen Präparaten, in Arzneien und Nahrungsmitteln enthalten sind und manche Menschen auch beruflich mit diesen Stoffen zu tun haben. Die Gesamtwirkung ist eine Angelegenheit, die es mit Recht verdient, äußerst ernst genommen zu werden.

Auf den Menschen wirken krebserzeugende chemische Stoffe, darunter Schädlingsbekämpfungsmittel, auf mannigfaltige und unkontrollierte Weise ein. Der einzelne Mensch kann öfters und verschieden stark dem Einfluß des gleichen chemischen Stoffs ausgesetzt sein. Ein Beispiel dafür ist Arsen. Es erscheint in der Umwelt jedes Menschen in vielerlei Gestalten: als Verunreinigung der Luft oder des Wassers, als Rückstand eines Schädlingsbekämpfungsmittels auf Speisen, in Arzneien, kosmetischen Erzeugnissen, Holzkonservierungsmitteln oder als Farbsubstanz in Tünchen und Tinten. Es ist durchaus möglich, daß keine dieser Gefahrenquellen allein ausreichen würde, bösartige Wucherungen heraufzubeschwören, doch irgendeine angeblich »unschädliche« Dosis, die zu den vorhandenen »unschädlichen« Mengen in die bereits schwer beladene Waagschale geworfen wird, kann den Ausschlag geben.

Oder der Schaden kann auch von zwei verschiedenen Karzinogenen angerichtet werden, deren Wirkung sich summiert. Ein Mensch, auf den zum Beispiel DDT einwirkt, bleibt höchstwahrscheinlich auch nicht von anderen Kohlenwasserstoffen verschont, von denen die Leber angegriffen wird; denn man benutzt solche Chemikalien weitgehend als Lösungsmittel, um einen Farbanstrich oder Schmiere zu entfernen, ferner als Fleckenreiniger und medizinische Betäubungsmittel. Wie könnte es dann eine »unschädliche« Dosis DDT geben?!

Die Lage wird noch komplizierter dadurch, daß ein chemischer Stoff mit einem anderen reagieren und seine Wirkung verändern kann. Damit Krebs entsteht, ist vielleicht eine ergänzende Wirkung zweier chemischer Stoffe erforderlich, von denen einer die Zelle oder das Gewebe überempfindlich macht, so daß sich später unter dem Einfluß eines anderen krebsfördernden Wirkstoffes eine echte bösartige Wucherung entwickelt. Auf solche Weise könnten die Herbizide IPC und CIPC die Bildung von Hauttumoren anregen und gleichsam die Saat des Bösen sein, die erst aufgeht, wenn noch etwas anderes – vielleicht ein gewöhnliches Detergens – dazukommt.

Es können sich auch ein physikalischer und ein chemischer Faktor wechselseitig beeinflussen. Leukämie könnte sich in zwei Stufen entwickeln, wobei die bösartige Veränderung von Röntgenstrahlen ausgelöst wird, während ein chemischer Stoff – vielleicht Urethan – sie erst entscheidend fördert.

Die Bevölkerung ist in wachsendem Maße einer Strahlung verschiedenen Ursprungs ausgesetzt, sie kommt außerdem noch häufig mit einer Unmenge von Chemikalien in Berührung. Das bedeutet für die heutige Welt wirklich ein ernstes Problem.

Die Verseuchung von Wasservorräten mit radioaktivem Material wirft ein weiteres Problem auf. Findet sich solches Material als Verunreinigung in Wasser, das gleichzeitig chemische Stoffe enthält, kann es tatsächlich mit ionisierenden

Strahlen die chemischen Stoffe so heftig angreifen, daß sich deren Aufbau ändert; die Atome können sich auf eine nicht vorherzusagende Weise umgruppieren und dadurch neue chemische Verbindungen entstehen.

Fachleute, die sich mit der Verunreinigung des Wassers beschäftigen, machen sich überall in den Vereinigten Staaten auch darüber Sorgen, daß die Detergentien, die schmutzlösenden Chemikalien in Waschpulvern und anderen Mitteln, heute allgemein das Wasser verunreinigen und sich äußerst unangenehm bemerkbar machen. Von wenigen Detergentien ist bisher bekannt, daß sie karzinogen sind, doch sie könnten auf Umwegen krebsfördernd sein, wenn sie auf die Innenwände des Verdauungstrakts gelangen; sie könnten die Gewebe so verändern, daß diese gefährliche Chemikalien leichter absorbieren und dadurch wiederum deren Wirksamkeit verstärken. Doch wer kann diese Folgen voraussehen und sie verhüten? Wer könnte unter Bedingungen, die wie in einem Kaleidoskop wechseln, sagen, welche Dosis eines Karzinogens, außer der »Menge Null«, unschädlich ist?

Wir dulden in unserer Umwelt Stoffe, die Krebs verursachen und auch uns selbst gefährden können, wie uns eine kürzliche Begebenheit deutlich vor Augen führt. Im Frühling 1961 trat in vielen Fischbrutanstalten des Bundes, der Staaten sowie im Privatbesitz unter Regenbogenforellen eine Leberkrebsepidemie auf. Forellen im Osten wie im Westen der Vereinigten Staaten wurden davon betroffen; in manchen Gebieten bekamen fast hundert Prozent der mehr als dreijährigen Forellen Krebs. Man entdeckte dies, weil die Abteilung für umweltbedingten Krebs des Nationalen Krebsinstituts und die Betreuungsstelle für Fische und Wildtiere vorher übereingekommen waren, alle Fische mit Tumoren zu melden, damit man rechtzeitig gewarnt werde, falls Schmutzstoffe im Wasser eine Krebsgefahr für den Menschen darstellten.

Zwar sind noch Untersuchungen im Gange, um die genaue Ursache dieser Epidemie in einem so ausgedehnten Gebiet zu bestimmen, aber das beste Beweismaterial soll den Verdacht vor allem auf einen Stoff in den Futterpräparaten der Brutanstalten lenken. Dieses Futter enthält eine unglaubliche Vielfalt chemischer Zusatzmittel und medizinischer Wirkstoffe, die der Grundnahrung beigefügt werden.

Die Geschichte der Forelle ist aus vielen Gründen bedeutsam, hauptsächlich jedoch als Beispiel dafür, was geschehen kann, wenn ein starkes Karzinogen in die Umwelt irgendeiner Tierart gelangt. Dr. Hueper hat diese Epidemie als ernste Warnung bezeichnet und erklärt, man müsse der Aufgabe, die zahlreichen und mannigfaltigen Karzinogene der Umwelt zu überwachen, wesentlich mehr Aufmerksamkeit schenken. »Wenn solche Verhütungsmaßnahmen nicht getroffen werden«, sagt er, »schaffen wir in fortschreitendem Maße die Voraussetzungen dafür, daß in Zukunft ein ähnliches Unheil auch die menschliche Bevölkerung ereilt.«

Natürlich ist es erschreckend, wenn wir, wie ein Forscher es ausdrückte, »in einem Meer von Karzinogenen« leben, und es könnte leicht dazu führen, daß wir der Verzweiflung verfallen und nicht mehr an Rettung glauben. »Ist die Lage nicht hoffnungslos?« Diese Frage kennzeichnet die allgemeine Einstellung. »Ist nicht der Versuch, diese krebserzeugenden Mittel aus unserer Welt zu entfernen, von vornherein zum Scheitern verurteilt? Wäre es nicht besser, wenn man keine Zeit mit solchen Experimenten vergeudete, sondern statt dessen mit allen Kräften nach einer Heilmethode für den Krebs forschte?«

Wenn man diese Frage an Dr. Hueper richtet, der jahrelang so Hervorragendes auf dem Gebiet der Krebsforschung geleistet hat und dessen Meinung daher geachtet werden muß, gibt er die Antwort so wohlüberlegt, wie es nur ein Mensch tun kann, der lange darüber nachgedacht hat und hinter dessen Urteil die Arbeit und Erfahrung eines ganzen Lebens stehen. Dr. Hueper glaubt, daß wir uns heute hinsichtlich des Krebses in einer sehr ähnlichen Lage befinden wie die Menschheit in den letzten Jahren des 19. Jahrhunderts gegenüber den Infektionskrankheiten. Durch die glänzende Arbeit Pasteurs und Kochs wurde damals der ursächliche Zusammenhang zwischen pathogenen Organismen und vielen Krankheiten festgestellt. Mediziner und selbst die breite Öffentlichkeit wurden gewahr, daß es in der Umwelt des Menschen wimmelte von riesigen Mengen von Mikroorganismen, die Krankheiten hervorrufen konnten, genauso wie heutzutage Karzinogene unsere Umwelt durchsetzen. Die meisten Infektionskrankheiten kann man nun einigermaßen im Zaum halten, und manche sind praktisch ganz verschwunden. Diese Meisterleistung der Medizin wurde durch einen zweifachen Angriff erzielt, man suchte ebenso vorzubeugen wie zu heilen. Trotz der überragenden Bedeutung, die in der Vorstellung der Laien »Zauberpillen« und »Wunderdrogen« besitzen, bestanden die meisten der wirklich entscheidenden Schlachten im Krieg gegen die Infektionskrankheit in Maßnahmen, durch die Krankheitserreger aus der Umwelt ausgemerzt werden sollten. Ein Beispiel aus der Geschichte ist der große Ausbruch der Cholera in London vor mehr als hundert Jahren. John Snow, ein Londoner Arzt, trug die auftretenden Fälle in eine Landkarte ein und merkte, daß sie von einem Bezirk ausgingen, dessen gesamte Einwohner ihr Wasser aus einer Pumpe in der Broad Street holten. Schnell entschlossen entfernte er den Griff der Pumpe und setzte damit den Grundsatz der »präventiven Medizin« in die Tat um. Die Epidemie wurde so in Schranken gehalten – nicht mit einer Zauberpille, die den damals noch unbekannten Erreger der Cholera tötete, sondern weil man den schädlichen Organismus aus der Umwelt verbannte. Selbst bei therapeutischen Maßnahmen ist das wichtige Ergebnis nicht allein die Heilung des Patienten, sondern auch die Verminderung der Infektionsherde. Tuberkulose ist jetzt verhältnismäßig selten geworden, und das verdanken wir in weitgehendem Maße der Tatsache, daß der Durchschnittsmensch jetzt nur mehr selten mit dem Tuberkelbazillus in Berührung kommt.

Heute ist unsere Welt voll von krebserzeugenden Stoffen und Kräften. Ein Angriff auf den Krebs, der sich ausschließlich oder auch nur größtenteils auf therapeutische Maßnahmen beschränkt – selbst wenn man annimmt, ein Heilverfahren ließe sich finden –, wird nach Dr. Huepers Ansicht scheitern. Denn die großen Reserven karzinogener Stoffe werden davon nicht berührt, sie würden auch weiterhin schneller neue Opfer fordern, als ein – leider noch nicht entdecktes – Heilverfahren die Krankheit eindämmen könnte.

Warum haben wir so lange gezögert, uns diese von der Vernunft diktierte Ansicht über das Krebsproblem zu eigen zu machen? Wahrscheinlich »ist das Ziel, die Opfer des Krebses zu heilen, fesselnder, greifbarer und es bringt mehr Ruhm und Lohn ein als das Bemühen, ihn zu verhüten«, meint Dr. Hueper. Doch zu verhindern, daß Krebs überhaupt entsteht, ist »bestimmt humaner« und kann »weit wirksamer sein als Krebskuren«. Dr. Hueper hat wenig Nachsicht mit jenen, die Wunschträumen nachjagen und »eine Zauberpille versprechen, die wir jeden Morgen vor dem Frühstück einnehmen«, um uns vor Krebs zu schützen. Zum Teil entstammt das gläubige Vertrauen auf eine solche Lösung der irrigen Vorstellung, Krebs sei eine einzige, wenn auch geheimnisvolle Krankheit mit einer einzigen

Ursache und, wie man vergebens hofft, mit einer einzigen Heilungsmöglichkeit. Das entspricht natürlich keineswegs der Wahrheit. Genauso wie umweltbedingte Krebsformen von den mannigfaltigsten chemischen Stoffen und physikalischen Ursachen hervorgerufen werden können, so äußert sich auch der bösartige Zustand in vielen verschiedenen Erscheinungen und biologischen Vorgängen.

Sollte der lange versprochene »Durchbruch« gelingen – falls er jemals kommt –, darf man nicht erwarten, daß man ein Allheilmittel für jede Form bösartiger Wucherungen findet. Freilich muß man die Suche nach therapeutischen Verfahren fortsetzen, um jenen Personen Erleichterung zu verschaffen und Heilung zu bringen, die bereits Opfer des Krebses geworden sind. Doch leistet man der Menschheit einen schlechten Dienst, wenn man die Hoffnung nährt, die Lösung werde plötzlich in einem einzigen Meisterstreich kommen. Sie wird nur langsam, schrittweise gelingen. Inzwischen lassen wir unsere Millionen der Forschung zufließen und setzen unsere ganze Hoffnung auf ein Riesenprogramm, das Heilverfahren für bereits bestehende Krebsfälle finden soll, doch während wir zu heilen trachten, versäumen wir die kostbare Gelegenheit, vorzubeugen.

Diese Aufgabe ist keineswegs ein hoffnungsloses Beginnen. In einer wichtigen Beziehung sind die Aussichten sogar ermutigender als bei den Infektionskrankheiten um die Jahrhundertwende. Damals war die Welt so voll von Krankheitskeimen wie heute von Karzinogenen. Doch der Mensch hatte die Keime nicht selbst in seine Umwelt gebracht, und er spielte bei ihrer Verbreitung nur eine unfreiwillige Rolle. Die überwiegende Mehrheit der Karzinogene hingegen hat der Mensch tatsächlich in seiner Umwelt verbreitet, und er kann, wenn er es wünscht, viele von ihnen wieder ausschalten. Die chemischen Stoffe, die Krebs erzeugen, sind auf zwei Wegen in unsere Welt gelangt und haben sich in ihr eingenistet: Erstens, so absurd es klingt, durch das Streben des Menschen nach einer besseren und bequemeren Lebensweise; zweitens, weil Herstellung und Verkauf solcher Chemikalien zu einem selbstverständlichen Bestandteil unserer Wirtschaft und unseres Daseins geworden sind.

Es wäre unrealistisch, wollten wir annehmen, daß alle Karzinogene aus der modernen Welt verschwinden könnten oder werden. Doch ein sehr großer Anteil gehört keineswegs zu den lebensnotwendigen Bedürfnissen. Entfernte man diese Stoffe, würde die Gesamtlast der Karzinogene unendlich leichter und die Gefahr, daß jeder vierte Mensch an Krebs leiden wird, ließe sich zumindest erheblich mildern. Man sollte sich mit größter Entschlossenheit bemühen, jene Karzinogene auszumerzen, die heute unsere Nahrung, unsere Wasserleitungen und die Luft um uns verseuchen; denn die Art und Weise, wie wir mit diesen Stoffen in Berührung kommen, ist am allergefährlichsten: sie wirken im Laufe von Jahren immer wieder von neuem in winzigen Mengen auf uns ein.

Unter den hervorragenden Krebsforschern finden wir noch viele andere, die mit Dr. Hueper der Überzeugung sind, daß bösartige Erkrankungen bedeutend vermindert werden können, wenn man sich entschlossen bemüht, die Ursachen in der Umwelt zu bestimmen und auszumerzen oder die Heftigkeit ihres Angriffs zu mildern. Selbstverständlich muß man sich auch weiterhin anstrengen, für jene Menschen, bei denen Krebs bereits verborgen oder sichtbar vorhanden ist, Heilungsmöglichkeiten zu finden. Doch um derer willen, die von der Krankheit noch verschont geblieben sind, und gewiß auch um der noch ungeborenen Generationen willen, ist die Verhütung von Krebs das dringendste Gebot.

15. Kapitel
Die Natur wehrt sich

Es wäre fürwahr die größte Ironie, wenn wir bei unseren Bemühungen, die Natur zu unserer Zufriedenheit zu gestalten, so viel aufs Spiel gesetzt und trotzdem unser Ziel nicht erreicht hätten. Anscheinend befinden wir uns jedoch genau in dieser Lage. Die selten erwähnte, aber für jedermann sichtbare Wahrheit ist, daß die Natur sich nicht so einfach umformen läßt und die Insekten Mittel und Wege finden, unsere Angriffe mit Chemikalien zu vereiteln.

»Die Insektenwelt ist die erstaunlichste Naturerscheinung«, sagt der holländische Biologe C. J. Briejèr. »Nichts ist in ihr unmöglich; die unwahrscheinlichsten Dinge sind dort an der Tagesordnung. Wer tief in ihre Geheimnisse eindringt, dem stockt immer wieder der Atem vor Staunen. Er erkennt, daß sich alles und jedes ereignen kann und das völlig Unmögliche oft Wirklichkeit wird.«

Das »Unmögliche« ereignet sich jetzt an zwei breiten Fronten. Durch genetische Auslese entwickeln sich bei den Insekten nun Linien, die gegen Chemikalien resistent – widerstandsfähig – sind. Dies wird im nächsten Kapitel noch näher erörtert werden. Das umfassendere Problem, dem wir uns hier zuwenden wollen, besteht aber darin, daß unser Angriff mit chemischen Stoffen die der Umwelt selbst innewohnenden Abwehrkräfte ständig schwächt – Abwehrkräfte, die dazu bestimmt sind, die verschiedenen Arten in Schach zu halten. Jedesmal, wenn wir in diese Abwehrfront eine Bresche schlagen, ergießt sich durch sie eine Horde von Insekten.

Aus allen Gegenden der Welt kommen Berichte, aus denen klar hervorgeht, daß wir uns in einer äußerst ernsten und unangenehmen Lage befinden. Nach mehr als einem Jahrzehnt intensiver chemischer Bekämpfung mußten die Entomologen am Ende entdecken, daß Probleme, die sie einige Jahre zuvor als gelöst betrachtet hatten, erneut auftauchten und ihnen schwer zu schaffen machten. Zudem waren neue Probleme entstanden, da sich Insekten, die einst nur in unbedeutender Zahl vertreten gewesen waren, so vermehrt hatten, daß sie zu bedeutenden Schädlingen wurden. Gerade weil diese Bekämpfungsmittel Chemikalien sind, machen sie ihre Wirkung selbst wieder zunichte; denn man hat sie ersonnen und angewandt, ohne die verwickelten biologischen Beziehungen der Organismen zu berücksichtigen, in deren Welt sie blindlings geschleudert wurden. Die Chemikalien sind vielleicht vorher in Versuchen gegen einige wenige besondere Tierarten eingesetzt und ausprobiert worden, nicht aber in Gemeinschaften von Lebewesen.

In manchen Kreisen ist es heute modern, das Gleichgewicht der Natur als einen Zustand abzutun, der wohl in einer früheren, einfacheren Welt herrschte, jetzt aber so gründlich gestört worden ist, daß wir ihn nicht mehr zu berücksichtigen brauchen. Manche finden es bequem, das anzunehmen, doch wollten wir unsere Handlungsweise davon bestimmen lassen, wäre das höchst gefährlich. Das Gleichgewicht der Natur ist heute anders als in der Zeit des Diluviums, aber es ist immer noch vorhanden als verwickeltes, genau ausgewogenes und weitgehend zu einem übergeordneten Ganzen zusammengeschlossenes System von Beziehungen zwischen Lebewesen. Man kann sich über dieses System genauso wenig ungefährdet hinwegsetzen, wie ein Mensch, der hoch oben am Rande eines steilen Felsens sitzt, ungestraft dem Gesetz der Schwerkraft trotzen kann. Das Gleichgewicht der Natur ist nicht ein Status quo; es ist fließend, es verlagert sich ständig und paßt sich dauernd neuen Gegebenheiten an. Auch der Mensch hat an diesem Gleichgewicht teil. Manchmal verschiebt es sich zu seinen Gunsten, ein andermal – und nur allzuoft durch seine eigenen Handlungen – zu seinem Nachteil.

Als man die modernen Maßnahmen zur Insektenbekämpfung plante, hat man zwei Tatsachen von entscheidender Bedeutung übersehen. Erstens werden Insekten wirklich erfolgreich nur von der Natur, aber nicht vom Menschen bekämpft. Populationen werden in Schach gehalten durch etwas, das die Ökologen Widerstand der Umwelt nennen, und das ist so gewesen, seit das erste Leben geschaffen wurde. Die Menge des Futters, das zur Verfügung steht, Wetter- und Klimabedingungen, die Anwesenheit von räuberischen Arten oder Formen, gegen die man sich behaupten muß, all das ist von entscheidender Bedeutung. »Der mächtigste Einzelfaktor, der verhindert, daß die Insekten die übrige Welt überwältigen, ist der mörderische Kampf, den sie untereinander austragen«, sagte der Entomologe Robert Metcalf. Doch die meisten Chemikalien, die jetzt verwendet werden, töten alle Insekten, unsere Freunde wie unsere Feinde.

Die zweite Tatsache, die man außer acht gelassen hat, ist die wahrlich ungeheure Fähigkeit einer Art, sich ins Ungemessene zu vermehren, wenn einmal die Widerstandskraft der Umwelt geschwächt worden ist. Die Fruchtbarkeit vieler Lebensformen übersteigt fast unser Vorstellungsvermögen, obwohl uns hin und wieder ein flüchtiger Einblick eine Ahnung davon vermittelt. Ich erinnere mich aus meiner Studienzeit an das Wunder, das sich in einem Gefäß vollzog, wenn man der einfachen Mischung von Heu und Wasser, die es enthielt, lediglich ein paar Tropfen aus einer Kultur von Urtierchen hinzufügte. Binnen weniger Tage barg das Gefäß einen ganzen Kosmos pfeilschnell umherwirbelnder Geschöpfe – unzählige Trillionen von Pantoffeltierchen, jedes so klein wie ein Staubkorn, und alle vermehrten sich hemmungslos in ihrem derzeitigen Paradies ohne Feinde, bei günstiger Temperatur und reichlicher Nahrung. Oder ich sehe im Geiste Felsen am Meer vor mir, weiß von Entenmuscheln, soweit das Auge reicht; oder ich denke an das Schauspiel, das sich bietet, wenn man Meile um Meile durch einen unermeßlichen Schwarm von Quallen fährt und die pulsierenden gespenstischen Formen, die kaum mehr Substanz haben als das Wasser selbst, kein Ende zu nehmen scheinen.

Wir sehen die wunderbaren regelnden Kräfte der Natur am Werk, wenn die Kabeljaus durch das winterliche Meer zu ihren Laichgründen ziehen, wo jedes Weibchen einige Millionen Eier legt. Das Meer wird nicht zu einer festen Masse von Kabeljaus, was sicher der Fall wäre, wenn die Nachkommenschaft all dieser Fische am Leben bliebe. Die hemmenden Faktoren in der Natur greifen hier ein, so daß von den Millionen von Jungfischen, die von jedem Paar abstammen, durchschnittlich gerade so viel überleben und heranwachsen, daß sie an die Stelle der Elterntiere treten können.

Biologen machten sich oft einen Spaß daraus, sich auszumalen, was geschehen würde, wenn infolge irgendeiner unvorstellbaren Katastrophe die natürlichen Beschränkungen aufgehoben wären und die gesamten Nachkommen eines einzigen Geschöpfs am Leben blieben. So hat Thomas Huxley vor einem Jahrhundert ausgerechnet, daß eine einzelne weibliche Blattlaus – die sich merkwürdigerweise ohne Paarung fortzupflanzen vermag – im Laufe eines einzigen Jahres Nachkommen hervorbringen könnte, deren Gesamtgewicht dem der ganzen Bevölkerung des damaligen chinesischen Reiches entsprochen hätte.

Zum Glück für uns ist ein so außergewöhnlicher Fall nur rein theoretisch, doch die schrecklichen Folgen, die sich ergeben, wenn man die von der Natur geschaffene Ordnung umstößt, sind den Menschen, die Tierpopulationen studieren, wohlbekannt. Der fanatische Eifer des Viehzüchters, den Kojoten, auch Heulwolf genannt, auszurotten, ließ Feldmäuse, die dieses Raubtier vorher in Zaum gehalten hatte, zu einer Landplage werden. Ein anderer Fall, der hierhergehört, ist die oft wiederholte Geschichte des Kaibab-Maultierhirsches in Arizona. Einst befand sich die Population der Maultierhirsche im Gleichgewicht mit der Umwelt. Eine Anzahl von Raubtieren wie Wölfe, Pumas und Kojoten verhinderten, daß die Zahl der Hirsche zu groß und das Futter zu knapp wurde. Dann begann man einen Feldzug, um den Maultierhirsch zu »schützen«, und rottete seine Feinde aus. Nachdem die Räuber verschwunden waren, vermehrten sich die Hirsche erstaunlich, und bald war nicht mehr genug Futter für sie da. Immer höher hinauf weideten sie das Laub der Bäume auf der Suche nach Futter ab, und nach einiger Zeit verhungerten mehr Tiere, als vorher von den Raubtieren getötet worden waren. Überdies wurde die ganze Umgebung kahlgefressen, da sie sich verzweifelt bemühten, Nahrung zu finden.

Die räuberischen Insekten in Feld und Wald spielen die gleiche Rolle wie die Wölfe und Kojoten des Kaibabplateaus. Rottet man sie aus, schwillt die Population der Insekten, die ihre Beute bilden, jäh an.

Niemand weiß, wie viele Insektenarten die Erde bewohnen, weil eine ganze Anzahl noch nicht bestimmt worden ist. Doch über 700000 hat man bereits beschrieben. Dies bedeutet, daß der Artenzahl nach siebzig bis achtzig Prozent der Geschöpfe der Erde Insekten sind. Die überwiegende Mehrheit dieser Insekten wird durch Naturkräfte in Schach gehalten, ohne daß der Mensch einzugreifen braucht. Wäre dies nicht so, müßte man bezweifeln, ob selbst die denkbar größte Menge von Chemikalien – oder irgendeine andere Methode – ihre Populationen überhaupt niedrig halten könnte.

Das Unglück ist nur, daß wir von dem Schutz, den uns natürliche Feinde gewähren, selten etwas merken, bis er versagt. Die meisten von uns spazieren blind durch die Welt, sie nehmen ihre Schönheit wie ihre Wunder ebenso wenig wahr wie die seltsame und manchmal furchterweckende Intensität, mit der die Geschöpfe um uns leben. Daher kommt es, daß die emsige

Tätigkeit der räuberischen und parasitischen Insekten nur wenigen bekannt ist. Vielleicht haben wir ein wunderlich gestaltetes Insekt, das wild und grausam dreinblickt, auf einem Busch im Garten bemerkt und uns dunkel erinnert, daß die Gottesanbeterin auf Kosten anderer Insekten lebt. Doch mit Verständnis betrachten wir sie erst, wenn wir des Nachts in den Garten gegangen sind und hier und dort im Licht einer Taschenlampe einen flüchtigen Blick auf eine solche Fangheuschrecke geworfen haben, die sich gerade verstohlen an ihre Beute heranschleicht. Dann erfassen wir etwas von dem Drama, das sich zwischen Jäger und Gejagtem abspielt, spüren etwas von der erbarmungslosen Kraft, mit der die Natur für Ordnung in ihrem Reich sorgt.

Von den räuberischen Insekten, die andere töten und fressen, gibt es vielerlei Formen. Manche sind flink und schnappen sich gleich den pfeilschnellen Schwalben ihre Beute aus der Luft. Andere krabbeln schwerfällig an einem Stengel entlang, sie suchen ihn planmäßig nach seßhaften Insekten wie Blattläusen ab und verschlingen sie. Nordamerikanische Wespen, »Gelbjacken« genannt, fangen weichhäutige Insekten und füttern ihre Jungen mit deren Säften. Vertreter einer Grabwespenart, die bezeichnenderweise »Lehmschmierer« heißt, bauen unter den Dachtraufen säulenförmige Nester aus Lehm und legen in ihnen einen Vorrat von Insekten und Spinnen an, von denen sich dann ihre Larven ernähren. Eine andere Wespe schwebt über weidenden Viehherden und vernichtet die blutsaugenden Fliegen, die sie quälen; sie hat daher den treffenden Namen »Pferdewächter« erhalten. Gewisse Schwebfliegen, die laut summen und oft fälschlich für Bienen oder Wespen gehalten werden, legen ihre Eier auf Pflanzen, die von Blattläusen befallen sind; die ausschlüpfenden Larven verzehren dann ungeheure Mengen davon. Marienkäferchen gehören zu den Formen, die höchst wirksam Blatt- und Schildläuse vertilgen. Von einem einzigen Marienkäferchen werden buchstäblich Hunderte von Blattläusen verzehrt, um die kleinen Feuer der Energie zu schüren, die ein Weibchen braucht, damit es auch nur ein einziges Häufchen Eier legen kann.

Vielleicht noch merkwürdigere Lebensgewohnheiten haben die ausgesprochen parasitischen Insekten. Sie töten ihren Wirt nicht sofort. Statt dessen haben sie sich auf die mannigfaltigste Weise angepaßt, um ihre Opfer für die Ernährung der Jungen zu verwerten. Manchmal legen sie ihre Eier in die Eier oder

Larven, die sie erbeuten, so daß ihre eigenen Jungen, wenn sie sich entwickeln, schon Futter vorfinden und ihren Wirt auffressen. Andere heften mit einer klebrigen Flüssigkeit die Eier an eine Larve; nach dem Ausschlüpfen bohrt sich die parasitische Larve dann durch die Haut des Wirts. Wieder andere, von einem Instinkt geleitet, der weise Voraussicht vortäuscht, legen ihre Eier einfach auf ein Blatt, so daß eine Raupe, die es zernagt, sie unversehens mitfrißt.

Überall, auf Feldern und in Hecken, in Gärten und Wäldern sind die räuberischen Insekten am Werk. Pfeilschnell schießen über einen Teich große Libellen dahin, und ihre Flügel blitzen in der Sonne auf. So flogen auch ihre Ahnen einst durch Sümpfe, in denen riesige Reptilien lebten. Heute wie in jenen alten Zeiten fangen die scharfäugigen Libellen Stechmücken in der Luft, sie sammeln sie in ihren korbförmigen Beinen ein. Im Wasser unten jagen die Larven nach den dort lebenden Entwicklungsstadien von Stechmücken und anderen Insekten.

Oder dort, fast unsichtbar auf einem Blatt, sitzt ein Goldauge mit zarten grünen Flügeln und Augen, denen es den Namen verdankt, ein scheues und unauffälliges Insekt, Nachfahre der uralten Familie der Netzflügler, die schon in der Permzeit lebte. Das erwachsene Goldauge ernährt sich vorwiegend von Nektar und den süßen Ausscheidungen von Blattläusen, und wenn seine Zeit gekommen ist, legt das Weibchen die Eier, jedes am Ende eines langen Stiels, den sie am Blatt befestigt. Aus ihnen tauchen die Sprößlinge auf, sonderbare borstige Larven, die man Blattlauslöwen nennt; sie machen Jagd auf Blattläuse, Schildläuse oder Milben, die sie fangen und aussaugen. Jede Larve kann einige hundert Blattläuse vertilgen, ehe im pausenlos weitergehenden Kreislauf ihres Lebens die Zeit naht, in der sie sich einen bräunlich-weißen, seidigen Kokon spinnt und in ihm das Puppenstadium verbringt.

Dann gibt es auch noch viele Wespen und ebenso Fliegen, die überhaupt nur bestehen können, wenn sie als Schmarotzer Eier oder Larven anderer Insekten vernichten. Manche der Eiparasiten sind äußerst winzige Wespen, doch durch ihre Mengen und ihre rege Tätigkeit sorgen sie dafür, daß viele Arten, die Nutzpflanzen schädigen, nicht überhandnehmen.

Alle diese kleinen Geschöpfe arbeiten emsig in Sonnenschein und Regen, während der Stunden der Dunkelheit, ja sogar noch, wenn die Gewalt des Winters die Feuer des Lebens dämpft, bis die Glut dieser lebenspendenden Kräfte nur noch schwelt.

Dann warten sie auf die Zeit, in der sie wieder aufflammen und sich voll entfalten dürfen und der Frühling die Insektenwelt aus dem Schlummer weckt. Die Parasiten und Räuber haben indes unter der weißen Schneedecke, tief unter der frostharten Erde, in Ritzen der Baumrinde und in geschützten Höhlen Mittel und Wege gefunden, über die kalte Jahreszeit hinwegzukommen.

Die Eier der Gottesanbeterin sind von dem Muttertier, dessen Lebenszeit mit dem Sommer zu Ende ging, an den Zweig eines Strauchs geheftet worden, sicher verpackt in kleinen pergamentähnlichen Behältern.

Das Weibchen der Feldwespen der Gattung *Polistes* sucht Zuflucht in einem vergessenen Winkel eines Dachbodens, es trägt die befruchteten Eier in sich, das Erbe, von dem die gesamte Zukunft ihrer Kolonie abhängt. Sie bleibt als einzige am Leben und wird im Frühling mit dem Bau eines kleinen Nestes aus einer papierartigen Masse beginnen, ein paar Eier in dessen Zellen legen und sorgsam die kleine Truppe der Arbeiterinnen aufziehen. Mit deren Hilfe wird sie das Nest vergrößern und eine Kolonie aufbauen. Die Arbeiterinnen werden dann an heißen Sommertagen unermüdlich auf Futtersuche ausziehen und unzählige Raupen vernichten.

So sind alle diese Geschöpfe infolge ihrer eigenartigen Lebensweise, die für uns von Nutzen ist, unsere Verbündeten gewesen und haben uns geholfen, das Gleichgewicht in der Natur zu unseren Gunsten zu verschieben. Doch wir haben gegen unsere Freunde schweres Geschütz eingesetzt. Es besteht die große Gefahr, daß wir gewaltig unterschätzt haben, welches Bollwerk sie gegen eine drohende Flut von Feinden bilden, die ohne ihre Hilfe über uns zusammenschlagen würde.

Die Aussicht, daß die Widerstandskraft der Umwelt allgemein und endgültig untergraben wird, gewinnt von Jahr zu Jahr auf erschreckende Weise an Realität. Denn die Zahl, Vielfalt und Vernichtungskraft der Insektizide wächst. Wir müssen uns darauf gefaßt machen, daß eine plötzliche Massenvermehrung von Insekten im Laufe der Zeit immer ernstere Formen annehmen wird, die alles, was wir bisher erlebt haben, weit übertrifft, gleichgültig ob es sich um Insektenarten handelt, die Pflanzenschädlinge sind oder Krankheiten übertragen.

»Ja, aber ist das nicht alles rein theoretisch?« mag mancher fragen. »Sicherlich wird das nicht wirklich geschehen, zumindest nicht, solange ich lebe.«

Doch es geschieht tatsächlich, hier und heute. Wissenschaftliche Zeitschriften haben bereits im Jahre 1958 rund fünfzig Arten angeführt, die überall dort in Mengen erschienen, wo das Gleichgewicht der Natur heftig erschüttert worden war. Jedes Jahr entdeckt man dafür neue Beispiele. In einer zusammenfassenden Darstellung dieses Themas wurden zweihundertfünfzehn Abhandlungen erwähnt, die von umwälzenden und keineswegs vorteilhaften Verschiebungen des Gleichgewichts der Insektenpopulationen berichteten oder sie erörterten. Die Ursache waren jedesmal Schädlingsbekämpfungsmittel.

Manchmal vermehren sich infolge des Sprühens mit Chemikalien gerade die Insekten ungeheuer stark, die man damit bekämpfen wollte. So erhöhte sich die Menge der Kriebelmücken in Ontario nach dem Sprühen auf das Siebzehnfache. In England kam es, nachdem mit einem der organischen Phosphate gesprüht worden war, zu einem Massenauftreten von Kohlblattläusen, wie man es noch nie erlebt hatte.

In anderen Fällen war das Sprühen zwar einigermaßen wirksam gegen das Insekt, das man treffen wollte, doch schien es, als habe sich dafür die »Büchse der Pandora« geöffnet und ein Heer von Schädlingen entlassen, die vorher nie so häufig gewesen waren, daß sie Schwierigkeiten verursacht hätten. Die Spinnmilben zum Beispiel sind praktisch weltweit verbreitete Schädlinge geworden, da DDT und andere Schädlingsbekämpfungsmittel ihre Feinde ausrotteten. Die Spinnmilben sind keine Insekten. Sie sind kaum sichtbare achtfüßige Geschöpfe aus der Klasse der Spinnentiere, zu der unter anderem auch Spinnen, Skorpione und Zecken gehören. Sie haben Mundwerkzeuge, die zum Stechen und Saugen eingerichtet sind, und einen gewaltigen Appetit auf Chlorophyll, den grünen Farbstoff der Pflanzen. Diese Tierchen bohren mit ihren winzigen und dolchscharfen Mundwerkzeugen die äußeren Zellschichten von Blättern und immergrünen Nadeln an, aus denen sie das Chlorophyll herausholen. Sind Bäume und Sträucher nicht allzustark befallen, bekommen sie ein fleckiges Aussehen, als wären sie mit Salz und Pfeffer bestreut; sind die Spinnmilben jedoch sehr zahlreich, wird das Laub gelb und fällt ab.

Dies geschah auch vor einigen Jahren in manchen der westlichen Staatswälder, als der Forstdienst der Vereinigten Staaten ungefähr 3560 Quadratkilometer Waldland mit DDT sprühte. Beabsichtigt war, den Fichtentriebwickler zu bekämpfen. Im nächsten Sommer entdeckte man jedoch, daß ein noch schlimmeres Problem entstanden war als der Schaden, den dieser Wickler anrichtete. Als man die Wälder vom Flugzeug aus besichtigte, bemerkte man riesige verwüstete Gebiete, wo die prächtigen Douglastannen braun wurden und ihre Nadeln abwarfen. Im Staatswald von Helena und an den westlichen Hängen der Big Belt Mountains, auch in anderen Gegenden des Staates Montana und südwärts bis nach Idaho hinein sahen die Wälder aus, als wären sie versengt worden. Es stellte sich heraus, daß dieser Sommer des Jahres 1957 eine Spinnmilbenplage von bisher nie erlebtem, ungeheurem Ausmaß mit sich gebracht hatte. Fast das gesamte gesprühte Gebiet war betroffen. An anderen Orten war nirgends ein Schaden zu erkennen. Als die Forstleute nach früheren ähnlichen Vorkommnissen forschten, erinnerten sie sich wohl anderer Fälle, in denen Wälder von Spinnmilben heimgesucht worden waren, doch keiner war so dramatisch verlaufen. Im Jahre 1929 hatte es entlang dem Madison River im Yellowstone Park ähnliche Schwierigkeiten gegeben, zwanzig Jahre später auch im Staate Colorado und im Jahre 1956 noch in New Mexiko. *Jedesmal, wenn diese Milben plötzlich in Massen auftraten, hatte man vorher mit Insektiziden gesprüht.* Bei den Sprühmaßnahmen im Jahre 1929 – also vor dem DDT-Zeitalter – hatte man Bleiarsenat verwendet.

Warum scheinen die Spinnmilben zu gedeihen, wenn man Insektizide gebraucht? Abgesehen davon, daß sie verhältnismäßig unempfindlich dagegen sind, scheint es noch zwei Gründe zu geben. In der Natur werden sie durch verschiedene Räuber in Zaum gehalten, so durch Marienkäferchen, eine Gallmücke, räuberische Milben und Raubwanzen, die alle äußerst empfindlich gegenüber Insektiziden sind. Der andere Grund hängt mit dem Bevölkerungsdruck innerhalb der Spinnmilben-Kolonien zusammen. Eine Kolonie dieser Milben, die man in Ruhe läßt, ist eine dichtgedrängte lebende Gemeinschaft; die Tiere verbergen sich vor ihren Feinden unter einem seidenartigen Gewebe, das sie selbst herstellen. Sobald gesprüht wird, zerstreut sich die Kolonie, weil die Milben durch die Chemikalie zwar nicht getötet, aber beunruhigt werden und auseinanderlaufen, um sich ein Fleckchen zu suchen, wo sie ungestört sind. Dabei finden sie weit mehr Raum und reichlicher Futter als in den früheren Kolonien. Ihre Feinde sind nun tot, daher brauchen die Milben ihre Kräfte nicht mehr mit dem Spinnen von Schutzgeweben zu vergeuden. Es ist durchaus nicht ungewöhnlich, daß sie die dreifache Menge Eier wie vorher legen – alles infolge der »wohltätigen« Einwirkung der Insektizide.

Im Shenandoah Valley im Staate Virginia, in einer Gegend, die wegen ihrer Äpfel berühmt ist, wurden Horden eines kleinen Insekts, des »Rotgestreiften Blattwicklers« – wie man die Raupe eines Kleinschmetterlings nennt –, zu einer wahren Plage für die Besitzer der Obstgärten, als an die Stelle von Bleiarsenat DDT trat. Die Zerstörung, die diese Raupe angerichtet hatte, war vorher niemals von Bedeutung gewesen; doch bald stieg der Verlust, den sie verursachte, auf fünfzig Prozent der Ernte an, und als die Anwendung von DDT immer mehr zunahm, wurde das Insekt nicht nur in dieser Region, sondern in weiten Gebieten des gesamten Ostens und Mittleren Westens zum unheilvollsten Schädling für Apfelbäume.

Immer wieder fällt die Ironie solcher Vorkommnisse auf. In Nova Scotia wurden Ende der vierziger Jahre jene Obstgärten, die man regelmäßig gesprüht hatte, am schlimmsten vom Apfelwickler befallen, der die Äpfel »wurmig« macht. In nicht gesprühten Obstgärten waren die Raupen dieses Kleinschmetterlings, die in die Früchte eindringen, nicht so zahlreich, daß sie ernste Sorgen bereiteten.

Der Lohn für fleißiges Sprühen blieb auch im östlichen Sudan aus, wo Baumwollpflanzer ihre bitteren Erfahrungen mit dem DDT machten. Auf einer künstlich bewässerten Fläche von rund 24 Quadratkilometern im Gash Delta hatte man Baumwolle angepflanzt. Da man bei den ersten Versuchen mit DDT anscheinend gute Ergebnisse erzielte, sprühte man in verstärktem Maße damit. Dann setzten die Schwierigkeiten ein. Einer der schädlichsten Feinde der Baumwolle ist der Ägyptische Baumwollkapselwurm, eine Eulenraupe. Doch je mehr man die Baumwollfelder sprühte, desto mehr Kapselwürmer tauchten auf. Die nicht gesprühten Pflanzungen erlitten weniger Schaden an Früchten und später an den reifen Kapseln als die gesprühten, und auf Feldern, die man zweimal behandelt hatte, verringerte sich der Ertrag an Baumwollsamen beträchtlich. Zwar wurden manche der Insekten, die Blätter fraßen, ausgerottet, doch jeder Vorteil, der daraus vielleicht erwuchs, wurde mehr als wettgemacht durch den Kapselwurm-Schaden. Am Ende mußten sich die Pflanzer mit der unangenehmen Wahrheit abfinden, daß ihr Baumwollertrag größer gewesen wäre, wenn sie sich die Mühe und die Kosten des Sprühens erspart hätten.

Im früheren Belgisch-Kongo und Uganda hatte eine ausgiebige Behandlung mit DDT zur Bekämpfung eines Insekts, das den Kaffeestrauch schädigte, beinahe »katastrophale« Folgen. Es stellte sich heraus, daß DDT den Schädling fast überhaupt nicht angriff, während ein räuberisches Insekt, das ihm nachstellte, äußerst empfindlich dagegen war.

In Amerika haben Farmer wiederholt ein schädliches Insekt für ein noch schlimmeres eingetauscht, da Sprühen das Kräftespiel zwischen Populationen der Insektenwelt völlig aus dem Gleichgewicht bringt. Bei zwei Bekämpfungsprogrammen mit einem Masseneinsatz an Sprühmitteln ließ sich genau diese Wirkung feststellen. Eines erstrebte die Ausrottung der Feuerameise im Süden; das andere waren die Sprühmaßnahmen gegen den »Japanischen Käfer« im Mittleren Westen. (Siehe siebtes und zehntes Kapitel.)

Im Jahre 1957 verwendete man für eine Großflächenbehandlung von Farmland in Louisiana Heptachlor. Das Ergebnis war, daß man damit der Larve eines Graszünslers, die »Zuckerrohrbohrer« genannt wird und einer der ärgsten Feinde solcher Pflanzungen ist, freie Bahn schuf. Bald nach der Anwendung des Heptachlors nahmen die Schäden, die durch diese Raupe verursacht wurden, stark zu. Mit der Chemikalie, die für die Feuerameise bestimmt gewesen war, hatte man die Feinde des »Zuckerrohrbohrers« ausgemerzt. Die Ernte wurde so schwer geschädigt, daß die Farmer einen Prozeß gegen den Staat anstrengten, weil er es versäumt hatte, sie vor einer solchen Möglichkeit zu warnen.

Die gleiche bittere Lehre wurde den Farmern des Staates Illinois erteilt. Nach dem verheerenden »Dieldrin-Bad«, mit dem man vor kurzem das Ackerland im östlichen Illinois bedacht hat, um den »Japanischen Käfer« zu bekämpfen, entdeckten die Farmer, daß sich in dem behandelten Gebiet die Maiszünsler ungeheuer vermehrt hatten. In der Tat enthielt Mais, der auf Feldern innerhalb dieses Raums wuchs, fast zweimal soviel von den schädlichen Raupen dieses Schmetterlings wie Mais, der außerhalb des Gebietes stand. Die biologischen Gründe für das, was hier geschah, kennen die Farmer vielleicht noch nicht, aber sie brauchen sich nicht erst von Wissenschaftlern erklären zu lassen, daß sie einen schlechten Handel eingegangen sind. Als sie versuchten, das eine Insekt loszuwerden, beschworen sie damit eine Landplage herauf, die von einem weit gefährlicheren Schädling verursacht wurde. Nach Schätzungen des Landwirtschaftsministeriums betrug der Gesamtschaden durch den »Japanischen Käfer« ungefähr 10 Millionen Dollar im Jahr, während er sich bei dem Maiszünsler auf 85 Millionen Dollar belief.

Es lohnt sich festzustellen, daß man sich bei der Bekämpfung des Maiszünslers vorher hauptsächlich auf die natürlichen »Hilfstruppen« verlassen hatte. Nachdem dieses Insekt im Jahre 1917 unglücklicherweise aus Europa eingeschleppt worden war, hatte die Regierung der Vereinigten Staaten innerhalb von zwei Jahren nach sorgfältigem Planen alle Hebel in Bewegung gesetzt, um Parasiten dieses Schädlings ausfindig zu machen und einzuführen. Seit damals sind unter erheblichen Kosten vierundzwanzig Arten von Schmarotzern des Maiszünslers aus Europa und dem Orient ins Land gebracht worden. Fünf davon haben sich als ausgesprochen wertvoll für die Bekämpfung bewährt. Es ist überflüssig zu betonen, daß die Früchte all dieser Arbeit jetzt aufs Spiel gesetzt worden sind, da man die Feinde des Maiszünslers durch die Sprühmaßnahmen ausgetilgt hat.

Wenn das schon unsinnig erscheint, betrachte man sich noch die Lage in den Hainen mit Zitrusfrüchten in Kalifornien, wo im Jahre 1889 das berühmteste und erfolgreichste Experiment biologischer Schädlingsbekämpfung durchgeführt wurde. Im Jahre 1872 tauchte in Kalifornien eine Schildlaus auf, die sich vom Saft der verschiedenen Zitrusfrüchte ernährte und sich innerhalb der nächsten fünfzehn Jahre zu einem so vernichtenden Schädling entwickelte, daß in manchen Obsthainen die ganze Ernte verlorenging. Die noch junge Industrie, die diese Früchte verarbeitete, wurde dadurch ebenfalls vom Ruin bedroht. Viele Farmer gaben den Kampf auf und rissen ihre Bäume aus. Dann wurde ein kleiner Marienkäfer aus Australien importiert. Nachdem die erste Sendung der Käfer eingetroffen war, dauerte es keine zwei Jahre, und die Schildlaus war in den ganzen kalifornischen Gebieten, in denen Zitrusfrüchte wuchsen, restlos unter Kontrolle. Von dieser Zeit an konnte man tagelang in den Orangenhainen nach einer Schildlaus suchen, ohne eine einzige zu entdecken.

Dann begannen in den vierziger Jahren die Besitzer der Zitrushaine mit den neuen chemischen »Zaubermitteln« zu experimentieren, um andere Insekten zu bekämpfen. Als das DDT auf den Plan trat und später die noch toxischeren chemischen Stoffe, wurden in vielen Gegenden Kaliforniens die Populationen des australischen Marienkäfers ausgerottet. Sie einzuführen hatte die Regierung nur 5000 Dollar gekostet. Ihre emsige Tätigkeit ersparte den Besitzern der Zitrushaine einige Millionen Dollar im Jahr, doch in einem unbedachten Augenblick wurde dieser Gewinn wieder zunichte gemacht. Die Schildlaus erschien bald wieder in Mengen, und der Schaden überstieg alles, was man vor fünfzig Jahren erlebt hatte.

»Möglicherweise bedeutete dies das Ende einer Epoche«, sagte Dr. Paul DeBach von der Zitrus-Versuchsstation in Riverside. Heute ist die Bekämpfung der Schildlaus ungemein schwierig geworden. Der australische Marienkäfer kann sich nur behaupten, wenn man immer wieder neue Tiere aussetzt und, um sie möglichst wenig mit Insektiziden in Berührung zu bringen, die Vorschriften beim Sprühen peinlich genau beachtet. Gleichgültig, was die einzelnen Zitrus-Pflanzer selbst unternehmen, sie sind mehr oder weniger auf Gnade oder Ungnade den Eigentümern angrenzender Ländereien ausgeliefert; denn auch Insektizide, die der Wind verweht, haben schon schweren Schaden angerichtet.

Bei allen diesen Beispielen geht es um Insekten, die Nutzpflanzen angreifen. Wie steht es nun mit jenen, die Krankheiten übertragen? Auch hier finden sich Anzeichen, die uns warnen sollten. Auf der Insel Nissan im Südpazifik hat man zum Beispiel während des Zweiten Weltkriegs intensiv gegen Moskitos gesprüht, doch als die Feindseligkeiten eingestellt wurden, hörte man damit auf. Bald wurde die Insel erneut von Schwärmen von Moskitos – den Überträgern der Malaria – überfallen. Alle Raubinsekten, die auf diese Stechmücke früher Jagd gemacht hatten, waren nun ausgerottet, und es war noch nicht wieder so viel Zeit verstrichen, daß sich neue Populationen hatten entwickeln können. Nichts hinderte daher die Moskitos, sich ungeheuer zu vermehren. Marschall Laird, der diesen Vorfall beschrieben hat, vergleicht die chemische Bekämpfung mit einer Tretmühle; haben wir einmal den Fuß daraufgesetzt, sind wir aus Furcht vor den Folgen nicht mehr imstande, anzuhalten.

In manchen Gegenden der Welt kann zwischen Krankheit und Sprühmaßnahmen wieder ein völlig anderer Zusammenhang bestehen. Aus irgendeinem Grunde scheinen Schnecken nahezu immun gegen die Wirkung von Insektiziden zu sein. Dies hat man schon oft beobachtet. Bei dem Massensterben, das auf das Sprühen der Salzsümpfe in Ost-Florida folgte (Seite 154 ff.), blieben allein die Wasserschnecken am Leben. Der

Beschreibung nach muß der Schauplatz einen schaurigen Anblick geboten haben, der an das Bild eines surrealistischen Malers erinnerte. Die Schnecken wanderten zwischen den Kadavern der toten Fische und unter den sterbenden Krabben umher und verschlangen die Opfer, die der Todesregen der Gifte gefordert hatte.

Doch warum ist das so wichtig? Weil viele im Wasser lebende Schnecken als Wirt für gefährliche parasitische Würmer dienen, die einen Abschnitt ihrer Entwicklung in Mollusken, einen weiteren jedoch im Menschen durchmachen. Beispiele dafür sind die Aderegel der Gattung *Schistosoma*, die beim Menschen eine schwere Erkrankung verursachen, sobald sie mit dem Trinkwasser aufgenommen werden oder beim Baden in verseuchten Gewässern durch die Haut in den Körper dringen. Die Aderegel werden von den Schnecken, die ihnen als Zwischenwirt dienen, ins Wasser entlassen. Solche Krankheiten herrschen besonders in manchen Gegenden Afrikas und Asiens. Wo sie auftreten, haben Bekämpfungsmaßnahmen gegen Insekten, die eine sehr starke Vermehrung von Schnecken begünstigen, wahrscheinlich sehr ernste Folgen.

Natürlich leidet nicht nur der Mensch an Krankheiten, die von Schnecken übertragen werden. Leberkrankheit bei Rindern, Schafen, Ziegen, Rotwild, Wapitihirschen, Wildkaninchen und verschiedenen anderen warmblütigen Tieren können durch Leberegel hervorgerufen werden, die einen Teil ihres Lebenszyklus in Süßwasserschnecken verbringen. Ist die Leber einmal von diesen Egeln befallen, wird sie für die Ernährung des Menschen unbrauchbar. Bei der üblichen Fleischbeschau wird sie zurückgewiesen. Das geschieht so häufig, daß es die Viehhalter jährlich ungefähr 3,5 Millionen Dollar kostet. Alles, was dazu beiträgt, die Zahl der Schnecken zu vermehren, kann dieses Problem noch verschärfen.

Die letzten zehn Jahre waren von diesen Problemen überschattet, aber wir haben das nur langsam begriffen. Die Leute, die am besten geeignet gewesen wären, natürliche Bekämpfungsmethoden zu entwickeln und an ihrer Verwirklichung mitzuhelfen, sind größtenteils viel zu emsig damit beschäftigt gewesen, auf dem fesselnderen Gebiet der chemischen Bekämpfung zu arbeiten. Nach einem Bericht aus dem Jahre 1960 befaßten sich damals nur 2 Prozent aller amerikanischen Vertreter der sogenannten angewandten Entomologie mit biologischer

Schädlingsbekämpfung. Von den übrigen 98 Prozent widmete sich eine beträchtliche Anzahl der Erforschung chemischer Insektizide.

Warum ist das so? Die größeren chemischen Werke lassen den Universitäten laufend Geld zufließen, um die Erforschung von Insektiziden zu unterstützen. Dadurch werden verlockende Stipendien für Studenten geschaffen, die ihre Doktorarbeit machen, und es ergeben sich ebenso verlockende Aussichten auf leitende Stellungen. Das Studium der biologischen Schädlingsbekämpfung dagegen ist niemals mit solchen Vorteilen verbunden – aus dem einfachen Grund, weil niemand hoffen kann, hiermit ähnliche Reichtümer zu erwerben wie in der chemischen Industrie. Diese wissenschaftlichen Arbeiten bleiben den Behörden des Bundes und der Staaten überlassen, die weit niedrigere Gehälter bezahlen.

Daraus erklärt sich auch die sonst verwirrende Tatsache, daß einige hervorragende Entomologen zu den führenden Verteidigern der chemischen Schädlingsbekämpfung gehören. Wirft man einmal einen Blick hinter die Kulissen, stellt sich bei manchen dieser Männer heraus, daß ihr gesamtes Forschungsprogramm von der chemischen Industrie finanziell gefördert wird. Ihr berufliches Ansehen, manchmal sogar ihre Stellung hängen davon ab, daß diese chemischen Methoden beibehalten werden. Können wir erwarten, daß sie sich ins eigene Fleisch schneiden? Doch wenn wir wissen, daß sie voreingenommen sind, wieweit dürfen wir ihnen dann Glauben schenken, wenn sie beteuern, daß Insektizide unschädlich seien?

Inmitten des allgemeinen, begeisterten Beifalls, den Chemikalien als bevorzugtes Mittel der Insektenbekämpfung finden, meldet sich gelegentlich auch die Minderheit zu Wort, und es laufen Berichte von den wenigen Entomologen ein, die noch nicht vergessen haben, daß sie weder Chemiker noch Ingenieure, sondern Biologen sind.

F. H. Jacob in England hat erklärt, daß die »emsige Geschäftigkeit vieler sogenannter praktischer Entomologen fast den Anschein erweckt, als handelten sie in dem Glauben, das Heil liege in dem Zerstäuber eines Sprühgeräts... Wenn sie dann Probleme heraufbeschworen haben, weil Schädlinge plötzlich wieder auftauchen, resistent werden oder weil das Mittel für Säugetiere giftig ist, wird der Chemiker mit einer neuen Pille bereitstehen. Dieser Ansicht wollen wir uns hier nicht anschließen... Letzten Endes werden uns nur die Biologen Lösungen für die grundlegenden Probleme der Schädlingsbekämpfung liefern können.«

»Wer sich mit angewandter Entomologie befaßt, muß sich darüber klar sein, daß er mit lebenden Wesen umgeht«, schrieb A.D.Pickett von Nova Scotia. »Die Arbeit dieser Leute darf sich nicht auf die Erprobung von Insektiziden beschränken oder auf die Suche nach einem chemischen Stoff, der möglichst vernichtend wirkt.« Dr. Pickett selbst hat bahnbrechende Arbeit geleistet und vernünftige Methoden der Insektenbekämpfung gefunden, bei denen überwiegend räuberische und parasitische Arten gegen die Schädlinge eingesetzt werden. Die Methode, die er und seine Mitarbeiter entwickelten, ist heute ein leuchtendes Vorbild, aber es wird viel zuwenig nachgeahmt. In den Vereinigten Staaten lassen sich nur die umfassenden Bekämpfungsprogramme, die einige kalifornische Entomologen ausgearbeitet haben, noch damit vergleichen.

Dr. Pickett begann seine Arbeit vor rund fünfunddreißig Jahren an den Apfelbäumen im Annapolis Valley in Nova Scotia, wo einst die besten Obstbaugebiete Kanadas lagen. Damals glaubte man, daß Insektizide, bei denen es sich noch um anorganische Verbindungen handelte, das Problem der Insektenbekämpfung lösen könnten. Man meinte, daß man lediglich die Besitzer der Obstgärten veranlassen müsse, sich an die empfohlenen Methoden zu halten. Aber das rosige Zukunftsbild verwirklichte sich nicht. Irgendwie gelang es den Insekten, sich zu behaupten. Neue Chemikalien kamen hinzu, man ersann bessere Sprühgeräte und man sprühte mit wachsender Begeisterung. Doch das Insektenproblem wollte sich nicht lösen lassen. Dann erhoffte man vom DDT, daß es dem Alptraum der immer wieder in Massen auftretenden Apfelwickler ein Ende bereiten werde. Was aber tatsächlich bei der Anwendung von DDT herauskam, war eine noch nie dagewesene Vermehrung von Milben. »Wir geraten von einer Krise in die andere und tauschen ein Problem nur für ein neues ein«, erklärte Dr. Pickett.

Als man an diesem Punkt angelangt war, schlugen jedoch Dr. Pickett und seine Mitarbeiter einen neuen Weg ein, statt sich den übrigen Entomologen anzuschließen, die weiterhin einem Irrlicht nachliefen und ständig noch giftigere Chemikalien forderten. Dr. Pickett und seine Leute erkannten, daß sie in der Natur selbst einen mächtigen Verbündeten hatten, und entwarfen ein Programm, das so weitgehend wie möglich natürliche Bekämpfungsmethoden und nur ein Mindestmaß von Insektiziden benützt. Wenn Insektizide angewandt werden, dann jedesmal nur in kleinsten Dosen, die gerade noch ausreichen, den Schädling zu bekämpfen, nützliche Arten aber, soweit es sich vermeiden läßt, nicht angreifen. Auch die Wahl des richtigen Zeitpunkts spielt dabei mit. Wenn man zum Beispiel Nikotinsulfat anwendet, ehe sich die Apfelblüten rosa färben, bleibt eines der wichtigen räuberischen Insekten verschont, wahrscheinlich weil seine Larve noch nicht aus dem Ei geschlüpft ist.

Dr. Pickett wählt auch die Chemikalien besonders sorgfältig aus, damit sie den parasitischen und räuberischen Insekten möglichst wenig Schaden zufügen. »Wenn wir einmal den Punkt erreichen, daß wir DDT, Parathion, Chlordan und andere neue Insektizide ebenso gewohnheitsmäßig zur Bekämpfung verwenden wie in früheren Zeiten die anorganischen Chemikalien, können Entomologen, die sich für die biologische Bekämpfung einsetzen, ihre Arbeit getrost aufgeben«, meint Dr. Pickett. Statt diese hochgiftigen Insektizide mit großem Wirkungsbereich anzuwenden, setzt er besonderes Vertrauen in Ryania, das aus den Wurzeln und Stengeln einer tropischen Pflanze gewonnen wird, sowie auf Nikotinsulfat und Bleiarsenat. In gewissen Fällen werden sehr schwache Konzentrationen von DDT oder Malathion verwendet (28–56 Gramm auf 454 Liter, im Gegensatz zu den üblichen 454–908 Gramm auf 454 Liter). Obwohl diese beiden Mittel die am wenigsten giftigen von den modernen Insektiziden sind, hofft Dr. Pickett, daß es ihm durch weitere Forschung gelingen wird, sie durch ungefährlichere und mehr selektive Stoffe zu ersetzen.

Wie hat sich dieses Bekämpfungsprogramm bewährt? In den Obstgärten, deren Besitzer sich an das gemäßigte Sprühprogramm Dr. Picketts halten, ist der Anteil der erstklassigen Früchte ebenso hoch wie in jenen, die ihre Bäume ausgiebig mit Chemikalien behandeln. Auch die Gesamternte ist ebenso gut. Überdies werden diese Erfolge mit erheblich geringeren Kosten erzielt. Die Ausgaben für Insektizide in den Obstgärten von Nova Scotia betragen nur zehn bis zwanzig Prozent der Summe, die in anderen Gebieten, wo man Apfelbäume gepflanzt hat, dafür aufgewendet wird.

Noch wichtiger als diese ausgezeichneten Ergebnisse ist, daß das gemäßigte Bekämpfungsprogramm, das die Entomologen in Nova Scotia ausgearbeitet haben, das Gleichgewicht der Natur nicht gewaltsam stört. Man ist dort auf dem besten Wege, die Gedanken zu verwirklichen, die vor einem Jahrzehnt der kanadische Entomologe G.C. Ullyet ausgesprochen hat: »Wir müssen die Welt mit anderen Augen betrachten lernen und dürfen nicht mehr auf die Überlegenheit des Menschen pochen; wir müssen zugeben, daß die Natur in vielen Fällen Mittel und Wege gefunden hat, Populationen in deren eigenen Umwelten mit brauchbareren Methoden in Schranken zu halten, als wir selbst es vermögen.«

16. Kapitel
Das erste Grollen einer Lawine

Wenn Darwin heute lebte, wäre er entzückt und erstaunt, wie eindrucksvoll die Insektenwelt jetzt beweist, daß seine Theorien vom Überleben der Tauglichsten richtig sind. Durch intensives Sprühen mit Chemikalien werden gerade die schwächeren Tiere einer Insektenpopulation ausgemerzt. Heute sind in vielen Gegenden und bei vielen Arten nur mehr die Starken und Tauglichsten übriggeblieben und trotzen unseren Bemühungen, sie zu bekämpfen.

Vor fast einem halben Jahrhundert stellte A. L. Melander, Professor der Entomologie an der Staatlichen Hochschule in Washington, die heute rein theoretische Frage: »Können Insekten gegen Sprühmittel resistent werden?« Wenn für Melander die Antwort noch unklar schien oder auf sich warten ließ, so nur, weil er seine Frage zu früh stellte – im Jahre 1914 statt vierzig Jahre später. In der Zeit, als es noch kein DDT gab, wurden anorganische Chemikalien in einem Umfang angewandt, den man heute als außerordentlich maßvoll ansehen würde. Aber hier und da entwickelten sich dadurch bei den Insekten Linien, die Sprühen oder Stäuben mit Chemikalien zu überleben vermochten. Melander selbst hatte mit der San José-Schildlaus Schwierigkeiten gehabt. Einige Jahre lang hatte man sie befriedigend durch Sprühen mit Schwefelkalkbrühe bekämpft. Dann wurden die Insekten im Gebiet von Clarkston in Washington resistent, sie ließen sich dort schwerer vernichten als in den Obstgärten des Wenatchee- und Yakima-Tals oder an anderen Orten.

Plötzlich schien die Schildlaus in anderen Gegenden des Landes ebenfalls gemerkt zu haben, daß es nicht unbedingt nötig sei, unter dem Sprühregen der von den Obstzüchtern so emsig und reichlich angewandten Schwefelkalkbrühe zu sterben. In weiten Gebieten des Mittleren Westens wurden Tausende von Morgen Land mit schönen Obstgärten von Insekten verwüstet, denen das Sprühen nun nichts mehr anhaben konnte.

Dann führte auch die altehrwürdige Methode, Segeltuchzelte über den Bäumen zu errichten und sie mit Blausäure einzunebeln, in manchen Gebieten zu enttäuschenden Ergebnissen. Ungefähr im Jahre 1915 begann daher die Versuchsstation für Zitrusfrüchte in Kalifornien, sich mit diesem Problem zu beschäftigen, und setzte die Forschungsarbeiten fünfundzwanzig Jahre lang fort. In den zwanziger Jahren sollte noch ein weiteres Insekt, der Apfelwickler, den vorteilhaften Weg der Resistenz einschlagen, obwohl man gegen ihn seit rund vierzig Jahren Bleiarsenat erfolgreich angewandt hatte.

Doch erst das DDT und alle die vielen verwandten Stoffe, die mit ihm aufkamen, leiteten das wahre »Zeitalter der Resistenz« ein.

Wer auch nur ein wenig über Insekten und die Dynamik von Tierpopulationen Bescheid wußte, hätte nicht überrascht zu sein brauchen, daß sich binnen sehr weniger Jahre immer deutlicher ein höchst unangenehmes und gefährliches Problem abzeichnete. Doch man scheint nur ganz allmählich zur Erkenntnis gekommen zu sein, daß Insekten eine wirksame Abwehrwaffe gegen heftige chemische Angriffe besitzen. Nur jene Leute, die mit Insekten zu tun haben, von denen Krankheiten übertragen werden, scheinen jetzt so weit zu sein, daß sie das Beunruhigende der Lage begreifen; die Landwirte sind größtenteils noch unbekümmert und setzen ihr Vertrauen in die Entwicklung neuer und immer noch giftigerer Chemikalien, obwohl die gegenwärtigen Schwierigkeiten gerade aus solchen Trugschlüssen erwachsen sind.

Wenn man die Erscheinung der Resistenz bei Insekten nur langsam begriff, so entwickelte sich die Resistenz selbst um so schneller. Vor 1945 waren nur ungefähr ein Dutzend Arten bekannt, die gegenüber irgendeinem Insektizid aus der Zeit vor dem DDT widerstandsfähig geworden waren. Mit den neuen organischen Chemikalien und den neuen Methoden für ihre intensive Anwendung begann die Resistenz ungemein schnell zuzunehmen und erreichte im Jahre 1960 den beängstigenden Stand von 137 Arten. Niemand glaubt, daß schon ein Ende abzusehen ist. Mehr als tausend Abhandlungen von Fachleuten sind bis heute über das Thema veröffentlicht worden. Die Weltgesundheitsorganisation hat sich in allen Gegenden der Welt die Unterstützung von rund dreihundert Wissenschaftlern gesichert und erklärt, Resistenz sei »gegenwärtig das wichtigste Einzelproblem bei allen Aktionen zur Bekämpfung von Organismen, die Krankheitserreger übertragen«. Dr. Charles Elton, ein britischer Forscher, der Tierpopulationen studiert, meinte: »Wir hören jetzt das erste dumpfe Grollen, das später zum Donner einer mächtigen Lawine werden könnte.«

Manchmal entwickelt sich die Resistenz sehr schnell: Kaum

ist auf einer begeisterten Meldung von der erfolgreichen Bekämpfung einer Art mit irgendeinem spezifischen chemischen Mittel die Tinte getrocknet, wird schon ein ergänzender Bericht fällig. So wurden in Südafrika die Viehhalter lange von der sogenannten Blauen Zecke heimgesucht, durch die allein in einem Jahr auf einer Farm sechshundert Stück Vieh getötet worden waren. Die Zecke war schon einige Jahre lang gegen Arsenbäder resistent geworden. Danach versuchte man es mit Hexachlorcyclohexan, und sehr kurze Zeit schien alles gut zu gehen. Berichte, die man Anfang 1949 ausgab, meldeten, daß die gegen Arsen unempfindlichen Zecken leicht mit dem neuen Stoff bekämpft werden könnten; später, noch im gleichen Jahr, mußte man eine betrübliche Notiz über beginnende Resistenz veröffentlichen. Das veranlaßte einen Mitarbeiter der ›Leather Trade Review‹ im Jahre 1950 zu dem Kommentar: »Solche Nachrichten machen höchstens in Gelehrtenkreisen langsam die Runde und erscheinen nur in kleinen Abschnitten der überseeischen Presse. Doch sie verdienten so große Schlagzeilen wie die Meldungen von der neuesten Atombombe, wenn man nur die Bedeutung der Sache richtig begriffe.«

Obwohl die Resistenz von Insekten auch in der Land- und Forstwirtschaft Anlaß zur Sorge gibt, hegt man die schlimmsten Befürchtungen auf dem Gebiete der Volksgesundheit. Viele Krankheiten des Menschen hängen schon seit uralten Zeiten mit Insekten zusammen. Moskitos der Gattung *Anopheles* können mit ihrem Stich den einzelligen Organismus des Malariaparasiten ins Blut des Menschen bringen. Andere Moskitos übertragen den Erreger des Gelbfiebers. Wieder andere sind für Gehirnentzündung verantwortlich. Die Stubenfliege, die zwar nicht sticht, kann doch durch ihre Berührung die menschliche Nahrung mit dem Ruhrbazillus verseuchen und in vielen Gegenden der Welt eine wichtige Rolle bei der Übertragung von Augenkrankheiten spielen. Auf der Liste der Krankheiten und ihrer Überträger stehen Flecktyphus und Kleiderläuse, Pest und Rattenflöhe, Afrikanische Schlafkrankheit und Tsetsefliege, verschiedene Fieberkrankheiten und Zecken und noch unzählige andere.

Dies sind wichtige Probleme, mit denen man sich befassen muß. Kein verantwortungsbewußter Mensch wird behaupten, daß man sich um Krankheiten, deren Träger Insekten sind, nicht zu kümmern brauche. Heute drängt sich aber die Frage auf, ob es klug oder verantwortungsvoll ist, an das Problem mit

Methoden heranzugehen, die es bald nur noch schwieriger machen werden. Die Welt hat viel von dem glorreichen Feldzug gegen Krankheiten gehört, in dem man die Insekten als Infektionsträger bekämpfte. Doch man hat wenig von der anderen Seite der Geschichte erfahren – von den Niederlagen, den kurzlebigen Triumphen, die heute den unheimlichen Eindruck nur noch bekräftigen, daß das bekämpfte Insekt in Wirklichkeit durch unsere Bemühungen stärker geworden ist. Und was noch schlimmer ist, wir haben vielleicht gerade die Mittel für eine Abwehr vernichtet.

Dr. A. W. A. Brown, ein berühmter kanadischer Entomologe, wurde von der Weltgesundheitsorganisation beauftragt, einen umfassenden Überblick über das Resistenzproblem zu geben. In der Monographie, die daraufhin entstand, erklärt er: »Kaum ein Jahrzehnt, nachdem man die hochwirksamen synthetischen Insektizide für Vorhaben zum Schutz der Volksgesundheit eingesetzt hat, ist das wichtigste technische Problem darin zu erblicken, daß die Insekten, die man mit diesen Stoffen früher bekämpfte, resistent dagegen geworden sind.« Als die Weltgesundheitsorganisation diese Monographie im Jahre 1958 veröffentlichte, warnte sie: »Bei dem jetzt so tatkräftig geführten Großangriff gegen Krankheiten, die von Gliederfüßlern übertragen werden, wie Malaria, Typhus und Pest, muß man mit einem ernsten Rückschlag rechnen, wenn dieses neue Problem nicht schleunigst gemeistert werden kann.«

Welche Ausmaße hat dieser Rückschlag angenommen? Die Liste der resistenten Arten umfaßt nun praktisch alle Insektengruppen von medizinischer Bedeutung. Die Kriebelmücken, die Sandmücken und die Tsetsefliegen sind noch nicht gegen Chemikalien resistent geworden. Dagegen hat sich bei Hausfliegen und Kleiderläusen auf der ganzen Welt Resistenz entwickelt. Malariaprogramme sind durch Resistenz der Mücken gefährdet. Der Indische Rattenfloh, der Hauptüberträger der Pest, hat jüngst seine Resistenz gegen DDT bewiesen, und das bedeutet eine ernste Gefahr. Auf jedem Kontinent und auf den meisten Inselgruppen finden wir Länder, aus denen von Resistenz einer großen Anzahl anderer Arten berichtet wird.

Das erste Mal hat man moderne Insektizide für medizinische Zwecke wahrscheinlich im Jahre 1943 in Italien verwendet. Damals unternahm die Militärregierung der Alliierten einen geglückten Angriff gegen den Flecktyphus, indem sie Unmengen von Menschen mit DDT-Pulver behandelte. Zwei Jahre später benützte man dann die Reste des Mittels, um die Malaria-Moskitos zu bekämpfen. Schon ein Jahr darauf zeichneten sich die ersten Schwierigkeiten ab. Stubenfliegen und Moskitos der Gattung *Culex* wurden allmählich gegen die Sprühmittel resistent. 1948 versuchte man es mit Chlordan, einem neuen chemischen Stoff, den man dem DDT zusetzte. Diesmal erzielte man zwei Jahre lang gute Ergebnisse, doch im August 1950 bemerkte man die ersten resistenten Fliegen, und am Ende dieses Jahres schienen alle Stubenfliegen wie auch die Moskitos der Gattung *Culex* gegen Chlordan unempfindlich zu sein. Genauso schnell wie man zu neuen Chemikalien griff, entwickelte sich auch die Resistenz. Ende 1951 standen DDT, Methoxychlor, Chlordan, Heptachlor und Hexachlorcyclohexan auf der Liste der unwirksam gewordenen Chemikalien. Die Fliegen waren mittlerweile in »phantastischen Mengen« aufgetreten.

Der gleiche Ablauf der Ereignisse wiederholte sich in Sardinien Ende der vierziger Jahre. In Dänemark wurden Erzeugnisse, die DDT enthielten, das erste Mal im Jahre 1944 verwendet; im Jahre 1947 war es an vielen Orten nicht mehr gelungen, die Fliegen erfolgreich zu bekämpfen. In manchen Gegenden Ägyptens waren bereits 1948 Fliegen gegen DDT resistent geworden; als man statt dessen Hexachlorcyclohexan gebrauchte, dauerte es kaum ein Jahr, bis auch dies nicht mehr wirkte. Die Vorgänge in einem ägyptischen Dorf sind besonders kennzeichnend für das Problem. Im Jahre 1950 ließen sich die Fliegen mit Insektiziden dort gut in Schach halten, und während des gleichen Jahres verringerte sich die Säuglingssterblichkeit um fast fünfzig Prozent. Im nächsten Jahr jedoch wurden die Fliegen gegen DDT und Chlordan resistent. Die Fliegenpopulation erreichte ihren früheren Stand, und auch die Säuglingssterblichkeit war wieder so groß wie zuvor.

In den Vereinigten Staaten war die Resistenz von Fliegen gegen DDT in Tennessee Valley bereits 1948 weit verbreitet. Andere Gebiete folgten. Versuche, die Fliegen mit Dieldrin zu bekämpfen, hatten wenig Erfolg, denn an manchen Orten entwickelten die Fliegen schon *binnen einem Monat* weitgehend Resistenz gegen diesen chemischen Stoff. Nachdem die Stellen, die diese Maßnahmen durchführten, alle verfügbaren chlorierten Kohlenwasserstoffe der Reihe nach angewandt hatten, griffen sie zu den organischen Phosphaten, doch auch bei ihnen ergab sich die gleiche Schwierigkeit. Gegenwärtig sind die Fachleute zu dem Schluß gelangt, daß »die Bekämpfung der Stubenfliege mit der Insektizidmethode unmöglich geworden ist und man wieder auf allgemeine hygienische Maßnahmen zurückgreifen muß«.

Die Bekämpfung der Kleiderläuse in Neapel war eine der ersten und in aller Welt gefeierten großartigen Leistungen des DDT. Während der nächsten paar Jahre gesellte sich zu dem Erfolg in Italien die Ausrottung von Läusen, die im Winter 1945/46 rund zwei Millionen Menschen in Japan und Korea geplagt hatten. Daß ein Unheil bevorstand, hätte man schon ahnen können, als es um 1948 nicht gelang, eine Flecktyphusepidemie in Spanien einzudämmen. Obwohl das Mittel in der Praxis versagt hatte, ließen sich die Entomologen, durch Experimente im Laboratorium ermutigt, zu der Annahme verleiten, daß Läuse wahrscheinlich nicht resistent würden. Um so bestürzender waren daher die Ereignisse im Winter 1950/51 in Korea. Als man eine Gruppe von koreanischen Soldaten mit DDT-Pulver behandelte, war das Ergebnis verblüffend: Die Läuseplage nahm noch zu. Nachdem man Läuse gesammelt und die Wirkung von DDT an ihnen überprüft hatte, entdeckte man, daß ein fünfprozentiger DDT-Puder ihre natürliche Sterblichkeitsquote nicht erhöhte. Die Unwirksamkeit von DDT im Kampf gegen Läuse und Flecktyphus wurde bestätigt durch ähnliche Resultate bei Läusen, die von Landstreichern in Tokio, aus einem Asyl in Itabashi und aus Flüchtlingslagern in Syrien, Jordanien und dem östlichen Ägypten stammten. Der anfängliche Triumph in Italien schien völlig zu verblassen, als die Liste der Länder, in denen Läuse gegen DDT resistent geworden waren, sich erweiterte und der Iran, die Türkei, Äthiopien, Westafrika, Südafrika, Peru, Chile, Frankreich, Jugoslawien, Afghanistan, Uganda, Mexiko und Tanganjika dazukamen.

Als erster Überträger von Malaria zeigte die Stechmücke *Anopheles sacharovi* in Griechenland Resistenz gegen DDT. Im Jahre 1946 begann man mit ausgedehnten Sprühmaßnahmen und hatte anfangs auch Erfolg; im Jahre 1949 stellten jedoch Beobachter fest, daß erwachsene Moskitos in Mengen unter Straßenbrücken saßen, während sie den behandelten Häusern und Ställen fernblieben. Die Moskitos hatten sich angewöhnt, ins Freie zu flüchten, und wählten sich bald auch Höhlen, abseits liegende Gebäude, Kanäle sowie das Laub und die Stämme von Orangenbäumen als Ruheplätze. Offensichtlich waren die erwachsenen Moskitos so unempfindlich gegen das DDT geworden, daß sie aus gesprühten Gebäuden entkommen und sich im Freien ausruhen und erholen konnten. Wenige Monate später waren sie bereits imstande, in den Häusern zu bleiben, wo man sie auf behandelten Wänden sitzen sah.

Dies war ein unheilverkündendes Vorzeichen für die äußerst ernste Situation, die inzwischen eingetreten ist. Die Resistenz von Moskitos der Gattung *Anopheles* gegen Insektizide hat erstaunlich schnell zugenommen. Sie entstand gerade infolge der Gründlichkeit, mit der man die Häuser gesprüht hatte, um die Malaria auszumerzen. Im Jahre 1950 zeigten nur fünf Arten der Gattung *Anopheles* Resistenz; Anfang 1956 war die Zahl von fünf auf achtundzwanzig gestiegen! Zu diesen Arten gehören sehr gefährliche Malaria-Überträger in Westafrika, im Mittleren Osten, in Mittelamerika, Indonesien und Osteuropa.

Bei anderen Stechmücken, zu denen auch Überträger sonstiger Krankheiten zählen, ergibt sich das gleiche Bild. Eine tropische Stechmücke überträgt Parasiten, die so schwere Krankheiten wie Elephantiasis verursachen. Auch diese Stechmücke ist in vielen Gegenden der Welt weitgehend resistent geworden. In manchen Gebieten der Vereinigten Staaten hat die Stechmücke, die den Erreger der Gehirnentzündung bei Pferden überträgt, ebenfalls Resistenz entwickelt. Ein noch ernsteres Problem bildet der Überträger des Gelbfiebers, das seit Jahrhunderten eine der schweren Seuchen der Welt ist. Gegen Insektizide resistente Linien dieser Stechmücken sind in Südostasien vereinzelt aufgetreten und in der karibischen Region bereits häufig geworden.

Wenn es um Malaria und andere Krankheiten geht, lassen sich die Folgen einer Resistenz aus Berichten ersehen, die aus vielen Erdteilen stammen. Im Jahre 1954 brach auf Trinidad Gelbfieber aus, denn die Stechmücke, die das Fieber überträgt, war resistent geworden und ließ sich nicht bekämpfen. Auch in Indonesien und im Iran erlebte man ein plötzliches Aufflackern der Malaria. In Griechenland, Liberia und Nigeria beherbergen die Moskitos ebenfalls noch den Malariaparasiten und geben ihn weiter. Nachdem es gelungen war, eine Darmkrankheit in Georgia durch die Bekämpfung von Fliegen einzudämmen, wurde der Erfolg binnen einem Jahr wieder zunichte gemacht. Ähnlich stand es mit der akuten Bindehautentzündung, die in Ägypten häufig ist. Man hatte sie vorübergehend durch Bekämpfung der Fliegen zurückgedrängt, doch nach 1950 war alles wieder beim alten.

Weniger gefährlich für die Gesundheit des Menschen, aber vom wirtschaftlichen Standpunkt aus ärgerlich ist die Resistenz, die Stechmücken der Salzsümpfe Floridas zeigen. Sie übertrugen zwar keine Krankheiten, doch da diese blutdürstigen Mücken in Schwärmen auftraten, machten sie große Küstengebiete Floridas unbewohnbar. Dann gelang es, ihre Zahl zu vermindern, doch leider hatte man mit der Bekämpfung nur vorübergehend Erfolg.

Die gewöhnliche Schnake wird hier und da ebenfalls resistent, und das sollte manchen Gemeinden zu denken geben, die jetzt regelmäßig in großem Maßstab sprühen. Gegen mehrere Insektizide, unter anderem auch gegen das fast auf der ganzen Welt gebrauchte DDT, ist diese Art nun resistent in: Italien, Israel, Japan, Frankreich, in manchen Gegenden der Vereinigten Staaten, wie Kalifornien, Ohio, New Jersey und Massachusetts.

Ein anderes Problem sind die Zecken. Die Waldzecken oder Holzböcke übertragen das Rocky-Mountain-Fleckfieber, und auch sie haben in jüngster Zeit Resistenz entwickelt; von der Braunen Hundezecke weiß man längst, daß man sie mit Chemikalien nicht töten kann. Daraus ergeben sich auch für den Menschen Schwierigkeiten. Die Braune Hundezecke ist eine subtropische Art, und wenn sie nordwärts bis nach New Jersey vordringt, muß sie den Winter in geheizten Gebäuden verbringen, weil sie im Freien nicht leben kann. John C. Pallister vom Amerikanischen Museum für Naturgeschichte berichtete im Sommer 1959, daß seine Abteilung mehrfach aus Wohnungen in der Nachbarschaft des westlichen Central Parks angerufen worden sei. Wie Mr. Pallister sagte, »wird hin und wieder ein ganzes Mietshaus von jungen Zecken verseucht und man wird sie schwer wieder los. Ein Hund kann im Central Park von Zecken befallen werden; kommt er in die Wohnungen, legen die Zecken dort Eier, aus denen die Jungen schlüpfen. Sie scheinen gegen DDT, Chlordan und die meisten modernen Sprühmittel unempfindlich zu sein. Früher hat man in der Stadt New York höchst selten Zecken gefunden, doch jetzt sind sie hier überall anzutreffen, auch auf Long Island, in Westchester und nördlich bis nach Connecticut. Das haben wir besonders in den letzten fünf bis sechs Jahren festgestellt.«

Die Küchenschabe ist in weiten Gebieten Nordamerikas resistent gegen Chlordan geworden, das einst die beliebteste Waffe der Kammerjäger gegen sie war; heute ist man zu organischen Phosphaten übergegangen. Allerdings ist die Küchenschabe neuerdings auch gegen diese Insektizide widerstandsfähig, und man steht vor dem Problem, was man nun unternehmen soll.

Die Stellen, die sich mit Krankheiten und deren Überträgern befassen, suchen ihrer Schwierigkeiten dadurch Herr zu werden, daß sie, sobald eine Art gegen ein Insektizid unempfindlich wird, zur nächsten Chemikalie greifen. Doch trotz aller Findigkeit der Chemiker, die immer neue Stoffe liefern, kann es so nicht endlos weitergehen. Dr. Brown hat darauf hingewiesen, daß wir uns auf einer »Einbahnstraße« bewegen. Niemand weiß, wie lang diese Sackgasse ist. Sollten wir an ihrem Ende anlangen, ehe es uns gelungen ist, Insekten, die Krankheiten übertragen, unter Kontrolle zu bringen, wird unsere Lage fürwahr bedenklich werden.

Bei den Insekten, die Nutzpflanzen befallen, erleben wir die gleiche Geschichte.

Zu der Liste von ungefähr einem Dutzend Pflanzenschädlingen, die gegenüber den anorganischen Insektiziden früherer Zeit Resistenz zeigten, ist jetzt noch ein Heer anderer Insekten gekommen, die gefeit sind gegen DDT, Hexachlorcyclohexan, Lindan, Toxaphen, Dieldrin, Aldrin, ja sogar gegen organische Phosphate, von denen man sich so viel erhoffte. Die Gesamtzahl der resistenten Arten unter den Schädlingen von Nutzpflanzen ist im Jahre 1960 auf fünfundsechzig angewachsen.

Die ersten Fälle einer Resistenz gegen DDT tauchten bei Insekten, die für die Landwirtschaft schädlich sind, im Jahre 1951 auf, also ungefähr sechs Jahre nach der ersten Anwendung des Mittels. Am unangenehmsten ist die Lage vielleicht beim Apfelwickler, der jetzt praktisch in allen Gegenden der Welt, wo man Apfelbäume pflanzt, resistent gegen DDT geworden ist. Bei Insekten, die Kohlarten befallen, ist Resistenz ebenfalls zu einem ernsten Problem geworden. Aber auch Kartoffelschädlinge lassen sich jetzt in vielen Gebieten der Vereinigten Staaten nicht mehr mit Chemikalien bekämpfen. Sechs Arten von Insekten, die Baumwolle schädigen, dazu noch eine ganze Reihe von Blasenfüßen, Wicklerarten, deren Raupen Früchte zerfressen, Kleinzikaden, sonstige Raupen, Milben, Blattläuse, Drahtwürmer – wie man die Larven von Schnellkäfern nennt – und viele andere brauchen heute die Angriffe der Farmer mit Chemikalien nicht mehr zu fürchten.

Es ist vielleicht begreiflich, daß sich die chemische Industrie nur ungern mit der unangenehmen Tatsache der Resistenz abfindet. Selbst als im Jahre 1959 über hundert wichtige Insektenarten ausgesprochene Resistenz gegen Chemikalien zeigten, sprach eine der führenden Zeitschriften auf dem Gebiet der Agrikulturchemie von einer »echten oder eingebildeten« Resistenz der Insekten. Doch so sehr die Industrie auch eine günstige Wendung erhoffen mag, das Problem verflüchtigt sich deshalb nicht, und zudem sind damit ein paar unangenehme wirtschaftliche Tatsachen verknüpft. Eine davon ist, daß die Kosten für die Insektenbekämpfung ständig steigen. Es ist nicht möglich, die Chemikalien lange vorrätig zu halten; was heute als höchst vielversprechendes Insektizid gilt, kann morgen schon jämmerlich versagen. Die sehr beträchtliche Kapitalanlage, die erforderlich ist, ein Insektizid herzustellen und herauszubringen, kann mit einem Schlag verloren sein, wenn die Insekten wieder einmal beweisen, daß brutale Gewalt nicht die richtige Methode ist, an die Natur heranzugehen. Mögen die Fachleute noch so schnell neue Anwendungsmöglichkeiten für Insektizide und neue Geräte dafür ersinnen, sie werden wahrscheinlich entdecken müssen, daß ihnen die Insekten immer einen Schritt voraus sind.

Darwin selbst hätte kaum ein besseres Beispiel für den Vorgang der natürlichen Auslese finden können, als es uns heute die Erscheinungen der Resistenz liefern. Aus einer ursprünglichen Population, deren Angehörige weitgehend verschieden in Körperbau, Verhaltensweise und Stoffwechsel sind, werden gerade die »zähen« Insekten die Angriffe mit Chemikalien überleben. Sprühen tötet die Schwächlinge. Die einzigen Überlebenden sind Insekten, denen irgendeine angeborene Eigenschaft es ermöglicht, ohne Schaden davonzukommen. Sie sind die Eltern der neuen Generation, die auf Grund einfacher Vererbung alle jene Eigenschaften der »Zähigkeit« besitzt, die auch ihre Vorfahren hatten. Daraus folgt unausweichlich, daß intensives Sprühen mit hochwirksamen chemischen Stoffen das Problem, das es lösen sollte, nur verschlimmert. Nach wenigen Generationen hat sich statt der gemischten Population aus starken und schwachen Insekten eine neue herausgebildet, die gänzlich aus zähen, resistenten Linien besteht.

Die Insekten bedienen sich wahrscheinlich verschiedenartiger Mittel und Wege, um den Chemikalien zu widerstehen, aber man weiß darüber noch nicht genau Bescheid. Man nimmt an, daß manchen Insekten, die der chemischen Bekämpfung trotzen, irgendeine vorteilhafte Eigentümlichkeit ihres Körperbaus hilft, aber es scheinen nur wenige wirkliche Beweise dafür vorhanden zu sein. Doch geht aus Beobachtungen klar hervor, daß es unempfindliche Linien oder Rassen bei den Insekten gibt. So hat Dr. Briejèr berichtet, daß er im Institut für Schädlingsbekämpfung in Springforbi in Dänemark Fliegen beobachtet hat, »die in DDT so munter und unbekümmert herumkrabbelten, wie Zauberer primitiver Stämme auf rotglühenden Kohlen tanzen«.

Ähnliche Berichte treffen aus anderen Gegenden der Welt ein. In Kuala Lumpur, im Malayischen Archipel, verließen die Moskitos beim ersten Angriff mit DDT einfach das Innere des Landes, wo man damit gesprüht hatte. Nachdem sich jedoch bei ihnen Resistenz entwickelt hatte, konnte man sie auf Flächen ruhen sehen, auf denen die Ablagerungen von DDT im Licht einer Taschenlampe deutlich unter ihnen zu erkennen waren. In einem Lager der Armee im südlichen Taiwan (Formosa) entdeckte man, daß resistente Bettwanzen tatsächlich DDT auf ihrem Körper herumtrugen. Als man ein Experiment machte und diese Bettwanzen in Kleidungsstücke setzte, die mit DDT imprägniert waren, lebten sie noch einen Monat weiter; sie legten unentwegt Eier und ihre Jungen wuchsen und gediehen.

Dennoch hängt die Eigenschaft der Resistenz nicht unbedingt vom Körperbau ab. Gegen DDT resistente Fliegen besitzen ein Enzym, das ihnen gestattet, das Insektizid in den weniger toxischen Stoff DDE umzuwandeln. Dieses Enzym kommt nur in Fliegen vor, die einen genetischen Faktor für Resistenz gegen DDT besitzen. Natürlich wird dieser Faktor vererbt. Auf welche Weise Fliegen und andere Insekten die insektiziden organischen Phosphate entgiften, weiß man noch nicht so genau.

Auch irgendein gewohnheitsmäßiges Verhalten kann das Insekt außer Reichweite der Chemikalien bringen. Vielfach hat man beobachtet, daß resistente Fliegen lieber auf waagrechten, nicht behandelten Oberflächen ruhen als auf behandelten Wänden. Resistente Stubenfliegen können auch die Angewohnheit der Stallfliegen haben, still auf einem Platz zu sitzen, und auf diese Weise viel weniger mit Rückständen des Giftes in Berührung kommen. Manche Moskitos, die Malaria übertragen, sind praktisch gefeit gegen DDT, weil sie ihm aus dem Wege gehen. Von dem Sprühnebel beunruhigt, flüchten sie aus den Hütten ins Freie und bleiben so am Leben.

Gewöhnlich dauert es zwei bis drei Jahre, bis sich Resistenz entwickelt, obwohl gelegentlich ein paar Monate oder noch kürzere Zeit dazu genügen. Es kommt aber auch vor, daß sechs Jahre nötig sind. Entscheidend ist, wie viele Generationen eine Insektenpopulation innerhalb eines Jahres hervorbringt, und diese Zahl schwankt je nach Art und Klima. Fliegen werden zum Beispiel in Kanada langsamer resistent als in den südlichen Vereinigten Staaten, wo lange heiße Sommer eine schnelle Fortpflanzung begünstigen.

Manchmal stellt man hoffnungsvoll die Frage: »Wenn Insekten gegen chemische Stoffe resistent werden, könnte das nicht auch bei menschlichen Wesen geschehen?« Theoretisch schon, aber da es Hunderte oder sogar Tausende von Jahren erfordern würde, ist das nur ein geringer Trost für die heute lebenden Menschen. Resistenz ist nicht etwas, das sich in einem einzelnen Geschöpf entwickelt. Besitzt ein Geschöpf von Geburt gewisse Eigenschaften, durch die es weniger empfindlich gegen Gifte ist als andere, so ist die Wahrscheinlichkeit, daß es am Leben bleibt und Nachkommen hervorbringt, größer. Resistenz ist daher etwas, das sich in einer Population innerhalb eines Zeitraums entwickelt, der mehrere oder viele Generationen umfaßt. Bei menschlichen Populationen folgen in einem Jahrhundert ungefähr drei Generationen aufeinander, neue Insektengenerationen dagegen können im Laufe von Tagen oder Wochen auftreten.

»In manchen Fällen ist es vernünftiger, einen geringen Schaden in Kauf zu nehmen, anstatt eine Weile vor jedem Schaden bewahrt zu bleiben – aber nur um den Preis, daß man am Ende überhaupt keine Mittel zur Abwehr mehr hat«, lautet der Rat, den Dr. Briejèr in seiner Eigenschaft als Direktor des holländischen Pflanzenschutzdienstes erteilt. »Als Regel für die Praxis sollte gelten: ›Sprühe so wenig wie möglich‹, aber nicht: ›Sprühe, was das Zeug hält‹... Der Druck, den man auf die Population eines Schädlings ausübt, sollte stets möglichst gering sein.«

Leider hat sich solche Einsicht nicht auch bei den Dienststellen landwirtschaftlicher Behörden in den Vereinigten Staaten durchgesetzt. Das ›Jahrbuch‹ für 1952 des Landwirtschaftsministeriums, das ausschließlich den Insekten gewidmet ist, anerkennt die Tatsache, daß Insekten resistent werden, erklärt aber gleichzeitig: »Häufigere Anwendung oder größere Mengen von Insektiziden sind daher für eine ausreichende Bekämpfung nötig.« Das Ministerium sagt allerdings nicht, was geschehen wird, wenn als einzige noch nicht ausprobierte Insektizide nur mehr jene übrigbleiben, die nicht nur die Insekten, sondern alles Leben von der Erde verbannen. Nur sieben Jahre, nachdem man diesen Rat gegeben hatte, im Jahre 1959, wurde im ›Journal of Agricultural and Food Chemistry‹ der Ausspruch eines Entomologen aus Connecticut zitiert, demzufolge gegen mindestens ein oder zwei schädliche Insekten bereits das *letzte verfügbare Mittel* angewendet worden sei.

Dr. Briejèr sagt:

»Es ist nur allzu klar, daß wir uns auf einem gefährlichen Wege befinden... Wir werden uns sehr energisch bemühen müssen, andere Bekämpfungsmaßnahmen zu erforschen, Maßnahmen, die biologisch, nicht chemisch sein müssen. Unser Ziel sollte es sein, die natürlichen Vorgänge so behutsam wie möglich in die gewünschte Richtung zu lenken, statt rohe Gewalt zu gebrauchen...

Was wir nötig haben, ist eine großherzigere Einstellung und eine tiefere Einsicht, die ich bei vielen Forschern vermisse. Das Leben ist ein Wunder, das unser Fassungsvermögen übersteigt, und wir sollten es achten, selbst wo wir es unterdrücken müssen... Wenn man, um Leben zu bekämpfen, Zuflucht zu Waffen wie Insektiziden nimmt, ist dies ein Beweis für mangelndes Wissen und für die Unfähigkeit, die Vorgänge in der Natur so zu lenken, daß rohe Gewalt überflüssig wird. Demut ist am Platze; hier gibt es keine Entschuldigung für wissenschaftliche Überheblichkeit.«

17. Kapitel
Der andere Weg

Wir stehen nun an einem Scheidewege. Doch es ist nicht, wie in Robert Frosts bekanntem Gedicht, gleich gut, wohin wir uns wenden. Der Weg, den wir seit langem eingeschlagen haben, ist trügerisch bequem, eine glatte moderne Autobahn, auf der wir mit großer Geschwindigkeit vorankommen. Doch an ihrem Ende liegt Unheil. Der andere Weg, der abzweigt, ist weniger befahren, doch er bietet uns die letzte und einzige Möglichkeit, ein Ziel zu erreichen, das die Erhaltung unserer Erde sichert.

Die Wahl müssen am Ende wir selbst treffen. Wir haben viel erduldet und nun endlich unser »Recht zu wissen« geltend gemacht. Im Besitz dieses Wissens haben wir erkannt, daß man von uns verlangt, uns sinnlosen und furchtbaren Gefahren auszusetzen. Wir sollten uns daher nicht länger von Leuten beraten lassen, die uns weismachen, daß wir unsere Welt mit giftigen Chemikalien durchsetzen müssen; wir sollten vielmehr Umschau halten und sehen, welcher Weg uns sonst noch offensteht.

Außer der Bekämpfung von Insekten mit Chemikalien steht uns eine wahrlich außerordentliche Vielzahl anderer Möglichkeiten zur Verfügung. Einige werden bereits genutzt, und man hat damit glänzende Erfolge erzielt. Andere werden noch in Laboratorien überprüft. Manche wiederum sind vorerst kaum mehr als Ideen in den Köpfen einfallsreicher Wissenschaftler, die nur auf die Gelegenheit warten, sie in die Tat umzusetzen und zu erproben. Alle haben eines miteinander gemein: Sie sind *biologische* Lösungen. Sie beruhen auf einer genauen Kenntnis der lebenden Organismen, die man zu bekämpfen trachtet, und berücksichtigen die gesamte Lebensgemeinschaft, der diese Organismen angehören. Spezialisten auf den verschiedenen Fachgebieten des ungemein großen Feldes der Biologie liefern ihren Beitrag. Entomologen, Pathologen, Genetiker, Physiologen, Biochemiker und Ökologen, sie alle steuern ihre Erfahrungen und ihre schöpferischen Gedanken bei, damit eine neue Wissenschaft, die biologische Schädlingsbekämpfung, Gestalt gewinnt.

»Jede Wissenschaft läßt sich mit einem Strom vergleichen«, sagt Professor Carl P. Swanson, ein Biologe am Johns Hopkins-Institut. »Am Anfang ist sie unbedeutend und bescheiden; sie hat ihre stillen Strecken und ihre reißenden Strudel, Zeiten, in denen ihre Quellen versiegen, und andere, in denen sie überreich strömen; sie wird vertieft und erweitert durch die Begriffe und allgemeingültigen Tatsachen, die allmählich erarbeitet werden.«

So ist es auch mit der Wissenschaft der biologischen Schädlingsbekämpfung im modernen Sinne. In Amerika begann sie recht unscheinbar vor einem Jahrhundert mit den ersten Versuchen, natürliche Feinde von Insekten einzuführen, die sich für den Farmer als lästig erwiesen hatten. Manchmal kam man bei diesen Bemühungen nur langsam oder überhaupt nicht voran, doch hin und wieder brachte ein hervorragender Erfolg wieder neuen Auftrieb und Schwung. Die biologische Schädlingsbekämpfung hatte ihre unfruchtbaren Zeiten, als Forscher, die auf dem Gebiet der angewandten Entomologie arbeiteten, in den vierziger Jahren, geblendet von den großartigen neuen Insektiziden, allen biologischen Methoden den Rücken kehrten und den Fuß auf die Tretmühle der chemischen Schädlingsbekämpfung setzten. Doch das erstrebte Ziel einer insektenfreien Welt entschwand immer wieder. Jetzt ist endlich offenkundig geworden, daß der unachtsame und uneingeschränkte Gebrauch von Chemikalien für uns selbst eine größere Gefahr bildet als für die Schädlinge; die Wissenschaft der biologischen Schädlingsbekämpfung ist wieder in Fluß geraten, weil ihr neue Gedanken zuströmen.

Zu den interessantesten neuen Methoden gehören jene, die versuchen, die Triebkraft der Lebensenergien einer Insektenart zu deren Vernichtung zu benützen. Am eindrucksvollsten von diesen Bemühungen ist die Technik der »Sterilisierung der Männchen«. Sie wurde von Dr. Edward Knipling, dem Leiter der Entomologischen Forschungsabteilung des Landwirtschaftsministeriums der Vereinigten Staaten, und seinen Mitarbeitern entwickelt.

Vor ungefähr einem Vierteljahrhundert verblüffte Dr. Knipling seine Kollegen damit, daß er eine einzigartige Methode der Insektenbekämpfung vorschlug. Wenn es gelänge, eine große Anzahl von Insekten zu sterilisieren, so lautete seine Theorie, könnten die sterilisierten Männchen unter bestimmten Bedingungen als Rivalen der normalen wildlebenden Männchen auftreten. Ließe man wiederholt größere Mengen von ihnen frei, könnte das zur Folge haben, daß nur noch unbefruchtete Eier erzeugt würden und die Population ausstürbe.

Die Wissenschaftler bezweifelten, daß sich der Vorschlag

verwirklichen ließ, sie waren zu sehr Bürokraten und daher zu bequem, sich dafür zu begeistern. Doch die Idee lag Dr. Knipling ständig im Sinn. Ein wichtiges Problem mußte noch gelöst werden, ehe man überprüfen konnte, ob sie sich realisieren ließe. Man mußte eine brauchbare Methode zur Sterilisierung von Insekten finden. Theoretisch war seit dem Jahre 1916 bekannt, daß Insekten sterilisiert werden konnten, wenn man sie Röntgenstrahlen aussetzte. Damals hatte ein Entomologe namens G. A. Runner von einer solchen Sterilisierung des Tabak-Käfers berichtet. Ende der zwanziger Jahre erschloß Hermann Muller mit seiner bahnbrechenden Arbeit über Erzeugung von Mutationen durch Röntgenstrahlen der Forschung ein riesiges neues Feld. Um die Mitte des Jahrhunderts hatten dann verschiedene Forscher berichtet, daß bei mindestens einem Dutzend Arten eine Sterilisation mit Röntgen- oder Gammastrahlen gelungen sei.

Doch dies waren Laboratoriumsexperimente, und bis zur praktischen Anwendung war es noch ein weiter Weg. Um das Jahr 1950 unternahm Dr. Knipling ernstlich einen Versuch, die Sterilisation von Insekten zu einer Waffe zu machen, mit der man einen Hauptfeind des Viehs im Süden bekämpfen konnte. Es handelte sich um eine Fliege der Gattung *Callitroga*, die nach ihrer Made Schraubenwurm-Fliege genannt wird. Die Weibchen dieser Art legen ihre Eier in jede offene Wunde eines warmblütigen Tieres. Die ausschlüpfende Larve lebt parasitisch und ernährt sich vom Fleisch ihres Wirts. Wird ein erwachsener Stier von vielen Maden befallen, kann er binnen zehn Tagen verenden. Die dadurch entstehenden Verluste an Vieh werden in den Vereinigten Staaten auf 40 Millionen Dollar im Jahr geschätzt. Die Opfer an wildlebenden Tieren sind schwerer zu erfassen, doch müssen auch sie zahlreich sein. Man führt es auf diesen Schraubenwurm zurück, daß in manchen Gegenden von Texas Rotwild so spärlich ist. Diese Fliege ist ein tropisches oder subtropisches Insekt, sie ist in Süd- und Mittelamerika sowie in Mexiko heimisch und bleibt in den Vereinigten Staaten normalerweise auf den Südwesten beschränkt. Um das Jahr 1933 wurde sie jedoch versehentlich nach Florida eingeschleppt, wo das Klima so milde ist, daß sie den Winter überleben und Populationen bilden konnte. Sie drang sogar ins südliche Alabama und Georgia vor. Bald sah sich die Viehzucht der südöstlichen Staaten von Verlusten bedroht, die sich jährlich auf 20 Millionen Dollar beliefen.

Von den Wissenschaftlern des Landwirtschaftsministeriums in Texas waren im Laufe der Jahre eine Unmenge von Daten über die Biologie der Schraubenwurm-Fliege gesammelt worden. Nachdem Dr. Knipling einige vorbereitende Freilandversuche auf den Inseln von Florida gemacht hatte, war er bereit, seine Theorie in großem Maßstab unter Beweis zu stellen. Im Einvernehmen mit der holländischen Regierung begab er sich dazu auf die Insel Curaçao im Karibischen Meer, die ungefähr 90 Kilometer vom Festland entfernt liegt.

Vom August 1954 an wurden Fliegen, die im Laboratorium des Landwirtschaftsministeriums in Florida gezüchtet und sterilisiert worden waren, nach Curaçao geflogen, und man warf dort vom Flugzeug aus in der Woche ungefähr vierhundert Stück auf je 2,59 Quadratkilometer ab. Fast umgehend verminderten sich die Eimassen, die auf Versuchsziegen abgelegt wurden, und es waren weniger befruchtete Eier dabei. Schon sieben Wochen nach dem Beginn des Unternehmens waren sämtliche Eier unbefruchtet. Bald konnte man überhaupt keine Eimasse mehr entdecken. Auf Curaçao war der Schraubenwurm tatsächlich ausgerottet worden.

Der durchschlagende Erfolg des Experiments auf Curaçao weckte bei den Viehzüchtern Floridas das Verlangen nach einer ähnlichen Heldentat, die sie von der Schraubenwurm-Plage befreien sollte. Die Schwierigkeiten waren hier allerdings ungeheuer, handelte es sich doch um ein Gebiet, das dreihundertmal so groß wie die kleine karibische Insel war. Im Jahre 1957 stellten die Landwirtschaftsministerien der Vereinigten Staaten und Floridas gemeinsam Mittel für den Versuch zur Verfügung. Zu dem Vorhaben, auch hier die Fliege auszurotten, benötigte man eine wöchentliche Produktion von ungefähr 50 Millionen Fliegen in einer eigens dafür erbauten »Fliegenfabrik«; man mußte zwanzig leichte Flugzeuge einsetzen, die fünf bis sechs Stunden täglich nach einem genau vorgezeichneten Plan flogen. Jedes Flugzeug trug tausend Papierkartons, von denen jeder zwei- bis vierhundert bestrahlte Fliegen enthielt.

Der kalte Winter des Jahres 1957/58, in dem in Nord-Florida Frost herrschte, bot eine unerwartete günstige Gelegenheit, mit dem Bekämpfungsprogramm zu beginnen, solange die Fliegenpopulationen zusammengeschmolzen und auf ein kleines Gebiet beschränkt waren. Als man das Unternehmen nach siebzehn Monaten als abgeschlossen betrachtete, waren 3,5 Millionen künstlich gezüchteter und sterilisierter Fliegen über Florida und über Teilen von Georgia und Alabama abgeworfen worden. Die letzten Wundinfektionen bei Tieren, die auf Schraubenwurm-Fliegen zurückzuführen waren, stellte man im Februar 1959 fest. In den nächsten paar Wochen wurden noch einige erwachsene Tiere in Fallen gefangen. Nachher konnte man keine Spur mehr von der Schraubenwurm-Fliege entdecken. Sie war im Südosten völlig ausgerottet. Dieser Triumph war der anschauliche Beweis für den Wert schöpferischen Geistes in der Wissenschaft, unterstützt von eingehender Erforschung der Grundlagen, von Beharrlichkeit und Entschlossenheit.

Gegenwärtig sucht man durch eine Quarantäneschranke in Mississippi zu verhindern, daß die Schraubenwurm-Fliege erneut nach Florida vordringt. Im Südwesten hat sie sich fest eingenistet und es wäre ein geradezu beängstigendes Beginnen, die Fliege auszurotten; denn man darf nicht vergessen, daß es sich um riesige Gebiete handelt und das Insekt wahrscheinlich von Mexiko aus wiederum einfallen könnte. Trotzdem würde sich der Einsatz lohnen, und das Landwirtschaftsministerium scheint sich mit dem Gedanken zu tragen, daß man bald versuchen sollte, in Texas und in anderen vom Schraubenwurm geplagten Gebieten des Südwestens ein Bekämpfungsprogramm zu wagen, mit dem man zumindest die Populationen dieser Fliege sehr niedrig halten könnte.

Der glänzende Erfolg des Feldzugs gegen die Schraubenwurm-Fliege hat ungemein großes Interesse erregt, und man denkt daran, die gleiche Methode auch bei anderen Insekten anzuwenden. Natürlich sind dazu nicht alle Arten geeignet; ob diese Technik brauchbar ist, hängt weitgehend von der Lebensweise ab sowie von der Dichte der Population und der Reaktion auf eine Bestrahlung.

Von den Briten sind Experimente durchgeführt worden in der Hoffnung, mit dieser Methode die Tsetsefliege in Rhodesien bekämpfen zu können. Dieses Insekt sucht ungefähr ein Drittel von Afrika heim, es bildet eine Gefahr für die menschliche Gesundheit, und seinetwegen kann in einem Gebiet von rund 11,6 Millionen Quadratkilometern bewaldetem Weideland auch kein Vieh gehalten werden. Die Lebensgewohnheiten der Tsetsefliege unterscheiden sich beträchtlich von denen der Schraubenwurm-Fliege. Man kann sie zwar durch Bestrahlung sterilisieren, aber einige technische Schwierigkeiten müssen noch behoben werden, ehe sich die Methode gegen sie anwenden läßt.

Die Briten haben bereits eine große Anzahl anderer Arten auf ihre Empfindlichkeit gegen Strahlung untersucht. In den Vereinigten Staaten haben einige Wissenschaftler ermutigende Anfangsergebnisse bei der Tropischen Melonenfliege sowie bei der Orient- und Mittelmeer-Fruchtfliege erzielt. Man hat mit diesen Insekten Laboratoriumsversuche in Hawaii und Freilandversuche auf der entlegenen Insel Rota durchgeführt. Der Maiszünsler und der »Zuckerrohrbohrer« werden ebenfalls daraufhin getestet. Möglicherweise lassen sich auch Insekten von medizinischer Bedeutung durch Sterilisation bekämpfen. Ein chilenischer Naturwissenschaftler hat darauf hingewiesen, daß Moskitos, die Malaria übertragen, sich in seinem Lande noch immer hartnäckig behaupten, obwohl man sie mit Insektiziden behandelt hat. Wenn man sterilisierte Männchen freiließe, könnte man damit die noch vorhandene Population vielleicht mit einem Schlag endgültig ausrotten.

Die offenkundigen Schwierigkeiten der Sterilisation durch Bestrahlung haben dazu geführt, daß man jetzt nach einer bequemeren Methode sucht, mit der sich ähnliche Ergebnisse erreichen lassen. Zur Zeit macht sich eine starke Strömung zugunsten chemischer Sterilisierungsmittel bemerkbar.

Wissenschaftler am Laboratorium des Landwirtschaftsministeriums in Orlando in Florida sterilisieren nun in Experimenten und sogar in einigen Freilandversuchen die Stubenfliege; sie verwenden dazu chemische Sterilisierungsmittel, die geeignetem Futter zugesetzt werden. Bei einem Versuch auf einer Insel der Florida Keys wurde im Jahre 1961 in einem Zeitraum von nur fünf Wochen eine Fliegenpopulation nahezu ausgerottet. Natürlich drangen von benachbarten Inseln wieder neue Fliegen ein, aber als Probeunternehmen war der Versuch erfolgreich. Die Begeisterung des Ministeriums über diese vielversprechende Methode ist begreiflich. Vor allem läßt sich, wie wir festgestellt haben, die Stubenfliege heute mit Insektiziden kaum noch bekämpfen. Man benötigt dafür zweifellos ein völlig neues Verfahren. Eines der Probleme der Sterilisation durch Strahlung ist, daß man die Tiere nicht nur künstlich züchten, sondern auch eine größere Anzahl steriler Männchen freilassen muß, als in der Population in der freien Natur vorhanden sind. Das ließ sich bei der Schraubenwurm-Fliege machen, weil dieses Insekt nicht in solchen Mengen vorkommt. Bei der Stubenfliege jedoch wäre es höchst bedenklich, durch die freigelassenen Männchen die Population – wenn auch nur vorübergehend –

auf das mehr als Doppelte zu vermehren. Ein chemisches Sterilisierungsmittel dagegen könnte, mit einem Köder vereint, in die natürliche Umwelt der Fliege gebracht werden. Fräßen Fliegen davon, müßten sie steril werden; im Laufe der Zeit würden die sterilen Tiere überwiegen und die Population stürbe aus Mangel an Nachkommen aus.

Es ist weit schwieriger, zu überprüfen, ob Chemikalien sterilisierend wirken, als die Brauchbarkeit chemischer Gifte zu untersuchen. Man benötigt dreißig Tage, um den Wert eines Sterilisierungsmittels zu bestimmen, obwohl natürlich eine Reihe von Versuchen gleichzeitig laufen kann. Trotzdem hat man zwischen April 1958 und Dezember 1961 im Laboratorium in Orlando die sterilisierende Wirkung von ein paar hundert Chemikalien ausprobiert. Das Landwirtschaftsministerium scheint sehr erfreut zu sein, daß sich unter diesen Stoffen wenigstens eine Handvoll erfolgversprechender Substanzen gefunden hat.

Heute haben auch andere Laboratorien des Ministeriums das Problem aufgegriffen und überprüfen solche chemischen Stoffe an Stallfliegen, Moskitos, Kapselkäfern der Baumwolle und an einer Auswahl von Fruchtfliegen. Bei all dem handelt es sich erst um Experimente, doch in den wenigen Jahren seit Beginn dieser Arbeit mit chemischen Sterilisierungsmitteln hat das Projekt gewaltig an Umfang gewonnen. Theoretisch betrachtet, ist es in vieler Hinsicht reizvoll. Dr. Knipling hat darauf hingewiesen, daß eine wirksame Sterilisation von Insekten »manche der besten derzeit bekannten Insektizide leicht übertreffen könnte«. Nehmen wir einmal an, eine Population von einer Million Insekten würde sich in jeder Generation verfünffachen. Ein Insektizid könnte von jeder Generation 90 Prozent vernichten, würde also nach der dritten Generation noch 125 000 Insekten am Leben lassen. Im Gegensatz dazu blieben nach Anwendung eines chemischen Stoffes, der 90 Prozent der Tiere sterilisierte, nur mehr 125 Insekten am Leben.

Die Kehrseite der Medaille ist jedoch, daß es sich manchmal dabei um hochwirksame chemische Stoffe handelt. Glücklicherweise sind sich zumindest jetzt, während der Anfangsstadien dieser Forschung, die meisten, die mit chemischen Sterilisierungsmitteln arbeiten, der Notwendigkeit bewußt, ungefährliche Chemikalien und ebenso ungefährliche Anwendungsmethoden zu finden. Trotzdem hört man hier und da Vorschläge, ob sich diese sterilisierenden Stoffe vielleicht von Flugzeugen aus versprühen ließen; ob man zum Beispiel das Laub, das von den Raupen des Schwammspinners zerfressen wird, mit einer Schicht solcher Stoffe überziehen könnte. Ein derartiges Verfahren anzuwenden, ohne vorher die womöglich damit verbundenen Gefahren gründlich zu erforschen, wäre der Gipfel der Verantwortungslosigkeit. Wenn wir nicht ständig die latenten Gefahren der chemischen Sterilisierungsmittel vor Augen haben, könnten wir leicht in noch größere Schwierigkeiten geraten, als sie heute durch die Insektizide bereits heraufbeschworen worden sind.

Die Sterilisierungsmittel, die derzeit vorwiegend überprüft werden, zerfallen im allgemeinen in zwei Gruppen, die beide in ihrer Wirkungsweise äußerst interessant sind. Die chemischen Verbindungen der ersten Gruppe stehen in enger Beziehung zu den Lebensprozessen, dem Stoffwechsel der Zelle. Sie ähneln so weitgehend einer Substanz, die von der Zelle oder dem Gewebe gebraucht wird, daß der Organismus sie »irrtümlich« für diese chemische Verbindung des Stoffwechsels hält und sie in seine normalen Aufbaureaktionen einzubeziehen versucht. Da die Substanz aber nicht genau die erforderliche chemische Zusammensetzung hat, kommt die Reaktion zum Stillstand und der Stoffwechsel wird gestört.

Die zweite Gruppe besteht aus chemischen Stoffen, die auf die Chromosomen einwirken; wahrscheinlich greifen sie die chemischen Verbindungen in den Genen an und lassen die Chromosomen zerbrechen. Die chemischen Sterilisierungsmittel dieser Gruppe sind alkylierende Stoffe und als äußerst reaktionsfähige Substanzen bekannt. Sie können die Zelle weitgehend zerstören, die Chromosomen schädigen und Mutationen auslösen. Dr. Peter Alexander vom Chester-Beatty-Forschungsinstitut in London ist der Ansicht, daß »jeder alkylierende Stoff, der Insekten wirksam sterilisiert, auch stark mutagen und karzinogen wäre«. Er meint, daß gegen jede erdenkliche Anwendung solcher Chemikalien für die Bekämpfung von Insekten »schwerwiegende Einwände erhoben werden müßten«. Es ist daher zu hoffen, daß die derzeitigen Experimente nicht zur tatsächlichen Anwendung gerade dieser Chemikalien führen werden, sondern zur Entdeckung anderer, die ungefährlich sind und zugleich in ihrer Wirkung möglichst spezifisch für das Insekt, das man treffen will.

Manche der interessantesten neueren Arbeiten befassen sich mit weiteren Möglichkeiten, aus den Lebensprozessen des Insekts

Waffen zu gewinnen. Insekten erzeugen die mannigfaltigsten Gifte sowie Lockmittel und abschreckende Substanzen. Wie steht es mit den chemischen Eigenschaften dieser Sekrete? Könnten wir sie vielleicht als sehr selektive Insektizide verwenden? Naturwissenschaftler an der Cornell Universität und an anderen Instituten versuchen nun, auf einige dieser Fragen Antworten zu finden. Man studiert die Abwehreinrichtungen, mit denen sich viele Insekten vor Angriffen räuberischer Tiere schützen, und bemüht sich, die chemische Struktur von Insektensekreten zu ergründen. Andere Gelehrte arbeiten an dem sogenannten Juvenilhormon, einer höchst wirksamen Substanz; sie verhindert, daß sich die Larve in das erwachsene Insekt umwandelt, ehe das genau richtige Wachstumsstadium erreicht ist.

Das im Augenblick vielleicht brauchbarste Ergebnis dieser Erforschung von Insektensekreten ist die Entwicklung von Lockstoffen. Auch hier hat uns die Natur wieder den Weg gewiesen. Ein besonders fesselndes Beispiel dafür ist der Schwammspinner. Das Weibchen dieses Schmetterlings ist so schwerfällig, daß es nicht fliegen kann. Es lebt auf dem Boden oder in Bodennähe, flattert zwischen niedrigen Pflanzen umher oder kriecht an Baumstämmen hoch. Das Männchen dagegen fliegt ausgezeichnet und wird selbst aus ziemlich weiter Entfernung von einem Duft angelockt, den das Weibchen aus besonderen Drüsen abgibt. Entomologen haben sich das schon viele Jahre lang zunutze gemacht und diesen Stoff, der das andere Geschlecht anzieht, mühsam aus getöteten Schwammspinnerweibchen gewonnen. Man benutzte den Duftstoff in Fallen, die man für die Männchen aufstellte, um am Rande des Verbreitungsbereichs dieses Insekts die Häufigkeit des Vorkommens zu bestimmen. Doch das war ein äußerst kostspieliges Verfahren. Obwohl man von der Schwammspinnerplage in den nordöstlichen Staaten viel Aufhebens gemacht hat, fand man nicht genügend Weibchen, die das nötige Material hätten liefern können. Man mußte aus Europa Puppen importieren, die dort mit der Hand gesammelt wurden, und manchmal kam ein Stück davon auf einen halben Dollar. Es war daher ein großes Ereignis, als es Chemikern des Landwirtschaftsministeriums nach jahrelangen Bemühungen vor kurzem gelang, den Lockstoff zu isolieren. Auf diese Entdeckung folgte bald die erfolgreiche Synthese eines nahe verwandten Stoffs, den man aus einem Bestandteil des Rizinusöls bereitete; von dieser Substanz lassen sich die Männchen der Schwammspinner nicht allein täuschen, er ist für sie anscheinend ganz genauso anziehend wie der natürliche Lockstoff. Eine so geringe Menge wie ein Mikrogramm bildet in einer Falle einen wirksamen Köder.

Dies alles ist keineswegs nur theoretisch bedeutsam, denn der neue und billige Lockstoff für Schwammspinner könnte nicht nur bei Bestandsaufnahmen, sondern auch zur Bekämpfung verwendet werden. Man überprüft jetzt einige der besonders aussichtsreichen Verfahren. Es kommt einer Art psychologischer Kriegführung gleich, wenn man das Lockmittel nun mit einem körnigen Material verbindet und von Flugzeugen aus verteilt. Die Absicht dabei ist, die Männchen des Schmetterlings zu verwirren und ihr normales Verhalten so zu beeinflussen, daß sie in dem Durcheinander anziehender Gerüche die echte Duftspur, die sie zum Weibchen führt, nicht mehr finden. Der Angriff in dieser Richtung wird durch Experimente vorangetrieben, die darauf abzielen, das Männchen zur Paarung mit einem »Ersatz-Weibchen« zu verleiten. Im Laboratorium haben Männchen des Schwammspinners Kopulation mit Holzsplittern, wurmförmigen und anderen kleinen toten Gegenständen versucht, wenn diese nur entsprechend mit dem Lockmittel imprägniert wurden. Ob eine solche Irreführung des Paarungsinstinkts, die eine Fortpflanzung unmöglich macht, tatsächlich dazu dienen könnte, die Population zu verringern, muß noch geprüft werden, aber es ist eine interessante Möglichkeit.

Der Duftstoff des Schwammspinners war die erste, als Lockmittel für das andere Geschlecht dienende Substanz, die man künstlich herstellte, aber wahrscheinlich werden bald weitere folgen. Eine Anzahl von Insekten, die Nutzpflanzen schädigen, werden derzeit nach Lockstoffen untersucht, die der Mensch nachahmen könnte. Ermutigende Ergebnisse hat man bei der Hessenfliege und dem Tabakschwärmer erzielt, dessen schädliche Raupe wegen ihres hornartigen Fortsatzes »Tabakhornwurm« genannt wird.

Man versucht nun, auch Lockstoffe und Gifte vereint gegen einige Insektenarten einzusetzen. Naturwissenschaftler im Regierungsdienst haben einen Lockstoff namens Methyl-Eugenol entwickelt, den Männchen der Orient-Fruchtfliege und der Melonenfliege unwiderstehlich finden. Diesen Stoff hat man bei Versuchen auf der Bonin-Insel, die rund 850 Kilometer südlich von Japan liegt, mit einem Gift kombiniert. Kleine Stücke Faserholz wurden mit den beiden Chemikalien durchtränkt und dann von der Luft aus über die ganze Inselkette verstreut, um die Männchen der Fliege anzulocken und zu töten. Im Jahre 1960 begann man mit dem Programm, mit dem man die Männchen auszurotten hoffte; ein Jahr später waren nach Schätzung des Landwirtschaftsministeriums gut 99 Prozent der Population ausgemerzt. Verglichen mit dem üblichen Ausstreuen von Insektiziden über weite Flächen, scheint die hier angewandte Methode eindeutig im Vorteil zu sein. Das Gift, eine organische Phosphorverbindung, bleibt auf viereckige Brettchen aus Faserholz beschränkt, die sehr wahrscheinlich nicht von wildlebenden Tieren gefressen werden; überdies zersetzen sich die Rückstände schnell, sie können daher den Boden und das Wasser nicht verunreinigen.

Doch nicht alle »Mitteilungen« in der Insektenwelt erfolgen durch Gerüche, die anlocken oder abschrecken. Auch Laute können warnen oder anziehen. So sendet eine Fledermaus während des Flugs ständig Ultraschallwellen aus, die ihr als Radarsystem dienen und sie durch die Dunkelheit leiten. Dieser Ultraschall kann von bestimmten Motten gehört werden und gibt ihnen die Möglichkeit, dem Feind auszuweichen. Das Schwirren der Flügel einer herannahenden parasitischen Fliege warnt die Larven mancher Blattwespen, die sich daraufhin zum Schutz zusammenscharen. Die Geräusche andererseits, die bestimmte im Holz bohrende Insekten erzeugen, ermöglichen es deren Parasiten, sie zu entdecken; und für die Männchen der Moskitos ist der Flügelschlag des Weibchens ein Sirenengesang.

Können wir uns diese Fähigkeit der Insekten, Laute wahrzunehmen und darauf zu reagieren, vielleicht zunutze machen, und wie könnte das geschehen? Man ist in diesem Fall über – allerdings sehr interessante – Experimente noch nicht hinausgekommen. Aber man hat Anfangserfolge erzielt, als man Moskitomännchen anzuziehen suchte, indem man Schallplatten mit dem Fluggeräusch der Weibchen abspielen ließ. Die Männchen wurden zu einem elektrisch geladenen Gitternetz gelockt und auf diese Weise getötet. Die abschreckende Wirkung von Ultraschallstößen wird derzeit in Kanada gegen den Maiszünsler und andere Eulenfalter, deren Raupen Blätter zernagen, überprüft. Zwei anerkannte Fachleute auf dem Gebiet der Tierlaute, Hubert und Mabel Frings, beide Professoren an der Universität von Hawaii, glauben, daß eine Methode, die Verhaltensweise von Insekten in der freien Natur mit Geräuschen zu beeinflussen, durchaus im Bereich der Möglichkeiten liegt. Man müßte nur erst das richtige Verfahren finden, um die bereits vorhandenen reichen Kenntnisse über Erzeugung und Aufnahme von Lauten und Geräuschen bei Insekten nun zusammenzufassen und anzuwenden. Das Ehepaar Frings ist bekannt geworden, als es herausfand, daß Stare aufgeregt auseinanderfliegen, wenn sie den Notruf eines Artgenossen über eine Schallplatte hören; irgendwo steckt in dieser Tatsache vielleicht ein allgemeingültiger Kern, der sich auch auf Insekten anwenden läßt. Den Männern der Praxis in der Industrie erscheinen diese Möglichkeiten immerhin so wesentlich, daß sich zumindest eine bedeutende Firma für elektronische Geräte jetzt anschickt, ein Laboratorium einzurichten, das sie untersuchen soll.

Man überprüft auch Schall als unmittelbares Vernichtungsmittel. Ultraschall tötet in einem Behälter im Laboratorium alle Moskitolarven; allerdings vernichtet er auch andere Organismen im Wasser. Bei weiteren Experimenten sind Schmeißfliegen, »Mehlwürmer« – wie man die Larven des Mehlwurmkäfers nennt – und Stechmücken, die das Gelbfieber übertragen, in Sekundenschnelle durch Ultraschall in der Luft getötet worden. Alle derartigen Experimente sind nur die ersten Schritte auf dem Wege zu völlig neuen Ideen in der Insektenbekämpfung, und vielleicht werden sie sich mit Hilfe der Wunder der Elektronik eines Tages verwirklichen lassen.

Die neue biologische Insektenbekämpfung verläßt sich nicht ausschließlich auf Gammastrahlung, Elektronik und andere Erzeugnisse des erfinderischen Menschengeistes. Manche ihrer Methoden sind uralten Ursprungs und beruhen auf der Erkenntnis, daß Insekten gleich uns Menschen Krankheiten unterworfen sind. Bakterieninfektionen greifen in ihren Populationen um sich, wie in alten Zeiten die Pest unter den Menschen; unter dem Ansturm eines Virus siechen ihre Horden dahin. Daß Insekten erkranken können, wußte man schon vor der Zeit des Aristoteles; die Krankheiten des Seidenspinners wurden in Gedichten des Mittelalters besungen, und durch das Studium der Krankheiten gerade dieses Insekts begriff Pasteur zum ersten Mal die grundsätzlichen Zusammenhänge bei Infektionskrankheiten.

Insekten werden nicht nur von Viren und Bakterien bedrängt, sondern ebenso von Pilzen, Urtierchen, mikroskopischen Würmern und anderen Geschöpfen aus der unsichtbaren Welt winziger Lebewesen, die im großen und ganzen der Menschheit Vorteil bringen. Denn zu den Mikroben gehören nicht allein

Krankheitserreger, sondern auch Formen, die Abfallstoffe vernichten, den Boden fruchtbar machen und an zahllosen biologischen Vorgängen wie an der Gärung und Nitrifikation beteiligt sind. Warum sollten sie uns nicht auch bei der Bekämpfung von Insekten helfen?

Als einer der ersten hat der Zoologe Elie Metchnikoff schon im 19. Jahrhundert eine solche Verwendung von Mikroorganismen ins Auge gefaßt. Während der letzten Jahrzehnte dieses und in der ersten Hälfte des 20. Jahrhunderts nahm die Idee einer biologischen Bekämpfung mit Mikroben allmählich Gestalt an. Der erste schlüssige Beweis dafür, daß ein Insekt in Schach gehalten werden konnte, wenn man in seine Umwelt eine Krankheit einschleppte, wurde beim »Japanischen Käfer« erbracht. Man entdeckte Ende der dreißiger Jahre, daß man gegen ihn die »Milchkrankheit« einsetzen konnte, die vor allem durch die Sporen des *Bacillus popillia* hervorgerufen wird. Dies ist ein klassisches Beispiel dafür, daß man Insekten mit Bakterien zu bekämpfen vermag, und die Anwendung dieser Methode kann im Osten der Vereinigten Staaten auf eine lange Geschichte zurückblicken, wie im siebten Kapitel geschildert wurde.

Große Hoffnungen erwecken nun Versuche mit einem anderen Bakterium – dem *Bacillus thuringiensis* –, der im Jahre 1911 in Deutschland in Thüringen entdeckt wurde. Man stellte dort fest, daß er bei der Larve der Mehlmotte eine tödliche Blutvergiftung verursachte. Dieses Bakterium tötet mehr durch sein Gift als durch Krankheitssymptome. Zugleich mit den Sporen werden in seinen Stäbchen besondere Eiweißkristalle gebildet, die für gewisse Insekten höchst giftig sind, insbesondere für die Raupen von Motten. Kurz nachdem die Raupen Blätter gefressen haben, die mit diesem Toxin überzogen sind, werden sie gelähmt, hören zu fressen auf und verenden bald darauf. Natürlich ist es für praktische Zwecke ungemein vorteilhaft, daß der Raupenfraß unverzüglich unterbrochen wird, denn nahezu von dem Augenblick an, da man den Bazillus anwendet, wird kein Schaden mehr an den Pflanzen angerichtet. Präparate, die Sporen des *Bacillus thuringiensis* enthalten, werden heute in den Vereinigten Staaten von mehreren Firmen unter verschiedenen Handelsnamen hergestellt. In einigen Ländern führt man jetzt damit Freilandversuche durch: in Frankreich und Deutschland an Kohlweißlingen, in Jugoslawien an einigen Bärenspinnern, in der Sowjetunion an Raupen der Prozessionsspinner. In Panama, wo man im Jahre 1961 mit Versuchen begann, könnte dieser insektizide Bazillus die Lösung für eines oder mehrere der ernsten Probleme bringen, mit denen die Bananenpflanzer zu kämpfen haben. Dort ist der Bananenwurzelbohrer ein schlimmer Schädling, der die Wurzeln der baumartigen Stauden so schwächt, daß sie leicht vom Winde umgeweht werden können. Dieldrin war die einzige wirksame Chemikalie gegen den Käfer, aber sie hat jetzt eine Kette von Unheil ausgelöst. Die Wurzelbohrer werden resistent. Zugleich hat die Chemikalie aber auch einige wichtige räuberische Insekten vernichtet, und dadurch haben sich wiederum Wickler – kleine Nachtfalter mit dickem Körper – vermehrt, deren Raupen die Oberfläche der Bananen zernagen. Man hat Grund zu hoffen, daß die neuen insektiziden Mikroben beide Schädlinge, die Wickler wie die Bananenwurzelbohrer, ausrotten werden, ohne deren natürliche Feinde zu gefährden.

In den östlichen Wäldern Kanadas und der Vereinigten Staaten könnten insektizide Bakterien vielleicht wesentlich zur Lösung von Problemen beitragen, die durch Forstschädlinge wie den Fichtentriebwickler und den Schwammspinner entstehen. Im Jahre 1960 begann man in beiden Ländern mit Freilandversuchen, für die man die Handelspräparate des *Bacillus thuringiensis* einsetzte. Manche Anfangsergebnisse sind recht ermutigend. In Vermont zum Beispiel waren die Erfolge mit bakterieller Bekämpfung ebenso gut wie die mit DDT erzielten. Die technische Hauptschwierigkeit ist nun, eine Trägersubstanz zu finden, ein Lösungsmittel, das die Sporen der Bakterien an den Nadeln der Bäume haften läßt. Auf Feldfrüchten ist das einfacher, bei ihnen kann man sogar ein Stäubemittel, das die Sporen enthält, benutzen. Bakterielle Insektizide sind bereits – vor allem in Kalifornien – bei vielen Gemüsepflanzen erprobt worden.

Mittlerweile aber hat man sich auch, in vielleicht weniger auffälligen Arbeiten, mit Viren befaßt. Hier und da werden in Kalifornien Felder von jungen Luzernepflanzen mit einer Substanz besprüht, die für den äußerst schädlichen Amerikanischen Gelbling, auch Alfalfa-Falter genannt, so tödlich wirkt wie jedes Insektizid. Die Lösung enthält ein Virus; man hat es aus Raupen gewonnen, die sich mit den Erregern einer äußerst heftigen Viruskrankheit angesteckt hatten und daran zugrunde gegangen waren. Die Kadaver von nur fünf erkrankten Raupen liefern so viel Viren, daß man 4047 Quadratmeter eines Luzernefelds damit behandeln kann. In manchen kanadischen Wäldern hat sich ein Virus, das Kiefern-Buschhornblattwespen befällt, als so wirksam für die Bekämpfung erwiesen, daß es an die Stelle der Insektizide getreten ist.

Naturwissenschaftler in der Tschechoslowakei experimentieren mit Urtierchen gegen Spinnerraupen und andere schädliche Insekten, und in den Vereinigten Staaten hat man entdeckt, daß ein parasitisches Urtierchen die Fähigkeit, Eier zu legen, beim Maiszünsler stark beeinträchtigt.

Für manche beschwört der Ausdruck Mikroben-Insektizid vielleicht das Bild eines Bakterienkrieges herauf, der auch andere Lebewesen gefährden könnte. Das stimmt aber nicht. Im Gegensatz zu Chemikalien sind Erreger von Insektenkrankheiten für alle anderen Geschöpfe ungefährlich, sie befallen nur die Schädlinge, für die sie bestimmt sind. Dr. Edward Steinhaus, eine hervorragende Autorität auf dem Gebiete der Insektenkrankheiten, hat nachdrücklich betont, daß »kein Bericht über einen verbürgten Fall vorliegt, bei dem entweder im Experiment oder in der Natur ein echter Erreger einer Insektenkrankheit auch bei einem Wirbeltier Krankheit verursacht hat«. Erreger von Insektenkrankheiten sind so spezifisch, daß sie nur eine kleine Gruppe von Insekten anstecken, manchmal sogar nur eine einzige Art. Biologisch gehören sie nicht zu jener Gruppe von Organismen, die bei höheren Tieren oder bei Pflanzen Krankheiten hervorrufen. Wie Dr. Steinhaus betont, bleiben Ausbrüche von Insektenkrankheiten in der Natur stets auf Insekten beschränkt, sie greifen weder auf Wirtspflanzen über noch auf Tiere, die sich von diesen Insekten ernähren.

Insekten besitzen viele natürliche Feinde, nicht nur Mikroben, sondern auch mannigfaltige andere Insektenarten. Wie man annimmt, war Erasmus Darwin der erste, der, um das Jahr 1800 herum, den Vorschlag machte, ein Insekt dadurch zu bekämpfen, daß man seine Feinde förderte. Diese Methode war die erste, die allgemein zur biologischen Schädlingsbekämpfung angewandt wurde; wahrscheinlich kam es deshalb zu der verbreiteten, aber irrigen Meinung, wenn man nicht zu Chemikalien greifen wolle, könne man nur ein Insekt gegen ein anderes einsetzen.

In den Vereinigten Staaten begann die herkömmliche biologische Schädlingsbekämpfung eigentlich im Jahre 1888. Albert Koebele war der erste von einem wachsenden Heer entomologischer Forscher. Er fuhr nach Australien, um nach den natürlichen Feinden der Australischen Wollschildlaus zu suchen, von der die kalifornische Zitrusindustrie vernichtend bedroht wurde. Wie im fünfzehnten Kapitel erwähnt, war das Unternehmen von großartigem Erfolg gekrönt, und im nächsten Jahrhundert forschte man auf der ganzen Welt nach natürlichen Feinden von Insekten, die als ungeladene Gäste in die Vereinigten Staaten gekommen waren. Alles in allem sind ungefähr hundert Arten von räuberischen und parasitischen Formen in Amerika angesiedelt worden.

Außer den australischen Marienkäfern, die Koebele ins Land gebracht hatte, erwiesen sich auch andere eingeführte Formen als höchst erfolgreich. Mit einer Wespe, die man aus Japan importierte, ließ sich ein Insekt, das die Apfelbäume der Obstgärten im Osten befiel, vollkommen in Zaum halten. Einigen natürlichen Feinden der Gefleckten Alfalfa-Blattlaus, die aus dem Mittleren Osten eingeschleppt worden war, schreibt man das Verdienst zu, die kalifornische Alfalfa-Industrie gerettet zu haben. Parasiten und Raubinsekten vermochten den Schwammspinner so gut zu bekämpfen wie die Rollwespe *Tiphia vernalis* den »Japanischen Käfer«. Biologische Bekämpfung von Schildläusen und Mehlläusen erspart Kalifornien schätzungsweise einige Millionen Dollar im Jahr. Dr. Paul DeBach, einer der führenden Entomologen dieses Staates, hat ausgerechnet, daß Kalifornien für 4 Millionen Dollar, die es in die biologische Schädlingsbekämpfung investierte, einen Gewinn von 100 Millionen Dollar hatte.

Beispiele für eine erfolgreiche biologische Bekämpfung schlimmer Schädlinge, deren natürliche Feinde man einführte, lassen sich in rund vierzig Ländern finden, die über die ganze Welt verstreut sind. Die Vorteile einer solchen Bekämpfung gegenüber Chemikalien liegen auf der Hand. Sie ist verhältnismäßig billig, sie hält vor und hinterläßt keine giftigen Rückstände. Doch die biologische Schädlingsbekämpfung hat sehr unter der mangelnden Unterstützung gelitten. Kalifornien steht mit einem öffentlich anerkannten biologischen Bekämpfungsprogramm im wesentlichen allein unter den Staaten, und viele von ihnen haben nicht einmal einen Entomologen angestellt, der sich ausschließlich damit beschäftigt. Die biologische Schädlingsbekämpfung durch feindliche Insekten ist vielleicht infolge dieser ständigen Geldknappheit nicht immer mit der nötigen wissenschaftlichen Gründlichkeit durchgeführt worden. Nur selten hat man genau untersucht, wie die Maßnahme auf die Populationen des Schädlings wirkt, und wenn man das feindliche Insekt freiließ, geschah es nicht immer mit der Sorgfalt, die über Erfolg und Mißlingen entscheiden kann.

Das räuberische Insekt und seine Beute leben nicht für sich, sondern sind Teil eines umfassenden Lebensgefüges, das man als Ganzes berücksichtigen muß. In Wäldern haben die herkömmlicheren Formen der biologischen Schädlingsbekämpfung vielleicht die günstigsten Aussichten, sich zu bewähren. Das Farmland in der modernen Landwirtschaft ist ein völlig künstlicher Lebensraum, er gleicht keinem, den die Natur jemals hervorgebracht hat. Bei den Wäldern dagegen ist das anders, die Verhältnisse in ihnen ähneln weit mehr den natürlichen Umwelten. Hier kann der Mensch sich auf ein Mindestmaß an Hilfe und störenden Eingriffen beschränken, dann kann die Natur auf ihre Weise walten und das ganze wundervolle und verflochtene System von regelnden und hemmenden Kräften und einem ständig von neuem erzielten Gleichgewicht schaffen, das die Wälder vor übermäßigen Schäden durch Insekten bewahrt.

Wenn sich Forstleute in den Vereinigten Staaten mit biologischer Schädlingsbekämpfung beschäftigen, scheinen sie hauptsächlich an die Einführung parasitischer und räuberischer Insekten gedacht zu haben. Die Kanadier haben eine großzügigere Auffassung, und manche Europäer sind darin am weitesten gegangen, sie haben die Wissenschaft der »Waldhygiene« in erstaunlichem Ausmaß entwickelt. Nach Ansicht europäischer Forstleute gehören Vögel, Ameisen, Waldspinnen und Bodenbakterien genauso zum Wald wie die Bäume, und man versieht einen neuen Forst vorsorglich mit diesen schützenden Elementen. Die Ansiedlung von Vögeln zu fördern, ist einer der ersten Schritte. Im Zeitalter der modernen intensiven Forstwirtschaft sind die alten hohlen Bäume verschwunden und mit ihnen die Niststätten für Vogelarten, die in Höhlen brüten. Diesem Mangel hilft man durch Nistkästen ab, die die Vögel wieder in den Wald locken. Andere künstliche Höhlen dienen für Eulen und Fledermäuse, so daß diese Geschöpfe die Aufgabe der Insektenjagd, die im Tageslicht von den kleinen Vögeln besorgt wird, in den Stunden der Dunkelheit übernehmen können.

Doch dies ist erst der Anfang. Eine der faszinierendsten Bekämpfungsmaßnahmen in europäischen Wäldern bedient sich der Roten Waldameise. Diese Ameisenart ist ein angriffslustiger

Insektenjäger; sie kommt aber leider in Nordamerika nicht vor. Vor ungefähr fünfundzwanzig Jahren hat Professor Gösswald von der Universität Würzburg eine Methode entwickelt, diese Ameise zu züchten und Kolonien anzusiedeln. Unter seiner Leitung sind über zehntausend Kolonien der Roten Waldameise in ungefähr neunzig Versuchsgebieten der Deutschen Bundesrepublik verteilt worden. Dr. Gösswalds Methode ist von Italien und anderen Ländern übernommen worden, wo man Ameisenfarmen eingerichtet hat, die Kolonien für die Verbreitung in den Wäldern liefern. In den Apenninen hat man zum Beispiel einige hundert Nester eingesetzt, um neu aufgeforstete Gebiete vor Schädlingen zu bewahren.

»Wo es gelingt, einen Wald mit der vereinten Hilfe von Vögeln und Ameisen zu schützen, zu denen noch einige Fledermäuse und Eulen kommen, hat man das biologische Gleichgewicht bereits wesentlich verbessert«, erklärte Heinz Ruppertshofen, ein Forstbeamter aus Mölln in Deutschland. Er glaubt, daß ein einzelnes räuberisches oder parasitisches Insekt, das man einführt, weniger ausrichtet als eine Reihe »natürlicher Gefährten« der Bäume.

Um die Verluste zu verringern, werden im Walde heute meistens Ameisenkolonien vor Spechten durch ein Drahtnetz gesichert. Auf diese Weise können die Spechte, die sich in manchen Versuchsgebieten innerhalb von zehn Jahren um vierhundert Prozent vermehrten, den Ameisen nicht viel anhaben; den geringen Schaden, den sie den Kolonien zufügen, machen sie reichlich wett, da sie schädliche Raupen von den Bäumen picken. Die Betreuung der Kolonien und Nisthöhlen besorgt nun in Mölln eine Jugendgruppe von Zehn- bis Vierzehnjährigen aus der Schule am Ort. Die Kosten sind äußerst gering; als Gegenwert erhält man dafür den Vorteil eines dauernden Schutzes der Wälder.*

Ruppertshofens Arbeit ist noch in einer anderen Hinsicht überaus interessant. Er verwendet dabei auch Spinnen und scheint auf diesem Gebiet bahnbrechend zu sein. Zwar gibt es eine reichhaltige Literatur über die Einteilung und Naturgeschichte der Spinnen, aber sie besteht vorwiegend aus ver-

* Anmerkung der Übersetzerin: Die Bundesrepublik besitzt auch ein staatliches Institut für biologische Schädlingsbekämpfung, das zur Biologischen Bundesanstalt für Land- und Forstwirtschaft gehört und dessen Leiter Dr. J. M. Franz, von Wissenschaftlern anderer Fachgebiete unterstützt, Bahnbrechendes auf diesem Gebiet geleistet hat.

Aurch an mehreren Universitäts-Instituten und Planzenschutzämtern der Länder beschäftigt man sich bei uns mit Einzelfragen der biologischen Bekämpfung.

streuten kleineren und fragmentarischen Arbeiten und beschäftigt sich überhaupt nicht mit dem Wert dieser Tiere für die biologische Schädlingsbekämpfung. Von den rund 22 000 bekannten Spinnenarten sind 760 in Deutschland und rund 2 000 in den Vereinigten Staaten heimisch. In den deutschen Wäldern leben 29 Spinnenfamilien.

Für einen Forstmann hat die größte Bedeutung die Form, in der eine Spinne ihr Netz baut. Am wichtigsten sind für ihn die Radnetzspinnen, denn die Netze sind bei manchen dieser Arten so dicht gewebt, daß sie alle fliegenden Insekten fangen können. Ein großes Netz der Kreuzspinne kann bis zu 40 Zentimeter Durchmesser haben und trägt auf den Fäden rund 120 000 klebrige Tröpfchen. Eine einzige Spinne kann in ihrem Leben, das ungefähr achtzehn Monate währt, durchschnittlich zweitausend Insekten vernichten. In einem biologisch gesunden Wald leben pro Quadratmeter fünfzig bis hundert Spinnen. Wo weniger vorhanden sind, kann man dem Mangel abhelfen, wenn man die sackähnlichen Kokons, in denen die Eier verpackt sind, sammelt und verteilt. Aus »drei Kokons einer Wespenspinne – deren nahe Verwandte auch in Amerika vorkommt – gehen tausend Spinnen hervor, die 200 000 fliegende Insekten fangen können«, meint Ruppertshofen. Die winzigen und zarten Jungen der Radnetzspinnen, die im Frühling ausschlüpfen, sind besonders wichtig, wie er sagt, »da sie in gemeinsamer Arbeit ein Schirmnetz über den Wipfeltrieben der Bäume spinnen und auf diese Weise die jungen Triebe gegen fliegende Insekten schützen«. Wenn die Spinnen sich häuten und wachsen, wird das Netz vergrößert.

Kanadische Biologen haben bei ihren Forschungen eine sehr ähnliche Richtung eingeschlagen, allerdings mit einigen Abweichungen; sie sind dadurch bedingt, daß nordamerikanische Wälder weitgehend natürlichen Ursprungs sind und selten vom Menschen angepflanzt wurden; zudem stehen den Biologen etwas andere Arten zur Verfügung, mit deren Hilfe sie den Wald gesund erhalten können. In Kanada wird mehr Gewicht auf die kleinen Säugetiere gelegt, die sich als erstaunlich nützlich bei der Bekämpfung gewisser Insekten erwiesen haben, besonders jener Schädlinge, die im lockeren Boden des Waldes leben. Zu solchen Insekten gehören die Blattwespen; ihre Weibchen besitzen einen stachelförmigen Legeapparat, der meist mit Reihen von Zähnchen besetzt ist. Mit dieser »Säge« schlitzen sie die Nadeln immergrüner Bäume auf, um ihre Eier hineinzulegen. Die Larven fallen schließlich zu Boden und bilden im Torf der Tamarack-Sümpfe oder in der weichen Erde unter Fichten und Kiefern ihre Kokons. Doch unterhalb des Waldbodens liegt eine Welt, die wabenartig von Tunneln und Laufgängen kleiner Säugetiere durchzogen ist; zu ihnen zählen verschiedene Arten von Weißfußmäusen und Spitzmäusen. Von all diesen kleinen Grabtieren finden und verzehren die gefräßigen Spitzmäuse die größte Anzahl von Blattwespenkokons. Sie setzen ein Pfötchen auf den Kokon und beißen das Ende ab, dabei zeigen sie eine ungewöhnliche Fähigkeit, zwischen unbeschädigten und leeren Larvenhüllen zu unterscheiden. Kein anderes Tier dieser Größe hat einen so unersättlichen Appetit wie eine Spitzmaus. Während eine Wühlmaus ungefähr zweihundert Kokons am Tag fressen kann, vermag manche Spitzmausart bis zu achthundert Stück zu verschlingen! Nach Laboratoriumsversuchen zu schließen, können dadurch 75–98 Prozent der vorhandenen Kokons vertilgt werden.

Es ist also nicht erstaunlich, daß die Insel Neufundland, die keine einheimischen Spitzmäuse hat, aber von Blattwespen geplagt wird, den dringenden Wunsch hegte, einige dieser tüchtigen kleinen Säugetiere einzuführen. Man versuchte daher im Jahre 1958 die Masken-Spitzmaus, den ärgsten Feind der Blattwespen, einzubürgern. Kanadische Dienststellen berichteten im Jahre 1962, daß das Unternehmen erfolgreich gewesen sei. Die Spitzmäuse vermehren sich und verbreiten sich über die Insel. Einige Tiere, die man gekennzeichnet hatte, sind sogar 16 Kilometer von dort, wo man sie ausgesetzt hatte, wiedergefunden worden.

Der Forstmann, der gewillt ist, nach Dauerlösungen zu suchen, durch die im Wald die natürlichen Beziehungen erhalten und gestärkt werden, verfügt also über ein ganzes Arsenal von Waffen. Im Wald ist Schädlingsbekämpfung mit chemischen Mitteln bestenfalls ein Behelf, der keine echte Lösung bringt. Im schlimmsten Falle tötet man damit die Fische in den Bächen, beschwört neue Insektenplagen herauf und vernichtet die natürlichen sowie die von uns selbst eingeführten Feinde der Schädlinge. Mit solchen Gewaltmaßnahmen wird, wie Ruppertshofen sagt, »die Lebensgemeinschaft des Waldes völlig aus dem Gleichgewicht gebracht, und die Katastrophen, die von Schädlingen verursacht werden, wiederholen sich in immer kürzeren Zeitabständen ... Wir müssen daher Schluß machen mit diesen unnatürlichen Behandlungsmethoden, die in den wichtigsten und vielleicht letzten natürlichen Lebensraum, der uns verblieben ist, so störend eingreifen.«

Durch alle diese neuen, einfallsreichen und schöpferischen Bemühungen um eine Lösung des Problems, wie wir gemeinsam mit den anderen Geschöpfen diese Erde bewohnen können, zieht sich ein Leitmotiv: das Bewußtsein, daß wir es hier mit lebenden Wesen zu tun haben. Es handelt sich um Populationen, die einen Druck ausüben und Gegendruck erzeugen, die sich jäh vermehren und wieder zusammenschmelzen. Nur wenn wir solche lebendige Kräfte berücksichtigen und sie vorsichtig in Bahnen zu lenken suchen, die für uns günstig sind, können wir hoffen, zwischen den Insektenhorden und uns zu einem vernünftigen Vergleich zu kommen.

Bei der derzeit herrschenden Vorliebe für Gifte hat man völlig versäumt, diese wichtigen, grundsätzlichen Erwägungen zu berücksichtigen. Man hat eine Gemeinschaft von Lebewesen mit einem Hagel von Chemikalien überschüttet, sie mit einer Waffe bekämpft, die so primitiv ist wie die Keule eines Höhlenmenschen. Doch diese Gemeinschaft, die so empfindlich und leicht zerstörbar ist, kann dennoch erstaunlich zäh und elastisch sein; sie ist durchaus imstande, sich auf höchst unerwartete Weise zur Wehr zu setzen. Die Fachleute für chemische Schädlingsbekämpfung haben diese außerordentlichen Fähigkeiten des Lebens überhaupt nicht beachtet. Diese Menschen haben für ihre Aufgabe keine »hochherzige Einstellung« mitgebracht, keine Demut gegenüber den mächtigen Kräften, mit denen sie so stümperhaft spielen.

Die »Herrschaft über die Natur« ist ein Schlagwort, das man in anmaßendem Hochmut geprägt hat. Es stammt aus der »Neandertal-Zeit« der Biologie und Philosophie, als man noch annahm, die Natur sei nur dazu da, dem Menschen zu dienen und ihm das Leben angenehm zu machen. Die Begriffe und die üblichen Verfahren der angewandten Entomologie erwecken den Anschein, als stammten sie größtenteils aus dem »Steinzeitalter« der Naturwissenschaften. Es ist ein beängstigendes Unglück für uns, daß sich eine so primitive Wissenschaft für ihren Kampf gegen die Insekten mit den modernsten und fürchterlichsten Waffen ausgerüstet und damit die ganze Welt gefährdet hat.

Literaturverzeichnis

2. Kapitel: Die Pflicht zu erdulden

S. 19 f.: ›Report on Environmental Health Problems‹, Hearings, 86th Congress, Subcom. of Com. on Appropriations, March 1960, p. 170.
S. 21 f.: ›The Pesticide Situation for 1957–58‹, U. S. Dept. of Agric., Commodity Stabilization Service, April 1958, p. 10.
S. 23 f.: Elton, Charles S., ›The Ecology of Invasions by Animals and Plants‹. New York: Wiley, 1958.
S. 24 f.: Shepard, Paul, ›The Place of Nature in Man's World‹, Atlantic Naturalist, Vol. 13 (April–June 1958), pp. 85–89.

3. Kapitel: Elixiere des Todes

S. 27–49: Gleason, Marion, et al., ›Clinical Toxicology of Commercial Products‹. Baltimore: Williams and Wilkins, 1957.
S. 27–49: Gleason, Marion, et al., ›Bulletin of Supplementary Material: Clinical Toxicology of Commercial Products‹, Vol. IV., No. 9. Univ. of Rochester.
S. 27 f.: ›The Pesticide Situation for 1958–59‹, U.S. Dept. of Agric., Commodity Stabilization Service, April 1959, pp. 1–24.
S. 27 f.: ›The Pesticide Situation for 1960–61‹, U.S. Dept. of Agric., Commodity Stabilization Service, July 1961, pp. 1–23.
S. 27 f.: Hueper, W. C., ›Occupational Tumors and Allied Diseases‹. Springfield, Ill.: Thomas, 1942.
S. 28 f.: Todd, Frank E., and S. E. McGregor, ›Insecticides and Bees‹, Yearbook of Agric., U.S. Dept. of Agric., 1952, pp. 131–35.
S. 28 f.: Hueper, ›Occupational Tumors‹.
S. 31 f.: Bowen, C. V., and S. A. Hall, ›The Organic Insecticides‹, Yearbook of Agric., U.S. Dept. of Agric., 1952, pp. 209–18.
S. 32 f.: Van Oettingen, W. F., ›The Halogenated Aliphatic, Olefinic, Cyclic, Aromatic, and Aliphatic-Aromatic Hydrocarbons: Including the Halogenated Insecticides, Their Toxicity and Potential Dangers‹. U.S. Dept. of Health, Education, and Welfare. Public Health Service Publ. No. 414 (1955), pp. 341–42.
S. 32 f.: Laug, Edwin P., et al., ›Occurrence of DDT in Human Fat and Milk‹, A.M.A. Archives Indus. Hygiene and Occupat Med., Vol. 3 (1951), pp. 245–46.
S. 32 f.: Biskind, Morton S., ›Public Health Aspects of the New Insecticides‹, Am. Jour. Diges. Diseases, Vol. 20 (1953), No. 11, pp. 331–41.
S. 32 f.: Laug, Edwin P., et al., ›Liver Cell Alteration and DDT Storage in the Fat of the Rat Induced by Dietary Levels of 1 to 50 p.p.m. DDT‹, Jour. Pharmacol. and Exper. Therapeut., Vol. 98 (1950), p. 268.
S. 32 f.: Ortega, Paul, et al., ›Pathologic Changes in the Liver of Rats after Feeding Low Levels of Various Insecticides‹, A.M.A. Archives Path., Vol. 64 (Dec. 1957), pp. 614–22.
S. 33 f.: Fitzhugh, O. Garth, and A. A. Nelson, ›The Chronic Oral Toxicity of DDT (2,2-BIS p-CHLOROPHENYL-1,1,1-TRI-CHLOROETHANE)‹, Jour. Pharmacol. and Exper. Therapeut., Vol. 89 (1947), No. 1, pp. 18–30.
S. 33 f.: Laug et al., ›Occurrence of DDT in Human Fat and Milk‹.
S. 33 f.: Hayes, Wayland J., Jr., et al., ›Storage of DDT and DDE in People with Different Degrees of Exposure to DDT‹, A.M.A. Archives Indus. Health, Vol. 18 (Nov. 1958), pp. 398–406.

S. 33 f.: Durham, William F., et al., ›Insecticide Content of Diet and Body Fat of Alaskan Natives‹, Science, Vol. 134 (1961), No. 3493, pp. 1880–81.

S. 33 f.: Smith, Ray F., et al., ›Secretion of DDT in Milk of Dairy Cows Fed Low Residue Alfalfa‹, Jour. Econ. Entomol., Vol. 41 (1948), pp. 759–63.

S. 33 ff.: Laug et al., ›Occurrence of DDT in Human Fat and Milk‹.

S. 34 f.: Van Oettingen, ›Halogenated ... Hydrocarbons‹, p. 363.

S. 34 f.: Finnegan, J. K., et al., ›Tissue Distribution and Elimination of DDD and DDT Following Oral Administration to Dogs and Rats‹, Proc. Soc. Exper. Biol. and Med., Vol. 72 (1949), pp. 356–57.

S. 34 f.: Laug et al., ›Liver Cell Alteration‹.

S. 34 f.: ›Chemicals in Food Products‹, Hearings, H. R. 74, House Select Com. to Investigate Use of Chemicals in Food Products, Pt. 1 (1951), p. 275.

S. 34–37: Van Oettingen, ›Halogenated ... Hydrocarbons‹, p. 322.

S. 35 f.: ›Chemicals in Food Products‹, Hearings, 81st Congress, H. R. 323, Com. to Investigate Use of Chemicals in Food Products, Pt. 1 (1950), pp. 388–90.

S. 35 f.: ›Clinical Memoranda on Economic Poisons‹. U.S. Public Health Service Publ. No. 476 (1956), p. 28.

S. 35 f.: Gannon, Norman, and J. H. Bigger, ›The Conversion of Aldrin and Heptachlor to Their Epoxides in Soil‹, Jour. Econ. Entomol., Vol. 51 (Feb. 1958), pp. 1–2.

S. 35 f.: Davidow, B., and J. L. Radomski, ›Isolation of an Epoxide Metabolite from Fat Tissues of Dogs Fed Heptachlor‹, Jour. Pharmacol. and Exper. Therapeut., Vol. 107 (March 1953), pp. 259–65.

S. 35 f.: Van Oettingen, ›Halogenated ... Hydrocarbons‹, p. 310.

S. 36 f.: Drinker, Cecil K., et al., ›The Problem of Possible Systemic Effects from Certain Chlorinated Hydrocarbons‹, Jour. Indus. Hygiene and Toxicol., Vol. 19 (Sept. 1937), p. 283.

S. 36 f.: ›Occupational Dieldrin Poisoning‹, Com. on Toxicology, Jour. Am. Med. Assn., Vol. 172 (April 1960), pp. 2077–80.

S. 36 f.: Scott, Thomas G., et al., ›Some Effects of a Field Application of Dieldrin on Wildlife‹, Jour. Wildlife Management, Vol. 23 (Oct. 1959), pp. 409–27.

S. 36 f.: Paul, A. H., ›Dieldrin Poisoning – a Case Report‹, New Zealand Med. Jour., Vol. 58 (1959), p. 393.

S. 36 f.: Hayes, Wayland J., Jr., ›The Toxicity of Dieldrin to Man‹, Bull. World Health Organ., Vol. 20 (1959), pp. 891–912.

S. 37 f.: Gannon, Norman, and G. C. Decker, ›The Conversion of Aldrin to Dieldrin on Plants‹, Jour. Econ. Entomol., Vol. 51 (Feb. 1958), pp. 8–11.

S. 37 f.: Kitselman, C. H., et al., ›Toxicological Studies of Aldrin (Compound 118) on Large Animals‹, Am. Jour. Vet. Research, Vol. 11 (1950), p. 378.

S. 37 f.: Dahlen, James H., and A. O. Haugen, ›Effect of Insecticides on Quail and Doves‹, Alabama Conservation, Vol. 26 (1954), No. 1, pp. 21–23.

S. 37 f.: DeWitt, James B., ›Chronic Toxicity to Quail and Pheasants of Some Chlorinated Insecticides‹, Jour. Agric. and Food Chem., Vol. 4 (1956), No. 10, pp. 863–66.

S. 37 f.: Kitselman, C. H., ›Long Term Studies on Dogs Fed Aldrin and Dieldrin in Sublethal Doses, with Reference to the Histopathological Findings and Reproduction‹, Jour. Am. Vet. Med. Assn., Vol. 123 (1953), p. 28.

S. 37 f.: Treon, J. F., and A. R. Borgmann, ›The Effects of the Complete Withdrawal of Food from Rats Previously Fed Diets Containing Aldrin or Dieldrin‹. Kettering Lab., Univ. of Cincinnati; mimeo. Quoted from: Robert L. Rudd and Richard E. Genelly, ›Pesticides: Their Use and Toxicity in Relation to Wildlife‹. Calif. Dept. of Fish and Game, Game Bulletin No. 7 (1956), p. 52.

S. 37 ff.: Myers, C. S., ›Endrin and Related Pesticides: A Review‹. Penna. Dept. of Health Research Report No. 45 (1958). Mimeo.

S. 38 f.: Jacobziner, Harold, and H. W. Raybin, ›Poisoning by Insecticide (Endrin)‹, New York State Jour. Med., Vol. 59 (May 15, 1959), pp. 2017–22.

S. 38 f.: ›Care in Using Pesticide Urged‹, Clean Streams, No. 46 (June 1959). Penna. Dept. of Health.

S. 38 ff.: Metcalf, Robert L., ›The Impact of the Development of Organophosphorus Insecticides upon Basic and Applied Science‹, Bull. Entomol. Soc. Am., Vol. 5 (March 1959), pp. 3–15.

S. 39 ff.: Mitchell, Philip H., ›General Physiology‹. New York: McGraw-Hill, 1958. pp. 14–15.

S. 40 f.: Brown, A. W. A., ›Insect Control by Chemicals‹. New York: Wiley, 1951,

S. 40 f.: Toivonen, T., et al., ›Parathion Poisoning Increasing Frequency in Finland‹. Lancet, Vol. 2 (1959), No. 7095, pp. 175–76.

S. 41 f.: Hayes, Wayland J., Jr., ›Pesticides in Relation to Public Health‹, Annual Rev. Entomol., Vol. 5 (1960), pp. 379–404.

S. 41 f.: ›Occupational Disease in California Attributed to Pesticides and Other Agricultural Chemicals‹. Calif. Dept. of Public Health, 1957, 1958, 1959, and 1960.

S. 41 f.: Quinby, Griffith E., and A. B. Lemmon, ›Parathion Residues As a Cause of Poisoning in Crop Workers‹, Jour. Am. Med. Assn., Vol. 166 (Feb. 15, 1958), pp. 740–46.

S. 41 f.: Carman, G. C., et al., ›Absorption of DDT and Parathion by Fruits‹, Abstracts, 115th Meeting Am. Chem. Soc. (1949), p. 30A.

S. 41 f.: ›Clinical Memoranda on Economic Poisons‹, p. 11.

S. 42 f.: Frawley, John P., et al., ›Marked Potentiation in Mammalian Toxicity from Simultaneous Administration of Two Anticholinesterase Compounds‹, Jour. Pharmacol. and Exper. Therapeut., Vol. 121 (1957), No. 1, pp. 96–106.

S. 42 f.: Rosenberg, Philip, and J. M. Coon, ›Potentiation between Cholinesterase Inhibitors‹, Proc. Soc. Exper. Biol. and Med., Vol. 97 (1958), pp. 836–39.

S. 42 f.: Dubois, Kenneth P., ›Potentiation of the Toxicity of Insecticidal Organic Phosphates‹, A.M.A. Archives Indus. Health, Vol. 18 (Dec. 1958), pp. 488–96.

S. 43 f.: Murphy, S. D., et al., ›Potentiation of Toxicity of Malathion by Triorthotolyl Phosphate‹, Proc. Soc. Exper. Biol. and Med., Vol. 100 (March 1959), pp. 483–87.

S. 43 f.: Graham, R. C. B., et al., ›The Effect of Some Organophosphorus and Chlorinated Hydrocarbon Insecticides on the Toxicity of Several Muscle Relaxants‹, Jour. Pharm. and Pharmacol., Vol. 9 (1957), pp. 312–19.

S. 43 f.: Rosenberg, Philip, and J. M. Coon, ›Increase of Hexobarbital Sleeping Time by Certain Anticholinesterases‹, Proc. Soc. Exper. Biol. and Med., Vol. 98 (1958), pp. 650–52.

S. 43 f.: Dubois, ›Potentiation of Toxicity‹.

S. 44 f.: Hurd-Karrer, A. M., and F. W. Poos, ›Toxicity of Selenium-Containing Plants to Aphids‹, Science, Vol. 84 (1936), pp. 252.

S. 44 ff.: Ripper, W. E., ›The Status of Systemic Insecticides in Pest Control Practices‹, Advances in Pest Control Research. New York: Interscience, 1957. Vol. 1, pp. 305–52.

S. 45 f.: Occupational Disease in California, 1959.

S. 45 f.: Glynne-Jones, G. D., and W. D. E. Thomas, ›Experiments on the Possible Contamination of Honey with Schradan‹, Annals Appl. Biol., Vol. 40 (1953), p. 546.

S. 45 f.: Radeleff, R. D., et al., ›The Acute Toxicity of Chlorinated Hydrocarbon and Organic Phosphorus Insecticides to Livestock‹. U.S. Dept. of Agric. Technical Bulletin 1122 (1955).

S. 46 f.: Brooks, F. A., ›The Drifting of Poisonous Dusts Applied by Airplanes and Land Rigs‹, Agric. Engin., Vol. 28 (1947), No. 6, pp. 233–39.

S. 47f.: Stevens, Donald B., ›Recent Developments in New York State's Program Regarding Use of Chemicals to Control Aquatic Vegetation‹, paper pres. at 13th Annual Meeting Northeastern Weed Control Conf. (Jan. 8, 1959).

S. 47f.: ›Arsenites in Agriculture‹, Lancet, Vol. 1 (1960), p. 178.

S. 47f.: Horner, Warren D., ›Dinitrophenol and Its Relation to Formation of Cataract‹, (A.M.A.) Archives Ophthalmol., Vol. 27 (1942), pp. 1097–1121.

S. 47ff.: Weinbach, Eugene C., ›Biochemical Basis for the Poxicity of Tentachlorophenol‹, Proc. Natl. Acad. Sci., Vol. 43 (1957), No. 5, pp. 393–97.

S. 48f.: Anon., ›No More Arsenic‹, Economist, Oct. 10, 1959.

4. Kapitel: Oberflächengewässer und unterirdische Fluten

S. 50f.: ›Biological Problems in Water Pollution‹. Transactions, 1959 seminar. U.S. Public Health Service Technical Report W 60–3 (1960).

S. 50f.: ›Report on Environmental Health Problems‹, Hearings, 86th Congress, Subcom. of Com. on Appropriations, March 1960, p. 78.

S. 51f.: Tarzwell, Clarence M., ›Pollutional Effects of Organic Insecticides to Fishes‹, Transactions, 24th North Am. Wildlife Conf. (1959), Washington, D.C., pp. 132–42. Pub. by Wildlife Management Inst.

S. 51f.: Nicholson, H. Page, ›Insecticide Pollution of Water Resources‹, Jour. Am. Waterworks Assn., Vol. 51 (1959), pp. 981–86.

S. 51f.: Woodward, Richard L., ›Effects of Pesticides in Water Supplies‹, Jour. Am. Waterworks Assn., Vol. 52 (1960), No. 11, pp. 1367–72.

S. 52f.: Cope, Oliver B., ›The Retention of DDT by Trout and Whitefish‹, in Biological Problems in Water Pollution, pp. 72–75.

S. 52ff.: Kuenen, P. H., ›Realms of Water‹. New York: Wiley, 1955.

S. 52ff.: Gilluly, James, et al., ›Principles of Geology‹. San Francisco: Freeman, 1951.

S. 53ff.: Walton, Graham, ›Public Health Aspects of the Contamination of Ground Water in South Platte River Basin in Vicinity of Henderson, Colorado, August, 1959‹. U.S. Public Health Service, Nov. 2, 1959. Mimeo.

S. 53ff.: ›Report on Environmental Health Problems‹.

S. 54ff.: Hueper, W. C., ›Cancer Hazards from Natural and Artificial Water Pollutants‹, Proc., Conf. on Physiol. Aspects of Water Quality, Washington, D.C., Sept. 8–9, 1960. U.S. Public Health Service.

S. 57–60: Hunt, E. G., and A. I. Bischoff, ›Inimical Effects on Wildlife of Periodic DDD Applications to Clear Lake‹, Calif. Fish and Game, Vol. 46 (1960), No. 1, pp. 91–106.

S. 60f.: Woodard, G., et al., ›Effects Observed in Dogs Following the Prolonged Feeding of DDT and Its Analogues‹, Federation Proc., Vol. 7 (1948), No. 1, p. 266.

S. 60f.: Nelson, A. A., and G. Woodard, ›Severe Adrenal Cortical Atrophy (Cytotoxic) and Hepatic Damage Produced in Dogs by Feeding DDD or TDE‹, (A.M.A.) Archives Path., Vol. 48 (1949), p. 387.

S. 60f.: Zimmermann, B., et al., ›The Effects of DDD on the Human Adrenal; Attempts to Use an Adrenal-Destructive Agent in the Treatment of Disseminated Mammary and Prostatic Cancer‹, Cancer, Vol. 9 (1956), pp. 940–48.

S. 60ff.: Cohen, Jesse M., et al., ›Effect of Fish Poisons on Water Supplies. I. Removal of Toxic Materials‹, Jour. Am. Waterworks Assn., Vol. 52 (1960), No. 12, pp. 1551–65. ›II. Odor Problems‹, Vol. 53 (1960), No. 1, pp. 49–61. ›III. Field Study, Dickinson, North Dakota‹, Vol. 53 (1961), No. 2, pp. 233–46.

S. 61f.: Hueper, ›Cancer Hazards from Water Pollutants‹.

S. 63 ff.: Simonson, Roy W., ›What Soils Are‹, Yearbook of Agric., U. S. Dept. of Agric., 1957, pp. 17–31.
S. 63 f.: Clark, Francis E., ›Living Organisms in the Soil‹, Yearbook of Agric., U.S. Dept. of Agric., 1957, pp. 157–65.
S. 63 ff.: Farb, Peter, ›Living Earth‹. New York: Harper, 1959.
S. 66 f.: Mader, Donald L., ›Effect of Humus of Different Origin in Moderating the Toxicity of Biocides‹. Doctorate thesis, Univ. of Wisc., 1960.
S. 66 ff.: Eno, Ch. F., ›Chlorinated Hydrocarbon Insecticides: What Have They Doneto Our Soil?‹, Sunshine State Agric. Research Report for July 1959.
S. 67 f.: Lichtenstein, E. P., and K. R. Schulz, ›Persistence of Some Chlorinated Hydrocarbon Insecticides As Influenced by Soil Types, Rate of Application and Temperature‹, Jour. Econ. Entomol., Vol. 52 (1959), No. 1, pp. 124–31.
S. 67 f.: Thomas, F. J. D., ›The Residual Effects of Crop-Protection Chemicals in the Soil‹, in Proc., 2nd Internatl. Plant Protection Conf. (1956), Fernhurst Research Station, England.
S. 67 f.: Sheals, J. G., ›Soil Population Studies. I. The Effects of Cultivation and Treatment with Insecticides‹, Bull. Entomol. Research, Vol. 47 (Dec. 1956), pp. 803–22.
S. 67 f.: Hetrick, L. A., ›Ten Years of Testing Organic Insecticides As Soil Poisons against the Eastern Subterranean Termite‹, Jour. Econ. Entomol., Vol. 50 (1957), p. 316.
S. 67 f.: Lichtenstein, E. P., and J. B. Polivka, ›Persistence of Insecticides in Turf Soils‹, Jour. Econ. Entomol., Vol. 52 (1959), No. 2, pp. 289–93.
S. 67 f.: Ginsburg, J. M., and J. P. Reed, ›A Survey on DDT-Accumulation in Soils in Relation to Different Crops‹, Jour. Econ. Entomol., Vol. 47 (1954), No. 3, pp. 467–73.
S. 67 ff.: Cullinan, F. P., ›Some New Insecticides – Their Effect on Plants and Soils‹, Jour. Econ. Entomol., Vol. 42 (1949), pp. 387–91.
S. 68 f.: Satterlee, Henry S., ›The Problem of Arsenic in American Cigarette Tobacco‹, New Eng. Jour. Med., Vol. 254 (June 21, 1956), pp. 1149–54.
S. 69 f.: Lichtenstein, E. P., ›Absorption of Some Chlorinated Hydrocarbon Insecticides from Soils into Various Crops‹, Jour. Agric. and Food Chem., Vol. 7 (1959), No. 6, pp. 430–33.
S. 69 ff.: ›Chemicals in Foods and Cosmetics‹, Hearings, 81st Congress, H. R. 74 and 447, House Select Com. to Investigate Use of Chemicals in Foods and Cosmetics, Pt. 3 (1952), pp. 1385–1416. Testimony of L. G. Cox.
S. 70 f.: Klostermeyer, E. C., and C. B. Skotland, ›Pesticide Chemicals As a Factor in Hop Die-out‹. Washington Agric. Exper. Stations Circular 362 (1959).
S. 70 f.: Stegeman, LeRoy C., ›The Ecology of the Soil‹. Transcription of a seminar, New York State Univ. College of Forestry, 1960.

6. Kapitel: Das grüne Kleid der Erde

S. 72–75: Patterson, Robert L., ›The Sage Grouse in Wyoming‹. Denver: Sage Books, Inc., for Wyoming Fish and Game Commission, 1952.
S. 74 f.: Pechanec, Joseph, et al., ›Controlling Sagebrush on Rangelands‹. U.S. Dept. of Agric. Farmers' Bulletin No. 2072 (1960).
S. 74 ff.: Murie, Olaus J., ›The Scientist and Sagebrush‹, Pacific Discovery, Vol. 13 (1960), No. 4, p. 1.

S. 75ff.: Douglas, William O., ›My Wilderness: East to Katahdin‹. New York: Doubleday, 1961.

S. 76f.: Fisher, C. E., et al., ›Control of Mesquite on Grazing Lands‹. Texas Agric. Exper. Station Bulletin 935 (Aug. 1959).

S. 76ff.: Goodrum and Reid, ›Wildlife Implications of Hardwood and Brush Controls‹, Transactions, 21st North Am. Wildlife Conf. (1956).

S. 76ff.: ›A Survey of Extent and Cost of Weed Control and Specific Weed Problems‹. U.S. Dept. of Agric. ARS 34–23 (March 1962).

S. 77f.: Egler, Frank E., ›Herbicides: 60 Questions and Answers Concerning Roadside and Rightofway Vegetation Management‹. Litchfield, Conn.: Litchfield Hills Audubon Soc., 1961.

S. 78ff.: Barnes, Irston R., ›Sprays Mar Beauty of Nature‹, Washington Post, Sept. 25, 1960.

S. 78ff.: Goodwin, Richard H., and William A. Niering, ›A Roadside Crisis: The Use and Abuse of Herbicides‹. Connecticut Arboretum Bulletin No. 11 (March 1959), pp. 1–13.

S. 79ff.: Boardman, William, ›The Dangers of Weed Spraying‹, Veterinarian, Vol. 6 (Jan. 1961), pp. 9–19.

S. 81f.: Willard, C. J., ›Indirect Effects of Herbicides‹, Proc., 7th Annual Meeting North Central Weed Control Conf. (1950), pp. 110–12.

S. 81f.: Douglas, William O., ›My Wilderness: The Pacific West‹. New York: Doubleday, 1960.

S. 81ff.: Egler, Frank E., ›Vegetation Management for Rights-of-Way and Roadsides‹. Smithsonian Report for 1953 (Smithsonian Inst., Washington, D. C.), pp. 299–322.

S. 81ff.: Bohart, George E., ›Pollination by Native Insects‹, Yearbook of Agric., U.S. Dept. of Agric., 1952, pp. 107–21.

S. 83ff.: Egler, Vegetation Management.

S. 84f.: Niering, William A., and Frank E. Egler, ›A Shrub Community of Viburnum lentago, Stable for Twenty-five Years‹, Ecology, Vol. 36 (April 1955), pp. 356–60.

S. 84f.: Pound, Charles E., and Frank E. Egler, ›Brush Control in Southeastern New York: Fifteen Years of Stable Tree-Less Communities‹, Ecology, Vol. 34 (Jan. 1953), pp. 63–73.

S. 84f.: Egler, Frank E., ›Fifty Million More Acres for Hunting?‹, Sports Afield, Dec. 1954.

S. 84ff.: Egler, Frank E., ›Science, Industry, and the Abuse of Rights of Way‹, Science, Vol. 127 (1958), No. 3298, pp. 573–80.

S. 84ff.: Niering, William A., ›Principles of Sound Right-of-Way Vegetation Management‹, Econ. Botany, Vol. 12 (April–June 1958), pp. 140–44.

S. 84ff.: Hall, William C., and William A. Niering, ›The Theory and Practice of Successful Selective Control of ‚Brush‘ by Chemicals‹, Proc., 13th Annual Meeting Northeastern Weed Control Conf. (Jan. 8, 1959).

S. 84ff.: McQuilkin, W. E., and L. R. Strickenberg, ›Roadside Brush Control with 2,4,5-T on Eastern National Forests‹. Northeastern Forest Exper. Station Paper No. 148. Upper Darby, Penna., 1961.

S. 85f.: Goldstein, N. P., et al., ›Peripheral Neuropathy after Exposure to an Ester of Dichlorophenoxyacetic Acid‹, Jour. Am. Med. Assn., Vol. 171 (1959), pp. 1306–9.

S. 85f.: Brody, T. M., ›Effect of Certain Plant Growth Substances on Oxidative Phosphorylation in Rat Liver Mitochondria‹, Proc. Soc. Exper. Biol. and Med., Vol. 80 (1952), pp. 533–36.

S. 85f.: Croker, Barbara H., ›Effects of 2,4-D and 2,4,5-T on Mitosis in Allium cepa‹, Bot. Gazette, Vol. 114 (1953), pp. 274–83.

S. 85 ff.: Willard, ›Indirect Effects of Herbicides‹.
S. 86 f.: Stahler, L. M., and E. J. Whitehead, ›The Effect of 2,4-D on Potassium Nitrate Levels in Leaves of Sugar Beets‹, Science, Vol. 112 (1950), No. 2921, pp. 749–51.
S. 86 ff.: Olson, O., and E. J. Whitehead, ›Nitrate Content of Some South Dakota Plants‹, Proc., South Dakota Acad. of Sci., Vol. 20 (1940), p. 95.
S. 86 ff.: Stahler and Whitehead, ›The Effect of 2,4-D on Potassium Nitrate Levels‹.
S. 86 ff.: Grayson, R. R., ›Silage Gas Poisoning: Nitrogen Dioxide Pneumonia, a New Disease in Agricultural Workers‹, Annals Internal Med., Vol. 45 (1956), pp. 393–408.
S. 87 f.: ›What's New in Farm Science‹. Univ. of Wisc. Agric. Exper. Station Annual Report, Pt. II, Bulletin 527 (July 1957), p. 18.
S. 87 f.: Crawford, R. F., and W. K. Kennedy, ›Nitrates in Forage Crops and Silage: Benefits, Hazards, Precautions‹. New York State College of Agric., Cornell Misc. Bulletin 37 (June 1960).
S. 87 f.: Briejèr, C. J., ›To author‹.
S. 88 ff.: Knake, Ellery L., and F. W. Slife, ›Competition of Setaria faterii with Corn and Soybeans‹, Weeds, Vol. 10 (1962), No. 1, pp. 26–29.
S. 89 f.: Goodwin and Niering, ›A Roadside Crisis‹.
S. 89 ff.: DeWitt, James B., ›To author‹.
S. 90 f.: Egler, Frank E., ›To author›.
S. 90 ff.: Holloway, James K., ›Weed Control by Insect‹, Sci. American, Vol. 197 (1957), No. 1, pp. 56–62.
S. 90 ff.: Holloway, James K., and C. B. Huffaker, ›Insects to Control a Weed‹, Yearbook of Agric., U.S. Dept. of Agric., 1952, pp. 135–40.
S. 90 ff.: Huffaker, C. B., and C. E. Kennett, ›A Ten-Year Study of Vegetational Changes Associated with Biological Control of Klamath Weed‹, Jour. Range Management, Vol. 12 (1959), No. 2, pp. 69–82.
S. 92 f.: Bishopp, F. C., .›Insect Friends of Man‹, Yearbook of Agric., U.S. Dept. of Agric., 1952, pp. 79–87.

7. Kapitel: Unnötige Verwüstung

S. 95 f.: Nickell, Walter, ›To author‹.
S. 96 f.: ›Here Is Your 1959 Japanese Beetle Control Program‹. Release, Michigan State Dept. of Agric., Oct. 19, 1959.
S. 96 f.: Hadley, Charles H., and Walter E. Fleming, ›The Japanese Beetle‹, Yearbook of Agric., U.S. Dept. of Agric., 1952, pp. 567–73.
S. 97 f.: ›Here Is Your 1959 Japanese Beetle Control Program‹.
S. 97 f.: ›No Bugs in Plane Dusting‹, Detroit News, Nov. 10, 1959.
S. 98 f.: ›Michigan Audubon Newsletter‹, Vol. 9 (Jan. 1960).
S. 99 f.: ›No Bugs in Plane Dusting‹.
S. 99 f.: Hickey, Joseph J., ›Some Effects of Insecticides on Terrestrial Birdlife‹, Report of Subcom. on Relation of Chemicals to Forestry and Wildlife, Madison, Wisc., Jan. 1961. Special Report No. 6.
S. 100 f.: Scott, Thomas G., ›To author‹, Dec. 14, 1961.
S. 100 f.: ›Coordination of Pesticides Programs‹, Hearings, 86th Congress, H. R. 11502, Com. on Merchant Marine and Fisheries, May 1960, p. 66.
S. 100–103: Scott, Thomas G., et al., ›Some Effects of a Field Application of Dieldrin on Wildlife‹, Jour. Wildlife Management, Vol. 23 (1959), No. 4, pp. 409–27.
S. 102 f.: Hayes, Wayland J., Jr., ›The Toxicity of Dieldrin to Man‹, Bull. World Health Organ., Vol. 20 (1959), pp. 891-912.

S. 102–105: Scott, Thomas G., ›To author‹, Dec. 14, 1961, Jan. 8, Feb. 15, 1962.
S. 105–108: Hawley, Ira M., ›Milky Diseases of Beetles‹, Yearbook of Agric., U.S. Dept. of Agric., 1952, pp. 394–401.
S. 105–108: Fleming, Walter E., ›Biological Control of the Japanese Beetle Especially with Entomogenous Diseases‹, Proc., 10th Internatl. Congress of Entomologists (1956), Vol. 3 (1958), pp. 115–25.
S. 107 f.: Chittick, Howard A. (Fairfax Biological Lab.), ›To author‹, Nov. 30, 1960.
S. 108 f.: Scott et al., ›Some Effects of a Field Application of Dieldrin on Wildlife‹.

8. Kapitel: Und keine Vögel singen

S. 110 f.: Audubon Field Notes. ›Fall Migration – Aug. 16 to Nov. 30, 1958‹. Vol. 13 (1959), No. 1, pp. 1–68.
S. 111 ff.: Swingle, R. U., et al., ›Dutch Elm Disease‹, Yearbook of Agric., U.S. Dept. of Agric., 1949, pp. 451–52.
S. 112 f.: Mehner, John F., and George J. Wallace, ›Robin Populations and Insecticides‹, Atlantic Naturalist, Vol. 14 (1959), No. 1, pp. 4–10.
S. 113 f.: Wallace, George J., ›Insecticides and Birds‹, Audubon Mag., Jan.–Feb. 1959.
S. 114 f.: Barker, Roy J., ›Notes on Some Ecological Effects of DDT Sprayed on Elms‹, Jour. Wildlife Management, Vol. 22 (1958), No. 3, pp. 269–74.
S. 114 f.: Hickey, Joseph J., and L. Barrie Hunt, ›Songbird Mortality Following Annual Programs to Control Dutch Elm Disease‹, Atlantic Naturalist, Vol. 15 (1960), No. 2, pp. 87–92.
S. 114 ff.: Wallace, ›Insecticides and Birds‹.
S. 115 ff.: Wallace, George J., ›Another Year of Robin Losses on a University Campus‹, Audubon Mag., March–April 1960.
S. 115 ff.: ›Coordination of Pesticides Programs‹, Hearings, H.R. 11502, 86th Congress, Com. on Merchant Marine and Fisheries, May 1960, pp. 10, 12.
S. 116 f.: Hickey, Joseph J., and L. Barrie Hunt, ›Initial Songbird Mortality Following a Dutch Elm Disease Control Program‹, Jour. Wildlife Management, Vol. 24 (1960), No. 3, pp. 259–65.
S. 116 f.: Wallace, George J., et al., ›Bird Mortality in the Dutch Elm Disease Program in Michigan‹. Cranbrook Inst. of Science Bulletin 41 (1961).
S. 116 ff.: Hickey, Joseph J., ›Some Effects of Insecticides on Terrestrial Birdlife‹, Report of Subcom. on Relation of Chemicals to Forestry and Wildlife, State of Wisconsin, Jan. 1961, pp. 2–43.
S. 116 ff.: Wright, Bruce S., ›Woodcock Reproduction in DDT-Sprayed Areas of New Brunswick‹, Jour. Wildlife Management, Vol. 24 (1960), No. 4, pp. 419–20.
S. 117 f.: Walton, W. R., ›Earthworms As Pests and Otherwise‹. U.S. Dept. of Agric. Farmers' Bulletin No. 1569 (1928).
S. 117 f.: Dexter, R. W., ›Earthworms in the Winter Diet of the Opossum and the Raccoon‹, Jour. Mammal., Vol. 32 (1951), p. 464.
S. 117 ff.: Wallace et al., ›Bird Mortality in the Dutch Elm Disease Program‹.
S. 117 ff.: ›Coordination of Pesticides Programs‹. Testimony of George J. Wallace, p. 10.
S. 118 ff.: Wallace, ›Insecticides and Birds‹.
S. 119 f.: Bent, Arthur C., ›Life Histories of North American Jays, Crows, and Titmice‹. Smithsonian Inst., U.S. Natl. Museum Bulletin 191 (1946).
S. 119 f.: MacLellan, C. R., ›Woodpecker Control of the Codling Moth in Nova Scotia Orchards‹, Atlantic Naturalist, Vol. 16 (1961), No. 1, pp. 17–25.

S. 119f.: Knight, F. B., ›The Effects of Woodpeckers on Populations of the Engelmann Spruce Beetle‹, Jour. Econ. Entomol., Vol. 51 (1958), pp. 603–7.
S. 120f.: Carter, J. C., ›To author‹, June 16, 1960.
S. 121ff.: Sweeney, Joseph A., ›To author‹, March 7, 1960.
S. 122ff.: Welch, D. S., and J. G. Matthysse, ›Control of the Dutch Elm Disease in New York State‹. New York State College of Agric., Cornell Ext. Bulletin No. 932 (June 1960), pp. 3–16.
S. 123f.: Miller, Howard, ›To author‹, Jan. 17, 1962.
S. 123ff.: Matthysse, J. G., ›An Evaluation of Mist Blowing and Sanitation in Dutch Elm Disease Control Programs‹. New York State College of Agric., Cornell Ext. Bulletin No. 30 (July 1959), pp. 2–16.
S. 124ff.: Elton, Charles S., ›The Ecology of Invasions by Animals and Plants‹. New York: Wiley, 1958.
S. 125ff.: Broley, Charles E., ›The Bald Eagle in Florida‹, Atlantic Naturalist, July 1957, pp. 230–31.
S. 126f.: –, ›The Plight of the American Bald Eagle‹, Audubon Mag., July–Aug. 1958, pp. 162–63.
S. 126ff.: Cunningham, Richard L., ›The Status of the Bald Eagle in Florida‹, Audubon Mag., Jan.–Feb. 1960, pp. 24–43.
S. 126ff.: Brown, Maurice, ›To author‹, May 22, 30, 1960.
S. 127f.: ›Vanishing Bald Eagle Gets Champion‹, Florida Naturalist, April 1959, p. 64.
S. 127f.: McLaughlin, Frank, ›Bald Eagle Survey in New Jersey‹, New Jersey Nature News, Vol. 16 (1959), No. 2, p. 25. Interim Report, Vol. 16 (1959), No. 3, p. 51.
S. 127f.: Beck, Herbert H., ›To author‹, July 30, 1959.
S. 127ff.: Rudd, Robert L., and Richard E. Genelly, ›Pesticides: Their Use and Toxicity in Relation to Wildlife‹. Calif. Dept. of Fish and Game, Game Bulletin No. 7 (1956), p. 57.
S. 128f.: DeWitt, James B., ›Effects of Chlorinated Hydrocarbon Insecticides upon Quail and Pheasants‹, Jour. Agric. and Food Chem., Vol. 3 (1955), No. 8, p. 672.
S. 128f.: –, ›Chronic Toxicity to Quail and Pheasants of Some Chlorinated Insecticides‹. Jour. Agric. and Food Chem., Vol. 4 (1956), No. 10, p. 863.
S. 129f.: Imler, Ralph H., and E. R. Kalmbach, ›The Bald Eagle and Its Economic Status‹. U.S. Fish and Wildlife Service Circular 30 (1955).
S. 129f.: Mills, Herbert R., ›Death in the Florida Marshes‹, Audubon Mag., Sept. to Oct. 1952.
S. 129f.: ›Bulletin, Internatl. Union for the Conservation of Nature‹, May and Oct. 1957.
S. 130f.: ›The Deaths of Birds and Mammals Connected with Toxic Chemicals in the First Half of 1960‹. Report No. 1 of the British Trust for Ornithology and Royal Soc. for the Protection of Birds. Com. on Toxic Chemicals, Royal Soc. Protect. Birds.
S. 131ff.: ›Sixth Report from the Estimates Com., Ministry of Agric., Fisheries and Food‹, Sess. 1960–61, House of Commons.
S. 132f.: Christian, Garth, ›Do Seed Dressings Kill Foxes?‹, Country Life, Jan. 12, 1961.
S. 132ff.: Rudd, Robert L., and Richard E. Genelly, ›Avian Mortality from DDT in Californian Rice Fields‹, Condor, Vol. 57 (III./IV. 1955), pp. 117–18.
S. 133f.: Rudd and Genelly, ›Pesticides‹.
S. 133ff.: Dykstra, Walter W., ›Nuisance Bird Control‹, Audubon Mag., May to June 1960, pp. 118–19.
S. 133ff.: Buchheister, Carl W., ›What About Problem Birds?‹, Audubon Mag., May–June 1960, pp. 116–18.

S. 134 f.: Quinby, Griffith E., and A. B. Lemmon, ›Parathion Residues As a Cause of Poisoning in Crop Workers‹, Jour. Am. Med. Assn., Vol. 166 (Feb. 15, 1958), pp. 740–46.

9. Kapitel: Der Tod zieht in die Flüsse ein

S. 136–141: Kerswill, C. J., ›Effects of DDT Spraying in New Brunswick on Future Runs of Adult Salmon‹, Atlantic Advocate, Vol. 48 (1958), pp. 65–68.
S. 136–141: Keenleyside, M. H. A., ›Insecticides and Wildlife‹, Canadian Audubon, Vol. 21 (1959), No. 1, pp. 1–7.
S. 136–141: –, ›Effects of Spruce Budworm Control on Salmon and Other Fishes in New Brunswick‹, Canadian Fish Culturist, Issue 24 (1959), pp. 17–22.
S. 136–141: Kerswill, C. J., ›Investigation and Management of Atlantic Salmon in 1956‹ (also for 1957, 1958, 1959–60; in 4 parts). Federal-Provincial Co-ordinating Com. on Atlantic Salmon (Canada).
S. 138 f.: Ide, F. P., ›Effect of Forest Spraying with DDT on Aquatic Insects of Salmon Streams‹, Transactions, Am. Fisheries Soc., Vol. 86 (1957), pp. 208–19.
S. 138 ff.: Kerswill, C. J., ›To author‹, May 9, 1961.
S. 139 ff.: –, ›To author‹, June 1, 1961.
S. 141 f.: Warner, Kendall, and O. C. Fenderson, ›Effects of Forest Insect Spraying on Northern Maine Trout Streams‹. Maine Dept. of Inland Fisheries and Game. Mimeo., n. d.
S. 141 f.: Alderdice, D. F., and M. E. Worthington, ›Toxicity of a DDT Forest Spray to Young Salmon‹. Canadian Fish Culturist, Issue 24 (1959), pp. 41–48.
S. 141 ff.: Hourston, W. R., ›To author‹, May 23, 1961.
S. 142 ff.: Graham, R. J., and D. O. Scott, ›Effects of Forest Insect Spraying on Trout and Aquatic Insects in Some Montana Streams‹. Final Report, Mont. State Fish and Game Dept., 1958.
S. 142 ff.: Graham, R. J., ›Effects of Forest Insect Spraying on Trout and Aquatic Insects in Some Montana Streams‹, in: Biological Problems in Water Pollution. Transactions, 1959 seminar. U.S. Public Health Service Technical Report W 60–3 (1960).
S. 144 f.: Crouter, R. A., and E. H. Vernon, ›Effects of Black-headed Budworm Control on Salmon and Trout in British Columbia‹, Canadian Fish Culturist, Issue 24 (1959), pp. 23–40.
S. 144 f.: Whiteside, J. M., ›Spruce Budworm Control in Oregon and Washington, 1949–1956‹, Proc., 10th Internatl. Congress of Entomologists (1956), Vol.4 (1958), pp. 291–302.
S. 145 ff.: ›Pollution-Caused Fish Kills in 1960‹. U.S. Public Health Service Publ. No. 847 (1961), pp. 1–20.
S. 146.: ›U.S. Anglers – Three Billion Dollars‹, Sport Fishing Inst. Bull., No. 119 (Oct. 1961).
S. 146 ff.: Powers, Edward (Bur. of Commercial Fisheries), ›To author‹.
S. 147 f.: Biglane, K. E., ›To author‹, May 8, 1961.
S. 147 f.: Release No. 58–38, Penna. Fish Commission, Dec. 8, 1958.
S. 147 f.: Rudd and Genelly, ›Pesticides‹, p. 60.
S. 147 f.: ›The Fire Ant Eradication Program and How It Affects Wildlife‹, subject of Proc. Symposium, 12th Annual Conf. Southeastern Assn. Game and Fish Commissioners, Louisville, Ky. (1958). Pub. by the Assn., Columbia, S. C., 1958.
S. 147 f.: ›Effects of the Fire Ant Eradication Program on Wildlife‹, report, U.S. Fish and Wildlife Service, May 25, 1958. Mimeo.
S. 147 ff.: Rudd, Robert L., and Richard E. Genelly, ›Pesticides: Their Use and

Toxicity in Relation to Wildlife‹. Calif. Dept. of Fish and Game, Game Bulletin No. 7 (1956), p. 88.

S. 147 ff.: Henderson, C., et al., ›The Relative Toxicity of Ten Chlorinated Hydrocarbon Insecticides to Four Species of Fish‹, paper presented at 88th Annual Meeting Am. Fisheries Soc. (1958).

S. 147 ff.: Baker, Maurice F., ›Observations of Effects of an Application of Heptachlor or Dieldrin on Wildlife‹, in: Proc. Symposium, pp. 18–20.

S. 148 f.: ›Pesticide-Wildlife Review‹, 1959. Bur. Sport Fisheries and Wildlife Circula 84 (1960), U.S. Fish and Wildlife Service, pp. 1–36.

S. 148 f.: Glasgow, L. L., ›Studies on the Effect of the Imported Fire Ant Control Program on Wildlife in Louisiana‹, in: Proc. Symposium, pp. 24–29.

S. 148 f.: ›Pesticide-Wildlife Review‹, 1959.

S. 148 f.: ›Progress in Sport Fishery Research‹, 1960. Bur. Sport Fisheries and Wildlife Circular 101 (1960), U.S. Fish and Wildlife Service.

S. 148 f.: ›Resolution Opposing Fire-Ant Program Passed by American Society of Ichthyologists and Herpetologists‹, Copeia (1959), No. 1, p. 89.

S. 148–151: Young, L. A., and H. P. Nicholson, ›Stream Pollution Resulting from the Use of Organic Insecticides‹, Progressive Fish Culturist, Vol. 13 (1951), No. 4, pp. 193–98.

S. 150 f.: Rudd and Genelly, ›Pesticides‹.

S. 150 f.: Pielow, D. P., ›Lethal Effects of DDT on Young Fish‹, Nature, Vol. 158 (1946), No. 4011, p. 378.

S. 150 ff.: Lawrence, J. M., ›Toxicity of Some New Insecticides to Several Species of Pondfish‹, Progressive Fish Culturist, Vol. 12 (1950), No. 4, pp. 141–46.

S. 150 ff.: Herald, E. S., ›Notes on the Effect of Aircraft-Distributed DDT-Oil Spray upon Certain Philippine Fishes‹, Jour. Wildlife Management, Vol. 13 (1949), No. 3, p. 316.

S. 151–154: ›Report of Investigation of the Colorado River Fish Kill, January, 1961‹. Texas Game and Fish Commission, 1961. Mimeo.

S. 153 ff.: Harrington, R. W., Jr., and W. L. Bidlingmayer, ›Effects of Dieldrin on Fishes and Invertebrates of a Salt Marsh‹, Jour. Wildlife Management, Vol. 22 (1958), No. 1, pp. 76–82.

S. 154 ff.: Mills, Herbert R., ›Death in the Florida Marshes‹, Audubon Mag., Sept.–Oct. 1952.

S. 155 f.: Springer, Paul F., and John R. Webster, ›Effects of DDT on Saltmarsh Wildlife: 1949‹. U.S. Fish and Wildlife Service, Special Scientific Report, Wildlife No. 10 (1949).

S. 156 ff.: John C. Pearson, ›To author‹.

S. 157 ff.: Butler, Philip A., ›Effects of Pesticides on Commercial Fisheries‹, Proc., 13th Annual Session (Nov. 1960), Gulf and Caribbean Fisheries Inst., pp. 168–71.

10. Kapitel: Gifte regnen vom Himmel

S. 161 f.: Perry, C. C., ›Gypsy Moth Appraisal Program and Proposed Plan to Prevent Spread of the Moths‹. U.S. Dept. of Agric. Technical Bulletin No. 1124 (Oct. 1955).

S. 161 ff.: Corliss, John M., ›The Gypsy Moth‹, Yearbook of Agric., U.S. Dept. of Agric., 1952, pp. 694–98.

S. 162 f.: Clausen, C. P., ›Parasites and Predators‹, Yearbook of Agric., U.S. Dept. of Agric., 1952, pp. 380–88.

S. 162 f.: Perry, ›Gypsy Moth Appraisal Program‹.

S. 162 ff.: Worrell, Albert C., ›Pests, Pesticides, and People‹, offprint from Am. Forests Mag., July 1960.

S. 163 f.: Worrell, ›Pests, Pesticides, and People‹.
S. 163 f.: ›USDA Launches Large-Scale Effort to Wipe Out Gypsy Moth‹, press release, U.S. Dept. of Agric., March 20, 1957.
S. 163 f.: Worrell, ›Pests, Pesticides, and People‹.
S. 163 ff.: Robert Cushman Murphy et al. v. Ezra Taft Benson et al., ›U.S. District Court‹, Eastern District of New York, Oct. 1959, Civ. No. 17610.
S. 164 f.: Murphy et al. v. Benson et al., ›Petition for a Writ of Certiorari to the U.S. Court of Appeals for the Second Circuit‹, Oct. 1959.
S. 164 f.: Waller, W. K., ›Poison on the Land‹, Audubon Mag., March–April 1958, pp. 68–71.
S. 164 f.: Murphy et al. v. Benson et al., ›U.S. Supreme Court Reports‹, Memorandum Cases, No. 662, March 28, 1960.
S. 164 f.: Waller, ›Poison on the Land‹.
S. 165 f.: Murphy et al. v. Benson et al., ›U. S. Court of Appeals‹, Second Circuit. Brief for Defendant-Appellee Butler, No. 25, 448, March 1959.
S. 165 ff.: ›Am. Bee Jour.‹, June 1958, p. 224.
S. 166 f.: Brown, William L., Jr., ›Mass Insect Control Programs: Four Case Histories‹, Psyche, Vol. 68 (1961), Nos. 2–3, pp. 75–111.
S. 167 f.: Arant, F. S., et al., ›Facts about the Imported Fire Ant‹, Highlights of Agric. Research, Vol. 5 (1958), No. 4.
S. 167 ff.: Brown, ›Mass Insect Control Programs‹.
S. 168 f.: ›Pesticides: Hedgehopping into Trouble?‹, Chemical Week, Feb. 8, 1958, p. 97.
S. 169 f.: Arant et al., ›Facts about the Imported Fire Ant‹.
S. 169 f.: Hays, S. B., and K. L. Hays, ›Food Habits of Solenopsis saevissima richteri Forel‹, Jour. Econ. Entomol., Vol. 52 (1959), No. 3, pp. 455–57.
S. 169 f.: Caro, M. R., et al., ›Skin Responses to the Sting of the Imported Fire Ant‹, A.M.A. Archives Dermat., Vol. 75 (1957), pp. 475–88.
S. 169 ff.: Byrd, I. B., ›What Are the Side Effects of the Imported Fire Ant Control Program?‹, in Biological Problems in Water Pollution. Transactions, 1959 seminar. U.S. Public Health Service Technical Report W 60–3 (1960), pp. 46–50.
S. 170 f.: Byrd, ›Side Effects of Fire Ant Program‹.
S. 170 f.: Baker, Maurice F., in: ›Virginia Wildlife‹, Nov. 1958.
S. 170 ff.: Brown, ›Mass Insect Control Programs‹.
S. 171 f.: ›Pesticide-Wildlife Review‹, 1959. Bur. Sport Fisheries and Wildlife Circular 84 (1960), U.S. Fish and Wildlife Service, pp. 1–36.
S. 171 ff.: ›The Fire Ant Eradication Program and How It Affects Wildlife‹, subject of Proc. Symposium, 12th Annual Conf. Southeastern Assn. Game and Fish Commissioners, Louisville, Ky. (1958). Pub. by the Assn., Columbia, S.C., 1958.
S. 172 f.: Wright, Bruce S., ›Woodcock Reproduction in DDT-Sprayed Areas of New Brunswick‹, Jour. Wildlife Management, Vol. 24 (1960), No. 4, pp. 419–20.
S. 172 f.: Clawson, Sterling G., ›Fire Ant Eradication – and Quail‹, Alabama Conservation., Vol. 30 (1959), No. 4, p. 14.
S. 172 f.: ›Pesticide-Wildlife Review‹, 1959.
Seite 172 ff.: Rosene, Walter, ›Whistling-Cock Counts of Bobwhite Quail on Areas Treated with Insecticide and on Untreated Areas, Decatur County, Georgia‹, in: Proc. Symposium, pp. 14–18.
S. 172–175: Cottam, Clarence, ›The Uncontrolled Use of Pesticides in the Southeast‹, address to Southeastern Assn. Fish, Game and Conservation Commissioners, Oct. 1959.
S. 174 ff.: Poitevint, Otis L., ›Address to Georgia Sportsmen's Fed.‹, Oct. 1959.
S. 175 ff.: Ely, R. E., et al., ›Excretion of Heptachlor Epoxide in the Milk of

Dairy Cows Fed Heptachlor-Sprayed Forage and Technical Heptachlor‹, Jour. Dairy Sci., Vol. 38 (1955), No. 6, pp. 669–72.
S. 175 ff.: Gannon, N., et al., ›Storage of Dieldrin in Tissues and Its Excretion in Milk of Dairy Cows Fed Dieldrin in Their Diets‹, Jour. Agric. and Food Chem., Vol. 7 (1959), No. 12, pp. 824–32.
S. 176 f.: ›Insecticide Recommendations of the Entomology Research Division for the Control of Insects Attacking Crops and Livestock for 1961‹. U.S. Dept. of Agric. Handbook No. 120 (1961).
S. 176 f.: Peckinpaugh, H. S. (Ala. Dept. of Agric. and Indus.), ›To author‹, March 24, 1959.
S. 176 f.: Hartmann, H. L. (La. State Board of Health), ›To author‹, March 23, 1959.
S. 176 f.: Lakey, J. F. (Texas Dept. of Health), ›To author‹, March 23, 1959.
S. 176 f.: Davidow, B., and J. L. Radomski, ›Metabolite of Heptachlor, Its Analysis, Storage, and Toxicity‹, Federation Proc., Vol. 11 (1952), No. 1, p. 336.
S. 176 f.: ›Food and Drug Administration‹, U.S. Dept. of Health, Education, and Welfare, in: Federal Register, Oct. 27, 1959.
S. 177 f.: Burgess, E. D. (U.S. Dept. of Agric.), ›To author‹, June 23, 1961.
S. 177 f.: ›Fire Ant Control is Parley Topic‹, Beaumont [Texas] Journal, Sept. 24, 1959.
S. 177 ff.: ›Coordination of Pesticides Programs‹, Hearings, 86th Congress, H.R. 11502, Com. on Merchant Marine and Fisheries, May 1960, p. 45.
S. 178 f.: Newsom, L. D. (Head, Entomol. Research, La. State Univ.), ›To author‹, March 23, 1962.
S. 178 f.: Green, H. B., and R. E. Hutchins, ›Economical Method for Control of Imported Fire Ant in Pastures and Meadows‹. Miss. State Univ. Agric. Exper. Station Information Sheet 586 (May 1958).

11. Kapitel: Das übertrifft die kühnsten Träume der Borgias

S. 180 ff.: ›Chemicals in Food Products‹, Hearings, 81st Congress, H.R. 323, Com. to Investigate Use of Chemicals in Food Products, Pt. I, (1950), pp. 388–90.
S. 181 f.: ›Clothes Moths and Carpet Beetles‹. U.S. Dept. of Agric., Home and Garden Bulletin No. 24 (1961).
S. 182 f.: Mulrennan, J. A., ›To author‹, March 15, 1960.
S. 182 f.: ›New York Times‹, May 22, 1960.
S. 182 ff.: Petty, Charles S., ›Organic Phosphate Insecticide Poisoning. Residual Effects in Two Cases‹, Am. Jour. Med., Vol. 24 (1958), pp. 467–70.
S. 183 f.: Miller, A. C., et al., ›Do People Read Labels on Household Insecticides?‹, Soap and Chem. Specialties, Vol. 34 (1958), No. 7, pp. 61–63.
S. 183 f.: Hayes, Wayland J., Jr., et al., ›Storage of DDT and DDE in People with Different Degrees of Exposure to DDT‹, A.M.A. Archives Indus. Health, Vol. 18 (Nov. 1958), pp. 398–406.
S. 184 f.: Walker, Kenneth C., et al., ›Pesticide Residues in Foods. Dichlorodiphenyltrichloroethane and Dichlorodiphenyldichloroethylene Content of Prepared Meals‹, Jour. Agric. and Food Chem., Vol. 2 (1954), No. 20, pp. 1034–37.
S. 184 ff.: Hayes, Wayland J., Jr., et al., ›The Effect of Known Repeated Oral Doses of Chlorophenothane (DDT) in Man‹, Jour. Am. Med. Assn., Vol. 162 (1956), No. 9, pp. 890–97.
S. 184 ff.: Milstead, K. L., ›Highlights in Various Areas of Enforcement‹, address to 64th Annual Conf. Assn. of Food and Drug Officials of U.S., Dallas (June 1960).
S. 185 ff.: Durham, William, et al., ›Insecticide Content of Diet and Body Fat of Alaskan Natives‹, Science, Vol. 134 (1961), No. 3493, pp. 1880–81.

S. 186 f.: ›Pesticides – 1959‹, Jour. Agric. and Food Chem., Vol. 7 (1959), No. 10, pp. 674–88.
S. 186 ff.: ›Annual Reports, Food and Drug Administration‹, U.S. Dept. of Health, Education, and Welfare. For 1957, pp. 196, 197; 1956, p. 203.
S. 187 f.: Markarian, Haig, et al., ›Insecticide Residues in Foods Subjected to Fogging under Simulated Warehouse Conditions‹, Abstracts, 135th Meeting Am. Chem. Soc. (April 1959).

12. Kapitel: Der Preis, den der Mensch zu bezahlen hat

S. 192 f.: Price, David E., ›Is Man Becoming Obsolete?‹, Public Health Reports, Vol. 74 (1959), No. 8, pp. 693–99.
S. 192 f.: ›Report on Environmental Health Problems‹, Hearings, 86th Congress, Subcom. of Com. on Appropriations, March 1960, p. 34.
S. 193 f.: Dubos, René, ›Mirage of Health‹. New York: Harper, 1959. World Perspectives Series. P. 171.
S. 193 f.: ›Medical Research: A Midcentury Survey‹. Vol. 2, Unsolved Clinical Problems in Biological Perspective. Boston: Little, Brown, 1955. P. 4.
S. 194 f.: ›Chemicals in Food Products‹, Hearings, 81st Congress, H.R. 323, Com. to Investigate Use of Chemicals in Food Products, 1950, p. 5. Testimony of A. J. Carlson.
S. 194 f.: Paul, A. H., ›Dieldrin Poisoning – a Case Report‹, New Zealand Med. Jour., Vol. 58 (1959), p. 393.
S. 194 f.: ›Insecticide Storage in Adipose Tissue‹, editorial, Jour. Am. Med. Assn., Vol. 145 (March 10, 1951), pp. 735–36.
S. 194 ff.: Mitchell, Philip H., ›A Textbook of General Physiology‹. New York: McGraw-Hill, 1956. 5th ed.
S. 195 f.: Miller, B. F., and R. Goode, ›Man and His Body: The Wonders of the Human Mechanism‹. New York: Simon and Schuster, 1960.
S. 196 f.: Gleason, Marion, et al., ›Clinical Toxicology of Commercial Products‹. Baltimore: Williams and Wilkins, 1957.
S. 197 f.: Case, R. A. M., ›Toxic Effects of DDT in Man‹, Brit. Med. Jour., Vol. 2 (Dec. 15, 1945), pp. 842–45.
S. 197 f.: Wigglesworth, V. D., ›A Case of DDT Poisoning in Man‹, Brit. Med. Jour., Vol. 1 (April 14, 1945), p. 517.
S. 197 f.: Hayes, Wayland J., Jr., et al., ›The Effect of Known Repeated Oral Doses of Chlorophenothane (DDT) in Man‹, Jour. Am. Med. Assn., Vol. 162 (Oct. 27, 1956), pp. 890–97.
S. 197 ff.: Hargraves, Malcolm M., ›Chemical Pesticides and Conservation Problems‹, address to 23rd Annual Conv. Natl. Wildlife Fed. (Feb. 27, 1959). Mimeo.
S. 199 ff.: Dubois, Kenneth P., ›Potentiation of the Toxicity of Insecticidal Organic Phosphates‹, A.M.A. Archives Indus. Health, Vol. 18 (Dec. 1958), pp. 488–96.
S. 199 f.: Thompson, R. H. S., ›Cholinesterases and Anticholinesterases‹, Lectures on the Scientific Basis of Medicine, Vol. II (1952–53), Univ. of London. London: Athlone Press, 1954.
S. 200 f.: Hargraves, Malcolm M., and D. G. Hanlon, ›Leukemia and Lymphoma – Environmental Diseases?‹, paper presented at Internatl. Congress of Hematology, Japan, Sept. 1960. Mimeo.
S. 200 f.: ›Chemicals in Food Products‹, Hearings, 81st Congress, H.R. 323, Com. to Investigate Use of Chemicals in Food Products, 1950. Testimony of Dr. Morton S. Biskind.

S. 200f.: Laug, E. P., and F. M. Keenz, ›Effect of Carbon Tetrachloride on Toxicity and Storage of Methoxychlor in Rats‹, Federation Proc., Vol. 10 (March 1951), p. 318.
S. 200f.: Hayes, Wayland J., Jr., ›The Toxicity of Dieldrin to Man‹, Bull. World Health Organ., Vol. 20 (1959), pp. 891–912.
S. 200f.: ›Abuse of Insecticide Fumigating Devices‹, Jour. Am. Med. Assn., Vol. 156 (Oct. 9, 1954), pp. 607–8.
S. 201f.: ›Chemicals in Food Products‹. Testimony of Dr. Paul B. Dunbar, pp. 28 to 29.
S. 201ff.: Smith, M. I., and E. Elrove, ›Pharmacological and Chemical Studies of the Cause of So-Called Ginger Paralysis‹, Public Health Reports, Vol. 45 (1930), pp. 1703–16.
S. 201ff.: Durham, W. F., et al., ›Paralytic and Related Effects of Certain Organic Phosphorus Compounds‹, A.M.A. Archives Indus. Health, Vol. 13 (1956), pp. 326–30.
S. 202f.: Bidstrup, P. L., et al., ›Anticholinesterases (Paralysis in Man Following Poisoning by Cholinesterase Inhibitors)‹, Chem. and Indus., Vol. 24 (1954), pp. 674–76.
S. 202f.: Gershon, S., and F. H. Shaw, ›Psychiatric Sequelae of Chronic Exposure to Organophosphorus Insecticides‹, Lancet, Vol. 7191 (June 24, 1961) pp. 1371–74.

13. Kapitel: Durch ein schmales Fenster

S. 204: Wald, George, ›Life and Light‹, Sci. American, Oct. 1959, pp. 40–42.
S. 204f.: Rabinowitch, E. I., Quoted in: ›Medical Research: A Midcentury Survey‹. Vol. 2, Unsolved Clinical Problems in Biological Perspective. Boston: Little, Brown, 1955. P. 25.
S. 205ff.: Ernster, L., and O. Lindberg, ›Animal Mitochondria‹, Annual Rev. Physiol., Vol. 20 (1958), pp. 13–42.
S. 206ff.: Siekevitz, Philip, ›Powerhouse of the Cell‹, Sci. American, Vol. 197 (1957), No. 1, pp. 131–40.
S. 206ff.: Green, David E., ›Biological Oxidation‹, Sci. American, Vol. 199 (1958), No. 1, pp. 56–62.
S. 206ff.: Lehninger, Albert L., ›Energy Transformation in the Cell‹, Sci. American, Vol. 202 (1960), No. 5, pp. 102–14.
S. 206ff.: –, ›Oxidative Phosphorylation.‹ Harvey Lectures (1953–54), Ser. XLIX, Harvard University. Cambridge: Harvard Univ. Press, 1955. Pp. 176–215.
S. 207f.: Yost, Henry T., and H. H. Robson, ›Studies on the Effects of Irradiation of Cellular Particulates. III. The Effect of Combined Radiation Treatments on Phosphorylation‹, Biol. Bull., Vol. 116 (1959), No. 3, pp. 498–506.
S. 207ff.: Simon, E. W., ›Mechanisms of Dinitrophenol Toxicity‹, Biol. Rev., Vol. 28 (1953), pp. 453–79.
S. 207ff.: Loomis, W. F., and Lipmann, F., ›Reversible Inhibition of the Coupling between Phosphorylation and Oxidation‹, Jour. Biol. Chem., Vol. 173 (1948), pp. 807–8.
S. 208f.: Brody, T. M., ›Effect of Certain Plant Growth Substances on Oxidative Phosphorylation in Rat Liver Mitochondria‹, Proc. Soc. Exper. Biol. and Med., Vol. 80 (1952), pp. 533–36.
S. 208f.: Sacklin, J. A., et al., ›Effect of DDT on Enzymatic Oxidation and Phosphorylation‹, Science, Vol. 122 (1955), pp. 377–78.
S. 208ff.: Danziger, L., ›Anoxia and Compounds Causing Mental Disorders in Man‹, Diseases Nervous System, Vol. 6 (1945), No. 12, pp. 365–70.

S. 208ff.: Goldblatt, Harry, and G. Cameron, ›Induced Malignancy in Cells from Rat Myocardium Subjected to Intermittent Anaerobiosis During Long Propagation in Vitro‹, Jour. Exper. Med., Vol. 97 (1953), No. 4, pp. 525–52.

S. 209f.: Warburg, Otto, ›On the Origin of Cancer Cells‹, Science, Vol. 123 (1956), No. 3191, pp. 309–14.

S. 209f.: ›Congenital Malformations Subject of Study‹, Registrar, U.S. Public Health Service, Vol. 24, No. 12 (Dec. 1959), p. 1.

S. 209ff.: Genelly, Richard E., and Robert L. Rudd, ›Effects of DDT, Toxaphene, and Dieldrin on Pheasant Reproduction‹, Auk, Vol. 73 (Oct. 1956), pp. 529–39.

S. 210f.: Wallace, George J., To author, June 2, 1960.

S. 210f.: Cottam, Clarence, ›Some Effects of Sprays on Crops and Livestock‹, address to Soil Conservation Soc. of Am., Aug. 1961. Mimeo.

S. 210f.: Genelly, Richard E., and Robert L. Rudd, ›Chronic Toxicity of DDT, Toxaphene, and Dieldrin to Ring-necked Pheasants‹, Calif. Fish and Game, Vol. 42 (1956), No. 1, pp. 5–14.

S. 210ff.: Bryson, M. J., et al., ›DDT in Eggs and Tissues of Chickens Fed Varying Levels of DDT‹, Advances in Chem., Ser. No. 1, 1950.

S. 211f.: Emmel, L., and M. Krupe, ›The Mode of Action of DDT in Warmblooded Animals‹, Zeits. für Naturforschung, Vol. 1 (1946), pp. 691–95.

S. 211f.: Wallace, George J., ›To author‹.

S. 211ff.: Pillmore, R. E., ›Insecticide Residues in Big Game Animals‹, U.S. Fish and Wildlife Service, pp. 1–10. Denver, 1961. Mimeo.

S. 211ff.: Hodge, C. H., et al., ›Short-Term Oral Toxicity Tests of Methoxychlor in Rats and Dogs‹, Jour. Pharmacol. and Exper. Therapeut., Vol. 99 (1950), p. 140.

S. 211ff.: Burlington, H., and V. F. Lindeman, ›Effect of DDT on Testes and Secondary Sex Characters of White Leghorn Cockerels‹, Proc. Soc. Exper. Biol. and Med., Vol. 74 (1950), pp. 48–51.

S. 212f.: Brachet, J., ›Biochemical Cytology‹. New York: Academic Press, 1957. P. 516.

S. 212f.: Lardy, H. A., and P. H. Phillips, ›The Effect of Thyroxine and Dinitrophenol on Sperm Metabolism‹, Jour. Biol. Chem., Vol. 149 (1943), p. 177.

S. 212f.: ›Occupational Oligospermia‹, letter to Editor, Jour. Am. Med. Assn., Vol. 140, No. 1249 (Aug. 13, 1949).

S. 212ff.: Burnet, F. Macfarlane, ›Leukemia As a Problem in Preventive Medicine‹, New Eng. Jour. Med., Vol. 259 (1958), No. 9, pp. 423–31.

S. 213f.: Alexander, Peter, ›Radiation-Imitating Chemicals‹, Sci. American, Vol. 202 (1960), No. 1, pp. 99–108.

S. 215f.: Simpson, George G., C. S. Pittendrigh, and L. H. Tiffany, ›Life: An Introduction to Biology‹. New York: Harcourt, Brace, 1957.

S. 215ff.: Burnet, ›Leukemia As a Problem in Preventive Medicine‹.

S. 215ff.: Bearn, A. G., and J. L. German III, ›Chromosomes and Disease‹, Sci. American, Vol. 205 (1961), No. 5, pp. 66–76.

S. 216f.: ›The Nature of Radioactive Fall-out and Its Effects on Man‹, Hearings, 85th Congress, Joint Com. on Atomic Energy, Pt. 2 (June 1957), p. 1062. Testimony of Dr. Hermann J. Muller.

S. 216f.: Alexander, ›Radiation-Imitating Chemicals‹.

S. 216f.: Muller, Hermann J., ›Radiation and Human Mutation‹, Sci. American, Vol. 193 (1955), No. 11, pp. 58–68.

S. 216ff.: Conen, P. E., and G. S. Lansky, ›Chromosome Damage during Nitrogen Mustard Therapy‹, Brit. Med. Jour., Vol. 2 (Oct. 21, 1961), pp. 1055–57.

S. 217f.: Blasquez, J., and J. Maier, ›Ginandromorfismo en Culex fatigans sometidos por generaciones sucesivas a exposiciones de DDT‹, Revista de Sanidad y Assistencia Social (Caracas), Vol. 16 (1951), pp. 607–12.

S. 217 f.: Levan, A., and J. H. Tjio, ›Induction of Chromosome Fragmentation by Phenols‹, Hereditas, Vol. 34 (1948), pp. 453–84.

S. 217 f.: Loveless, A., and S. Revell, ›New Evidence on the Mode of Action of ‚Mitotic Poisons'‹, Nature, Vol. 164 (1949), pp. 938–44.

S. 217 f.: Hadorn, E., et al., Quoted by Charlotte Auerbach in: ›Chemical Mutagenesis‹, Biol. Rev., Vol. 24 (1949), pp. 355–91.

S. 217 f.: Wilson, S. M., et al., ›Cytological and Genetical Effects of the Defoliant Endothal‹, Jour. of Heredity, Vol. 47 (1956), No. 4, pp. 151–55.

S. 217 f.: Vogt, Quoted by W. J. Burdette in: ›The Significance of Mutation in Relation to the Origin of Tumors: A Review‹, Cancer Research, Vol. 15 (1955), No. 4, pp. 201–26.

S. 217 f.: Kostoff, D., ›Induction of Cytogenic Changes and Atypical Growth by Hexachlorcyclohexane‹, Science, Vol. 109 (May 6, 1949), pp. 467–68.

S. 217 f.: Sass, John E., ›Response of Meristems of Seedlings to Benzene Hexachloride Used As a Seed Protectant‹, Science, Vol. 114 (Nov. 2, 1951), p. 466.

S. 217 ff.: Swanson, Carl, ›Cytology and Cytogenetics‹. Englewood Cliffs, N. J.: Prentice-Hall, 1957.

S. 218 f.: Shenefelt, R. D., ›What's Behind Insect Control?‹, in: What's New in Farm Science. Univ. of Wisc. Agric. Exper. Station Bulletin 512 (Jan. 1955).

S. 218 f.: Croker, Barbara H., ›Effects of 2,4-D and 2,4,5-T on Mitosis in Allium cepa‹, Bot. Gazette, Vol. 114 (1953), pp. 274–83.

S. 218 f.: Mühling, G. N., et al., ›Cytological Effects of Herbicidal Substituted Phenols‹, Weeds, Vol. 8 (1960), No. 2, pp. 173–81.

S. 218 f.: Davis, David E., ›To author‹, Nov. 24, 1961.

S. 219 f.: Jacobs, Patricia A., et al., ›The Somatic Chromosomes in Mongolism‹, Lancet, No. 7075 (April 4, 1959), p. 710.

S. 219 f.: Ford, C. E., and P. A. Jacobs, ›Human Somatic Chromosomes‹, Nature, June 7, 1958, pp. 1565–68.

S. 219 f.: ›Chromosome Abnormality in Chronic Myeloid Leukaemia‹, editorial, Brit. Med. Jour., Vol. 1 (Feb. 4, 1961), p. 347.

S. 219 ff.: Bearn and German, ›Chromosomes and Disease‹.

S. 219 ff.: Patau, K., et al., ›Partial-Trisomy Syndromes. I. Sturge-Weber's Disease‹, Am. Jour. Human Genetics, Vol. 13 (1961), No. 3, pp. 287–98.

S. 219 ff.: –, ›Partial-Trisomy Syndromes. II. An Insertion As Cause of the OFD Syndrome in Mother and Daughter‹, Chromosoma (Berlin), Vol. 12 (1961), pp. 573–84.

S. 219 ff.: Therman, E., et al., ›The D Trisomy Syndrome and XO Gonadal Dysgenesis in Two Sisters‹, Am. Jour. Human Genetics, Vol. 13 (1961), No. 2, pp. 193–204.

14. Kapitel: Jeder vierte ...

S. 222 f.: Hueper, W. C., ›Newer Developments in Occupational and Environmental Cancer‹, A.M.A. Archives Inter. Med., Vol. 100, pp. 487–503.

S. 222 ff.: –, ›Occupational Tumors and Allied Diseases‹. Springfield, Ill.: Thomas, 1942.

S. 223 f.: –, ›Environmental Cancer Hazards: A Problem of Community Health‹, Southern Med. Jour., Vol. 50 (1957), No. 7, pp. 923–33.

S. 223 f.: ›Estimated Numbers of Deaths and Death Rates for Selected Causes: United States‹, Annual Summary for 1959, Pt. 2, Monthly Vital Statistics Report, Vol. 7, No. 13 (July 22, 1959), p. 14. Natl. Office of Vital Statistics, Public Health Service.

S. 223 ff.: ›1962 Cancer Facts and Figures‹, American Cancer Society.

S. 223 ff.: ›Vital Statistics of the United States‹, 1959. Natl. Office of Vital Statistics, Public Health Service. Vol. I, Sec. 6, Mortality Statistics. Table 6–K.
S. 224 ff.: Hueper, W. C., ›Environmental and Occupational Cancer‹. Public Health Reports, Supplement 209 (1948).
S. 224 f.: ›Food Additives‹, Hearings, 85th Congress, Subcom. of Com. on Interstate and Foreign Commerce, July 19, 1957. Testimony of Dr. Francis E. Ray, p. 200.
S. 225 f.: Hueper, ›Occupational Tumors and Allied Diseases‹.
S. 225 ff.: –, ›Potential Role of Non-Nutritive Food Additives and Contaminants as Environmental Carcinogens‹, A.M.A. Archives Path., Vol. 62 (Sept. 1956), pp. 218–49.
S. 226 f.: ›Tolerances for Residues of Aramite‹, Federal Register, Sept. 30, 1955 Food and Drug Administration, U.S. Dept. of Health, Education, and Welfare.
S. 226 ff.: ›Notice of Proposal to Establish Zero Tolerances for Aramite‹, Federal Register, April 26, 1958. Food and Drug Administration.
S. 226 ff.: ›Aramite – Revocation of Tolerances; Establishment of Zero Tolerances‹, Federal Register, Dec. 24, 1958. Food and Drug Administration.
S. 227 ff.: Van Oettingen, W. F., ›The Halogenated Aliphatic, Olefinic, Cyclic, Aromatic, and Aliphatic-Aromatic Hydrocarbons: Including the Halogenated Insecticides, Their Toxicity and Potential Dangers‹. U.S. Dept. of Health, Education, and Welfare. Public Health Service Publ. No. 414 (1955).
S. 227 ff.: ›Scientific Background for Food and Drug Administration Action against Aminotriazole in Cranberries‹. Food and Drug Administration, U. S. Dept. of Health, Education, and Welfare, Nov. 17, 1959. Mimeo.
S. 228 f.: Hueper, W. C., and W. W. Payne, ›Observations on the Occurrence of Hepatomas in Rainbow Trout‹, Jour. Natl. Cancer Inst., Vol. 27 (1961), pp. 1123–43.
S. 228 f.: VanEsch, G. J., et al., ›The Production of Skin Tumours in Mice by Oral Treatment with Urethane-Isopropyl-N-Phenyl Carbamate or Isopropyl-N-Chlorophenyl Carbamate in Combination with Skin Painting with Croton Oil and Tween 60‹, Brit. Jour. Cancer, Vol. 12 (1958), pp. 355–62.
S. 228 f.: Rutstein, David, ›Letter to New York Times‹, Nov. 16, 1959.
S. 228 f.: Hueper, W. C., ›Causal and Preventive Aspects of Environmental Cancer‹. Minnesota Med., Vol. 39 (Jan. 1956), pp. 5–11, 22.
S. 229 f.: ›Estimated Numbers of Deaths and Death Rates for Selected Causes: United States‹, Annual Summary for 1960, Pt. 2, Monthly Vital Statistics Report, Vol. 9, No. 13 (July 28, 1961), Table 3.
S. 229 ff.: Robert Cushman Murphy et al. v. Ezra Taft Benson et al., ›U.S. District Court‹, Eastern District of New York, Oct. 1959, Civ. No. 17610. Testimony of Dr. Malcolm M. Hargraves.
S. 229 ff.: Hargraves, Malcolm M., ›Chemical Pesticides and Conservation Problems‹, address to 23rd Annual Conv. Natl. Wildlife Fed. (Feb. 27, 1959). Mimeo.
S. 229–232: –, and D. G. Hanlon, ›Leukemia and Lymphoma – Environmental Diseases?‹, paper presented at Internatl. Congress of Hematology, Japan, Sept. 1960. Mimeo.
S. 231 f.: Wright, C., et al., ›Agranulocytosis Occurring after Exposure to a DDT Pyrethrum Aerosol Bomb‹, Am. Jour. Med., Vol. 1 (1946), pp. 562–67.
S. 232 f.: Jedlicka, V., ›Paramyeloblastic Leukemia Appearing Simultaneously in Two Blood Cousins after Simultaneous Contact with Gammexane (Hexachlorcyclohexane)‹, Acta Med. Scand., Vol. 161 (1958), pp. 447–51.
S. 232 f.: Friberg, L., and J. Martensson, ›Case of Panmyelopthisis after Exposure to Chlorophenothane and Benzene Hexachloride‹, (A.M.A.) Archives Indus. Hygiene and Occupat. Med., Vol. 8 (1953), No. 2, pp. 166–69.
S. 233–236: Warburg, Otto, ›On the Origin of Cancer Cells‹, Science, Vol. 123, No. 3191 (Feb. 24, 1956), pp. 309–14.

S. 235 f.: ›Sloan-Kettering Inst. for Cancer Research‹, Biennial Report, July 1, 1957–June 30, 1959, p. 72.

S. 236 f.: Levan, Albert, and John J. Biesele, ›Role of Chromosomes in Cancerogenesis, As Studied in Serial Tissue Culture of Mammalian Cells‹, Annals New York Acad. Sci., Vol. 71 (1958), No. 6, pp. 1022–53.

S. 237 f.: Hunter, F. T., ›Chronic Exposure to Benzene (Benzol). II. The Clinical Effects‹, Jour. Indus. Hygiene and Toxicol., Vol. 21 (1939), pp. 331–54.

S. 237 f.: Mallory, T. B., et al., ›Chronic Exposure to Benzene (Benzol). III. The Pathologic Results‹, Jour. Indus. Hygiene and Toxicol., Vol. 21 (1939), pp. 355–93.

S. 237 f.: Burnet, F. Macfarlane, ›Leukemia As a Problem in Preventive Medicine‹, New Eng. Jour. Med., Vol. 259 (1958), No. 9, pp. 423–31.

S. 237 ff.: Hueper, ›Environmental and Occupational Cancer‹, pp. 1–69.

Seite 237 ff.: –, ›Recent Developments in Environmental Cancer‹, A.M.A. Archives Path., Vol. 58 (1954), pp. 475–523.

S. 237 ff.: Klein, Michael, ›The Transplacental Effect of Urethan on Lung Tumorigenesis in Mice‹, Jour. Natl. Cancer Inst., Vol. 12 (1952), pp. 1003–10.

S. 238 ff.: Biskind, M. S., and G. R. Biskind, ›Diminution in Ability of the Liver to Inactivate Estrone in Vitamin B Complex Deficiency‹, Science, Vol. 94, No. 2446 (Nov. 1941), p. 462.

S. 239 f.: Biskind, G. R. and M. S., ›The Nutritional Aspects of Certain Endocrine Disturbances‹, Am. Jour. Clin. Path., Vol. 16 (1946), No. 12, pp. 737–45.

S. 239 f.: Greene, H. S. N., ›Uterine Adenomata in the Rabbit. III. Susceptibility As a Function of Constitutional Factors‹, Jour. Exper. Med., Vol. 73 (1941), No. 2, pp. 273–92.

S. 239 f.: Horning, E. S., and J. W. Whittick, ›The Histogenesis of Stilboestrol-Induced Renal Tumours in the Male Golden Hamster‹, Brit. Jour. Cancer, Vol. 8 (1954), pp. 451–57.

S. 239 f.: Kirkman, Hadley, ›Estrogen-Induced Tumors of the Kidney in the Syrian Hamster‹. U.S. Public Health Service, Natl. Cancer Inst. Monograph No. 1 (Dec. 1959).

S. 239 f.: Ayre, J. E., and W. A. G. Bauld, ›Thiamine Deficiency and High Estrogen Findings in Uterine Cancer and in Menorrhagia‹, Science, Vol. 103, No. 2676 (April 12, 1946), pp. 441–45.

S. 239 f.: Sugiura, K., and C. P. Rhoads, ›Experimental Liver Cancer in Rats and Its Inhibition by Rice-Bran Extract, Yeast, and Yeast Extract‹, Cancer Research, Vol. 1 (1941), pp. 3–16.

S. 239 ff.: Biskind, M. S., and G. R. Biskind, ›Effect of Vitamin B Complex Deficiency on Inactivation of Estrone in the Liver‹, Endocrinology, Vol. 31 (1942), No. 1, pp. 109–14.

S. 239 ff.: Biskind, M. S., and M. C. Shelesnyak, ›Effect of Vitamin B Complex Deficiency on Inactivation of Ovarian Estrogen in the Liver‹, Endocrinology, Vol. 30 (1942), No. 5, pp. 819–20.

S. 239 ff.: Biskind, M. S., and G. R. Biskind, ›Inactivation of Testosterone Propionate in the Liver During Vitamin B Complex Deficiency. Alteration of the Estrogen-Androgen Equilibrium‹, Endocrinology, Vol. 32 (1943), No. 1, pp. 97–102.

S. 239 ff.: Rhoads, C. P., ›Physiological Aspects of Vitamin Deficiency‹, Proc. Inst. Med. Chicago, Vol. 13 (1940), p. 198.

S. 239 ff.: Martin, H., ›The Precancerous Mouth Lesions of Avitaminosis B. Their Etiology, Response to Therapy and Relationship to Intraoral Cancer‹, Am. Jour. Surgery, Vol. 57 (1942), pp. 195–225.

S. 239 ff.: Tannenbaum, A., ›Nutrition and Cancer‹, in Freddy Homburger, ed., Physiopathology of Cancer. New York: Harper, 1959. 2nd ed. A Paul B. Hoeber Book. P. 552.

S. 239ff.: Symeonidis, A., ›Post-starvation Gynecomastia and Its Relationship to Breast Cancer in Man‹, Jour. Natl. Cancer Inst., Vol. 11 (1950), p. 656.
S. 239ff.: Davies, J. N. P., ›Sex Hormone Upset in Africans‹, Brit. Med. Jour., Vol. 2 (1949), pp. 676–79.
S. 240f.: Hueper, ›Potential Role of Non-Nutritive Food Additives‹.
S. 241f.: VanEsch et al., ›Production of Skin Tumours in Mice by Carbamates‹.
S. 241f.: Berenblum, I., and N. Trainin, ›Possible Two-Stage Mechanism in Experimental Leukemogenesis‹, Science, Vol. 132 (July 1, 1960), pp. 40–41.
S. 241ff.: Hueper, W. C., ›Cancer Hazards from Natural and Artificial Water Pollutants‹, Proc., Conf. on Physiol. Aspects of Water Quality, Washington, D. C., Sept. 8–9, 1960, pp. 181–93. U.S. Public Health Service.
S. 242f.: Hueper and Payne, ›Observations on Occurrence of Hepatomas in Rainbow Trout‹.
S. 242ff.: ›Sloan-Kettering Inst. for Cancer Research‹, Biennial Report, 1957–59.
S. 243ff.: Hueper, W. C., ›To author‹.

15. Kapitel: Die Natur wehrt sich

S. 247: Briejèr, C. J., ›The Growing Resistance of Insects to Insecticides‹, Atlantic Naturalist, Vol. 13 (1958), No. 3, pp. 149–55.
S. 248f.: Metcalf, Robert L., ›The Impact of the Development of Organophosphorus Insecticides upon Basic and Applied Science‹, Bull. Entomol. Soc. Am., Vol. 5 (March 1959), pp. 3–15.
S. 249f.: Ripper, W. E., ›Effect of Pesticides on Balance of Arthropod Populations‹, Annual Rev. Entomol., Vol. 1 (1956), pp. 403–38.
S. 249f.: Allen, Durward L., ›Our Wildlife Legacy‹. New York: Funk & Wagnalls, 1954. Pp. 234–36.
S. 249f.: Sabrosky, Curtis W., ›How Many Insects Are There?‹, Yearbook of Agric., U.S. Dept. of Agric., 1952, pp. 1–7.
S. 250f.: Bishopp, F. C., ›Insect Friends of Man‹, Yearbook of Agric., U.S. Dept. of Agric., 1952, pp. 79–87.
S. 250f.: Klots, Alexander B., and Elsie B. Klots, ›Beneficial Bees, Wasps, and Ants‹, Handbook on Biological Control of Plant Pests, pp. 44–46. Brooklyn Botanic Garden. Reprinted from: Plants and Gardens, Vol. 16 (1960), No. 3.
S. 251f.: Hagen, Kenneth S., ›Biological Control with Lady Beetles‹, Handbook on Biological Control of Plant Pests, pp. 28–35.
S. 251f.: Schlinger, Evert I., ›Natural Enemies of Aphids‹, Handbook on Biological Control of Plant Pests, pp. 36–42.
S. 251ff.: Bishopp, ›Insect Friends of Man‹.
S. 253f.: Ripper, ›Effect of Pesticides on Arthropod Populations‹.
S. 253f.: Davies, D. M., ›A Study of the Black-fly Population of a Stream in Algonquin Park, Ontario‹, Transactions, Royal Canadian Inst., Vol. 59 (1950), pp. 121–59.
S. 253ff.: Ripper, ›Effect of Pesticides on Arthropod Populations‹.
S. 253ff.: Johnson, Philip C., ›Spruce Spider Mite Infestations in Northern Rocky Mountain Douglas-Fir Forests‹. Research Paper 55, Intermountain Forest and Range Exper. Station, U.S. Forest Service, Ogden, Utah, 1958.
S. 253ff.: Davis, Donald W., ›Some Effects of DDT on Spider Mites‹, Jour. Econ. Entomol., Vol. 45 (1952), No. 6, pp. 1011–19.
S. 255f.: Gould, E., and E. O. Hamstead, ›Control of the Red-banded Leaf Roller‹, Jour. Econ. Entomol., Vol. 41 (1948), pp. 887–90.
S. 255ff.: Pickett, A. D., ›A Critique on Insect Chemical Control Methods‹, Canadian Entomologist, Vol. 81 (1949), No. 3, pp. 1–10.

S. 255 ff.: Joyce, R. J. V., ›Large-Scale Spraying of Cotton in the Gash Delta in Eastern Sudan‹, Bull. Entomol. Research, Vol. 47 (1956), pp. 390–413.

S. 256 ff.: Long, W. H., et al., ›Fire Ant Eradication Program Increases Damage by the Sugarcane Borer‹, Sugar Bull., Vol. 37 (1958), No. 5, pp. 62–63.

S. 257 f.: Luckmann, William H., ›Increase of European Corn Borers Following Soil Application of Large Amounts of Dieldrin‹, Jour. Econ. Entomol., Vol. 53 (1960), No. 4, pp. 582–84.

S. 257 ff.: Clausen, C. P., Biological Control of Insect Pests in the Continental United States. U.S. Dept. of Agric. Technical Bulletin No. 1139 (June 1956), pp. 1–151.

S. 258 f.: Haeussler, G. J., ›Losses Caused by Insects‹, Yearbook of Agric., U.S. Dept. of Agric., 1952, pp. 141–46.

S. 258 f.: Clausen, C. P., ›Parasites and Predators‹, Yearbook of Agric., U. S. Dept. of Agric., 1952, pp. 380–88.

S. 258 f.: DeBach, Paul, ›Application of Ecological Information to Control of Citrus Pests in California‹, Proc., 10th Internatl. Congress of Entomologists (1956), Vol. 3 (1958), pp. 187–94.

S. 258 ff.: Laird, Marshall, ›Biological Solutions to Problems Arising from the Use of Modern Insecticides in the Field of Public Health‹, Acta Tropica, Vol. 16 (1959), No. 4, pp. 331–55.

S. 259 f.: Harrington, R. W., and W. L. Bidlingmayer, ›Effects of Dieldrin on Fishes and Invertebrates of a Salt Marsh‹, Jour. Wildlife Management, Vol. 22 (1958), No. 1, pp. 76–82.

S. 259 ff.: ›Liver Flukes in Cattle‹. U.S. Dept. of Agric. Leaflet No. 493 (1961).

S. 260 f.: Fisher, Theodore W., ›What Is Biological Control?‹, Handbook on Biological Control of Plant Pests, pp. 6–18. Brooklyn Botanic Garden. Reprinted from: Plants and Gardens, Vol. 16 (1960), No. 3.

S. 260 ff.: Jacob, F. H., ›Some Modern Problems in Pest Control‹, Science Progress, No. 181 (1958), pp. 30–45.

S. 261–264: Pickett, A. D., and N. A. Patterson, ›The Influence of Spray Programs on the Fauna of Apple Orchards in Nova Scotia. IV. A Review‹, Canadian Entomologist, Vol. 85 (1953), No. 12, pp. 472–78.

S. 262 ff.: Pickett, A. D., ›Controlling Orchard Insects‹, Agric. Inst. Rev., March to April 1953.

S. 262 ff.: –, ›The Philosophy of Orchard Insect Control‹, 79th Annual Report, Entomol. Soc. of Ontario (1948), pp. 1–5.

S. 262 ff.: –, ›The Control of Apple Insects in Nova Scotia‹. Mimeo.

S. 263 f.: Ullyett, G. C., ›Insects, Man and the Environment‹, Jour. Econ. Entomol., Vol. 44 (1951), No. 4, pp. 459–64.

16. Kapitel: Das erste Grollen einer Lawine

S. 265 f.: Babers, Frank H., ›Development of Insect Resistance to Insecticides‹. U. S. Dept. of Agric., E 776 (May 1949).

S. 265 f.: –, and J. J. Pratt, ›Development of Insect Resistance to Insecticides. II. A Critical Review of the Literature up to 1951‹. U. S. Dept. of Agric., E 818 (May 1951).

S. 265 ff.: Brown, A. W. A., ›The Challenge of Insecticide Resistance‹, Bull. Entomol. Soc. Am., Vol. 7 (1961), No. 1, pp. 6–19.

S. 265 ff.: –, ›Development and Mechanism of Insect Resistance to Available Toxicants‹, Soap and Chem. Specialties, Jan. 1960.

S. 266 f.: Elton, Charles S., ›The Ecology of Invasions by Animals and Plants‹. New York: Wiley, 1958. P. 181.

S. 266 ff.: ›Insect Resistance and Vector Control‹. World Health Organ. Technical Report Ser. No. 153 (Geneva, 1958), p. 5.
S. 266 ff.: Babers and Pratt, ›Development of Insect Resistance to Insecticides‹, II.
S. 267 f.: Brown, A. W. A., ›Insecticide Resistance in Arthropods‹. World Health Organ. Monograph Ser. No. 38 (1958), pp. 13, 11.
S. 268 f.: Quarterman, K. D., and H. F. Schoof, ›The Status of Insecticide Resistance in Arthropods of Public Health Importance in 1956‹, Am. Jour. Trop. Med. and Hygiene, Vol. 7 (1958), No. 1, pp. 74–83.
S. 268 f.: Brown, ›Insecticide Resistance in Arthropods‹.
S. 268 ff.: Hess, Archie D., ›The Significance of Insecticide Resistance in Vector Control Programs‹, Am. Jour. Trop. Med. and Hygiene, Vol. 1 (1952), No. 3, pp. 371–88.
S. 268 ff.: Lindsay, Dale R., and H. I. Scudder, ›Nonbiting Flies and Disease‹, Annual Rev. Entomol., Vol. 1 (1956), pp. 323–46.
S. 268 ff.: Schoof, H. F., and J. W. Kilpatrick, ›House Fly Resistance to Organophosphorus Compounds in Arizona and Georgia‹, Jour. Econ. Entomol., Vol. 51 (1958), No. 4, p. 546.
S. 269 f.: Brown, ›Development and Mechanism of Insect Resistance‹.
S. 269 f.: –, ›Insecticide Resistance in Arthropods‹.
S. 270 f.: –, ›Challenge of Insecticide Resistance‹.
S. 270 ff.: –, ›Insecticide Resistance in Arthropods‹.
S. 271 f.: –, ›Development and Mechanism of Insect Resistance‹.
S. 271 f.: –, ›Insecticide Resistance in Arthropods‹.
S. 271 ff.: –, ›Challenge of Insecticide Resistance‹.
S. 271 ff.: Anon., ›Brown Dog Tick Develops Resistance to Chlordane‹, New Jersey Agric., Vol. 37 (1955), No. 6, pp. 15–16.
S. 271 ff.: ›New York Herald Tribune‹, June 22, 1959; also J. C. Pallister, ›To author‹, Nov. 6, 1959.
S. 272 f.: Brown, ›Challenge of Insecticide Resistance‹.
S. 273 f.: Hoffmann, C. H., ›Insect Resistance‹, Soap, Vol. 32 (1956), No. 8, pp. 129–32.
S. 273 ff.: Brown, A. W. A., ›Insect Control by Chemicals‹. New York: Wiley, 1951.
S. 274 f.: Briejèr, C. J., ›The Growing Resistance of Insects to Insecticides‹, Atlantic Naturalist, Vol. 13 (1958), No. 3, pp. 149–55.
S. 274 f.: Laird, Marshall, ›Biological Solutions to Problems Arising from the Use of Modern Insecticides in the Field of Public Health‹, Acta Tropica, Vol. 16 (1959), No. 4, pp. 331–55.
S. 274 f.: Brown, ›Insecticide Resistance in Arthropods‹.
S. 274 ff.: –, ›Development and Mechanism of Insect Resistance‹.
S. 276 f.: Briejèr, ›Growing Resistance of Insects to Insecticides‹.
S. 276 f.: ›Pesticides – 1959‹, Jour. Agric. and Food Chem., Vol. 7 (1959), No. 10, p. 680.
S. 276 f.: Briejèr, ›Growing Resistance of Insects to Insecticides‹.

17. Kapitel: Der andere Weg

S. 278 f.: Swanson, Carl P., ›Cytology and Cytogenetics‹. Englewood Cliffs, N. J.: Prentice-Hall, 1957.
S. 278 ff.: Knipling, E. F., ›Control of Screw-Worm Fly by Atomic Radiation‹, Sci. Monthly, Vol. 85 (1957), No. 4, pp. 195–202.
S. 279 ff.: –, ›Screwworm Eradication: Concepts and Research Leading to the Sterile-Male Method‹. Smithsonian Inst. Annual Report, Publ. 4365 (1959).

S. 279 ff.: Bushland, R. C., et al., ›Eradication of the Screw-Worm Fly by Releasing Gamma-Ray-Sterilized Males among the Natural Population‹, Proc., Internatl. Conf. on Peaceful Uses of Atomic Energy, Geneva, Aug. 1955, Vol. 12, pp. 216–20.

S. 280 f: Lindqüist, Arthur W., ›The Use of Gamma Radiation for Control or Eradication of the Screwworm‹, Jour. Econ. Entomol., Vol. 48 (1955), No. 4, pp. 467–69.

S. 280 ff.: –, ›Research on the Use of Sexually Sterile Males for Eradication of Screw-Worms‹, Proc., Inter-Am. Symposium on Peaceful Applications of Nuclear Energy, Buenos Aires, June 1959, pp. 229–39.

S. 281 f.: ›Screwworm vs. Screwworm‹, Agric. Research, July 1958, p. 8. U.S. Dept. of Agric.

S. 281 f.: ›Traps Indicate Screwworm May Still Exist in Southeast‹. U. S. Dept. of Agric. Release No. 1502–59 (June 3, 1959). Mimeo.

S. 282 f.: Potts, W. H., ›Irradiation and the Control of Insect Pests‹, Times (London) Sci. Rev., Summer 1958, pp. 13–14.

S. 282 f.: Knipling, ›Screwworm Eradication: Sterile-Male Method‹.

S. 282 f.: Lindquist, Arthur W., ›Entomological Uses of Radioisotopes‹, in: Radiation Biology and Medicine. U. S. Atomic Energy Commission, 1958. Chap. 27, Pt. 8, pp. 688–710.

S. 282 f.: –, ›Research on the Use of Sexually Sterile Males‹.

S. 282 ff.: ›USDA May Have New Way to Control Insect Pests with Chemical Sterilants‹. U.S. Dept. of Agric. Release No. 3587–61 (Nov. 1, 1961).

S. 282 ff.: Lindquist, Arthur W., ›Chemicals to Sterilize Insects‹, Jour. Washington Acad. Sci., Nov. 1961, pp. 109–14.

S. 283 ff.: –, ›New Ways to Control Insects‹, Pest Control Mag., June 1961.

S. 284 ff.: Knipling, E. F., ›Potentialities and Progress in the Development of Chemosterilants for Insect Control‹, paper presented at Annual Meeting Entomol. Soc. of Am., Miami, 1961.

S. 284 ff.: –, ›Use of Insects for Their Own Destruction‹, Jour. Econ. Entomol., Vol. 53 (1960), No. 3, pp. 415–20.

S. 285 f.: LaBrecque, G. C., ›Studies with Three Alkylating Agents As House Fly Sterilants‹, Jour. Econ. Entomol., Vol. 54 (1961), No. 4, pp. 684–89.

S. 285 f.: Mitlin, Norman, ›Chemical Sterility and the Nucleic Acids‹, paper presented Nov. 27, 1961, Symposium on Chemical Sterility, Entomol. Soc. of Am., Miami.

S. 285 f.: Alexander, Peter, ›To author‹, Feb. 19, 1962.

S. 285 f.: Eisner, T., ›The Effectiveness of Arthropod Defensive Secretions‹, in: Symposium 4 on ›Chemical Defensive Mechanisms‹, 11th Internatl. Congress of Entomologists, Vienna (1960), pp. 264–67. Offprint.

S. 285 f.: –, ›The Protective Role of the Spray Mechanism of the Bombardier Beetle, Brachynus ballistarius Lec.‹, Jour. Insect Physiol., Vol. 2 (1958), No. 3, pp. 215–20.

S. 285 f.: –, ›Spray Mechanism of the Cockroach Diploptera punctata‹, Science, Vol. 128, No. 3316 (July 18, 1958), pp. 148–49.

S. 285 f.: Williams, Carroll M., ›The Juvenile Hormone‹, Sci. American, Vol. 198, No. 2 (Feb. 1958), p. 67.

S. 286 ff.: ›1957 Gypsy-Moth Eradication Program‹. U.S. Dept. of Agric. Release 858-57-3. Mimeo.

S. 286 ff.: Brown, William L., Jr., ›Mass Insect Control Programs: Four Case Histories‹, Psyche, Vol. 68 (1961), Nos. 2–3, pp. 75–111.

S. 287 f.: Jacobson, Martin, et al., ›Isolation, Identification, and Synthesis of the Sex Attractant of Gypsy Moth‹, Science, Vol. 132, No. 3433 (Oct. 14, 1960), p. 1011.

S. 287 f.: Christenson, L. D., ›Recent Progress in the Development of Procedures for Eradicating or Controlling Tropical Fruit Flies‹, Proc., 10th Internatl. Congress of Entomologists (1956), Vol. 3 (1958), pp. 11–16.

S. 287 f.: Hoffmann, C. H., ›New Concepts in Controlling Farm Insects‹, address to Internatl. Assn. Ice Cream Manuf. Conv., Oct. 27, 1961. Mimeo.

S. 288 f.: Frings, Hubert, and Mable Frings, ›Uses of Sounds by Insects‹, Annual Rev. Entomol., Vol. 3 (1958), pp. 87–106.

S. 288 f.: ›Research Report, 1956–1959‹. Entomol. Research Inst. for Biol. Control, Belleville, Ontario. Pp. 9–45.

S. 288 f.: Kahn, M. C., and W. Offenhauser, Jr., ›The First Field Tests of Recorded Mosquito Sounds Used for Mosquito Destruction‹, Am. Jour. Trop. Med., Vol. 29 (1949), pp. 800–27.

S. 288 ff.: Wishart, George, ›To author‹, Aug. 10, 1961.

S. 288 ff.: Beirne, Bryan, ›To author‹, Feb. 7, 1962.

S. 288 ff.: Frings, Hubert, et al., ›The Physical Effects of High Intensity Air-Borne Ultrasonic Waves on Animals‹, Jour. Cellular and Compar. Physiol., Vol. 31 (1948), No. 3, pp. 339–58.

S. 289 f.: Frings, Hubert, ›To author‹, Feb. 12, 1962.

S. 289 f.: Wishart, George, ›To author‹, Aug. 10, 1961.

S. 289–293: Steinhaus, Edward A., ›Microbial Control – The Emergence of an Idea‹, Hilgardia, Vol. 26, Nov. 2 (Oct. 1956), pp. 107–60.

S. 291 ff.: –, ›Living Insecticides‹, Sci. American, Vol. 195, No. 2 (Aug. 1956), pp. 96–104.

S. 291 ff.: Angus, T. A., and A. E. Heimpel, ›Microbial Insecticides‹, Research for Farmers, Spring 1959, pp. 12–13. Canada Dept. of Agric.

S. 291 ff.: Heimpel, A. E., and T. A. Angus, ›Bacterial Insecticides‹, Bacteriol. Rev., Vol. 24 (1960), No. 3, pp. 266–88.

S. 291 ff.: Briggs, John D., ›Pathogens for the Control of Pests‹, Biol. and Chem. Control of Plant and Animal Pests. Washington, D. C., Am. Assn. Advancement Sci., 1960. Pp. 137–48.

S. 291 ff.: ›Tests of a Microbial Insecticide against Forest Defoliators‹, Bi-Monthly Progress Report, Canada Dept. of Forestry, Vol. 17, No. 3 (May–June 1961).

S. 291 ff.: Steinhaus, ›Living Insecticides‹.

S. 292 f.: –, ›Concerning the Harmlessness of Insect Pathogens and the Standardization of Microbial Control Products‹, Jour. Econ. Entomol. Vol. 50, No. 6 (Dec. 1957), pp. 715–20.

S. 292 f.: Tanada, Y., ›Microbial Control of Insect Pests‹, Annual Rev. Entomol., Vol. 4 (1959), pp. 277–302.

S. 292 ff.: Clausen, C. P., ›Biological Control of Insect Pests in the Continental United States‹. U. S. Dept. of Agric. Technical Bulletin No. 1139 (June 1956), pp. 1–151.

S. 292 ff.: Hoffmann, C. H., ›Biological Control of Noxious Insects, Weeds‹, Agric. Chemicals, March–April 1959.

S. 293 f.: DeBach, Paul, ›Biological Control of Insect Pests and Weeds‹, Jour. Applied Nutrition, Vol. 12 (1959), No. 3, pp. 120–34.

S. 294 f.: Ruppertshofen, Heinz, ›Forest-Hygiene‹, address to 5th World Forestry Congress, Seattle, Wash. (Aug. 29 – Sept. 10, 1960).

S. 294 f.: –, ›To author‹, Feb. 25, 1962.

S. 294 f.: Gösswald, Karl, ›Die Rote Waldameise im Dienste der Waldhygiene‹. Lüneburg: Metta Kinau Verlag, n. d.

S. 294 f.: –, ›To author‹, Feb. 27, 1962.

S. 296: Balch, R. E., ›Control of Forest Insects‹, Annual Rev. Entomol., Vol. 3 (1958), pp. 449–68.

S. 296: Buckner, C. H., ›Mammalian Predators of the Larch Sawfly in Eastern Manitoba‹, Proc., 10th Internatl. Congress of Entomologists (1956), Vol. 4 (1958), pp. 353–61.

S. 297: Morris, R. F., ›Differentiation by Small Mammal Predators between Sound and Empty Cocoons of the European Spruce Sawfly‹, Canadian Entomologist, Vol. 81 (1949), No. 5.

S. 297: MacLeod, C. F., ›The Introduction of the Masked Shrew into Newfoundland‹, Bi-Monthly Progress Report, Canada Dept. of Agric., Vol. 16, No. 2 (March–April 1960).

S. 297: –, ›To author‹, Feb. 12, 1962.

S. 297: Carroll, W. J., ›To author‹, March 8, 1962.

Namen- und Sachregister

Anmerkung: sp. ist die Abkürzung für Spezies = Art. Synonyma sind in einigen Fällen in Klammer beigefügt. Anführungszeichen bei einem Tier- oder Pflanzennamen bedeuten, daß es sich um eine sinngemäße Übertragung aus dem Englischen handelt. Für die chemischen Verbindungen wurden, soweit möglich, die Formeln angegeben. Von Raumformeln mußte wegen Platzmangels Abstand genommen werden.

Soweit Schädlingsbekämpfungsmittel in abgekürzter Form mit den Anfangsbuchstaben der chemischen Bezeichnung oder unter einem Eigennamen, der bei ihrer Entdeckung oder später geprägt wurde, angeführt worden sind, handelt es sich im Sachverzeichnis wie im laufenden Text mit wenigen, eindeutig gekennzeichneten Ausnahmen um die allgemein übliche chemische Bezeichnung der betreffenden Verbindung, nicht um irgendein Präparat einer Firma, das den gleichlautenden, im Warenregister eingetragenen Namen trägt. Verwandte Tierformen wurden zusammengefaßt, wenn die Familie oder Gruppe im Text erwähnt wurde. Bei Titeln von Organisationen ist der englische Ausdruck in Klammern beigefügt.

Dank

Während der Jahre, in denen ich an diesem Buch schrieb, habe ich von so vielen Menschen Hilfe und wohlwollende Förderung erhalten, daß es nicht möglich ist, sie hier alle anzuführen. Die verschiedensten Regierungsstellen in meiner Heimat und in anderen Ländern, zahlreiche Universitäten und Forschungsinstitute sowie Vertreter vieler Berufe ließen mich vorbehaltlos an den Früchten langjähriger Erfahrung und Forschung teilhaben. Ihnen allen spreche ich hier meinen Dank aus.

Außerdem gilt meine besondere Dankbarkeit allen, die sich die Zeit nahmen, Teile des Manuskripts zu lesen und ihre Meinung wie ihre Kritik, die sich auf ihr Fachwissen gründeten, dazu äußerten. Obwohl letzten Endes ich selbst die Verantwortung dafür trage, daß der Text genau den Fakten entspricht und stichhaltig ist, hätte ich das Buch nicht ohne die großzügige Unterstützung folgender Spezialisten vollenden können: L. G. Bartholomew, M. D. von der Mayo Klinik, John J. Biesele von der Universität von Texas, A. W. A. Brown von der Universität von West-Ontario, Morton S. Biskind, M. D. von Westport in Connecticut, C. J. Briejèr vom Pflanzenschutzdienst in Holland, Clarence Cottam von der Naturschutzstiftung von Rob and Bessie Welder, George Crile, Jr., M. D. von der Cleveland Klinik, Frank Egler aus Norfolk in Connecticut, Malcolm M. Hargraves, M. D. von der Mayo Klinik, W. C. Hueper, M. D. vom Nationalen Krebsinstitut, C. J. Kerswill von der Kanadischen Forschungsstelle für Fischerei, Olaus Murie von der Wildernes Society, A. D. Picket vom Kanadischen Landwirtschaftsministerium, Thomas G. Scott vom Amt für Naturkunde in Illinois, Clarence Tarzwell von der Technischen Abteilung des Gesundheitsamts in Taft und George J. Wallace von der Staatsuniversität in Michigan.

Jeder, der ein Buch schreibt, das sich auf zahlreiche Fakten gründet, ist weitgehend auf die Geschicklichkeit und Hilfsbereitschaft von Bibliothekaren angewiesen. In dieser Hinsicht bin ich vielen zu Dank verpflichtet, insbesondere aber Ida K. Johnston von der Bibliothek des Ministeriums des Inneren und Thelma Robinson von der Bibliothek der Nationalen Institute für Gesundheitspflege, auch Dorothy Algire, Jeanne Davis und Betty Haney Duff, die mir bei meinen Nachforschungen in Bibliotheken sachkundig halfen.

Schließlich muß ich hier noch erwähnen, daß ich zahllosen anderen Menschen großen Dank schulde, denn obwohl mir viele von ihnen persönlich nicht bekannt sind, ließen gerade sie es mir lohnenswert erscheinen, dieses Buch zu schreiben. Es sind jene Menschen, die als erste Einspruch erhoben gegen die rücksichtslose und unverantwortliche Vergiftung der Erde, die der Mensch gemeinsam mit allen anderen Geschöpfen bewohnt. Selbst heute noch fechten diese Leute Tausende von kleinen Kämpfen aus, die bei unserem Streben, uns der Welt, die uns umgibt, anzupassen, am Ende der Vernunft und dem gesunden Menschenverstand zum Sieg verhelfen werden.

Rachel Carson

Buchanzeigen